「十三五」国家重点出版物出版规划项目

中国中药资源大典

资源大典

重庆卷

6

黄璐琦 / 总主编

钟国跃　瞿显友　刘正宇 / 主　编

北京科学技术出版社

图书在版编目（CIP）数据

中国中药资源大典 . 重庆卷 . 6 / 钟国跃，瞿显友，
刘正宇主编 . —北京：北京科学技术出版社，2020.10
　　ISBN 978-7-5714-1062-9

　　Ⅰ . ①中… Ⅱ . ①钟… ②瞿… ③刘… Ⅲ . ①中药资
源－资源调查－重庆 Ⅳ . ① R281.4

　　中国版本图书馆 CIP 数据核字 (2020) 第 137427 号

策划编辑：李兆弟　侍　伟
责任编辑：侍　伟　王治华
责任校对：贾　荣
图文制作：樊润琴
责任印制：李　茗
出 版 人：曾庆宇
出版发行：北京科学技术出版社
社　　址：北京西直门南大街16号
邮政编码：100035
电　　话：0086-10-66135495（总编室）　　0086-10-66113227（发行部）
网　　址：www.bkydw.cn
印　　刷：北京捷迅佳彩印刷有限公司
开　　本：889mm×1194mm　　1/16
字　　数：1017千字
印　　张：46
版　　次：2020年10月第1版
印　　次：2020年10月第1次印刷
ISBN 978-7-5714-1062-9

定　　价：790.00元

被子植物

伞形科 Umbelliferae 囊瓣芹属 Pternopetalum

川鄂囊瓣芹

Pternopetalum rosthornii (Diels) Hand.-Mazz.

| 药 材 名 | 川鄂囊瓣芹（药用部位：全草）。

| 形态特征 | 多年生草本，高 30 ~ 80cm。根棕褐色，长 10 ~ 15cm。茎 1 ~ 2，
不分枝，有时 1 ~ 2 分枝或二歧式分枝。基生叶有长柄，长
10 ~ 20cm，基部有褐色膜质叶鞘，叶 2 回三出分裂，两侧的裂片
卵状披针形或长卵形，长 1 ~ 4cm，宽 0.5 ~ 1.5cm，中间的裂片狭
长，长 7 ~ 11cm，宽 1.5 ~ 2.5cm，基部楔形，先端长尾状，裂片
有短柄或无柄，边缘都有微向内弯的圆齿状锯齿或重锯齿；茎生叶
与基生叶同形，最上部的茎生叶 1 ~ 2 回三出分裂，无柄或有短柄。
复伞形花序无总苞；伞辐 7 ~ 40，长 2 ~ 4cm；小伞形花序有花
2 ~ 3，小总苞片披针形，2 ~ 3；萼齿钻形；花瓣倒卵形，基部狭窄，
先端凹缺，有内折小舌片；花柱基圆锥形，花柱伸长，直立。果实

川鄂囊瓣芹

卵形至广卵形，长 3mm，宽 2mm，果棱线形，每棱槽中油管 1 ～ 3，合生面油管 2 ～ 4。花果期 4 ～ 8 月。

| **生境分布** | 生于海拔 900 ～ 2100m 的山坡沟谷、潮湿岩石上、河岸或竹林下。分布于重庆城口、奉节、石柱、南川等地。

| **资源情况** | 野生资源稀少。药材来源于野生。

| **采收加工** | 夏、秋季采收，洗净，晒干。

| **功能主治** | 散寒解毒，收敛止血，消炎。

| **用法用量** | 内服煎汤，3 ～ 9g。外用适量，研末撒，或鲜品捣敷。

伞形科 Umbelliferae 囊瓣芹属 Pternopetalum

膜蕨囊瓣芹

Pternopetalum trichomanifolium (Franch.) Hand.-Mazz.

膜蕨囊瓣芹

药材名

膜蕨囊瓣芹（药用部位：全草。别名：细沙毛）。

形态特征

多年生草本，高约 40cm。有根茎。茎 1 ~ 3，有条纹。叶几乎全部基生，叶柄长 5 ~ 8cm，基部有宽膜质叶鞘；叶片菱形，近于三出式的 3 ~ 4 回羽状分裂，一回裂片有柄，末回裂片狭窄。复伞形花序；无总苞；小总苞片 2 ~ 4，大小不等；小伞形花序有花 2 ~ 4，花柄不等长；萼齿钻形，大小不等；花瓣白色，不等长，有内折的小舌片；花柱直立。果实狭长卵形，仅 1 心皮发育，每棱槽内油管 1 ~ 3。花果期 3 ~ 5 月。

生境分布

生于海拔 680 ~ 2400m 的林下、沟边或阴湿的岩石上。分布于重庆巫溪、开州、南川、石柱、彭水等地。

资源情况

野生资源稀少。药材来源于野生。

| **采收加工** | 夏季采挖，除去茎叶，洗净，鲜用或晒干。 |

| **功能主治** | 辛，温。活血通络，解毒。用于劳伤，疮毒。 |

| **用法用量** | 内服煎汤，6 ~ 15g；或泡酒。外用适量，鲜品捣敷。 |

伞形科 Umbelliferae 囊瓣芹属 Pternopetalum

五匹青 *Pternopetalum vulgare* (Dunn) Hand.-Mazz.

五匹青

| 药 材 名 |

紫金沙（药用部位：全草或根）。

| 形态特征 |

多年生草本，高 20 ～ 50cm。根茎粗糙，有节；根肉质，粗线形。茎单生或 2 ～ 3，中空，多数只有 1 个分枝，中部以上 1 个叶片，少数 2 ～ 3。基生叶通常 2 ～ 5，有长柄，长 10 ～ 20cm，基部有宽膜质叶鞘，叶片通常是 1 回三出分裂，或近于 2 回三出分裂，裂片纸质，卵形、长卵形或菱形，常 2 ～ 3 裂，基部楔形或截形，全缘，中部以上有锯齿，先端短尖，沿叶脉和叶缘被粗伏毛；茎生叶和基生叶同形，无柄或有短柄。复伞形花序无总苞；伞辐 15 ～ 30，一般 3 ～ 4cm 长，果实成熟后可达 6cm 长；小总苞片 1 ～ 4，线状披针形，大小不等；小伞形花序有花 2 ～ 5，萼齿大小不等，与花柱基近等长或长于花柱基；花瓣白色至浅紫色，倒卵形至长圆形。果实长卵形，基部宽而钝圆，成熟后长 4 ～ 5mm，宽 2 ～ 3mm，果棱微粗糙或有丝状细齿，每棱槽内油管 1 ～ 3。花果期 4 ～ 7 月。

| 生境分布 | 生于海拔 1400 ~ 2250m 的山谷、沟边或林下荫蔽湿润处。分布于重庆城口、巫山、石柱、黔江、秀山、南川、江津、忠县、丰都、武隆、江津等地。

| 资源情况 | 野生资源一般。药材主要来源于野生。

| 采收加工 | 夏季采收，除去茎叶，洗净，晒干。

| 功能主治 | 辛、微苦，微温。散寒理气，通络止痛，止咳安神。用于胃脘冷痛，胸胁痛，风湿痹痛，头痛，咳嗽，失眠。

| 用法用量 | 内服煎汤，3 ~ 9g；或泡酒；或研末。

伞形科 Umbelliferae 囊瓣芹属 *Pternopetalum*

天全囊瓣芹
Pternopetalum wangianum Hand.-Mazz.

| 药 材 名 | 天全囊瓣芹（药用部位：全草）。

| 形态特征 | 植株细小，高 10 ～ 20cm。根茎有节，棕褐色。茎 1 ～ 6，多数不分枝，或中部有 1 细弱的分枝。基生叶有长柄，长 2 ～ 7cm，基部有褐色膜质叶鞘，叶片三角形，长和宽近相等，1 ～ 3cm，近三出式 2 回羽状分裂，末回裂片倒披针形，长约 2mm，宽不足 1mm；无茎生叶，或少有 1 片，与基生叶同形。复伞形花序顶生，少数有 1 总苞片，披针形；伞辐 5 ～ 30，长 1 ～ 3cm；小总苞片 2，披针形；小伞形花序通常有花 2 ～ 3，花瓣阔倒卵形，白色；萼齿细小；花柱基及花柱较短。果实长卵形，2 心皮都发育。花果期 5 ～ 8 月。

天全囊瓣芹

生境分布	生于海拔 1500 ～ 2500m 的林下、覆盖苔藓的岩石上。分布于重庆南川等地。
资源情况	野生资源稀少。药材主要来源于野生。
采收加工	夏、秋季采收，洗净，晒干。
功能主治	消炎解毒，止血。用于胃痛，头痛，肺热咳嗽，风湿，失眠，感冒。
用法用量	内服煎汤，适量。
附　　注	在 FOC 中，本种被修订为纤细囊瓣芹 *Pternopetalum gracillimum* (H. Wolff) Handel-Mazzetti。

伞形科 Umbelliferae 变豆菜属 Sanicula

川滇变豆菜 Sanicula astrantiifolia Wolff ex Kretsch.

| 药 材 名 | 小黑药（药用部位：根。别名：铜脚威灵仙、叶三七）、草本三角枫（药用部位：全草。别名：变豆菜、肺形草、山芹菜）。

| 形态特征 | 多年生草本，高 20 ～ 70cm。根短而粗，直立或斜生，有许多细长的小根。茎直立，细弱或较粗壮，下部不分枝，上部 2 ～ 4 回叉状分枝。基生叶纸质或近革质，圆肾形或宽卵状心形，长 2 ～ 8cm，宽 2.5 ～ 14cm，掌状 3 深裂，裂口达基部 4/5 ～ 5/6 处，中间裂片倒卵形或宽倒卵形至菱形，侧面裂片斜菱形或卵状披针形，有时两侧边缘有 1 ～ 2 深缺刻，所有裂片表面绿色，背面淡绿色，无毛，边缘有粗圆锯齿或间有不规则的复锯齿，齿端被短刺毛；掌状脉 3 ～ 5，两面隆起，叶柄长 5 ～ 16cm，很少长达 30cm，基部有宽膜质鞘；茎生叶的形状同基生叶，最上部的叶片小，有短柄至无柄，3

川滇变豆菜

深裂，裂片卵状披针形。花序呈二歧叉状分枝，中枝较侧枝略短；伞梗长 3 ～ 4cm。总苞片 2，卵状披针形或线状披针形，长 3 ～ 15mm，3 裂或不分裂，边缘有 1 ～ 2 不规则的刺毛状锯齿；伞形花序二至三出，伞辐长 0.5 ～ 1cm；小总苞片 7 ～ 10，长 1 ～ 1.5mm，宽 0.5 ～ 1mm，有 1 脉；小伞形花序有花约 10。雄花 6 ～ 8，有短柄；萼齿线状披针形或呈喙状，长约 1mm，宽 0.5mm，基部稍联合；花瓣绿白色或粉红色，长 1 ～ 1.2mm，宽 0.8 ～ 1mm，近中部开始向内弯曲；雄蕊略长于花瓣。两性花 2 ～ 3，无柄；萼片和花瓣同雄花；花柱长约 2mm，向外开展。果实倒圆锥形，下部皮刺短，上部的皮刺呈钩状，金黄色或紫红色；分生果的横剖面呈圆形，胚乳腹面平直，油管小，不明显。花果期 7 ～ 10 月。

| 生境分布 | 生于海拔 600 ～ 1930m 的林下、沟边灌丛中。分布于重庆南川、綦江、合川等地。

| 资源情况 | 野生资源稀少。药材主要来源于野生。

| 采收加工 | 小黑药：夏、秋季采挖，除去茎叶，洗净，晒干。
草本三角枫：夏、秋季采收，晒干。

| 功能主治 | 小黑药：甘、微苦，平。归肺、肾经。补肺止咳，滋肾养心。用于劳嗽，虚咳，乏力，肾虚腰痛，头昏，心悸。
草本三角枫：辛、微苦，温。归肝经。祛风湿，通经络。用于风湿痹痛，筋脉拘挛，跌打损伤。

| 用法用量 | 小黑药：内服煎汤，6 ～ 15g。
草本三角枫：内服煎汤，3 ～ 9g；或泡酒。外用适量，煎汤外洗。

伞形科 Umbelliferae 变豆菜属 Sanicula

天蓝变豆菜 *Sanicula coerulescens* Franch.

| 药 材 名 | 大肺筋草（药用部位：全草。别名：子仔七、肺筋草、打不死）。

| 形态特征 | 多年生草本，高 15 ~ 40cm，无毛。根茎短，有小结节，支根多数，细小。茎 2 ~ 7，直立，细弱，下部不分枝，上部有短分枝。基生叶近革质或纸质，心状卵形，长 3 ~ 7cm，宽 4 ~ 10cm，掌状 3 裂或具 3 小叶，中间的小叶片卵形或卵状披针形，长 3 ~ 7cm，宽 1.5 ~ 4.5cm，基部楔形，上部边缘 2 浅裂，有长 1.5 ~ 6mm 的短柄，侧面的裂片斜卵形，长 2 ~ 5cm，宽 1 ~ 2.5cm，在外侧边缘常有 1 浅裂；小叶片表面绿色，背面紫红色或硫磺色，边缘有圆锯齿，齿的先端有 1 小刺毛；叶柄长 5 ~ 17cm，紫红色或紫绿色，基部有宽膜质鞘。茎生叶在分枝以下缺乏，分枝以上的叶也极其退化或呈鞘状，长 2 ~ 3（ ~ 15）mm，上部羽状分裂以至 1 ~ 2 浅裂。花序呈

天蓝变豆菜

假总状花序，在花茎主枝下部的伞形花序近簇生，有短梗或近无梗，常1～4（～6）簇，每簇有伞辐2～7，先端的伞辐4～12，长0.5～1cm；总苞片卵状披针形，长1～2mm；小总苞片5～8，线形，长约1mm，宽约0.5mm；小伞形花序有花5～7，雄花4～6，通常5；花柄长2～3mm；萼齿线状披针形或呈刺毛状；花瓣白色或淡蓝色以至蓝紫色，倒卵或匙形，略长于萼齿，基部渐窄，先端内凹，有1脉，花丝长达2mm。两性花1，无柄，位于雄花中间，萼齿和花瓣同雄花，花柱长2.5～3mm，向外伸展。果实球形或圆筒状卵形，长2mm，表面有短而直的皮刺，上部的皮刺基部联合成薄层，棱槽上的皮刺有时不甚显著；分生果侧扁，横剖面呈圆形，胚乳腹面平直，油管5，在主棱下面明显。花果期3～7月。

| **生境分布** | 生于海拔820～1550m的溪边湿地、路旁竹林下或阴湿的杂木林下。分布于重庆云阳、忠县、石柱、巫溪、开州、黔江、江津、南川、巴南等地。

| **资源情况** | 野生资源稀少。药材主要来源于野生。

| **采收加工** | 夏、秋季采收，洗净，晒干或鲜用。

| **功能主治** | 辛、甘，微温。祛风发表，化痰止咳，活血调经。用于感冒，咳嗽，哮喘，月经不调，经闭，痛经，疮肿，跌打肿痛，外伤出血。

| **用法用量** | 内服煎汤，6～15g；或浸酒。外用适量，捣敷。

| **附　　注** | 在FOC中，本种的拉丁学名被修订为 *Sanicula caerulescens* Franchet。

伞形科 Umbelliferae 变豆菜属 Sanicula

变豆菜 *Sanicula chinensis* Bunge

| 药 材 名 | 变豆菜（药用部位：全草。别名：山芹菜、山芹、五指疳）。

| 形态特征 | 多年生草本，高达 1m。根茎粗而短，斜生或近直立，有许多细长的支根。茎粗壮或细弱，直立，无毛，有纵沟纹，下部不分枝，上部重复叉式分枝。基生叶少数，近圆形、圆肾形至圆心形，通常 3 裂，少至 5 裂，中间裂片倒卵形，基部近楔形，长 3 ~ 10cm，宽 4 ~ 13cm，主脉 1，无柄或有 1 ~ 2mm 长的短柄，两侧裂片通常各有 1 深裂，很少不裂，裂口深达基部 1/3 ~ 3/4 处，内裂片的形状、大小同中间裂片，外裂片披针形，大小约为内裂片的 1/2，所有裂片表面绿色，背面淡绿色，边缘有大小不等的重锯齿；叶柄长 7 ~ 30cm，稍扁平，基部有透明的膜质鞘。茎生叶逐渐变小，有柄或近无柄，通常 3 裂，裂片边缘有大小不等的重锯齿。花序 2 ~ 3 回叉式分枝，侧枝向两

变豆菜

边开展而伸长，中间的分枝较短，长 1 ~ 2.5cm，总苞片叶状，通常 3 深裂；伞形花序二至三出；小总苞片 8 ~ 10，卵状披针形或线形，长 1.5 ~ 2mm，宽约 1mm，先端尖；小伞形花序有花 6 ~ 10，雄花 3 ~ 7，稍短于两性花，花柄长 1 ~ 1.5mm；萼齿窄线形，长约 1.2mm，宽约 0.5mm，先端渐尖；花瓣白色或绿白色，倒卵形至长倒卵形，长约 1mm，宽约 0.5mm，先端内折；花丝与萼齿等长或稍长。两性花 3 ~ 4，无柄；萼齿和花瓣的形状、大小同雄花；花柱与萼齿同长，很少超过。果实圆卵形，长 4 ~ 5mm，宽 3 ~ 4mm，先端萼齿成喙状凸出，皮刺直立，先端钩状，基部膨大；果实的横剖面近圆形，胚乳的腹面略凹陷，油管 5，中型，合生面通常 2，大而显著。花果期 4 ~ 10 月。

| 生境分布 | 生于海拔 200 ~ 2300m 的阴湿的山坡路旁、杂木林下、竹园边、溪边等草丛中。分布于重庆彭水、长寿、城口、石柱、巫山、涪陵、永川、武隆、丰都、开州、北碚、巫溪、九龙坡、梁平等地。

| 资源情况 | 野生资源丰富。药材主要来源于野生。

| 采收加工 | 夏、秋季采收，鲜用或晒干。

| 功能主治 | 辛、微甘，凉。解毒，止血。用于咽痛，咳嗽，月经过多，尿血，外伤出血，疮痈肿毒。

| 用法用量 | 内服煎汤，6 ~ 15g。外用适量，捣敷。

伞形科 Umbelliferae 变豆菜属 Sanicula

薄片变豆菜 *Sanicula lamelligera* Hance

| 药 材 名 | 参见 "天蓝变豆菜" 条。

| 形态特征 | 多年生矮小草本，高 13 ～ 30cm。根茎短，有结节；侧根多数，细长、棕褐色。茎 2 ～ 7，直立，细弱，上部有少数分枝。基生叶圆心形或近五角形，长 2 ～ 6cm，宽 3 ～ 9cm，掌状 3 裂，中间裂片楔状倒卵形或椭圆状倒卵形至菱形，长 2 ～ 6cm，宽 1 ～ 3cm，上部 3 浅裂，基部楔形，有短柄，侧面裂片阔卵状披针形或斜倒卵形，通常 2 深裂或在外侧边缘有 1 缺刻，所有的裂片表面绿色，背面淡绿色或紫红色；叶柄长 4 ～ 18cm，基部有膜质鞘。最上部的茎生叶小，3 裂至不分裂，裂片线状披针形或倒卵状披针形，长 3 ～ 15（～ 20）mm，宽 1 ～ 10mm，先端渐尖。花序通常 2 ～ 4 回二歧分枝或二至三叉，分叉间的小伞形花序短缩；总苞片细小，线状披针

薄片变豆菜

形，长 1.5 ~ 3mm；伞辐 3 ~ 7，长 2 ~ 10mm；小总苞片 4 ~ 5，线形；小伞形花序有花 5 ~ 6，通常 6；雄花 4 ~ 5，花柄长 2 ~ 3mm；萼齿线形或呈刺毛状，长约 1mm；花瓣白色、粉红色或淡蓝紫色，倒卵形，基部渐窄，先端内凹；花丝长于萼齿 1 ~ 1.5 倍。两性花 1，无柄；萼齿和花瓣的形状同雄花，花柱略长于花丝，向外反曲。果实长卵形或卵形，长约 2.5mm，宽约 2mm，幼果表面有啮蚀状或微波状的薄层，成熟后成短而直的皮刺，刺决不成钩状，基部连成薄片；分生果的横剖面呈圆形，油管 5，中等大小，胚乳腹面平直。花果期 4 ~ 11 月。

| 生境分布 | 生于海拔 510 ~ 2000m 的山坡林下、沟谷、溪边或湿润的砂壤土。分布于重庆涪陵、忠县、武隆、奉节、开州等地。

| 资源情况 | 野生资源一般。药材来源于野生。

| 采收加工 | 参见"天蓝变豆菜"条。

| 功能主治 | 参见"天蓝变豆菜"条。

| 用法用量 | 参见"天蓝变豆菜"条。

伞形科 Umbelliferae 变豆菜属 Sanicula

直刺变豆菜
Sanicula orthacantha S. Moore

| 药 材 名 | 黑鹅脚板（药用部位：全草或根。别名：干小黑药）。

| 形态特征 | 多年生草本，高达 35 ～ 50cm。茎直立，上部分枝。基生叶圆心形或心状五角形，长 2 ～ 7cm，宽 3.5 ～ 7cm，掌状 3 全裂，侧裂片常2 裂至中部或近基部，有不规则锯齿，叶柄长 5 ～ 26cm；茎生叶稍小于基生叶，具柄，掌状 3 裂。花序常 2 ～ 3 分枝；总苞片 3 ～ 5，长约 2cm；伞形花序有雄花 5 ～ 6，两性花 1；萼齿窄线形或刺毛状，长达 1mm；花瓣白色、淡蓝色或淡紫红色，倒卵形，先端内凹。果实卵形，长 2.5 ～ 3mm，有短直皮刺，有时皮刺基部连成薄片，油管不明显。花果期 4 ～ 9 月。

| 生境分布 | 生于海拔 260 ～ 2600m 的山涧林下、路旁、沟谷或溪边等处。分布

直刺变豆菜

于重庆彭水、石柱、垫江、酉阳、长寿、江津、城口、巫溪、巫山、奉节、黔江、南川等地。

| **资源情况** | 野生资源一般。药材来源于野生。

| **采收加工** | 春、夏季采收，洗净，鲜用或晒干。

| **功能主治** | 苦、辛，凉。归肺、肝经。清热解毒，益肺止咳，祛风除湿，活血通络。用于麻疹后热毒未尽，肺热咳喘，顿咳，劳嗽，耳热瘙痒，头痛，疮肿，风湿关节痛，跌打损伤。

| **用法用量** | 内服煎汤，6 ~ 15g；或泡酒。外用适量，捣敷。

伞形科 Umbelliferae 变豆菜属 Sanicula

走茎变豆菜
Sanicula orthacantha S. Moore var. *stolonifera* Shan et S. L. Liou.

| 药 材 名 | 走茎变豆菜（药用部位：全草）。

| 形态特征 | 本种与原变种直刺变豆菜的区别在于有细长的根茎和明显的节间；萼齿卵形，长约 1mm，宽约 0.5mm。

| 生境分布 | 生于海拔 2300 ~ 2450m 的山顶上。分布于重庆南川等地。

| 资源情况 | 野生资源稀少。药材来源于野生。

| 采收加工 | 春、夏季采收，洗净，鲜用或晒干。

| 功能主治 | 清热解毒，散寒止咳。

| 用法用量 | 内服煎汤，适量。

走茎变豆菜

伞形科 Umbelliferae 变豆菜属 Sanicula

皱叶变豆菜 *Sanicula rugulosa* Diels

| **药 材 名** | 皱叶变豆菜（药用部位：带根全草）。

| **形态特征** | 多年生草本，高 25 ~ 40 (~ 75) cm。根茎短，侧根细长。茎直立，无毛，上部有分枝。基生叶多数，纸质或近革质，圆形、肾圆形以至宽心形，长 2 ~ 3cm，宽 3 ~ 5.5cm，3 深裂，裂口深达基部2/3 ~ 3/4 处，中间裂片宽倒卵形，基部楔形，先端钝圆，上部边缘3 浅裂，侧面裂片菱状圆形或宽倒卵形，2 裂，内侧裂片形状同中间裂片，外侧裂片略小，所有裂片表面绿色，背面淡紫红色，无毛，边缘有圆锯齿，齿端尖，脉 5，两面隆起，叶柄长 6 ~ 18cm，基部有透明的膜质鞘；茎生叶肾圆形，3 深裂，裂口达基部 4/5 处，裂片倒卵形，边缘有不等的锯齿，主脉通常 3，由基部射出。花序二至三叉状分枝，伞辐长 0.7 ~ 2cm；总苞片 1 ~ 2，3 裂，裂片披针

皱叶变豆菜

形，边缘有锯齿；小伞形花序有花 5 ~ 7；小总苞片线形。雄花 2 ~ 3；花柄长约 2mm；萼齿窄披针形，长约 1mm；花瓣白色，倒卵形，长约 1.2mm，宽约 0.7mm，先端微凹，内折的小舌片先端几达基部。两性花 2 ~ 3，无柄；萼齿和花瓣同雄花；花柱长于花瓣，向外反曲。果实椭圆形，长约 1.5mm，宽约 1mm，无柄，先端有宿存的萼齿，果实幼时基部的皮刺短，上部长，成熟后均为钩状的皮刺所覆盖；胚乳腹面平直，油管不明显。花果期 6 月。

| 生境分布 | 生于山坡或岩石边草丛中。分布于重庆南川、綦江、武隆等地。

| 资源情况 | 野生资源稀少。药材来源于野生。

| 采收加工 | 夏季采收，洗净，鲜用或晒干。

| 功能主治 | 辛、苦，平。清热解毒，散瘀消肿。用于感冒，咽痛，口疮，疮肿，月经不调，跌打肿痛。

| 用法用量 | 内服煎汤，6 ~ 15g。外用适量，捣敷；或煎汤洗。

■ 伞形科 ■ Umbelliferae ■ 窃衣属 ■ *Torilis*

小窃衣 *Torilis japonica* (Houtt.) DC.

| 药 材 名 | 华南鹤虱（药用部位：果实）。

| 形态特征 | 一年生或多年生草本，高 20 ～ 120cm。主根细长，圆锥形，棕黄色，支根多数。茎有纵条纹及刺毛。叶柄长 2 ～ 7cm，下部有窄膜质的叶鞘；叶片长卵形，1 ～ 2 回羽状分裂，两面疏生紧贴的粗毛，第 1 回羽片卵状披针形，长 2 ～ 6cm，宽 1 ～ 2.5cm，先端渐窄，边缘羽状深裂至全缘，有长 0.5 ～ 2cm 的短柄，末回裂片披针形以至长圆形，边缘有条裂状的粗齿至缺刻或分裂。复伞形花序顶生或腋生，花序梗长 3 ～ 25cm，被倒生的刺毛；总苞片 3 ～ 6，长 0.5 ～ 2cm，通常线形，极少叶状；伞辐 4 ～ 12，长 1 ～ 3cm，开展，被向上的刺毛；小总苞片 5 ～ 8，线形或钻形，长 1.5 ～ 7mm，宽 0.5 ～ 1.5mm；小伞形花序有花 4 ～ 12，花柄长 1 ～ 4mm，短于小总苞片；萼齿细

小窃衣

小，三角形或三角状披针形；花瓣白色、紫红色或蓝紫色，倒圆卵形，先端内折，长与宽均 0.8 ～ 1.2mm，外面中间至基部被紧贴的粗毛；花丝长 1mm，花药圆卵形，长 0.2mm；花柱基部平压状或圆锥形，花柱幼时直立，果熟时向外反曲。果实圆卵形，长 1.5 ～ 4mm，宽 1.5 ～ 2.5mm，通常有内弯或呈钩状的皮刺，皮刺基部阔展，粗糙；胚乳腹面凹陷，每棱槽有油管 1。花果期 4 ～ 10 月。

| 生境分布 | 生于杂木林下、林缘、路旁、河沟边或溪边草丛。重庆各地均有分布。

| 资源情况 | 野生资源丰富。药材来源于野生。

| 采收加工 | 夏末果实成熟时割取果枝，干燥，打下果实，除去杂质。

| 药材性状 | 本品为矩圆形的双悬果，多裂为分果，分果长 3 ～ 4mm，宽 1.5 ～ 2mm。表面棕绿色或棕黄色，先端有微突的残留花柱，基部圆形，常残留小果柄。背面隆起，密生钩刺，刺的长短与排列均不整齐，状似刺猬；接合面凹陷成槽状，中央有 1 条脉纹。体轻。搓碎时有特异香气，味微辛、苦。

| 功能主治 | 苦、辛，平；有小毒。归脾、大肠经。杀虫止泻，除湿止痒。用于虫积腹痛，泻痢，疮疡溃烂，阴痒带下，湿疹。

| 用法用量 | 内服煎汤，6 ～ 9g。

伞形科 Umbelliferae 窃衣属 Torilis

窃衣 *Torilis scabra* (Thunb.) DC.

窃衣

| 药 材 名 |

窃衣（药用部位：全草或果实。别名：华南鹤虱、水防风）。

| 形态特征 |

本种与小窃衣的区别在于总苞片通常无，很少有1钻形或线形的苞片；伞辐2～4，长1～5cm，粗壮，有纵棱及向上紧贴的粗毛。果实长圆形，长4～7mm，宽2～3mm。花果期4～11月。

| 生境分布 |

生于海拔250～2400m的山坡、林下、路旁、河边及空旷草地上。重庆各地均有分布。

| 资源情况 |

野生资源丰富。药材来源于野生。

| 采收加工 |

夏末秋初采收，晒干或鲜用。

| 功能主治 |

苦、辛，平。杀虫止泻，收湿止痒。用于虫积腹痛，泻痢，疮疡溃烂，阴痒带下，湿疹。

| **用法用量** | 内服煎汤，6 ～ 9g。外用适量，捣汁涂；或煎汤洗。

| **附　　注** | 本种对气候以及土壤没有十分严格的要求，不管是在山区，还是在半山区，又
或者是在平原，都可以很好地生长。本种可以在春天或者是 8 月份的时候播种。

榿叶树科 Clethraceae 榿叶树属 Clethra

城口榿叶树

Clethra fargesii Franch.

| **药 材 名** | 城口榿叶树（药用部位：树皮）。 |

| **形态特征** | 落叶灌木或小乔木，高 2 ~ 7m。嫩时密被星状绒毛及混杂于其中成簇微硬毛，有时杂有单毛，多年生枝无毛。叶厚纸质，披针状椭圆形、卵状披针形或披针形，长 6 ~ 14cm，宽 2.5 ~ 5cm，先端尾状渐尖或渐尖，基部钝或近于圆形，稀为宽楔形，老叶上面无毛，下面沿叶脉疏被长柔毛及星状柔毛或近于无毛，侧脉腋内有髯毛，边缘具锐尖锯齿，侧脉 14 ~ 17 对；叶柄长 1 ~ 2cm。总状花序 3 ~ 7 枝，成近伞形圆锥花序，长 10 ~ 15（~ 20）cm，花序轴及花梗均密被灰白色、有时灰黄色星状绒毛及成簇伸展的长柔毛；苞片长于花梗，脱落；花梗在花期长 5 ~ 10mm；萼片卵状披针形，长 3 ~ 4.5mm，渐尖头，密被灰黄色星状绒毛；花瓣白色，倒卵形，长 5 ~ 6mm， |

城口榿叶树

先端近于截平，稍呈流苏状缺刻，里面近基部被稀疏柔毛；雄蕊长于花瓣，花丝近基部疏被长柔毛，花药倒卵形，长 1.5 ～ 2mm，花柱无毛，先端深 3 裂。蒴果下弯，直径 2.5 ～ 3mm，疏被短柔毛，向顶部被长柔毛，宿存花柱长 5 ～ 6mm，果梗长 10 ～ 13mm。花期 7 ～ 8 月，果期 9 ～ 10 月。

| 生境分布 | 生于海拔 700 ～ 2100m 的山地疏林或灌丛中。分布于重庆丰都、酉阳、江津、奉节、南川、城口、巫山等地。

| 资源情况 | 野生资源一般。药材来源于野生。

| 采收加工 | 夏、秋季采收，环割采皮。

| 功能主治 | 祛风除湿，疏肝明目。

| 用法用量 | 内服煎汤，适量。

桤叶树科 Clethraceae 桤叶树属 Clethra

单穗桤叶树
Clethra monostachya Rehd. et Wils.

| 药 材 名 | 单穗桤叶树（药用部位：树皮）。

| 形态特征 | 落叶小乔木或灌木，高 2 ~ 8m。当年生枝疏生成簇星状绒毛或近于无毛。叶膜质，卵状椭圆形或椭圆形，长 6 ~ 16cm，宽 2.5 ~ 5cm，先端渐尖，基部楔形，老叶上面无毛，下面仅于侧脉的脉腋内具髯毛，边缘具硬尖锯齿，侧脉 10 ~ 17 对；叶柄长 10 ~ 25mm，无毛。总状花序单生，间有分枝，长 15 ~ 20cm，花序轴和花梗均密生锈色星状绒毛和混杂于其中成簇微硬毛；花梗在花期时长 5 ~ 10mm，果时最长至 18mm；萼片卵形，长约 4mm；花瓣倒卵状长圆形，长 5 ~ 6mm，宽 2 ~ 2.5mm，两面无毛，外面密生乳突，有时边缘两侧近基部疏生纤毛；雄蕊略长于花瓣，花丝密生长硬毛，花药长 2 ~ 2.5mm，花柱密生长硬毛，先端 3 深裂。蒴果密生星状绒毛，

单穗桤叶树

向先端被长硬毛，直径 4 ～ 5mm，宿存，花柱长 7 ～ 10mm。花期 7 ～ 8 月，果期 9 ～ 10 月。

| **生境分布** | 生于海拔 680 ～ 2500m 的混交林下、林中、密林、山坡林中。分布于重庆江津、云阳、武隆、南川等地。

| **资源情况** | 野生资源稀少。药材来源于野生。

| **采收加工** | 夏、秋季采收，环割采皮。

| **功能主治** | 活血散瘀，祛风除湿。

| **用法用量** | 内服煎汤，适量。

| **附　　注** | 在 FOC 中，本种被修订为云南桤叶树 *Clethra delavayi* Franch.。

桤叶树科 Clethraceae 桤叶树属 Clethra

南川桤叶树

Clethra nanchuanensis Fang et L. C. Hu

| **药 材 名** | 南川桤叶树（药用部位：树皮）。

| **形态特征** | 乔木，高 5 ～ 6m。小枝稍粗壮，圆柱形，略具棱纹，嫩时紫红色，老时紫褐色或灰褐色，无毛。芽淡褐色，卵圆形，鳞片披针形，密被绢状伏毛。叶厚纸质，卵状长圆形或长圆形，先端渐尖，基部钝或近于圆形，上面深绿色，无毛，下面淡绿色，侧脉的腋内被稀疏白色髯毛，其余部分无毛，边缘有腺头细锯齿；中脉紫红色，在上面微下凹，下面凸起，侧脉在上面略显，下面凸起，细网脉仅于下面显著；叶柄紫红色，上面浅沟状，稍具翅，初被疏柔毛，其后全无毛。总状花序单一或于其基部有 2 枝；花序轴和花梗均密被褐色紧贴星状绒毛及锈色成簇微硬毛；苞片披针形，先端尾状渐尖，疏被星状短柔毛，脱落；花蕾阔钟形，花梗细，斜伸向上，果时伸长，

南川桤叶树

先端钩状下弯；花萼5深裂，裂片卵状长圆形，短尖头，外侧具肋，密被星状绒毛，边缘上部被纤毛；花瓣5，白色，宽长圆形或倒卵状长圆形，先端钝圆或近于截形，中部微缺，稍成不明显的浅啮蚀状，两面无毛；雄蕊10，花药长圆状倒卵形，花丝无毛，有时近中部被稀少长柔毛；子房密被锈色成行的绢状微硬毛，花柱先端稍成3浅沟状，无毛。蒴果近球形，疏被星状毛，向顶部被微硬毛，具宿存萼，宿存花柱，先端柱头3深裂成棍棒状；种子淡黄色，椭圆形或卵圆形，腹平背突，有时似有棱，种皮上有不规则的网状深凹槽。花期7～8月，果期10月。

| 生境分布 | 生于海拔1900～1980m的杂木林中。分布于重庆南川等地。

| 资源情况 | 野生资源稀少。药材来源于野生。

| 采收加工 | 夏、秋季采收，环割采皮。

| 功能主治 | 活血散瘀，祛风除湿。

| 用法用量 | 内服煎汤，适量。

| 附　　注 | 在FOC中，本种被修订为云南桤叶树 *Clethra delavayi* Franch.。

喜冬草

| 鹿蹄草科 | Pyrolaceae | 喜冬草属 | Chimaphila

喜冬草
Chimaphila japonica Miq.

| 药 材 名 |

梅笠草（药用部位：叶）。

| 形态特征 |

常绿草本状小半灌木，高（6～）10～15（～20）cm。根茎长而较粗，斜升。叶对生或3～4轮生，革质，阔披针形，长1.6～3cm，宽0.6～1.2cm，先端急尖，基部圆楔形或近圆形，边缘有锯齿，上面绿色，下面苍白色；叶柄长2～4（～8）mm；鳞片状叶互生，褐色，卵状长圆形或卵状披针形，长7～9mm，先端急尖。花葶有细小疣，有1～2长圆状卵形苞片，长6.5～7mm，宽3～4mm，先端急尖或短渐尖，边缘有不规则齿。花单一，有时2，顶生或叶腋生，半下垂，白色，直径13～18mm；萼片膜质，卵状长圆形或长圆状卵形，长5.5～7mm，宽2.5～4mm，先端急尖，边缘有不整齐的锯齿；花瓣倒卵圆形，长7～8mm，宽5.5～6mm，先端圆形；雄蕊10，花丝短，下半部膨大并有缘毛，花药长2mm，宽1mm，有小角，顶孔开裂，黄色；花柱极短，倒圆锥形，柱头大，圆盾形，5圆浅裂。蒴果扁球形，直径5～5.5mm。花期6～7（～9）月，果期7～8（～10）月。

|生境分布|

生于海拔 900 ~ 2790m 的山地针阔叶混交林、阔叶林或灌丛下。分布于重庆城口、巫溪等地。

|资源情况|

野生资源稀少。药材来源于野生。

|功能主治|

消炎，利尿，镇痛，滋补强壮。

|用法用量|

内服煎汤，5 ~ 10g。

鹿蹄草科 Pyrolaceae 水晶兰属 Monotropa

水晶兰 *Monotropa uniflora* L.

| **药 材 名** | 水晶兰（药用部位：全草或根。别名：梦兰花、水兰草、银锁匙）。

| **形态特征** | 多年生草本，腐生。根细而分枝密，交结成鸟巢状。茎直立，单一，不分枝，高 10～30cm，全株无叶绿素，白色，肉质，干后变黑褐色。叶鳞片状，直立，互生，长圆形或狭长圆形或宽披针形，长 1.4～1.5cm，宽 4～4.5mm，先端钝头，无毛或上部叶稍被毛，近全缘。花单一，顶生，先下垂，后直立，花冠筒状钟形，长 1.4～2cm，直径 1.1～1.6cm；苞片鳞片状，与叶同形；萼片鳞片状，早落；花瓣 5～6，离生，楔形或倒卵状长圆形，长 1.2～1.6cm，上部最宽处 5.5～7mm，有不整齐的齿，内侧常被密长粗毛，早落；雄蕊 10～12，花丝被粗毛，花药黄色；花盘 10 齿裂；子房中轴胎座，5 室；花柱长 2～3mm，柱头膨大成漏斗状。蒴果椭圆状球形，直立，向上，长 1.3～1.4cm。

水晶兰

花期 8 ~ 9 月，果期（9 ~ ）10 ~ 11 月。

| **生境分布** | 生于海拔 800 ~ 2600m 的山地林下。分布于重庆石柱、巫山、开州、江津、南川等地。

| **资源情况** | 野生资源稀少。药材来源于野生。

| **采收加工** | 夏季采收，多鲜用。

| **功能主治** | 甘，平。补虚止咳。用于肺虚咳嗽。

| **用法用量** | 内服煎汤，9 ~ 15g；或炖肉食。

鹿蹄草科 Pyrolaceae 鹿蹄草属 Pyrola

普通鹿蹄草 *Pyrola decorata* H. Andr.

| 药 材 名 | 鹿衔草（药用部位：全草）。

| 形态特征 | 常绿草本状小半灌木，高 15～35cm。根茎细长，横生，斜升，有分枝。叶 3～6，近基生，薄革质，长圆形或倒卵状长圆形或匙形，有时为卵状长圆形，长（3～）5～7cm，宽 2.5～3.5（～4）cm，先端钝尖或圆钝尖，基部楔形或阔楔形，下近于叶柄，上面深绿色，沿叶脉为淡绿白色或稍白色，下面色较淡，常带紫色，边缘有疏齿；叶柄长（1.5～）2～3（～4）cm，较叶片短或近等长。花葶细，直径 1.5～2mm，常带紫色，有 1～2（～3）褐色鳞片状叶，狭披针形，长 8～14mm，先端渐尖，基部稍抱花葶。总状花序长 2.5～4cm，有花 4～10，花倾斜，半下垂；花冠碗形，直径 1～1.5cm，淡绿色或黄绿色或近白色；花梗长 5～9mm，腋间有膜质

普通鹿蹄草

苞片，披针形，长 5 ~ 9mm，宽 1.3 ~ 1.5mm，与花梗近等长；萼片卵状长圆形，长 3 ~ 6mm，宽 2 ~ 2.5mm，先端急尖，边缘色较浅；花瓣倒卵状椭圆形，长 6 ~ 8（~ 10）mm，宽 5.5 ~ 7mm，先端圆形；雄蕊 10，花丝无毛，长 4 ~ 5mm，花药长 3 ~ 4mm，宽 1 ~ 1.5mm，具小角，黄色；花柱长（5 ~）6 ~ 10mm，倾斜，上部弯曲，先端有环状突起，稀不明显，伸出花冠，柱头 5 圆裂。蒴果扁球形，直径 7 ~ 10mm。花期 6 ~ 7 月，果期 7 ~ 8 月。

| **生境分布** | 生于海拔 600 ~ 2790m 的山地阔叶林或灌丛下。分布于重庆城口、奉节、丰都、万州、酉阳、巫溪、武隆、石柱等地。

| **资源情况** | 野生资源一般。药材主要来源于野生，亦有少量栽培。

| **采收加工** | 全年均可采挖，除去杂质，晒至叶片较软时，堆置至叶片变紫褐色，晒干。

| **药材性状** | 本品根茎细长。茎圆柱形或具纵棱，长 10 ~ 30cm。叶基生，长卵圆形或近圆形，长 3 ~ 7cm，暗绿色或紫褐色，先端圆或稍尖，全缘或有稀疏的小锯齿，边缘略反卷，上表面有时沿脉具白色的斑纹，下表面有时具白粉。总状花序有花 4 ~ 10；花半下垂，萼片 5，卵状长圆形；花瓣 5，早落；雄蕊 10，花药基部有小角，顶孔开裂；花柱外露，有环状突起的柱头盘。蒴果扁球形，直径 7 ~ 10mm，5 纵裂，裂瓣边缘有蛛丝状毛。气微，味淡、微苦。

| **功能主治** | 甘、苦，温。归肝、肾经。祛风湿，强筋骨，止血。用于风湿痹痛，腰膝无力，月经过多，久咳劳嗽。

| **用法用量** | 内服煎汤，9 ~ 15g。

| **附　注** | 本种喜冷凉阴湿环境，土壤以有较多枯朽落叶而排水良好的腐殖质土较好，可在林下栽培。

杜鹃花科 Ericaceae 吊钟花属 Enkianthus

灯笼树 *Enkianthus chinensis* Franch.

| 药 材 名 | 灯笼树（药用部位：花）。

| 形态特征 | 落叶灌木或小乔木，高 3 ~ 6m。幼枝灰绿色，无毛，老枝深灰色；芽圆柱形，芽鳞宽披针形，微红色，先端有小凸尖，边缘具缘毛。叶常聚生枝顶，纸质，长圆形至长圆状椭圆形，先端钝尖，具短凸尖头，基部宽楔形或楔形，边缘具钝锯齿，两面无毛；中脉在表面下凹，连同侧脉在表面不明显，在背面明显，网脉在背面明显。花多数组成伞形花序状总状花序；花下垂；花萼 5 裂，裂片三角形，长约 2.5mm，有缘毛；花冠阔钟形，长、宽均约 1cm，肉红色，口部 5 浅裂。蒴果卵圆形，直径 6 ~ 7（~ 8）mm，室背开裂为 5 果瓣，果爿长约 6mm，宽约 3.2mm，果爿中间具微纵槽；种子长约 6mm，微有光泽，具皱纹，有翅，每室有种子多数，种子着生于中

灯笼树

轴上部。花期 5 月，果期 6 ～ 10 月。

| 生境分布 | 生于海拔 800 ～ 2200m 的山坡疏林中。分布于重庆秀山、綦江、南川、开州、城口、巫溪、巫山、黔江、石柱、丰都、江津等地。

| 资源情况 | 栽培资源一般。药材主要来源于栽培。

| 功能主治 | 清热，止血，调经。

| 用法用量 | 内服煎汤，适量。

| 附　　注 | 本种喜光，能耐半阴，耐寒。具深根性，产生萌蘖的能力强，耐干旱、瘠薄，能耐短期积水，对烟尘有较强的抗性。栽培应选择深厚、湿润的土壤。

杜鹃花科 Ericaceae **吊钟花属** *Enkianthus*

毛叶吊钟花
Enkianthus deflexus (Griff.) Schneid.

| 药 材 名 | 毛叶吊钟花（药用部位：叶）。

| 形态特征 | 落叶灌木或小乔木，高 3 ～ 7m。小枝及芽鳞红色，幼时被短柔毛；老枝暗红色，无毛。叶互生，叶片椭圆形、倒卵形或长圆状披针形，薄纸质，长 3.5 ～ 7cm，宽 2 ～ 3(～ 3.5)cm，先端渐尖或钝而有凸尖，基部钝圆或渐狭成楔形，边缘有细锯齿，表面无毛，背面疏被黄色柔毛，中脉和侧脉密生粗毛；中脉在表面微隆起，红色，连同侧脉、网脉在两面明显；叶柄红色，被短绒毛。花多数排成总状花序，花序轴细长，连同花梗密被锈色绒毛；花萼 5 裂，萼片披针状三角形，具缘毛；花冠宽钟形，带黄红色，具较深色的脉纹，口部 5 浅裂，裂片微展开。蒴果卵圆形，长约 7mm，果梗先端明显下弯；种子小，三棱形或扁平，长约 2.5mm，表面蜂窝状，具 2 ～ 3 狭翅。花期 4 ～ 5月，果期 6 ～ 10月。

毛叶吊钟花

| **生境分布** | 生于海拔 1600 ～ 2600m 的疏林下或灌丛中。分布于重庆奉节、城口、巫溪、巫山、石柱等地。

| **资源情况** | 野生资源稀少。药材来源于野生。

| **功能主治** | 用于跌打损伤。

| **用法用量** | 内服煎汤，适量。

杜鹃花科 Ericaceae **吊钟花属** Enkianthus

齿缘吊钟花
Enkianthus serrulatus (Wils.) Schneid.

| 药 材 名 | 齿缘吊钟花（药用部位：根）。

| 形态特征 | 落叶灌木或小乔木，高 2.6 ~ 6m。小枝光滑，无毛；芽鳞 12 ~ 15，宿存。叶密集枝顶，厚纸质，长圆形或长卵形，先端短渐尖或渐尖，基部宽楔形或钝圆，边缘具细锯齿，不反卷，表面无毛，或中脉被微柔毛，背面中脉下部被白色柔毛；中脉、侧脉及网脉在两面明显，在背面隆起；叶柄较纤细，无毛。伞形花序顶生，每花序上有花 2 ~ 6，花下垂；花梗结果时直立，变粗壮；花萼绿色，萼片 5，三角形；花冠钟形，白绿色，口部 5 浅裂，裂片反卷；雄蕊 10，花丝白色，下部宽扁并被白色柔毛，花药具 2 反折的芒；子房圆柱形，5 室，每室有胚珠 10 ~ 15，花柱无毛。蒴果椭圆形，干后黄褐色，无毛，具棱，先端有宿存花柱，5 裂，每室有种子数粒；

齿缘吊钟花

种子瘦小，具 2 膜质翅。花期 4 月，果期 5 ~ 7 月。

| **生境分布** | 生于海拔 800 ~ 1600m 的山坡杂木林中。分布于重庆北碚、江津、南川、秀山等地。

| **资源情况** | 野生资源稀少。药材来源于野生。

| **功能主治** | 祛风除湿，活血。

| **用法用量** | 内服煎汤，适量。

杜鹃花科 Ericaceae 白珠属 Gaultheria

滇白珠

Gaultheria leucocarpa Bl. var. *crenulata* (Kurz) T. Z. Hsu

| **药 材 名** | 白珠树（药用部位：根、茎叶。别名：老虎尿、老虎面、满山香）。 |

| **形态特征** | 常绿灌木，高1～3m，稀达5m。树皮灰黑色；枝条细长，左右曲折，具纵纹，无毛。叶卵状长圆形，稀卵形、长卵形，革质，有香味，长7～9（～12）cm，宽2.5～3.5（～5）cm，先端尾状渐尖，尖尾长达2cm，基部钝圆或心形，边缘具锯齿，表面绿色，有光泽，背面色较淡，两面无毛，背面密被褐色斑点；中脉在背面隆起，在表面凹陷，侧脉4～5对，弧形上举，连同网脉在两面明显；叶柄短，粗壮，长5mm，无毛。总状花序腋生，花序轴长5～7（～11）cm，纤细，被柔毛，花10～15，疏生，花序轴基部为鳞片状苞片所包；花梗长约1cm，无毛；苞片卵形，长3～4mm，凸尖，被白色缘毛；小苞片2，对生或近对生，着生于花梗上部近花萼处，披针状三角形， |

滇白珠

长约 1.5mm，微被缘毛；花萼裂片 5，卵状三角形，钝头，具缘毛；花冠白绿色，钟形，长约 6mm，口部 5 裂，裂片长、宽均 2mm；雄蕊 10，着生于花冠基部，花丝短而粗，花药 2 室，每室先端具 2 芒；子房球形，被毛，花柱无毛，短于花冠。浆果状蒴果球形，直径约 5mm，或达 1cm，黑色，5 裂；种子多数。花期 5 ~ 6 月，果期 7 ~ 11 月。

| **生境分布** | 生于海拔 500 ~ 1800m 的路边、山坡林中或林缘。分布于重庆綦江、丰都、酉阳、万州、南川、永川、长寿、垫江等地。

| **资源情况** | 野生资源一般。药材来源于野生。

| **采收加工** | 夏、秋季采收，洗净，切段，晒干或鲜用。

| **功能主治** | 辛、温。祛风除湿，通络止痛。用于风湿痹痛，跌打损伤。

| **用法用量** | 内服煎汤，根 30 ~ 60g；或浸酒。外用茎、叶适量，煎汤洗；或鲜叶捣敷。

杜鹃花科 Ericaceae 珍珠花属 Lyonia

珍珠花

Lyonia ovalifolia (Wall.) Drude

| **药 材 名** | 小米柴（药用部位：全草。别名：米饭花、山胡椒）。

| **形态特征** | 常绿或落叶灌木或小乔木，高 8 ~ 16m。枝淡灰褐色，无毛；冬芽长卵圆形，淡红色，无毛。叶革质，卵形或椭圆形，先端渐尖，基部钝圆或心形，表面深绿色，无毛，背面淡绿色，近于无毛；叶柄长 4 ~ 9mm，无毛。总状花序长 5 ~ 10cm，着生于叶腋，近基部有 2 ~ 3 叶状苞片，小苞片早落；花序轴上微被柔毛；花萼深 5 裂，裂片长椭圆形，长约 2.5mm，宽约 1mm，外面近于无毛；花冠圆筒状，外面疏被柔毛，上部浅 5 裂，裂片向外反折，先端钝圆。蒴果球形，直径 4 ~ 5mm，缝线增厚；种子短线形，无翅。花期 5 ~ 6 月，果期 7 ~ 9 月。

珍珠花

| 生境分布 | 生于海拔 400 ~ 1800m 的林中。分布于重庆丰都、涪陵、城口、彭水、綦江、铜梁、南川、江津、巫溪、荣昌等地。

| 资源情况 | 野生资源丰富。药材主要来源于野生。

| 采收加工 | 秋季采收，鲜用或晒干。

| 功能主治 | 辛，温；有毒。活血止痛，祛风解毒。用于跌打损伤，骨折，癣疮。

| 用法用量 | 外用适量，煎汤搽；或捣敷。

| 附　　注 | 本种在疏松、通透性好的砂壤土中生长良好。

杜鹃花科 Ericaceae 珍珠花属 *Lyonia*

小果珍珠花

Lyonia ovalifolia (Wall.) Drude var. *elliptica* (Sieb. et Zucc.) Hand.-Mazz.

| 药 材 名 | 缫木（药用部位：枝叶、根、果实。别名：椭叶南烛、饭粒子树、乌饭叶）。

| 形态特征 | 本种与原变种珍珠花的区别在于叶较薄，纸质，卵形，先端渐尖或急尖；果实较小，直径约 3mm；果序长 12 ～ 14cm。

| 生境分布 | 生于阳坡灌丛中。分布于重庆黔江、綦江、大足、城口、石柱、奉节、永川、丰都、巫溪、垫江、酉阳、南川、长寿、忠县、九龙坡等地。

| 资源情况 | 野生资源丰富。药材来源于野生。

| 采收加工 | 夏、秋季采收枝叶，秋季采收果实，鲜用或晒干。秋、冬季采挖根，洗净，切片，晒干。

小果珍珠花

| 功能主治 |　甘，温。补脾益肾，活血强筋。用于脾虚腹泻，跌打损伤，腰脚无力。

| 用法用量 |　内服煎汤，根或枝叶 15～30g，果实 9～30g。外用鲜叶适量，捣敷。

狭叶珍珠花

Lyonia ovalifolia (Wall.) Drude var. *lanceolata* (Wall.) Hand.-Mazz.

| **药 材 名** | 长叶南烛（药用部位：枝、叶）。

| **形态特征** | 本种与原变种珍珠花的区别在于叶椭圆状披针形，先端钝尖或渐尖，基部狭窄，楔形或阔楔形；叶柄长 6 ～ 8mm。萼片较狭，披针形。

| **生境分布** | 生于海拔 200 ～ 1200m 的林中。分布于重庆南岸、丰都、云阳、秀山、石柱、忠县、南川等地。

| **资源情况** | 野生资源稀少。药材来源于野生。

| **采收加工** | 夏、秋季采收枝、叶，鲜用或晒干。

狭叶珍珠花

| **功能主治** | 活血祛瘀，止痛。用于骨鲠，疮疖。 |

| **用法用量** | 内服煎汤，适量。 |

杜鹃花科 Ericaceae 马醉木属 Pieris

美丽马醉木 *Pieris formosa* (Wall.) D. Don

| 药 材 名 | 美丽马醉木（药用部位：全株）。

| 形态特征 | 常绿灌木或小乔木，高 2 ~ 4m。小枝圆柱形，无毛，枝上有叶痕。叶革质，披针形至长圆形，稀倒披针形，先端渐尖或锐尖，边缘具细锯齿，基部楔形至钝圆形，表面深绿色，背面淡绿色；叶柄长 1 ~ 1.5cm，腹面有沟纹，背面圆形。总状花序簇生枝顶的叶腋，或有时为顶生圆锥花序；花梗被柔毛；萼片宽披针形，长约 3mm；花冠白色，坛状，外面被柔毛，上部浅 5 裂，裂片先端钝圆。蒴果卵圆形，直径约 4mm；种子黄褐色，纺锤形，外种皮的细胞伸长。花期 5 ~ 6 月，果期 7 ~ 9 月。

美丽马醉木

| **生境分布** | 生于海拔 900 ~ 2300m 的灌丛中。分布于重庆城口、石柱、武隆、南川、江津、巫溪、巫山、奉节、开州、綦江等地。 |

| **资源情况** | 野生资源稀少。药材主要来源于野生，亦有少量栽培。 |

| **采收加工** | 春、夏、秋季均可采收，鲜用或晒干。 |

| **功能主治** | 消炎止痛，舒筋活络。用于疮疡肿毒。 |

| **用法用量** | 不可内服。外用适量，煎水洗。 |

| **附　注** | 本种种植宜选择疏松、肥沃、排水良好的土壤。 |

杜鹃花科 Ericaceae 马醉木属 Pieris

马醉木 *Pieris japonica* (Thunb.) D. Don ex G. Don

马醉木

| 药 材 名 |

马醉木（药用部位：叶）。

| 形态特征 |

灌木或小乔木，高约 4m。树皮棕褐色，小枝开展，无毛；冬芽倒卵形，芽鳞 3 ~ 8，呈覆瓦状排列。叶革质，密集于枝顶，椭圆状披针形，先端短渐尖，基部狭楔形，边缘在 2/3 以上具细圆齿，稀近于全缘，无毛，表面深绿色，背面淡绿色；主脉在两面凸起，侧脉在表面下陷，在背面不明显，小脉网状；叶柄腹面有深沟，背面圆形，微被柔毛。总状花序或圆锥花序顶生或腋生，直立或俯垂，花序轴被柔毛；萼片三角状卵形，内面疏生短柔毛，外面被少数腺毛或近无毛；花冠白色，坛状，无毛，上部浅 5 裂，裂片近圆形；雄蕊 10，花丝纤细，被长柔毛，基部较多；子房近球形，无毛；花柱细长，柱头细小，头状。蒴果近于扁球形，无毛。花期 4 ~ 5 月，果期 7 ~ 9 月。

| 生境分布 |

生于海拔 800 ~ 1200m 的灌丛中。分布于重庆巫山、城口、南川、江津等地。

| **资源情况** | 野生资源稀少。药材来源于野生。 |

| **采收加工** | 春、夏、秋季采收，鲜用或晒干。 |

| **功能主治** | 苦，凉；有大毒。杀虫。用于疥疮。 |

| **用法用量** | 外用适量，煎汤洗，渣敷。本品有大毒，不宜内服。 |

银叶杜鹃
Rhododendron argyrophyllum Franch.

| **药 材 名** | 银叶杜鹃（药用部位：枝、叶、花）。

| **形态特征** | 常绿小乔木或灌木，高 3 ~ 7m。树皮灰褐色，粗糙；小枝淡绿色或紫绿色，常无毛。叶常 5 ~ 7 枚密生于枝顶，革质，长圆状椭圆形或倒披针状椭圆形，中部以上最宽，先端钝尖，基部楔形或近于圆形，边缘微向下反卷，幼时上面微被短绒毛，以后无毛，深绿色，下面有银白色的薄毛被；中脉在上面凹陷，在下面隆起，在两面仅微现；叶柄圆柱形，上面平坦，有细沟槽，幼时被毛，后变无毛。总状伞形花序；总轴被稀疏淡黄色柔毛；花梗疏生白色丛卷毛；花萼小，5 裂，被少许短绒毛；花冠钟状，乳白色或粉红色，喉部有紫色斑点，基部狭窄，5 裂，裂片近于圆形，先端圆形；雄蕊不等长，包藏于花冠筒内，基部被白色微绒毛，花药椭圆形；雌蕊与花冠近

银叶杜鹃

等长或微伸出于花冠外；子房圆柱形，被白色短绒毛，花柱无毛，柱头膨大。蒴果圆柱形，略弯曲，成熟后有白色短绒毛宿存或无毛。花期 4 ~ 5 月，果期 7 ~ 8 月。

| **生境分布** | 生于海拔 1000 ~ 2000m 的山坡、沟谷的丛林中。分布于重庆南川、石柱、武隆等地。

| **资源情况** | 野生资源稀少。药材主要来源于野生。

| **采收加工** | 4 ~ 5 月采收花，晾干。夏、秋季采收枝、叶，洗净，晒干。

| **功能主治** | 枝、叶，微苦、辛，平。清热，止咳，平喘，解毒。用于肺热咳嗽，支气管哮喘等。花，镇痛止血。

| **用法用量** | 内服煎汤，适量。

杜鹃花科 Ericaceae 杜鹃属 Rhododendron

毛肋杜鹃 *Rhododendron augustinii* Hemsl.

| 药 材 名 | 毛肋杜鹃（药用部位：花）。

| 形态特征 | 灌木，高 1 ~ 5m。幼枝被鳞片，密被柔毛或长硬毛。叶椭圆形、长圆形或长圆状披针形，长 3 ~ 7cm，宽 1 ~ 3.5cm，先端锐尖至渐尖，有小尖头，基部楔形至钝圆，上面疏生或密被鳞片或无鳞片，或疏或密被短柔毛，通常于中脉毛更密，成长叶毛较少，下面密被不等大的鳞片；叶柄密被短柔毛或微硬毛。花序顶生，具花 2 ~ 6，伞形着生；花芽鳞早落；花序轴长约 5mm，无毛；花冠宽漏斗状，略两侧对称，淡紫色或白色，5 裂至中部，裂片长圆形，花冠外疏生或密生腺鳞或无，通常无毛或近基部被短柔毛。蒴果长圆形，基部歪斜，长 1 ~ 2cm，密被鳞片。花期 4 ~ 5 月，果期 7 ~ 8 月。

毛肋杜鹃

| 生境分布 | 生于海拔 1000 ～ 2100m 的山谷、山坡林中、山坡灌木林或岩石上。分布于重庆城口、开州、巫溪、巫山、石柱、万州、武隆、南川等地。 |

| 资源情况 | 野生资源稀少。药材来源于野生。 |

| 采收加工 | 4 ～ 5 月采收花，晾干。 |

| 功能主治 | 用于咳嗽痰喘。 |

| 用法用量 | 内服煎汤，适量。 |

| 附　注 | 本种喜凉爽湿润的气候，恶酷热干燥。栽培宜选择含腐殖质、疏松、湿润、pH5.5 ～ 6.5 的酸性土壤。 |

耳叶杜鹃

杜鹃花科 Ericaceae 杜鹃属 Rhododendron

耳叶杜鹃
Rhododendron auriculatum Hemsl.

药材名

耳叶杜鹃（药用部位：根）。

形态特征

常绿灌木或小乔木，高 5 ~ 10m。树皮灰色；幼枝密被长腺毛，老枝无毛。冬芽大，顶生，尖卵圆形，长 3.5 ~ 5.5cm，外面鳞片狭长形，长 3.5cm，先端渐尖，有较长的渐尖头，无毛。叶革质，长圆形、长圆状披针形或倒披针形，先端钝，有短尖头，基部稍不对称，圆形或心形，上面绿色，无毛；中脉凹下，下面凸起，侧脉 20 ~ 22 对，下面淡绿色，幼时密被柔毛，老后仅在中脉上被柔毛；叶柄稍粗壮，密被腺毛。顶生伞形花序大，疏松，有花 7 ~ 15；总轴长 2 ~ 3cm，密被腺体；花萼小，长 2 ~ 4mm，盘状，裂片 6，不整齐，膜质，外面具稀疏的有柄腺体；花冠漏斗形，银白色，有香味，筒状部外面有长柄腺体，裂片 7，卵形，开展；蒴果长圆柱形，微弯曲，长 3 ~ 4cm，8 室，有腺体残迹。花期 7 ~ 8 月，果期 9 ~ 10 月。

生境分布

生于海拔 600 ~ 2000m 的山坡上或沟谷森林中。分布于重庆黔江、城口、酉阳、丰都、石柱、涪陵、奉节、巫山等地。

| **资源情况** | 野生资源丰富。药材主要来源于野生，亦有少量栽培。

| **采收加工** | 4 ～ 5 月采收花，晾干。夏、秋季采收叶，洗净，晒干。

| **功能主治** | 理气，止咳。用于慢性气管炎。

| **用法用量** | 内服煎汤，适量。

| **附　注** | 本种喜凉爽湿润的气候，恶酷热干燥。栽培宜选择富含腐殖质、疏松、湿润、pH5.5 ～ 6.5 的酸性土壤。

杜鹃花科 Ericaceae 杜鹃属 Rhododendron

腺萼马银花
Rhododendron bachii Lévl.

| 药 材 名 | 腺萼马银花（药用部位：叶）。

| 形态特征 | 常绿灌木，高 2 ～ 3（～ 8）m。小枝灰褐色，被短柔毛和稀疏的具腺头刚毛。叶散生，薄革质，卵形或卵状椭圆形，先端凹缺，具短尖头，基部宽楔形或近于圆形，边缘浅波状，具刚毛状细齿，除上面中脉被短柔毛外，两面均无毛；叶柄长约 5mm，被短柔毛和腺毛。花 1 朵侧生上部枝条叶腋；花梗长 1.2 ～ 1.6cm，被短柔毛和腺头毛；花萼 5 深裂，裂片卵形或倒卵形，钝头，具条纹，长 3 ～ 5mm，宽 3 ～ 4mm，外面被微柔毛，边缘密被短柄腺毛；花冠淡紫色、淡紫红色或淡紫白色，辐状，5 深裂，裂片阔倒卵形，长 1.8 ～ 2.1cm，宽达 1.4cm，上方 3 裂片内面近基部具深红色斑点和短柔毛；雄蕊 5，花药长圆形，长 3mm。蒴果卵球形，长 7mm，直径 6mm，密被短

腺萼马银花

柄腺毛。花期 4 ~ 5 月，果期 6 ~ 10 月。

| **生境分布** | 生于海拔 600 ~ 1600m 的疏林内。分布于重庆涪陵、江津、忠县等地。

| **资源情况** | 野生资源稀少。药材来源于野生。

| **采收加工** | 夏、秋季采收叶，洗净，晒干。

| **功能主治** | 用于咳嗽，哮喘。

| **用法用量** | 内服煎汤，适量。

| **附　　注** | 本种与马银花 *Rhododendron ovatum* (Lindl.) Planch. ex Maxim. 相近，不同之处在于本种花萼裂片卵形或倒卵形，边缘密被腺头毛，易于区别。

■ 杜鹃花科 ■ Ericaceae ■ 杜鹃属 ■ Rhododendron

短梗杜鹃 *Rhododendron brachypodum* Fang et P. S. Liu

| 药 材 名 | 短梗杜鹃（药用部位：花）。

| 形态特征 | 灌木，高 4 m。幼枝被稀疏微柔毛和腺体，后近于无毛。叶纸质，披针形或长圆状披针形，稀长圆状椭圆形，长 7 ~ 10cm，宽 2.5 ~ 3cm，先端锐尖至渐尖，基部楔形或钝形，上面深绿色，疏生微柔毛，下面被淡黄色鳞片，鳞片相距为其直径的 3 ~ 4 倍，疏生微柔毛，沿叶脉密被细硬毛；叶柄长 5 ~ 7mm，疏生微柔毛。花序顶生，具花 3 ~ 5，近伞形着生；花梗长 0.8 ~ 1.4cm，密被鳞片，疏生腺体；花萼长 1 ~ 2mm，环状或有大小不等、近于钝形的裂片；花冠漏斗状，长 2.5 ~ 3cm，淡绿色，内侧无毛，外面有稀少的鳞片，裂片椭圆形，长 1.5cm；雄蕊 10，不等长，长 2 ~ 3cm，伸出花冠，花丝中部以下被微柔毛，花药紫色；子房密被鳞片，花柱长，伸出，洁净。蒴

短梗杜鹃

果圆筒形，长 1.6 ～ 1.8cm。

| **生境分布** | 生于海拔 1000 ～ 1500m 的山坡灌丛中。分布于重庆南川等地。

| **资源情况** | 野生资源较少。药材主要来源于野生。

| **采收加工** | 4 ～ 5 月采收花，晾干。

| **功能主治** | 祛风止咳，平喘。

| **用法用量** | 内服煎汤，适量。

美容杜鹃 *Rhododendron calophytum* Franch.

| 药 材 名 | 美容杜鹃（药用部位：根）。

| 形态特征 | 常绿灌木或小乔木，高 2 ~ 12m。树皮黄灰色或棕褐色，片状剥落；幼枝粗壮，绿色或带紫色，被白色绒毛，不久脱净。冬芽顶生，阔卵圆形。叶厚革质，长圆状倒披针形或长圆状披针形，先端凸尖成钝圆形，基部渐狭成楔形，边缘微反卷，上面亮绿色，无毛，下面淡绿色，幼时被白色绒毛，不久变为无毛，叶柄粗壮，无毛。顶生短总状伞形花序，有花 15 ~ 30；总轴长 1.5 ~ 2cm，被黄褐色细毛；花冠阔钟形，长 4 ~ 5cm，直径 4 ~ 5.8cm，红色或粉红色至白色，基部略膨大，内面基部上方有一紫红色斑块，裂片 5 ~ 7，不整齐，有明显的缺刻。蒴果斜生果梗上，长圆柱形至长圆状椭圆形，长 2 ~ 4.5cm，有肋纹，花柱宿存。花期 4 ~ 5 月，果期 9 ~ 10 月。

美容杜鹃

| **生境分布** | 生于海拔 1300 ~ 2500m 的森林中或冷杉林下。分布于重庆南川、武隆、巫山等地。 |

| **资源情况** | 野生资源稀少。药材来源于野生。 |

| **采收加工** | 4 ~ 5 月采收花，晾干。夏、秋季采收叶，洗净，晒干。 |

| **功能主治** | 祛风除湿。 |

| **用法用量** | 内服煎汤，适量。 |

杜鹃花科 Ericaceae 杜鹃属 Rhododendron

树枫杜鹃 *Rhododendron changii* (Fang) Fang

树枫杜鹃

药材名

树枫杜鹃（药用部位：叶、花）。

形态特征

灌木，高 1～1.5m。枝略呈圆柱形，幼枝带紫色，被细刚毛。叶通常聚生枝顶，革质，长圆状椭圆形或近于长圆形，先端和基部近圆形，边缘干后微向背面弯，密具缘毛，上面暗绿色，无鳞片，下面灰绿色，密被鳞片，鳞片近于邻接，侧脉在两面不显；叶柄长 3mm 或近于无柄，被刚毛和鳞片。花序顶生，有（2～）3～4 花，伞形着生；花梗长 5～8mm，被鳞片，无毛；花萼长 1cm，裂片长圆状卵形，外面被鳞片，无缘毛；花冠漏斗状钟形，黄色，外面被鳞片，筒部长 1.8～2cm，裂片近圆形，长 1.5～2cm；雄蕊 10，近与花冠等长或较短，花丝下部 2/3 被白色微柔毛；子房 5 室，密被鳞片，花柱长 4～4.5cm，洁净。蒴果长圆状卵球形，长 1.2～1.5cm。

生境分布

生于海拔 1000～2050m 的灌丛中。分布于重庆南川、武隆等地。

| **资源情况** | 野生资源稀少。药材来源于野生。

| **采收加工** | 4～5 月采收花，晾干。夏、秋季采收叶，洗净，晒干。

| **功能主治** | 止血，镇痛。

| **用法用量** | 内服煎汤，适量。

杜鹃花科 Ericaceae 杜鹃属 Rhododendron

粗脉杜鹃
Rhododendron coeloneurum Diels

| 药 材 名 | 麻叶杜鹃叶（药用部位：叶、花）。

| 形态特征 | 常绿乔木，高 3 ~ 8m。枝条细长；幼枝密被红棕色绒毛；老枝黑灰色，无毛。叶革质，倒披针形至长圆状椭圆形，先端钝尖或急尖，具细小尖头，基部楔形，全缘稍外卷；上面深绿色，无毛，有时可见幼时毛被残迹，中脉、侧脉和网脉明显凹入而成泡状粗皱纹；下面有 2 层毛被，上层毛被厚，红棕色，由星状分枝毛组成，易脱落，下层毛被紧贴，灰白色，由具短柄多少粘结的丛卷毛组成，中脉和侧脉凸起；叶柄密被棕色绒毛。顶生伞形花序，总轴短，密被棕色绒毛；花梗密被棕色绒毛；花萼小，5 裂，裂片三角形，密被绒毛；花冠漏斗状钟形，粉红色至淡紫色，筒部上方具紫色斑点，内面近基部被白色微柔毛，裂片 5，扁圆形或宽卵形，稍不等长，先端微

粗脉杜鹃

缺；雄蕊不等长，花丝向下扩展，基部密被白色微柔毛，花药椭圆形，黑褐色，雌蕊与花冠等长或稍超过；子房长卵圆形，密被黄白色绒毛，花柱无毛，极稀基部被微毛，柱头头状。蒴果绿色，圆柱形，直立，基部略倾斜，密被灰色毛。花期 4 ~ 6 月，果期 7 ~ 10 月。

本种的叶通常倒披针形，上面呈泡状粗皱纹，下面毛被两层，上层毛被厚，红棕色，成长后，多少脱落，花粉红色或淡紫色，花冠长 4 ~ 4.5cm，易与他种区别。

| **生境分布** | 生于海拔 1200 ~ 2300m 的山地杂木林中。分布于重庆南川等地。

| **资源情况** | 野生资源较少。药材来源于野生。

| **采收加工** | 4 ~ 5 月采收花，晾干。夏、秋季采收叶，洗净，晒干。

| **功能主治** | 祛风止咳，止血镇痛。

| **用法用量** | 内服煎汤，适量。

杜鹃花科 Ericaceae 杜鹃属 *Rhododendron*

秀雅杜鹃 *Rhododendron concinnum* Hemsl.

| 药 材 名 | 秀雅杜鹃（药用部位：叶、花）。

| 形态特征 | 灌木，高（0.4～）1.5～3m。幼枝被鳞片。叶长圆形、椭圆形、卵形、长圆状披针形或卵状披针形，先端锐尖、钝尖或短渐尖，明显有短尖头，基部钝圆或宽楔形，上面或多或少被鳞片；叶柄长0.5～1.3cm，密被鳞片。花序顶生或同时枝顶腋生，有花2～5，伞形着生；花梗密被鳞片；花萼小，5裂，裂片长0.8～1.5（～6）mm，圆形、三角形或长圆形，有时花萼不发育呈环状，无缘毛或有缘毛；花冠宽漏斗状，略两侧对称，长1.5～3.2cm，紫红色、淡紫色或深紫色，内面有或无褐红色斑点，外面或多或少被鳞片或无鳞片，无毛或至基部疏被短柔毛。蒴果长圆形，长1～1.5cm。花期4～6月，果期9～10月。

秀雅杜鹃

| 生境分布 | 生于海拔 1500 ～ 2700m 的山坡灌丛、冷杉林带杜鹃林。分布于重庆城口、开州、巫溪等地。

| 资源情况 | 野生资源稀少。药材来源于野生。

| 采收加工 | 4 ～ 5 月采收花，晾干。夏、秋季采收叶，洗净，晒干。

| 功能主治 | 清热解毒，止血调经。

| 用法用量 | 内服煎汤，适量。

杜鹃花科 Ericaceae 杜鹃属 Rhododendron

大白杜鹃
Rhododendron decorum Franch.

药 材 名	大白杜鹃（药用部位：根、叶）、白马鬃铃花（药用部位：花）。
形态特征	常绿灌木或小乔木。树皮灰褐色或灰白色；幼枝绿色，无毛，老枝褐色。冬芽顶生，卵圆形，无毛。叶厚革质，长圆形、长圆状卵形至长圆状倒卵形，先端钝或圆，基部楔形或钝，稀近于圆形，无毛，边缘反卷，上面暗绿色，下面白绿色；中脉在上面稍凹下，黄绿色，下面凸出，侧脉在上面微凹入，下面稍凸起；叶柄圆柱形，黄绿色，无毛。顶生总状伞房花序，有香味；总轴淡红绿色，有稀疏的白色腺体；花梗粗壮，淡绿色带紫红色，具白色有柄腺体；花萼小，浅碟形，裂齿5，不整齐；花冠宽漏斗状钟形，变化大，淡红色或白色，内面基部被白色微柔毛，外面有稀少的白色腺体，近于圆形，先端有缺刻；雄蕊不等长，花丝基部被白色微柔毛，花药长圆形，白色

大白杜鹃

至浅褐色；子房长圆柱形，淡绿色，密被白色有柄腺体，花柱淡白绿色，通体有白色短柄腺体，柱头大，头状，黄绿色。蒴果长圆柱形，微弯曲，黄绿色至褐色，肋纹明显，有腺体残迹。花期 4 ～ 6 月，果期 9 ～ 10 月。

| **生境分布** | 生于海拔 1000 ～ 2500m 的灌丛中或森林下。分布于重庆南川、彭水、武隆等地。

| **资源情况** | 野生资源稀少。药材来源于野生。

| **采收加工** | 大白杜鹃：夏、秋季采挖根，洗净，鲜用或切片晒干。全年均可采收叶。
白马鬃铃花：春季花盛开时采摘，晒干。

| **功能主治** | 大白杜鹃：辛，平。清利湿热，活血止痛。用于白浊，带下，风湿疼痛，跌打损伤。
白马鬃铃花：酸，温；有小毒。止咳，固精。用于久咳，遗精。

| **用法用量** | 大白杜鹃：内服煎汤，3 ～ 9g。外用适量，捣敷。
白马鬃铃花：内服煎汤，3 ～ 9g。

杜鹃花科 Ericaceae 杜鹃属 *Rhododendron*

凉山杜鹃
Rhododendron huianum W. P. Fang

凉山杜鹃

| 药 材 名 |

凉山杜鹃（药用部位：嫩枝叶、花）。

| 形态特征 |

灌木或小乔木。树皮红褐色；幼枝粗壮，直立，淡绿色，无毛；老枝灰绿色，有明显的叶痕。冬芽顶生，椭圆形，无毛；叶革质，长圆状披针形，先端突然渐尖，基部楔形或宽楔形，上面绿色，下面灰绿色，无毛；中脉在上面凹下，下面凸出；叶柄近圆柱形，近无毛。总状花序顶生；总轴淡绿色，近无毛；花梗淡绿色，无毛；花萼大，紫色，裂片7，三角形或阔卵形，边缘有或无短柄腺体；花冠钟形，淡紫色或暗红色，无毛，裂片6～7，先端无缺刻；雄蕊不等长，花丝白色，无毛，花药椭圆形，褐色；子房圆锥形，密被白色短柄腺体，花柱通体被白色短柄腺体，柱头头状。蒴果长圆柱形，微弯曲，暗绿色，有肋纹及残存的腺体，花萼宿存，反折。花期5～6月，果期9～10月。

| 生境分布 |

生于海拔1300～2200m的森林中。分布于重庆南川等地。

| **资源情况** | 野生资源较少。药材来源于野生。

| **采收加工** | 花期采收花，晾干。夏、秋季采收嫩枝叶，洗净，晒干。

| **功能主治** | 止血镇痛，润肺止咳。

| **用法用量** | 内服煎汤，适量。

| **附　　注** | 在 FOC 中，本种的拉丁学名被修订为 *Rhododendron huanum* W. P. Fang。

杜鹃花科 Ericaceae 杜鹃属 Rhododendron

粉白杜鹃 *Rhododendron hypoglaucum* Hemsl.

| **药 材 名** | 粉白杜鹃（药用部位：花、叶）。

| **形态特征** | 常绿大灌木，高 3 ~ 10m。树皮灰白色，有裂纹及层状剥落；幼枝淡绿色，光滑无毛。叶常 4 ~ 7，密生枝顶，革质，椭圆状披针形或倒卵状披针形，长 6 ~ 10cm，宽 2 ~ 3.5cm，先端急尖，有短尖尾，基部楔形，边缘质薄，向下反卷，上面绿色，光滑无毛，下面被银白色薄层毛被，紧贴而有光泽；叶柄长 1 ~ 2cm，在上面有沟槽，下面圆柱形，无毛。总状伞形花序，有花 4 ~ 9；总轴长 0.5 ~ 1.5cm，初被淡黄色疏柔毛，以后无毛；花冠乳白色，稀粉红色，漏斗状钟形，基部狭窄，有深红色至紫红色斑点。蒴果圆柱形，长 2 ~ 2.5cm，直径 6mm，无毛，成熟后常 6 瓣开裂。花期 4 ~ 5 月，果期 7 ~ 9 月。

粉白杜鹃

生境分布	生于海拔 1500 ～ 2100m 的山坡林中。分布于重庆城口、巫溪、巫山、石柱、南川等地。
资源情况	野生资源稀少。药材来源于野生。
采收加工	4 ～ 5 月采收花，晾干。夏、秋季采收叶，洗净，晒干。
功能主治	止咳平喘。
用法用量	内服煎汤，适量。

████ 杜鹃花科 ████ Ericaceae ████ 杜鹃属 ████ *Rhododendron*

金山杜鹃

Rhododendron longipes Rehd. et Wils. var. *chienianum* (Fang) Chamb. ex Cullen et Chamb.

| **药 材 名** | 金山杜鹃（药用部位：花蕾、嫩枝叶）。

| **形态特征** | 灌木或小乔木，高 2 ～ 4m。枝条粗壮，花序下的枝幼时被灰色绒毛，后变无毛。叶多密生枝顶，革质，长椭圆形或椭圆状披针形，先端渐尖，基部楔形，边缘向下反卷，上面绿色，叶较小，下面有较厚的棕色毛被；中脉在上面下陷成浅细沟纹，在下面显著隆起，在两面仅微现；叶柄圆柱形，上面平坦，下面隆起，无毛。总状伞形花序；总轴细长，被疏柔毛；花梗较短；花萼小，盘状，有 5 三角形的齿，无毛；花冠漏斗状钟形，粉红色或淡紫色，筒部有深紫红色斑点，5裂，裂片近于圆形，先端有凹缺；雄蕊不等长，花丝无毛；花药黄色；子房卵圆形，被密的棕色绒毛及腺体，花柱无毛，柱头微膨大。果未见。花期 4 ～ 5 月。

金山杜鹃

| **生境分布** | 生于海拔 1900 ～ 2200m 的灌木林中。分布于重庆南川等地。 |

| **资源情况** | 野生资源稀少。药材主要来源于野生。 |

| **采收加工** | 4 ～ 5 月采收花蕾，晾干。夏、秋季采收嫩枝叶，洗净，晒干。 |

| **功能主治** | 止咳平喘，止血镇痛。 |

| **用法用量** | 内服煎汤，适量。 |

杜鹃花科 Ericaceae 杜鹃属 Rhododendron

黄花杜鹃 *Rhododendron lutescens* Franch.

| **药 材 名** | 黄花杜鹃（药用部位：花、嫩枝叶。别名：小黄花杜鹃）。

| **形态特征** | 灌木，高 1 ~ 3m。幼枝细长，疏生鳞片。叶散生，叶片纸质，披针形、长圆状披针形或卵状披针形，先端长渐尖或近尾尖，具短尖头，基部圆形或宽楔形，上面疏生鳞片，下面鳞片黄色或褐色；中脉、侧脉纤细，侧脉约 12 对，在两面不明显；叶柄疏生鳞片。花 1 ~ 3，顶生或生于枝顶叶腋；宿存的花芽鳞片覆瓦状排列；花梗被鳞片；花萼不发育，波状 5 裂或环状，密被鳞片，无缘毛或偶有缘毛；花冠宽漏斗状，略呈两侧对称，黄色，5 裂至中部，裂片长圆形，外面疏生鳞片，密被短柔毛；雄蕊不等长，长雄蕊伸出花冠很长，长雄蕊花丝毛少，短雄蕊花丝基部密被柔毛；子房 5 室，密被鳞片，花柱细长，洁净。蒴果圆柱形，长约 1cm。花期 3 ~ 4 月。

黄花杜鹃

| **生境分布** | 生于海拔1700～2000m的杂木林湿润处或石灰岩山坡灌丛中。分布于重庆南川、石柱等地。

| **资源情况** | 野生资源较少。药材主要来源于野生。

| **采收加工** | 3～4月采收花，晾干。春季采收嫩枝叶，鲜用。

| **功能主治** | 苦、辛，凉。清热解毒，止咳平喘。用于烫火伤，慢性支气管炎等。

| **用法用量** | 内服煎汤，适量。

▨▨ 杜鹃花科 ▨▨ Ericaceae ▨▨ 杜鹃属 ▨▨ Rhododendron

满山红 *Rhododendron mariesii* Hemsl. et Wils.

| **药 材 名** | 满山红（药用部位：叶）。

| **形态特征** | 落叶灌木，高 1 ～ 4m。枝轮生，幼时被淡黄棕色柔毛，成长时无毛。叶厚纸质或近于革质，常 2 ～ 3 集生枝顶，椭圆形、卵状披针形或三角状卵形，先端锐尖，具短尖头，基部钝或近于圆形，边缘微反卷，初时具细钝齿，后不明显，上面深绿色，下面淡绿色，幼时两面均被淡黄棕色长柔毛，后无毛或近于无毛；叶柄长 5 ～ 7mm，近于无毛。花通常 2，顶生，先花后叶，出自于同一顶生花芽；花萼环状，5 浅裂，密被黄褐色柔毛；花冠漏斗形，淡紫红色或紫红色，5 深裂，长圆形，先端钝圆，上方裂片具紫红色斑点，两面无毛。蒴果椭圆状卵球形，长 6 ～ 9mm，稀达 1.8cm，密被亮棕褐色长柔毛。花期 4 ～ 5 月，果期 6 ～ 11 月。

满山红

| **生境分布** | 生于海拔 800 ~ 2100m 的山地稀疏灌丛。分布于重庆城口、开州、巫溪、巫山、奉节、南川、涪陵、石柱、九龙坡等地。 |

| **资源情况** | 野生和栽培资源均一般。药材来源于野生和栽培。 |

| **采收加工** | 秋、冬季采叶，晒干或阴干。 |

| **功能主治** | 酸、辛，平。活血调经，止痛，消肿，止血，平喘止咳，祛风利湿。 |

| **用法用量** | 内服煎汤，适量。 |

杜鹃花科 Ericaceae 杜鹃属 Rhododendron

羊踯躅

Rhododendron molle (Blume) G. Don

| 药 材 名 | 闹羊花（药用部位：花。别名：黄杜鹃、三钱三、毛老虎）、羊踯躅果（药用部位：果实。别名：六轴子）、羊踯躅根（用药部位：根。别名：山芝麻根、巴山虎、闹羊花根）。

| 形态特征 | 落叶灌木，高 0.5 ~ 2m。分枝稀疏，枝条直立，幼时密被灰白色柔毛及疏刚毛。叶纸质，长圆形至长圆状披针形，先端钝，具短尖头，基部楔形，边缘具睫毛，幼时上面被微柔毛，下面密被灰白色柔毛，沿中脉被黄褐色刚毛，中脉和侧脉凸出；叶柄被柔毛和少数刚毛。总状伞形花序顶生，先花后叶或与叶同时开放；花梗被微柔毛及疏刚毛；花萼裂片小，圆齿状，被微柔毛和刚毛状睫毛；花冠阔漏斗形，黄色或金黄色，内有深红色斑点，花冠管向基部渐狭，圆筒状，外面被微柔毛，裂片 5，椭圆形或卵状长圆形，外面被微柔毛；雄

羊踯躅

蕊不等长，长不超过花冠，花丝扁平，中部以下被微柔毛；子房圆锥形，密被灰白色柔毛及疏刚毛，花柱无毛。蒴果圆锥状长圆形，具5纵肋，被微柔毛和疏刚毛。花期3～5月，果期7～8月。

| 生境分布 | 生于海拔1000m以下的山坡草地、灌丛或山脊杂木林下。分布于重庆万州、南川等地。

| 资源情况 | 野生资源丰富。药材来源于野生和栽培。

| 采收加工 | 闹羊花：4～5月花初开时采收，阴干或晒干。

羊踯躅果：果期果实成熟而未开裂时采收，晒干。

羊踯躅根：全年均可采挖，洗净，切片，晒干。

| 药材性状 | 闹羊花：本品多皱缩。花梗灰白色，长短不等。花萼5裂，边缘有较长的细毛。花冠钟状，长至3cm，5裂，先端卷折，表面疏生短柔毛，灰黄色至黄褐色。雄蕊较花冠为长，弯曲，露出花冠外，花药棕黄色，2室，孔裂。商品不带子房，花萼及花梗也常除去。气微，味微苦。

| 功能主治 | 闹羊花：辛，温；有大毒。归肝经。祛风除湿，散瘀定痛。用于风湿痹痛，跌打损伤，皮肤顽癣。外用于癣，龋齿痛等。

羊踯躅果：苦，温。搜风止痛，止咳平喘。用于跌打损伤，风湿关节痛等。

羊踯躅根：辛，温；有毒。祛风止咳，散瘀止痛。用于风湿痹痛，跌打损伤，神经痛，慢性支气管炎。外用于肛门瘘管等。

| 用法用量 | 闹羊花：内服煎汤、研末，0.3～0.6g；或入丸、散；或浸酒。外用适量，研末调敷，或鲜品捣敷。本品有毒，不宜多服、久服。体虚者忌服。

羊踯躅果：内服浸酒或入丸、散，0.6～1.2g。外用适量，煎汤洗；或鲜品捣敷。不宜多服、久服。体虚者及孕妇禁用。

羊踯躅根：内服浸酒或入丸、散，1.5～3g。外用适量，煎汤洗；或鲜品捣敷。不宜多服、久服。体虚者及孕妇禁用。

| 附 注 | 本种栽培宜选择排水良好而稍带酸性的黄色夹砂土或腐殖质丰富的土壤。生产中采用种子和扦插繁殖方式。

杜鹃花科 Ericaceae 杜鹃属 Rhododendron

白花杜鹃
Rhododendron mucronatum (Blume) G. Don

| 药 材 名 | 白花杜鹃（药用部位：全株。别名：白花映山红）。

| 形态特征 | 半常绿灌木，高 1 ~ 2（~ 3）m。幼枝开展，分枝多，密被灰褐色开展的长柔毛，混生少数腺毛。叶纸质，披针形至卵状披针形或长圆状披针形，先端钝尖至圆形，基部楔形，上面深绿色，疏被灰褐色贴生长糙伏毛，混生短腺毛；中脉、侧脉及细脉在上面凹陷，在下面凸出或明显可见；叶柄密被灰褐色扁平长糙伏毛和短腺毛。伞形花序顶生，具花 1 ~ 3；花梗长达 1.5cm，密被淡黄褐色长柔毛和腺头毛；花萼大，绿色，裂片 5，披针形，长 1.2cm，密被腺状短柔毛；花冠白色，有时淡红色，阔漏斗形，长 3 ~ 4.5cm，5 深裂，裂片椭圆状卵形，长约与花冠管等长，无毛，也无紫斑；花柱伸出花冠外很长，无毛。蒴果圆锥状卵球形，长约 1cm。花期 4 ~ 5 月，果期 6 ~ 7 月。

白花杜鹃

| **生境分布** | 栽培于庭园或街道。重庆各地均有分布。

| **资源情况** | 栽培资源丰富。药材来源于栽培。

| **采收加工** | 4 月采收花，9 ～ 10 月挖根，鲜用或晒干。全年均可采收茎、叶，多鲜用。

| **功能主治** | 辛、甘，温。止咳，固精，活血，散瘀。用于吐血，咳嗽，遗精，带下，血崩，跌打损伤。

| **用法用量** | 内服煎汤，15 ～ 30g。外用适量，煎汤洗。

| **附　　注** | 本种喜凉爽湿润的气候，恶酷热干燥。栽培宜选择富含腐殖质、疏松、湿润、pH5.5 ～ 6.5 的酸性土壤。

杜鹃花科 Ericaceae 杜鹃属 Rhododendron

短果峨马杜鹃

Rhododendron ochraceum Rehd. et Wils. var. *brevicarpum* W. K. Hu

短果峨马杜鹃

| 药 材 名 |

峨马杜鹃花（药用部位：花、枝叶）。

| 形态特征 |

灌木，高 2 ~ 6m。幼枝被黄白色短柔毛和腺毛，一年生枝黑褐色。冬芽长卵圆形，被灰色绒毛。叶薄革质，倒披针形，先端凸尖或尾状渐尖，基部圆形或宽楔形，边缘微反卷，上面亮绿色至暗绿色，叶片下面有海绵质的毛被；中脉在上面稍凹下，下面隆起，密被丛卷毛，在上面不明显，下面没入毛被中；叶柄细圆柱形，散生短柔毛及有腺头的长毛。顶生短总状伞形花序；总轴被黄褐色柔毛；花梗密被淡黄白色有腺头的细毛；花萼小，杯状，红色，裂齿 5，不整齐，宽三角形，先端急尖，外被微柔毛；花冠狭钟形，深紫红色，无毛，裂片 5，近于圆形，先端有缺刻；雄蕊不等长，花丝白色，无毛，花药紫黑色，长圆形；子房圆锥形，密被淡白色有腺头的粗毛，花柱无毛，柱头小，头状。蒴果较短，被宿存具腺头的刚毛。花期 5 ~ 7月，果期 8 ~ 9 月。

| 生境分布 |

生于海拔 1700 ~ 2350m 的山地灌丛中。分布于重庆南川等地。

| **资源情况** | 野生资源稀少。药材主要来源于野生。

| **采收加工** | 花期采收花，晾干。夏、秋季采收叶，洗净，晒干。

| **功能主治** | 祛风止咳，止血消炎。

| **用法用量** | 内服煎汤，适量。

杜鹃花科 Ericaceae 杜鹃属 *Rhododendron*

瘦柱绒毛杜鹃

Rhododendron pachytrichum Franch. var. *tenuistylum* W. K. Hu

| **药 材 名** | 瘦柱杜鹃（药用部位：嫩枝叶）。

| **形态特征** | 常绿灌木。树皮灰色；幼枝直，密被淡褐色有分枝的粗毛，老枝无毛或近于无毛。叶薄革质，较小，常数枚在枝顶近于轮生，长圆形，长5～8.5cm，宽1.8～2.7cm，基部稍狭窄；边缘反卷，幼时具睫毛，上面绿色，下面淡绿色，无毛；中脉在上面凹下，下面凸起，被淡色有分枝的粗毛，尤以下半段为多，在上面微凹或不明显；叶柄带红色，毛被如幼枝。顶生总状花序；总轴被短柔毛；花梗淡红色，密被淡黄色柔毛；花萼小，裂片5，锐尖三角形，外面被黄褐色绒毛或无毛；花冠钟形，淡红色至白色，内面上面基部有一紫黑色斑块，裂片5，圆形或扁圆形，先端钝圆或微缺刻；雄蕊不等长，花丝白色近基部被白色微柔毛，花药长椭圆

瘦柱绒毛杜鹃

形，紫黑色；子房长圆锥形，长约 7mm，密被淡黄色绒毛，花柱无毛且瘦长，伸出花冠外，绿色或淡黄色。蒴果圆柱形，直或微弯曲，密被红褐色糙伏毛。花期 4 ～ 5 月，果期 8 ～ 9 月。

| **生境分布** | 生于海拔 2150 ～ 2200m 的灌木林中。分布于重庆南川等地。

| **资源情况** | 野生资源稀少。药材来源于野生。

| **采收加工** | 夏、秋季采收嫩枝叶，洗净，晒干。

| **功能主治** | 清热止咳，平喘。

| **用法用量** | 内服煎汤，适量。

| **附　　注** | 在 FOC 中，本种的拉丁学名被修订为 *Rhododendron pachytrichum* Franch. var. *tenuistylosum* W. K. Hu。

杜鹃花科 Ericaceae 杜鹃属 Rhododendron

阔柄杜鹃 *Rhododendron platypodum* Diels

药材名	阔柄杜鹃（药用部位：嫩枝叶、花）。
形态特征	常绿灌木或小乔木，高达8m。小枝粗，微被蜡粉。叶厚革质，常4～5集生枝顶，宽椭圆形或近圆形，先端圆，有凸尖头，基部钝或圆，下延于叶柄两侧成翅状，上面深绿色，下面淡绿色，有稀疏毛被残点；中脉在两面微凸，侧脉12～18对；叶柄长1～2cm，扁平，宽0.8～1.1cm，稍被蜡粉。总状伞形花序顶生，有花12～15，花序轴长4～6cm，被腺体；花梗长3～3.5cm，无毛，被腺体；花萼小，波状7裂；花冠漏斗状钟形，长4～5cm，粉红色，无斑点，6～8裂；雄蕊12～14，不等长，基部被微柔毛；子房及花柱密被白色腺体。蒴果长圆形，长1.5cm，密被腺体。花期4～5月，果期8～9月。

阔柄杜鹃

| **生境分布** | 生于海拔 1900m 左右的干岩石上或密林中。分布于重庆南川、奉节等地。

| **资源情况** | 野生资源稀少。药材来源于野生。

| **采收加工** | 夏、秋季采收嫩枝叶，洗净，晒干。4 ～ 5 月采收花，晾干。

| **功能主治** | 清热解毒，止咳平喘。

| **用法用量** | 内服煎汤，适量。

杜鹃花科 Ericaceae 杜鹃属 Rhododendron

锦绣杜鹃 *Rhododendron pulchrum* Sweet

| 药 材 名 | 夏鹃（药用部位：枝叶）。

| 形态特征 | 半常绿灌木。枝开展，淡灰褐色，被淡棕色糙伏毛。叶薄革质，椭圆状长圆形至椭圆状披针形或长圆状倒披针形，先端钝尖，基部楔形，边缘反卷，全缘，上面深绿色，初时散生淡黄褐色糙伏毛，后近于无毛，下面淡绿色，被微柔毛和糙伏毛；中脉和侧脉在上面下凹，下面显著凸出；叶柄密被棕褐色糙伏毛。花芽卵球形，鳞片外面沿中部被淡黄褐色毛，内有粘质。伞形花序顶生；花梗密被淡黄褐色长柔毛；花萼大，绿色，5深裂，裂片披针形，被糙伏毛；花冠玫瑰紫色，阔漏斗形，裂片5，阔卵形，具深红色斑点；雄蕊近于等长，花丝线形，下部被微柔毛；子房卵球形，密被黄褐色刚毛状糙伏毛，花柱比花冠稍长或与花冠等长，无毛。蒴果长圆状卵球形，被刚毛状糙伏毛，

锦绣杜鹃

花萼宿存。花期 4 ~ 5 月，果期 9 ~ 10 月。

| **生境分布** | 栽培于庭园或街道。重庆各地均有分布。

| **资源情况** | 栽培资源较丰富。药材来源于栽培。

| **采收加工** | 夏、秋季采收枝叶，洗净，晒干。

| **功能主治** | 止咳平喘。

| **用法用量** | 内服煎汤，适量。

| **附　注** | 在 FOC 中，本种的拉丁学名被修订为 *Rhododendron × pulchrum* Sweet。

杜鹃

杜鹃花科 Ericaceae 杜鹃属 Rhododendron

杜鹃
Rhododendron simsii Planch.

杜鹃

药 材 名

杜鹃花（药用部位：花）、杜鹃花根（药用部位：根、根茎）、杜鹃花叶（药用部位：叶）。

形态特征

落叶灌木，高 2 ~ 5m。分枝多而纤细，密被亮棕褐色扁平糙伏毛。叶革质，常集生枝端，卵形、椭圆状卵形或倒卵形或倒卵形至倒披针形，长 1.5 ~ 5cm，宽 0.5 ~ 3cm，先端短渐尖，基部楔形或宽楔形，边缘微反卷，具细齿，上面深绿色，疏被糙伏毛，下面淡白色，密被褐色糙伏毛；中脉在上面凹陷，下面凸出；叶柄长 2 ~ 6mm，密被亮棕褐色扁平糙伏毛。花芽卵球形，鳞片外面中部以上被糙伏毛，边缘具睫毛。花 2 ~ 3（~ 6）簇生枝顶；花梗长 8mm，密被亮棕褐色糙伏毛；花萼 5 深裂，裂片三角状长卵形，长 5mm，被糙伏毛，边缘具睫毛；花冠阔漏斗形，玫瑰色、鲜红色或暗红色，长 3.5 ~ 4cm，宽 1.5 ~ 2cm，裂片 5，倒卵形，长 2.5 ~ 3cm，上部裂片具深红色斑点；雄蕊 10，长约与花冠相等，花丝线状，中部以下被微柔毛；子房卵球形，10 室，密被亮棕褐色糙伏毛，花柱伸出花冠外，无毛。

蒴果卵球形，长达 1cm，密被糙伏毛，花萼宿存。花期 4 ～ 5 月，果期 6 ～ 8 月。

| **生境分布** | 生于海拔 500 ～ 1200m 的山地疏灌丛或松林下。重庆各地均有分布。

| **资源情况** | 野生和栽培资源均丰富。药材主要来源于野生，亦有少量栽培。

| **采收加工** | 杜鹃花：4 ～ 5 月花盛开时采收，烘干。

杜鹃花根：全年均可采挖，洗净，切片，晒干。

杜鹃花叶：春、秋季采收，鲜用或晒干。

| **药材性状** | 杜鹃花：本品为皱缩的花，淡红色至玫瑰色、紫色。花冠完整者展开后呈宽漏斗状，长 3 ～ 4cm，5 裂，裂片近倒卵形；雄蕊 10，稀 7 ～ 9；花丝中部有微毛；花药紫色，子房卵圆形。气清香，味酸、甘。

杜鹃花根：本品根呈圆柱状，弯曲，有少数分枝，长 10 ～ 25cm，直径 0.5 ～ 3cm。表面红黑色或棕褐色，具细龟裂，龟裂的栓皮薄而易剥落，栓皮脱落处显棕红色；根头部膨大，有数条茎基。质坚硬，切面光滑，皮部极薄，黑色；木部细密，呈浅棕红色。气微，味涩。

| **功能主治** | 杜鹃花：甘、酸，平。归肺、肝、胃经。和血，调经，止咳，祛风湿，解疮毒。用于吐血，衄血，崩漏，月经不调，咳嗽，风湿痹痛，痈疖疮毒。

杜鹃花根：酸、涩，温；有毒。祛风湿，活血祛瘀，止血。用于风湿性关节炎，跌打损伤，闭经，月经不调，崩漏，痢疾，吐血，衄血，外伤出血。

杜鹃花叶：酸，平。清热解毒，止血，化痰止咳。用于痈肿疮毒，荨麻疹，外伤出血，支气管炎。

| **用法用量** | 杜鹃花：内服煎汤，9 ～ 15g。外用适量，捣敷。

杜鹃花根：内服煎汤，6 ～ 15g；外用适量。孕妇忌服。

杜鹃花叶：内服煎汤，10 ～ 15g。外用适量，鲜品捣敷；或煎汤洗。孕妇忌服。

长蕊杜鹃
Rhododendron stamineum Franch.

| **药 材 名** | 长蕊杜鹃（药用部位：花、枝、叶、根）。

| **形态特征** | 常绿灌木或小乔木，高3～7m。幼枝纤细，无毛。叶常轮生枝顶，革质，椭圆形或长圆状披针形，长6.5～8cm，稀达10cm以上，宽2～3.5cm，先端渐尖或斜渐尖，基部楔形，边缘微反卷，上面深绿色，具光泽，下面苍白绿色，两面无毛，稀干时具白粉；中脉在上面凹陷，下面凸出，侧脉不明显；叶柄长8～12mm，无毛。花芽圆锥形，鳞片卵形，覆瓦状排列，仅边缘和先端被柔毛。花常3～5簇生枝顶叶腋；花梗长2～2.5cm，无毛；花萼小，微5裂，裂片三角形；花冠白色，有时蔷薇色，漏斗形，长3～3.3cm，5深裂，裂片倒卵形或长圆状倒卵形，长2～2.5cm，上方裂片内侧具黄色斑点，花冠管筒状，长1.3cm，向基部渐狭；雄蕊10，细长，伸出于花冠外很长，花丝

长蕊杜鹃

下部被微柔毛或近于无毛；子房圆柱形，长 4mm，无毛，花柱长 4 ~ 5cm，超过雄蕊，无毛，柱头头状。蒴果圆柱形，长 2 ~ 3（~ 4）cm，微拱弯，具 7 纵肋，先端渐尖，无毛。花期 4 ~ 5 月，果期 7 ~ 10 月。

| 生境分布 | 生于海拔 500 ~ 1600m 的灌丛或疏林内。分布于重庆城口、巫山、巫溪、奉节、开州、垫江、梁平、武隆、南川、綦江、江津、合川、北碚等地。

| 资源情况 | 野生资源一般。药材来源于野生。

| 采收加工 | 4 ~ 5 月采收花，晾干。夏、秋季采收枝、叶，全年均可挖根，洗净，晒干。

| 功能主治 | 活血调经，祛瘀止痛。用于狂犬病。

| 用法用量 | 内服煎汤，适量。

杜鹃花科 Ericaceae 越桔属 Vaccinium

南烛
Vaccinium bracteatum Thunb.

| **药材名** | 南烛子（药用部位：果实。别名：乌饭果、乌饭子）、南烛叶（药用部位：叶、枝叶。别名：南烛枝叶）、南烛根（药用部位：根。别名：乌饭树根）。 |

| **形态特征** | 常绿灌木或小乔木，高2～6（～9）m。分枝多，幼枝被短柔毛或无毛，老枝紫褐色，无毛。叶片薄革质，椭圆形、菱状椭圆形、披针状椭圆形至披针形，长4～9cm，宽2～4cm，先端锐尖、渐尖，稀长渐尖，基部楔形、宽楔形，稀钝圆，边缘有细锯齿，表面平坦有光泽，两面无毛；侧脉5～7对，斜伸至边缘以内网结，与中脉、网脉在表面和背面均稍微凸起；叶柄长2～8mm，通常无毛或被微毛。总状花序顶生和腋生，长4～10cm，有多数花，花序轴密被短柔毛，稀无毛；苞片叶状，披针形，长0.5～2cm，两面沿脉被微 |

南烛

毛或两面近无毛，边缘有锯齿，宿存或脱落，小苞片2，线形或卵形，长1～3mm，密被微毛或无毛；花梗短，长1～4mm，密被短毛或近无毛；萼筒密被短柔毛或茸毛，稀近无毛，萼齿短小，三角形，长1mm左右，密被短毛或无毛；花冠白色，筒状，有时略呈坛状，长5～7mm，外面密被短柔毛，稀近无毛，内面被疏柔毛，口部裂片短小，三角形，外折；雄蕊内藏，长4～5mm，花丝细长，长2～2.5mm，密被疏柔毛，药室背部无距，药管长为药室的2～2.5倍；花盘密生短柔毛。浆果直径5～8mm，熟时紫黑色，外面通常被短柔毛，稀无毛。花期6～7月，果期8～10月。

| 生境分布 | 生于海拔400～1800m的山坡灌丛或林中。分布于重庆黔江、丰都、彭水、忠县、江津、永川、城口、璧山、涪陵、云阳、武隆、巫溪、北碚、开州、合川、梁平、巴南、沙坪坝等地。

| 资源情况 | 野生资源较丰富。药材来源于野生。

| 采收加工 | 南烛子：8～10月果实成熟后采摘，晒干。
南烛叶：8～9月采收，拣净杂质，晒干。
南烛根：全年均可采挖，鲜用或切片晒干。

| 药材性状 | 南烛子：本品呈类球形，直径4～6mm。表面暗红褐色至紫黑色，稍被白粉，略有细纵纹。先端具黄色点状的花柱痕迹，基部有细果梗或果梗痕，有时有宿萼，约包被果实2/3以上，萼筒钟状，先端5浅裂，裂片短三角形。质松脆，断面黄白色，内含多数长卵状三角形的种子，橙黄色或橙红色。气微，味酸而稍甘。
南烛叶：本品长椭圆形至披针形，长4～9cm，宽2～4cm，两端尖锐，边缘有稀疏的细锯齿，多向外反卷；上面暗棕色，有光泽，主脉凹陷，下面棕色，有光泽，叶脉明显凸起。叶柄短而不明显。质脆。气微，味涩而苦。

| 功能主治 | 南烛子：酸、甘，平。归肝、肾、脾经。补肝肾，强筋骨，固精气，止泻痢。用于肝肾不足，须发早白，筋骨无力，久泄梦遗，带下不止，久泻久痢。
南烛叶：酸、涩，平。归心、脾、肾经。益肠胃，养肝肾。用于脾胃气虚，久泻，少食，肝肾不足，腰膝乏力，须发早白。
南烛根：酸、微甘，平。散瘀，止痛。用于牙痛，跌打肿痛。

| 用法用量 | 南烛子：内服煎汤，9～15g；或入丸剂。
南烛叶：内服煎汤，6～9g；或熬膏；或入丸、散。
南烛根：内服煎汤，9～15g；或研末。外用适量，捣敷；或煎汤洗。

杜鹃花科 Ericaceae **越桔属** *Vaccinium*

短尾越桔
Vaccinium carlesii Dunn

| 药 材 名 | 短尾越桔（药用部位：全株）。

| 形态特征 | 常绿灌木或乔木，高 1 ~ 3（~ 6）m。分枝多，枝条细；幼枝通常
被短柔毛，有时无毛，老枝灰褐色，无毛。叶密生，散生枝上，叶
片革质，卵状披针形或长卵状披针形，长 2 ~ 7cm，宽 1 ~ 2.5cm，
先端渐尖或长尾状渐尖，基部圆形或宽楔形，稀楔形，边缘有疏
浅锯齿，除表面沿中脉密被微柔毛外两面不被毛；中脉细，在两
面稍凸起，侧脉和网脉纤细，在两面均不明显或仅在背面略显；
叶柄长 1 ~ 5mm，被微柔毛或近无毛。总状花序腋生和顶生，长
2 ~ 3.5cm，花序轴纤细，被短柔毛或无毛；苞片披针形，长 2 ~ 5
（~ 13）mm，早落或不落以至结果时仍存在，小苞片着生于花梗
基部，披针形或线形，长 1 ~ 3mm；花梗短而纤细，长约 2mm；

短尾越桔

萼齿三角形，长 0.8 ~ 1mm，无毛；花冠白色，宽钟状，长 3 ~ 5mm，口部张开，5 裂几达中部，裂片卵状三角形，先端反折；雄蕊内藏，短于花冠，花丝极短，被疏柔毛，药室背部之上有 2 极短的距，药管为药室长的 1/2 ~ 2/3；子房无毛，花柱伸出花冠外。结果期果序长可至 6cm；浆果球形，直径 5mm，熟时紫黑色，外面无毛，常被白粉。花期 5 ~ 6 月，果期 8 ~ 10 月。

| 生境分布 | 生于海拔 270 ~ 1230m 的山地疏林、灌丛或常绿阔叶林内。分布于重庆丰都、长寿、綦江、垫江、忠县、武隆、江津、九龙坡等地。

| 资源情况 | 野生资源稀少。药材来源于野生。

| 采收加工 | 果实成熟期之后采收，切段，晒干。

| 功能主治 | 甘、酸，温。清热解毒，止血固精。

| 用法用量 | 内服煎汤，适量。

| 附　注 | 在 FOC 中，本种的中文名被修订为短尾越橘，属的中文名被修订为越橘属。

杜鹃花科 Ericaceae 越桔属 *Vaccinium*

无梗越桔
Vaccinium henryi Hemsl.

| 药 材 名 |　无梗越桔（药用部位：枝、叶）。

| 形态特征 |　落叶灌木，高（0.5 ~ ）1 ~ 3m。茎多分枝，幼枝淡褐色，密被短柔毛，生花的枝条细而短，呈左右曲折，老枝褐色，渐变无毛。叶多数，散生枝上，生花的枝条上叶较小，向上愈加变小，营养枝上的叶向上部变大；叶片纸质，卵形，卵状长圆形或长圆形，长（1.5 ~ ）3 ~ 7cm，宽（0.7 ~ ）1.5 ~ 3cm，先端锐尖或急尖，明显具小短尖头，基部楔形、宽楔形至圆形，边缘全缘，通常被短纤毛，两面沿中脉有时连同侧脉密被短柔毛，叶脉在两面略微隆起；叶柄长 1 ~ 2mm，密被短柔毛。花单生叶腋，有时由于枝条上部叶片渐变小而呈苞片状，在枝端形成假总状花序；花梗极短，长 1mm 或近于无梗，密被毛；小苞片 2，花期宽三角形，长不及 1mm，

无梗越桔

先端具短尖头，结果时通常变披针形，长 2 ~ 3mm，明显有 1 脉，或有时早落；萼筒无毛，萼齿 5，宽三角形，长 0.5 ~ 1mm，外面被毛或有时无毛；花冠黄绿色（有记录为"暗红色"），钟状，长 3 ~ 4.5mm，外面无毛，5 浅裂，裂片三角形，先端反折；雄蕊 10，短于花冠，长 3 ~ 3.5mm，花丝扁平，长 1.5 ~ 2mm，被柔毛，药室背部无距，药管与药室近等长。浆果球形，略呈扁压状，直径 7 ~ 9mm，成熟时紫黑色。花期 6 ~ 7 月，果期 9 ~ 10 月。

| 生境分布 | 生于海拔 750 ~ 1900m 的山坡灌丛。分布于重庆城口、开州、巫溪、奉节、石柱、南川、丰都等地。

| 资源情况 | 野生资源稀少。药材来源于野生。

| 采收加工 | 夏、秋季采收枝、叶，洗净，晒干。

| 功能主治 | 祛风除湿，消肿。

| 用法用量 | 内服煎汤，适量。

| 附　　注 | 在 FOC 中，本种的中文名被修订为无梗越橘，属的中文名被修订为越橘属。

杜鹃花科 Ericaceae 越桔属 Vaccinium

黄背越桔 *Vaccinium iteophyllum* Hance

黄背越桔

| 药 材 名 |

黄背越桔（药用部位：全株）。

| 形态特征 |

常绿灌木或小乔木，高 1 ~ 7m。幼枝被淡褐色至锈色短柔毛或短绒毛，老枝灰褐色或深褐色，无毛。叶片革质，卵形、长卵状披针形至披针形，长 4 ~ 9cm，宽 2 ~ 4cm，先端渐尖至长渐尖，基部楔形至钝圆，边缘有疏浅锯齿，有时近全缘，表面沿中脉被微柔毛，其余部分通常无毛，稀被短柔毛，背面被短柔毛，沿中脉尤明显；侧脉纤细，在两面微凸起；叶柄短，长 2 ~ 5mm，密被淡褐色短柔毛或微柔毛。总状花序生于枝条下部和顶部叶腋，长 3 ~ 7cm，花序轴、花梗密被淡褐色短柔毛或短绒毛；苞片披针形，长 3 ~ 7mm，被微毛，小苞片小，线形或卵状披针形，被毛，早落；花梗长 2 ~ 4mm；萼齿三角形，长约 1mm；花冠白色，有时带淡红色，筒状或坛状，长 5 ~ 7mm，外面沿 5 肋上被微毛或无毛，裂齿短小，三角形，直立或反折；雄蕊药室背部有长约 1mm 的细长的距，药管长约 2.5mm，约为药室长的 4 倍，花丝长 1.5 ~ 2mm，密被毛；花柱不伸出。浆果球形，

直径 4 ~ 5mm，或疏或密被短柔毛。花期 4 ~ 5 月，果期 6 月以后。

| **生境分布** | 生于海拔 900 ~ 1600m 的山地灌丛中，或山坡疏、密林内。分布于重庆綦江、彭水、永川、秀山、开州、奉节等地。

| **资源情况** | 野生资源一般。药材来源于野生。

| **采收加工** | 果实成熟期之后采收，切段，晒干。

| **功能主治** | 祛风除湿，舒筋活络。

| **用法用量** | 内服煎汤，适量。

| **附　注** | 在 FOC 中，本种的中文名被修订为黄背越橘，属的中文名被修订为越橘属。

杜鹃花科 Ericaceae 越桔属 Vaccinium

扁枝越桔

Vaccinium japonicum Miq. var. *sinicum* (Nakai) Rehd.

| **药材名** | 扁枝越桔（药用部位：全株）。

| **形态特征** | 落叶灌木，高 0.4 ~ 2m。茎直立，多分枝，枝条扁平，绿色，无毛，有时有沟棱。叶散生枝上，幼叶有时带红色，叶片纸质，卵形，长卵形或卵状披针形，长（1.5 ~ ）2 ~ 6cm，宽 0.7 ~ 2cm，先端锐尖、渐尖或有时长渐尖，中部以下变宽，基部宽楔形，略钝至近于平截，边缘有细锯齿，齿尖有具腺短芒，表面无毛或偶被短柔毛，背面近无毛或中脉向基部被短柔毛；中脉、侧脉纤细，在叶面不显，在背面稍凸起；叶柄很短，长 1 ~ 2mm，无毛或背部被短柔毛。花单生叶腋，下垂；花梗纤细，长 5 ~ 8mm，无毛，顶部与萼筒间无关节；小苞片 2，着生于花梗基部，披针形，长 2 ~ 4mm，无毛；花萼筒部无毛，花萼裂片 4，三角形，长 1 ~ 1.5mm，先端凸尖，基部联合；

扁枝越桔

花冠白色，有时带淡红色，未开放时筒状，长 0.8 ~ 1cm，4 深裂至下部 1/4 处，裂片线状披针形，花开后向外反卷，花冠管长为花萼裂片的 2 倍；雄蕊 8，长约 9mm，花丝扁平，长 1 ~ 2mm，或疏或密被疏柔毛，药室背部无距，药管与药室等长。浆果直径约 5mm，绿色，成熟后转红色。花期 6 月，果期 9 ~ 10 月。

| 生境分布 | 生于海拔 1250 ~ 1900m 的山坡林下或山坡灌丛中。分布于重庆城口、巫山、石柱、南川等地。

| 资源情况 | 野生资源较少。药材来源于野生。

| 采收加工 | 果实成熟期之后采收，切段，晒干。

| 功能主治 | 止咳平喘，消肿。

| 用法用量 | 内服煎汤，适量。

| 附　　注 | 在 FOC 中，本种的中文名被修订为扁枝越橘，属的中文名被修订为越橘属。

■紫金牛科■ Myrsinaceae ■紫金牛属■ *Ardisia*

九管血 *Ardisia brevicaulis* Diels

| 药 材 名 | 九管血（药用部位：全株或根。别名：八爪金龙、开喉箭、血猴爪）。

| 形态特征 | 矮小灌木。具匍匐生根的根茎。直立茎高 10 ~ 15cm，幼嫩时被微柔毛，除侧生特殊花枝外，无分枝。叶片坚纸质，狭卵形或卵状披针形，或椭圆形至近长圆形，先端急尖且钝，或渐尖，基部楔形或近圆形，长 7 ~ 14（~ 18）cm，宽 2.5 ~ 4.8（~ 6）cm，近全缘，具不明显的边缘腺点，叶面无毛，背面被细微柔毛，尤以中脉为多，具疏腺点；侧脉（7 ~）10 ~ 13 对，与中脉几成直角，至近边缘上弯，连成远离边缘的不规则的边缘脉；叶柄长 1 ~ 1.5（~ 2）cm，被细微柔毛。伞形花序，着生于侧生特殊花枝先端，花枝长 2 ~ 5cm，除近先端（即花序基部）有 1 ~ 2 叶外，其余无叶或全部无叶；花梗长 1 ~ 1.5cm；花长 4 ~ 5mm；花萼基部联合达 1/3，萼片披针

九管血

形或卵形，长约 2mm，外面被毛或无毛，里面无毛，具腺点；花瓣粉红色，卵形，先端急尖，长约 5mm，有时达 7mm，外面无毛，里面被疏细微柔毛，具腺点；雄蕊较花瓣短，花药披针形，背部具腺点；雌蕊与花瓣等长，无毛，具腺点；胚珠 6，1 轮。果实球形，直径约 6mm，鲜红色，具腺点，宿存萼与果梗通常为紫红色。花期 6 ～ 7 月，果期 10 ～ 12 月。

| 生境分布 | 生于海拔 400 ～ 1260m 的密林下阴湿的地方。分布于重庆南川、璧山、涪陵、长寿、江津、丰都、开州、石柱、巴南等地。

| 资源情况 | 野生资源一般。药材来源于野生。

| 采收加工 | 6 ～ 7 月采收，切碎，鲜用或晒干。

| 药材性状 | 本品根簇生于略膨大的根茎上，根多数，呈圆柱形，略弯曲，直径 0.2 ～ 0.6cm；表面棕红色或棕褐色，具细皱纹及横裂纹；质脆，易折断，皮部与木部易分离，断面皮部厚，类白色，有紫褐色斑点散在。茎呈圆柱形，略弯曲，直径 0.2 ～ 1cm；表面灰棕色或棕褐色；质硬而脆，易折断，断面类白色，皮部薄，具髓部。单叶互生，有短柄；叶片多皱缩，灰绿色或棕黄色，完整者展平后呈狭卵形或椭圆形至近长圆形，长 7 ～ 18cm，宽 2.5 ～ 6cm，先端急尖，基部呈楔形或近圆形，近全缘，边缘有腺点。气微香，味淡。

| 功能主治 | 苦、辛，寒。归肝、肾经。清热解毒，祛风止痛，活血消肿。用于咽喉肿痛，风火牙痛，风湿痹痛，跌打损伤，无名肿毒，毒蛇咬伤。

| 用法用量 | 内服煎汤，9 ～ 15g；或浸酒。孕妇慎服。

紫金牛科 Myrsinaceae 紫金牛属 *Ardisia*

尾叶紫金牛
Ardisia caudata Hemsl.

尾叶紫金牛

| 药 材 名 |

峨眉紫金牛（药用部位：根。别名：红豆子、点抵改房、两逊）。

| 形态特征 |

多枝灌木，高 0.5 ～ 1m。枝条纤细，被微柔毛，以后无毛，除侧生特殊花枝外，无分枝或仅从基部分枝。叶片膜质，长圆形或椭圆状披针形，稀椭圆形，先端长而细渐尖或尾状渐尖，基部楔形或钝，近圆形，长 6 ～ 13cm，宽 2 ～ 3 （～ 4.5）cm，边缘具皱波状浅圆齿或圆齿，具边缘腺点，两面无毛，背面被不甚明显的疏鳞片，无腺点；侧脉约 8 对，不连成边缘脉；叶柄长 5 ～ 8mm。复亚聚伞花序或伞形花序，着生于侧生特殊花枝先端，被微柔毛；花枝长 5 ～ 20cm，近先端具 3 ～ 4 叶；花梗长 7 ～ 12mm，被微柔毛；花长 6 ～ 8mm；花萼仅基部联合，仅联合部分被微柔毛，萼片卵形，长约 3mm，先端钝或急尖，无毛，具腺点；花瓣粉红色，广卵形，先端急尖，长 6 ～ 8mm，具腺点，外面无毛，里面近基部被微柔毛或无毛；雄蕊为花瓣长的 2/3，花药卵形，背部具疏腺点；雌蕊与花瓣等长或略长，子房卵珠形，无毛；胚珠 5，1 轮。果实球形，直径约 6mm，红色，具腺点，果梗有时长达 2cm。花期 5 ~ 7 月，果期 11 ~ 12 月或 5 ~ 6 月。

| 生境分布 | 生于海拔 600 ~ 1800m 的山谷，山坡疏、密林下，溪边或阴湿的地方。分布于重庆南川等地。

| 资源情况 | 野生资源稀少。药材来源于野生。

| 采收加工 | 夏、秋季采挖，洗净，鲜用或晒干。

| 功能主治 | 苦、辛，寒。祛风湿，解热毒，利喉，止痛。用于风湿痹痛，咽喉肿痛，牙痛，胃痛，跌打骨折，淋巴结肿大。

| 用法用量 | 内服煎汤，9 ~ 20g；或浸酒。外用适量，鲜品捣敷。

紫金牛科 Myrsinaceae 紫金牛属 Ardisia

朱砂根 *Ardisia crenata* Sims

药 材 名	朱砂根（药用部位：根。别名：紫金牛、凤凰肠、老鼠尾）、朱砂根叶（药用部位：叶）。
形态特征	灌木，高 1 ~ 2m，稀达 3m。茎粗壮，无毛，除侧生特殊花枝外，无分枝。叶片革质或坚纸质，椭圆形、椭圆状披针形至倒披针形，先端急尖或渐尖，基部楔形，长 7 ~ 15cm，宽 2 ~ 4cm，边缘具皱波状或波状齿，具明显的边缘腺点，两面无毛，有时背面具极小的鳞片；侧脉 12 ~ 18 对，构成不规则的边缘脉；叶柄长约 1cm。伞形花序或聚伞花序，着生于侧生特殊花枝先端；花枝近先端常具 2 ~ 3 叶或更多，或无叶，长 4 ~ 16cm；花梗长 7 ~ 10mm，几无毛；花长 4 ~ 6mm；花萼仅基部联合，萼片长圆状卵形，先端圆形或钝，长 1.5mm 或略短，稀达 2.5mm，全缘，两面无毛，具腺点；花瓣白

朱砂根

色，稀略带粉红色，盛开时反卷，卵形，先端急尖，具腺点，外面无毛，里面有时近基部具乳头状突起；雄蕊较花瓣短，花药三角状披针形，背面常具腺点；雌蕊与花瓣近等长或略长，子房卵珠形，无毛，具腺点；胚珠5，1轮。果实球形，直径6～8mm，鲜红色，具腺点。花期5～6月，果期10～12月，有时2～4月。

| 生境分布 | 生于海拔600～1200m的疏、密林下阴湿的灌丛中。重庆各地均有分布。

| 资源情况 | 野生资源丰富，药材来源于野生。

| 采收加工 | 朱砂根：秋、冬季采挖，洗净，晒干。
朱砂根叶：夏、秋季采收叶，洗净，晒干。

| 药材性状 | 朱砂根：本品簇生于略膨大的根茎上，呈圆柱形，略弯曲，长5～30cm，直径0.2～1cm。表面灰棕色或棕褐色，可见多数纵皱纹，有横向或环状断裂痕，皮部与木部易分离。质硬而脆，易折断，断面不平坦，皮部厚，占断面的1/3～1/2，类白色或粉红色，外侧有紫红色斑点散在，习称"朱砂点"；木部黄白色，不平坦。气微，味微苦，有刺舌感。

| 功能主治 | 朱砂根：微苦、辛，平。归肺、肝经。解毒消肿，活血止痛，祛风除湿。用于咽喉肿痛，风湿痹痛，跌打损伤。
朱砂根叶：活血行瘀。

| 用法用量 | 朱砂根：内服煎汤，3～9g。

| 附　　注 | 本种喜温暖、荫蔽和湿润的环境，忌干旱，通风及排水良好的肥沃土壤栽培为宜。

紫金牛科 Myrsinaceae 紫金牛属 Ardisia

红凉伞
Ardisia crenata Sims var. *bicolor* (Walker) C. Y. Wu et C. Chen

| 药 材 名 | 朱砂根（药用部位：根。别名：铁伞、散血丹、浪伞根）。

| 形态特征 | 本种与原变种朱砂根的区别在于叶背、花梗、花萼及花瓣均带紫红色，有的植株叶两面均为紫红色。

| 生境分布 | 生于海拔 600 ～ 1200m 的疏、密林下阴湿的灌丛中。分布于重庆奉节、城口、酉阳、南川、北碚、长寿、石柱等地。

| 资源情况 | 野生资源稀少。药材来源于野生。

| 采收加工 | 秋季采挖，切碎，晒干或鲜用。

| 药材性状 | 本品簇生于略膨大的根茎上，呈圆柱形，略弯曲，长 5 ～ 25cm，

红凉伞

直径 2 ～ 10mm。表面棕褐色或灰棕色，具多数纵皱纹及横向或环状断裂痕，皮部与木部易分离。质硬而脆，易折断，折断面不平坦，皮部厚，约占断面的1/2，类白色或浅紫红色，木部淡黄色。气微，味微苦、辛，有刺舌感。

| **功能主治** | 苦、辛，凉。清热解毒，活血止痛。用于咽喉肿痛，风湿热痹，黄疸，痢疾，跌打损伤，丹毒，乳腺炎，睾丸炎。

| **用法用量** | 内服煎汤，15 ～ 30g。外用适量，捣敷。虚弱者慎用。

| **附　　注** | （1）在 FOC 中，本种被修订为朱砂根 *Ardisia crenata* Sims。
（2）本种喜温暖、荫蔽和湿润的环境，忌干旱，通风及排水良好的肥沃土壤栽培为宜。长江流域可露地栽培，宜选湿润荫蔽林下，或流水溅雾又不直晒之处栽培。

百两金

紫金牛科 Myrsinaceae 紫金牛属 Ardisia

百两金
Ardisia crispa (Thunb.) A. DC.

| 药 材 名 |

百两金（药用部位：全株。别名：八爪龙、山豆根、地杨梅）。

| 形态特征 |

灌木，高 60 ~ 100cm。具匍匐生根的根茎。直立茎除侧生特殊花枝外，无分枝；花枝多，幼嫩时被细微柔毛或疏鳞片。叶片膜质或近坚纸质，椭圆状披针形或狭长圆状披针形，先端长渐尖，稀急尖，基部楔形，长 7 ~ 12（~ 15）cm，宽 1.5 ~ 3（~ 4）cm，全缘或略波状，具明显的边缘腺点，两面无毛，背面多少具细鳞片，无腺点或具极疏的腺点；侧脉约 8 对，边缘脉不明显；叶柄长 5 ~ 8mm。亚伞形花序，着生于侧生特殊花枝先端，花枝长 5 ~ 10cm，通常无叶，长 13 ~ 18cm 者，则中部以上具叶或仅近先端有 2 ~ 3 叶；花梗长 1 ~ 1.5cm，被微柔毛；花长 4 ~ 5mm；花萼仅基部联合，萼片长圆状卵形或披针形，先端急尖或狭圆形，长 1.5mm，多少具腺点，无毛；花瓣白色或粉红色，卵形，长 4 ~ 5mm，先端急尖，外面无毛，里面多少被细微柔毛，具腺点；雄蕊较花瓣略短，花药狭长圆状披针形，背部无腺点或有；雌蕊与花瓣等长或略长，子房卵珠形，无毛；胚珠 5，1 轮。果实球形，直径 5 ~ 6mm，鲜红色，具腺点。花期 5 ~ 6 月，果期 10 ~ 12 月，有时植株上部开花，下部果实成熟。

| 生境分布 | 生于海拔 300 ~ 1200m 的山谷，山坡，疏、密林下或竹林下。分布于重庆黔江、綦江、彭水、江津、石柱、丰都、璧山、永川、城口、南川、忠县、武隆、北碚、开州、垫江、巫溪、合川、荣昌等地。

| 资源情况 | 野生资源较丰富。药材来源于野生。

| 采收加工 | 夏、秋季茎叶茂盛时采挖，除去泥沙，干燥。

| 药材性状 | 本品根呈圆柱形，略弯曲，直径 0.2 ~ 1cm；表面灰棕色或暗褐色，具纵皱纹及圆点状须根痕；质坚脆，易折断，断面木部与皮部易分离，皮部厚，散在深棕色小点（朱砂点），木部有致密放射状纹理。根茎略膨大。茎呈圆柱形，直径 0.2 ~ 1cm；表面红棕色或灰绿色，有细纵纹、叶痕及节，易折断。叶互生，叶片略卷曲或破碎，完整者展平后呈椭圆状披针形或狭长圆状披针形，长 7 ~ 15cm，宽 1.5 ~ 4cm，墨绿色或棕褐色，先端尖，基部楔形，具明显的边缘腺点，背面具细鳞片，叶柄长 5 ~ 8mm。有时可见亚伞形花序，茎偶有红色球形核果。气微，味微苦、辛。

| 功能主治 | 苦、辛、微咸，凉。归肺、肝经。清热利咽，祛痰利湿，活血解毒。用于咽喉肿痛，咳嗽咳痰不畅，湿热黄疸，小便淋痛，风湿痹痛，跌打损伤，疔疮，无名肿毒，蛇咬伤。

| 用法用量 | 内服煎汤，9 ~ 30g。外用适量。湿热中阻者慎用。

紫金牛科 Myrsinaceae 紫金牛属 Ardisia

大叶百两金
Ardisia crispa (Thunb.) A. DC. var. *amplifolia* Walker

| 药 材 名 | 大叶百两金（药用部位：根。别名：八爪金、高八爪）。

| 形态特征 | 本种与原变种百两金的区别在于植株粗壮，叶长且宽，长 15 ~ 25cm，宽 4 ~ 5.8cm，侧生特殊花枝通常无叶，稀有叶，长 5 ~ 7cm，稀达 9cm。

| 生境分布 | 生于海拔 600 ~ 1000m 的林下阴湿处。分布于重庆石柱、南川等地。

| 资源情况 | 野生资源稀少。药材来源于野生。

| 采收加工 | 全年均可采挖，以秋、冬季采者较好，洗净，鲜用或晒干。

| 功能主治 | 祛风止咳，清热解毒。用于风湿，跌打损伤，咽喉痛。

大叶百两金

|**用法用量**| 内服煎汤，9～15g。外用捣敷。

|**附　　注**| 在 FOC 中，本种被修订为百两金 *Ardisia crispa* (Thunb.) A. DC.。

▨ 紫金牛科 ▨ Myrsinaceae ▨ 紫金牛属 ▨ *Ardisia*

细柄百两金
Ardisia crispa (Thunb.) A. DC. var. *dielsii* (Lévl.) Walker

药 材 名	细柄百两金(药用部位: 根、根茎。别名: 八爪龙、山豆根、状元红)。
形态特征	本种与原变种百两金的区别在于植株较矮,高 1m 以下,叶长而狭,狭披针形,长 12 ~ 21cm,宽 1 ~ 2(~ 3.5)cm,侧脉极弯曲上升。
生境分布	生于海拔 900 ~ 2120m 的山坡疏、密林下,阴湿的地方,有时亦出现于苔藓林下。分布于重庆彭水、南川等地。
资源情况	野生资源稀少。药材来源于野生。
采收加工	秋、冬季采挖,洗净,鲜用或晒干。
药材性状	本品根茎略膨大。根圆柱形,略弯曲,长 5 ~ 20cm,直径 2 ~ 10mm;

细柄百两金

表面灰棕色或暗褐色，具纵皱纹及横向环状断裂痕，木部与皮部易分离。质坚脆，断面皮部厚，类白色或浅棕色，木部灰黄色。气微，味微苦、辛。

| **功能主治** | 苦、辛，凉。清热利咽，祛痰利湿，活血解毒。用于咽喉肿痛，咳嗽咳痰不畅，湿热黄疸，小便淋痛，风湿痹痛，跌打损伤，疔疮，无名肿毒，蛇咬伤。

| **用法用量** | 内服煎汤，9 ~ 15g；或煎汤含咽。外用适量，鲜品捣敷。湿热中阻者慎用。

紫金牛科 Myrsinaceae 紫金牛属 *Ardisia*

月月红
Ardisia faberi Hemsl.

月月红

| 药 材 名 |

毛青杠（药用部位：根、叶。别名：白毛金刚、毛虫草、木步走马胎）。

| 形态特征 |

小灌木或亚灌木。具匍匐生根的根茎，近蔓生，长 15 ～ 30cm，无分枝，密被锈色卷曲长柔毛。叶对生或近轮生，叶片厚膜质或坚纸质，卵状椭圆形或披针状椭圆形，先端渐尖，基部楔形，长 5 ～ 10cm，宽 2.5 ～ 4cm，边缘具粗锯齿，幼时两面被卷曲的长柔毛，以后叶面仅中脉和侧脉被毛，背面中、侧脉明显，隆起，毛尤多，无边缘脉；叶柄长 5 ～ 8mm，密被卷曲的长柔毛。亚伞形花序，腋生或生于节间互生的钻形苞片腋间，总梗长 1.5 ～ 2.5cm，花梗长 7 ～ 10mm，二者均被卷曲长柔毛；花长 4 ～ 5（～ 6）mm；花萼基部几分离，萼片狭披针形或线状披针形，长约 5mm，外面密被长柔毛，里面无毛；花瓣白色至粉红色，广卵形，先端急尖或钝，长 4 ～ 5（～ 6）mm，多少具腺点，无毛；雄蕊长为花瓣的 2/3，花药卵形，背部无腺点；雌蕊与花瓣近等长，子房卵珠形，无毛；胚珠 5，1 轮。果实球形，直径约 6mm，红色，无腺点，无毛或被微柔毛。花期 5 ～ 7 月，稀 4 月，果期 5 月或 11 月。

| **生境分布** | 生于海拔 500 ~ 800m 的山谷疏、密林下，阴湿处，水旁，路边或石缝间。分布于重庆大足、云阳、璧山、酉阳、南岸、荣昌、彭水、石柱、万州、秀山、南川、北碚等地。 |

| **资源情况** | 野生资源一般。药材来源于野生。 |

| **采收加工** | 夏、秋季采收，洗净，晒干。 |

| **功能主治** | 苦、辛，平。归肝、肾经。散风热，解毒利咽。用于风热感冒，咳嗽，咽喉肿痛。 |

| **用法用量** | 内服煎汤，9 ~ 15g。 |

紫金牛
Ardisia japonica (Thunb.) Blume

| 药 材 名 | 紫金牛（药用部位：全株。别名：平地木、叶下红、矮茶子）、紫金牛根（药用部位：根）。

| 形态特征 | 小灌木或亚灌木。近蔓生，具匍匐生根的根茎。直立茎长达 30cm，稀达 40cm，不分枝，幼时被细微柔毛，以后无毛。叶对生或近轮生，叶片坚纸质或近革质，椭圆形至椭圆状倒卵形，先端急尖，基部楔形，长 4 ~ 7cm，宽 1.5 ~ 4cm，边缘具细锯齿，多少具腺点，两面无毛或有时背面仅中脉被细微柔毛；侧脉 5 ~ 8 对，细脉网状；叶柄长 6 ~ 10mm，被微柔毛。亚伞形花序，腋生或生于近茎先端的叶腋；总梗长约 5mm，有花 3 ~ 5，花梗长 7 ~ 10mm，常下弯，二者均被微柔毛；花长 4 ~ 5mm，有时 6 基数；花萼基部联合，萼片卵形，先端急尖或钝，长约 1.5mm 或略短，两面无毛，具缘毛，有时具腺点；

紫金牛

花瓣粉红色或白色，广卵形，长 4 ~ 5mm，无毛，具密腺点；雄蕊较花瓣略短，花药披针状卵形或卵形，背部具腺点；雌蕊与花瓣等长，子房卵珠形，无毛；胚珠 15，3 轮。果实球形，直径 5 ~ 6mm，鲜红色转黑色，多少具腺点。花期 5 ~ 6 月，果期 11 ~ 12 月，有时 5 ~ 6 月仍有果实。

| **生境分布** | 生于海拔约 1200m 以下的山间林下或竹林下，阴湿的地方。分布于重庆黔江、綦江、忠县、彭水、巫山、沙坪坝、秀山、江津、城口、合川、北碚、万州、永川、丰都、酉阳、铜梁、璧山、石柱、云阳、南川、九龙坡、长寿、武隆、开州、巫溪、梁平、巴南、荣昌等地。

| **资源情况** | 野生资源丰富。药材来源于野生。

| **采收加工** | 紫金牛：全年均可采收，除去杂质，洗净，切段，干燥。
紫金牛根：夏、秋季采挖，洗净，晒干。

| **药材性状** | 紫金牛：本品根茎匍匐状，疏生须根。茎略呈扁圆柱形，稍扭曲，长 10 ~ 30cm，直径 0.2 ~ 0.5cm；表面红棕色，有细纵纹、叶痕及节；质硬，易折断。叶互生，集生于茎梢；叶片略卷曲或破碎，完整者展平后呈椭圆形，长 3 ~ 7cm，宽 1.5 ~ 4cm，灰绿色、棕褐色或浅红棕色，先端尖，基部楔形，边缘具细锯齿；近革质。茎顶偶有红色球形核果。气微，味微涩。

| **功能主治** | 紫金牛：辛、微苦，平。化痰止咳，利湿，活血。用于新、久咳嗽，痰中带血，慢性支气管炎，湿热黄疸，跌打损伤。
紫金牛根：辛，平。用于时疾膈气，风痰。

| **用法用量** | 紫金牛：内服煎汤，15 ~ 30g。
紫金牛根：内服煎汤，9 ~ 12g。

紫金牛科 Myrsinaceae 紫金牛属 Ardisia

虎舌红

Ardisia mamillata Hance

| 药 材 名 | 红毛走马胎（药用部位：全株。别名：毛罗伞、老虎舌、铺地毡）。

| 形态特征 | 矮小灌木。具匍匐的木质根茎，幼时密被锈色卷曲长柔毛，以后无毛或几无毛。叶互生或簇生茎先端，叶片坚纸质，倒卵形至长圆状倒披针形，先端急尖或钝，基部楔形或狭圆形，边缘具不明显的疏圆齿，边缘腺点藏于毛中，两面绿色或暗紫红色，被锈色或有时为紫红色糙伏毛，毛基部隆起如小瘤，具腺点，以背面尤为明显，侧脉 6 ～ 8 对，不明显；叶柄被毛。伞形花序，着生于侧生特殊花枝先端；花梗被毛；花萼基部联合，萼片披针形或狭长圆状披针形，先端渐尖，与花瓣等长或略短具腺点，两面被长柔毛或里面近无毛；花瓣粉红色，稀近白色，卵形，先端急尖，具腺点；雄蕊与花瓣近等长，花药披针形，背部通常具腺点；雌蕊与花瓣等长，子房球形，

虎舌红

被毛或几无毛。果实球形,直径鲜红色,多少具腺点,几无毛或被柔毛。花期 6 ～ 7 月,果期 11 月至翌年 1 月,有时达 6 月。

| 生境分布 | 生于海拔 500 ～ 1100m 的山谷密林下、阴湿的地方。分布于重庆南川等地。

| 资源情况 | 野生资源稀少。药材来源于野生。

| 采收加工 | 夏、秋季采收,洗净,切片,晒干。

| 药材性状 | 本品根茎褐红色,木质。茎上部被锈色长柔毛,下部毛少,稍韧。叶纸质,多集于茎上部;叶片卷曲皱缩,展平后呈椭圆形或倒卵形,上、下表面有黑色腺点和褐色长柔毛,边缘稍具圆齿;叶柄密被毛。有时具花序或球形果实。气微,味略苦、涩。

| 功能主治 | 苦、辛,凉。归肝、胆、大肠经。清热利湿,活血化瘀,凉血止血。用于湿热黄疸,湿热泻痢,风湿痹症,跌打损伤,血热咳吐,崩漏,疮疖痈肿。

| 用法用量 | 内服煎汤,9 ～ 15g;或泡酒。外用研末调敷。

■ 紫金牛科 ■ Myrsinaceae ■ 紫金牛属 ■ *Ardisia*

九节龙

Ardisia pusilla A. DC.

| 药 材 名 | 九节龙（药用部位：根、茎。别名：毛矮茶、矮茶风）。

| 形态特征 | 亚灌木状小灌木，长 30 ～ 40cm。蔓生，具匍匐茎，逐节生根。直立茎高不超过 10cm，幼时密被长柔毛，以后几无毛。叶对生或近轮生，叶片坚纸质，椭圆形或倒卵形，先端急尖或钝，基部广楔形或近圆形，长 2.5 ～ 6cm，宽 1.5 ～ 3.5cm，边缘具明显或不甚明显的锯齿和细齿，具疏腺点，叶面被糙伏毛，毛基部常隆起，背面被柔毛及长柔毛，尤以中脉为多；侧脉约 7 对，明显，尾端直达齿尖或近边缘连成不明显的边缘脉；叶柄长约 5mm，被毛。伞形花序，单一，侧生，被长硬毛、柔毛或长柔毛；总梗长 1 ～ 3.5cm，花梗长约 6mm；花长 3 ～ 4mm，花萼仅基部联合，萼片披针状钻形，先端渐尖，与花瓣近等长，外面被疏柔毛及长柔毛，具腺点；花瓣白色或带微红色，

九节龙

长 3 ~ 4mm，广卵形，先端急尖，具腺点；雄蕊与花瓣近等长，花药卵形，背部具腺点；雌蕊与花瓣等长，子房卵珠形，无毛；胚珠 6，1 轮。果实球形，直径 5mm，红色，具腺点。花期 5 ~ 7 月，罕见于 12 月，果期与花期相近。

| 生境分布 | 生于海拔 200 ~ 700m 的山间密林下，路旁、溪边阴湿的地方，或石上土质肥沃的地方。分布于重庆大足、璧山等地。

| 资源情况 | 野生资源稀少。药材来源于野生。

| 采收加工 | 全年均可采收，除去杂质，干燥。

| 药材性状 | 本品茎长 10 ~ 20cm，茎上部被毛，下部无毛。叶坚纸质，皱缩，较脆，展平后呈椭圆形或倒卵形，先端急尖或钝，基部广楔形或近圆形，长 2.5 ~ 6cm，宽 1.5 ~ 3.5cm，边缘具明显锯齿，具疏腺点，叶面被糙伏毛，背面被柔毛及长柔毛，尤以中脉为多；叶柄长 4 ~ 5mm，被毛。有时具有花序或球形果实。气弱，味苦、涩。

| 功能主治 | 苦、辛，平。归肝、肺经。活血通络，消肿止痛，祛风湿。用于跌打损伤，风湿痹痛，癥瘕积聚。

| 用法用量 | 内服煎汤，3 ~ 9g；或浸酒。

紫金牛科 Myrsinaceae 酸藤子属 Embelia

网脉酸藤子

Embelia rudis Hand.-Mazz.

| 药材名 | 了哥利（药用部位：根、茎。别名：白木浆果、老鸦果、山胡椒）。

| 形态特征 | 攀缘灌木。分枝多；枝条无毛，密布皮孔，幼时多少被微柔毛。叶片坚纸质，稀革质，长圆状卵形或卵形，稀宽披针形，先端急尖或渐尖，基部圆或钝，稀楔形，长 5 ~ 10cm，宽 2 ~ 4cm，边缘具细或粗锯齿，有时具重锯齿或几全缘，两面无毛；叶面中脉下凹，背面隆起，侧脉多数，直达齿尖，细脉网状，明显隆起，腺点疏而不明显；叶柄长 6 ~ 8mm，具狭翅，多少被微柔毛。总状花序，腋生，长 1 ~ 2cm，可达 3cm 以上，被微柔毛；花梗长 2 ~ 3（~ 5）mm，被乳头状突起；小苞片钻形，长 1mm，里外均被乳头状突起；花 5 基数，长 1 ~ 2mm；花萼基部联合，萼片卵形，先端急尖，长 0.7mm，具缘毛，里外无毛，多少具腺点，有时于花萼联合处被微柔毛；花

网脉酸藤子

瓣分离，淡绿色或白色，长 1 ~ 2mm，卵形或长圆形或椭圆形，先端钝或圆形，边缘膜质，具缘毛，外面无毛，里面中央尤其是近基部密被微柔毛或乳头状突起，具腺点；雄蕊在雌花中退化，长达花瓣的 1/2，在雄花中与花瓣等长或较长，着生于花瓣的 1/3 处，花丝基部具乳头状突起，花药长圆形或卵形，背部具腺点；雌蕊在雌花中与花瓣等长，子房瓶形或球形，花柱常弯曲，柱头细尖或略展开。果实球形，直径 4 ~ 5mm，蓝黑色或带红色，具腺点，宿存萼紧贴果。花期 10 ~ 12 月，果期 4 ~ 7 月。

| **生境分布** | 生于海拔 300 ~ 1000m 的山坡灌丛中或疏、密林中，或溪边。分布于重庆垫江、忠县、长寿、綦江、奉节、南川、铜梁、北碚等地。

| **资源情况** | 野生资源稀少。药材来源于野生。

| **采收加工** | 全年均可采收，洗净，切段，晒干。

| **功能主治** | 辛，微温。活血通经。用于月经不调，闭经，风湿痹痛。

| **用法用量** | 内服煎汤，9 ~ 15g。

紫金牛科 Myrsinaceae **杜茎山属** *Maesa*

湖北杜茎山 *Maesa hupehensis* Rehd.

| **药 材 名** | 湖北杜茎山（药用部位：全株）。

| **形态特征** | 灌木，高 1 ~ 2（~ 4）m。小枝纤细，圆柱形，无毛。叶片坚纸质，披针形或长圆状披针形，稀卵形，先端渐尖，基部圆形或钝，或广楔形，长 10 ~ 15（~ 21）cm，宽 2 ~ 4（~ 4.5）cm，全缘或具疏离的浅齿牙，稀具疏离的浅锯齿，两面无毛；叶面中脉平整，背面中、侧脉明显，隆起，侧脉 8 ~ 10 对，弯曲上升，不成边缘脉，细脉不明显，具明显或不明显的脉状腺条纹；叶柄长 5 ~ 10mm，无毛。总状花序，稀基部具 1 ~ 2 分枝，腋生，长 4 ~ 8（~ 10）cm，无毛；苞片披针形，全缘，无毛；花梗长 3 ~ 4mm，无毛；小苞片卵形，贴生于花萼基部，具疏脉状腺条纹；花长 3 ~ 4mm；萼片广卵形，先端急尖，较萼管长，边缘薄，具微波状齿，具脉状腺条纹，无毛；花冠白色，

湖北杜茎山

钟形，长 3 ~ 4mm，具密脉状腺条纹，裂片广卵形，先端近圆形，与花冠管等长；雄蕊短，内藏；花丝细，与花药等长；花药卵形；雌蕊不超过花冠，子房与花柱等长，柱头微 4 裂。果实球形或近卵圆形，直径约 5mm，白色或白黄色，具脉状腺条纹及纵行肋纹，宿存萼包果达顶部，带冠宿存花柱。花期 5 ~ 6 月，果期 10 ~ 12 月。

| **生境分布** | 生于海拔 500 ~ 1700m 的山间密林下或溪边林下，有时亦见于路边林缘灌丛中湿润的地方。分布于重庆城口、巫溪、奉节、南川、万州、云阳、石柱等地。

| **资源情况** | 野生资源稀少。药材来源于野生。

| **采收加工** | 全年均可采收，洗净，切段晒干或鲜用。

| **功能主治** | 清热利湿，活血散瘀。用于咽喉炎。

| **用法用量** | 内服煎汤，适量。

紫金牛科 Myrsinaceae 杜茎山属 Maesa

毛穗杜茎山 *Maesa insignis* Chun

| **药 材 名** | 满山红（药用部位：根、叶。别名：东北满山红、迎山红、靠山红）。

| **形态特征** | 灌木，高 1.2 ~ 3（~ 4）m。小枝纤细，密被长硬毛；髓部空心。叶片坚纸质或纸质，椭圆形或椭圆状卵形，先端渐尖或近尾尖，基部圆形或钝，边缘具锐锯齿或三角状锯齿，两面被糙伏毛；叶柄长约 5mm，密被长硬毛。总状花序，腋生，长约 6cm，总梗、苞片、花梗、花萼及小苞片均被长硬毛；花冠黄白色，长约 2mm，钟形，裂片为花冠管长的 1/2 或略短，广卵形或近圆形，具脉状腺条纹，无毛；雄蕊在雌花中退化，在雄花中内藏，着生于花冠管中部。果实球形，直径约 5mm，白色，略肉质，被长硬毛，腺点及纵行肋纹不甚明显，宿存萼包果先端，常冠以宿存花柱。花期 1 ~ 2 月，果期约 11 月。

毛穗杜茎山

| **生境分布** | 生于山坡、丘陵地疏林下。分布于重庆涪陵、武隆等地。

| **资源情况** | 野生资源稀少。药材主要来源于野生，亦有少量栽培。

| **采收加工** | 全年均可采收，洗净，晒干。

| **功能主治** | 祛风除湿，消肿止痛。用于风湿肿痛，浮肿，跌打损伤。

| **用法用量** | 根，9 ~ 15g。叶，外用适量，捣敷患处。

| **附　　注** | （1）本种与坚髓杜茎山 *Maesa ambigua* C. Y. Wu et C. Chen 极相似，但本种髓部空心，叶面被毛，总状花序，长约6cm，花梗长约5mm，花冠裂片与花冠管等长，通过这些主要特征，可以区别。
（2）本种种植宜选择疏松、肥沃、排水良好的土壤。

紫金牛科 Myrsinaceae 杜茎山属 Maesa

杜茎山

Maesa japonica (Thunb.) Moritzi. ex Zoll.

| **药 材 名** | 杜茎山（药用部位：根、茎叶。别名：土恒山、踏天桥、白花茶）。 |

| **形态特征** | 灌木，直立，有时外倾或攀缘，高 1 ~ 3（~ 5）m。小枝无毛，具细条纹，疏生皮孔。叶片革质，有时较薄，椭圆形至披针状椭圆形，或倒卵形至长圆状倒卵形，或披针形，先端渐尖、急尖或钝，有时尾状渐尖，基部楔形、钝或圆形，一般长约 10cm，宽约 3cm，也有长 5 ~ 15cm，宽 2 ~ 5cm，几全缘或中部以上具疏锯齿，或除基部外均具疏细齿，两面无毛；叶面中、侧脉及细脉微隆起，背面中脉明显，隆起，侧脉 5 ~ 8 对，不甚明显，尾端直达齿尖；叶柄长 5 ~ 13mm，无毛。总状花序或圆锥花序，单一或 2 ~ 3 腋生，长 1 ~ 3（~ 4）cm，仅近基部具少数分枝，无毛；苞片卵形，长不到 1mm；花梗长 2 ~ 3mm，无毛或被极疏的微柔毛；小苞片广卵形 |

杜茎山

或肾形，紧贴花萼基部，无毛，具疏细缘毛或腺点；花萼长约 2mm，萼片长约 1mm，卵形至近半圆形，先端钝或圆形，具明显的脉状腺条纹，无毛，具细缘毛；花冠白色，长钟形，花冠管长 3.5 ~ 4mm，具明显的脉状腺条纹，裂片长为花冠管的 1/3 或更短，卵形或肾形，先端钝或圆形，边缘略具细齿；雄蕊着生于花冠管中部略上，内藏；花丝与花药等长，花药卵形，背部具腺点；柱头分裂。果实球形，直径 4 ~ 5mm，有时达 6mm，肉质，具脉状腺条纹，宿存萼包果先端，常冠宿存花柱。花期 1 ~ 3 月，果期 5 月或 10 月。

| **生境分布** | 生于海拔 300 ~ 1500m 的山坡或石灰山杂木林下向阳处，或路旁灌木丛中。分布于重庆北碚、忠县、大足、江津、永川、丰都、秀山、綦江、酉阳、铜梁、黔江、南川、九龙坡、涪陵、璧山、长寿、石柱、武隆、巫溪、垫江、南岸、合川、梁平等地。

| **资源情况** | 野生资源丰富。药材来源于野生。

| **采收加工** | 全年均可采收，洗净，切段，晒干或鲜用。

| **药材性状** | 本品茎呈类圆柱形，长短不一；表面黄褐色，具细条纹及疏生的皮孔。叶片多破碎，完整者展平后呈椭圆形、椭圆状披针形、倒卵形或长圆状卵形，长 5 ~ 15cm，宽 2 ~ 5cm，先端尖或急尖，基部楔形或圆形，边缘中部以上有疏齿。气微，味苦。

| **功能主治** | 苦，寒。祛风邪，解疫毒，消肿胀。用于热性传染病，寒热发歇不定，身痛，烦躁，口渴，水肿，跌打肿痛，外伤出血。

| **用法用量** | 内服煎汤，15 ~ 30g。外用适量，煎汤洗；或捣敷。

| **附 注** | 本种喜光度适中，在 pH 5.5 ~ 6.5 的土壤中生长良好，宜栽培于腐殖土较厚的土壤中。

紫金牛科 Myrsinaceae 杜茎山属 Maesa

金珠柳
Maesa montana A. DC.

金珠柳

药材名

金珠柳（药用部位：叶、根。别名：大叶良箭、白胡椒、野兰）。

形态特征

灌木或小乔木，高 2 ~ 3m，稀达 10m。小枝圆柱形，通常被疏长硬毛或柔毛或有时无毛，老时具疏皮孔。叶片坚纸质，椭圆形或长圆状披针形或卵形，稀广卵形，先端急尖或渐尖，基部楔形或钝，长 7 ~ 14（~ 23）cm，宽 3 ~ 7（~ 9）cm，边缘具粗锯齿或疏波状齿，齿尖具腺点，叶面无毛；中脉微凹，侧脉不甚明显，背面几无毛或有时被疏硬毛，尤以脉上常见，中脉隆起，侧脉 8 ~ 12 对，尾端直达齿尖，通常无脉状腺条纹；叶柄长 1 ~ 1.5cm。总状花序或圆锥花序，常于基部分枝，腋生，长 2 ~ 7（~ 10）cm，被疏硬毛，尤以苞片为多；苞片披针形，长约 1mm；花梗长 1 ~ 2（~ 3）mm；小苞片披针形或卵形，着生于花萼基部；花长约 2mm；萼片卵形或长圆状卵形，先端钝，与萼管等长，全缘，有时具缘毛，通常无腺点，无毛；花冠白色，钟形，长约 2mm，具脉状腺条纹，裂片与花冠管等长或略长，卵形，先端钝或圆形，全缘或具微波状齿；雄蕊着生于花冠管中部，内藏；花丝与花药等长；花药圆形或肾形；雌蕊不超过雄蕊，柱头微裂或半裂。果实球形或近椭圆形，直径约 3mm，幼时褐红色，成熟后白色，多少具脉状腺条纹，宿存萼包果达中部略上，即果实的 2/3 处。花期 2 ~ 4 月，果期 10 ~ 12 月。

| **生境分布** | 生于海拔 200 ~ 1000m 的山间、沟边、路旁杂木林中。分布于重庆垫江、涪陵、长寿、忠县、北碚、铜梁、巴南、九龙坡、荣昌、沙坪坝等地。

| **资源情况** | 野生资源一般。药材来源于野生。

| **采收加工** | 全年均可采收，洗净，切段，晒干。

| **功能主治** | 苦，寒。清湿热。用于痢疾，泄泻。

| **用法用量** | 内服煎汤，9 ~ 15g。

紫金牛科 Myrsinaceae 杜茎山属 Maesa

鲫鱼胆 *Maesa perlarius* (Lour.) Merr.

鲫鱼胆

药 材 名

空心花（药用部位：全株。别名：鲫鱼胆、冷饭果、狗肚皮）。

形态特征

小灌木，高 1 ~ 3m。分枝多，小枝被长硬毛或短柔毛，有时无毛。叶片纸质或近坚纸质，广椭圆状卵形至椭圆形，先端急尖或突然渐尖，基部楔形，边缘从中下部以上具粗锯齿，下部常全缘，幼时两面被密长硬毛，以后叶面除脉外近无毛，背面被长硬毛。总状花序或圆锥花序，腋生，长 2 ~ 4cm，具 2 ~ 3 分枝（为圆锥花序时），被长硬毛和短柔毛；花长约 2mm；萼片广卵形，较萼管长或几等长，具脉状腺条纹，被长硬毛，以后无毛；花冠白色，钟形，长约为花萼的 1 倍，无毛，具脉状腺条纹；裂片与花冠管等长，广卵形，边缘具不整齐的微波状细齿。果实球形，直径约 3mm，无毛，具脉状腺条纹；宿存萼片达果中部略上，即果的 2/3 处，常冠以宿存花柱。花期 3 ~ 4 月，果期 12 月至翌年 5 月。

生境分布

生于海拔 500 ~ 1500m 的山坡、路边的疏林或灌丛中湿润处。分布于重庆武隆、合川等地。

| **资源情况** | 野生资源稀少。药材主要来源于野生，亦有少量栽培。

| **采收加工** | 全年均可采收，晒干。

| **功能主治** | 活血化瘀，接骨，消肿，生肌去腐。用于跌打损伤，筋扭骨折，刀伤，痈疽疔疮。

| **用法用量** | 外用适量，捣敷。

| **附　注** | 本种种植宜选择疏松、肥沃、排水良好的土壤。

铁仔
Myrsine africana L.

| 药 材 名 | 大红袍（药用部位：根、枝叶。别名：簸赭子、矮零子、碎米果）。

| 形态特征 | 灌木，高 0.5 ~ 1m。小枝圆柱形，叶柄下延处多少具棱角，幼嫩时被锈色微柔毛。叶片革质或坚纸质，通常为椭圆状倒卵形，有时成近圆形、倒卵形、长圆形或披针形，长 1 ~ 2cm，稀达 3cm，宽 0.7 ~ 1cm，先端广钝或近圆形，具短刺尖，基部楔形，边缘常从中部以上具锯齿，齿端常具短刺尖，两面无毛，背面常具小腺点，尤以边缘较多；侧脉很多，不明显，不连成边缘脉；叶柄短或几无，下延至小枝上。花簇生或近伞形花序，腋生，基部具 1 圈苞片；花梗长 0.5 ~ 1.5mm，无毛或被腺状微柔毛；花 4 基数，长 2 ~ 2.5mm；花萼长约 0.5mm，基部微微联合或近分离，萼片广卵形至椭圆状卵形，两面无毛，具缘毛及腺点。花冠在雌花中长为花萼的 2 倍或略

铁仔

长，基部联合成管，花冠管长为全长的 1/2 或更多；雄蕊微微伸出花冠，花丝基部联合成管，管与花冠管等长，基部与花冠管合生，上部分离，管口具缘毛，里面无毛；花药长圆形，与花冠裂片等大且略长，雌蕊长过雄蕊，子房长卵形或圆锥形，无毛，花柱伸长，柱头点尖、微裂、2 半裂或边缘流苏状。花冠在雄花中长为管的 1 倍左右，花冠管为全长的 1/2 或略短，外面无毛，里面与花丝合生部分被微柔毛，裂片卵状披针形，具缘毛及腺毛；雄蕊伸出花冠很多，花丝基部联合的管与花冠管合生且等长，上部分离，分离部分长为花药的 1/2 或略短，均被微柔毛，花药长圆状卵形，伸出花冠约 2/3；雌蕊在雄花中退化。果实球形，直径达 5mm，红色变紫黑色，光亮。花期 2 ~ 3 月，有时 5 ~ 6 月；果期 10 ~ 11 月，有时 2 或 6 月。

| 生境分布 | 生于海拔 600 ~ 2500m 的荒坡、多石山坡疏林下。分布于重庆黔江、长寿、綦江、丰都、万州、垫江、南岸、璧山、大足、涪陵、彭水、潼南、沙坪坝、江津、酉阳、合川、巫山、奉节、石柱、云阳、梁平、城口、铜梁、忠县、永川、巫溪、南川、九龙坡、秀山、武隆、北碚、开州、巴南、荣昌等地。

| 资源情况 | 野生资源丰富。药材来源于野生。

| 采收加工 | 夏、秋季采收，洗净，切段，晒干。

| 药材性状 | 本品小枝圆柱形，常具棱角，被褐色柔毛，多切成段。叶多皱缩，完整者呈椭圆形或倒卵形，长 0.5 ~ 2cm，宽 0.3 ~ 1cm，先端近圆形，常具小尖头，基部楔形，中部以上近边缘有腺点，羽状脉，上面深绿色。近革质。气弱，味苦、涩。

| 功能主治 | 苦、微甘，凉。祛风止痛，清热利湿，收敛止血。用于风湿痹痛，牙痛，泄泻，痢疾，血崩，便血，肺结核咯血。

| 用法用量 | 内服煎汤，9 ~ 15g。

紫金牛科 Myrsinaceae 铁仔属 Myrsine

针齿铁仔

Myrsine semiserrata Wall.

针齿铁仔

药材名

针刺铁仔（药用部位：果实。别名：齿叶铁仔）。

形态特征

大灌木或小乔木，高 3 ～ 7m。小枝无毛，圆柱形，常具棱角（由于叶柄下延）。叶片坚纸质至近革质，椭圆形至披针形，有时成菱形，先端长急尖至长渐尖，基部楔形，长 5 ～ 9cm，宽 2 ～ 3.5cm，有时长达 14cm，宽 4cm，边缘通常于中部以上具刺状细锯齿，两面无毛；叶柄长约 5mm 或略短。伞形花序或花簇生，腋生，有花 3 ～ 7，每花基部具苞片 1，苞片卵形，具缘毛和腺点；萼片卵形或三角形至椭圆形，外面常被疏微柔毛，先端急尖、钝或近圆形，具腺点和缘毛；花冠白色至淡黄色，长约 2mm，基部近联合或成短管，长通常为全长的 1/3，裂片长椭圆形、长圆形或舌形，两面无毛，中部以上具明显的腺点，具缘毛。果实球形，直径 5 ～ 7mm，红色变紫黑色，具密腺点。花期 2 ～ 4 月，果期 10 ～ 12 月。

生境分布

生于海拔 400 ～ 2000m 的山坡疏、密林内，路旁、沟边、石灰岩山坡等向阳处。分布于重庆彭水、酉阳、长寿、武隆、城口、巫溪、巫山、南川、北碚等地。

| **资源情况** | 野生资源较少。药材来源于野生，自产自销。

| **采收加工** | 10 ~ 12 月果实成熟时采收，晒干。

| **药材性状** | 本品呈圆球形，直径 4 ~ 5mm。表面紫黑色或棕红色，具腺点，内有种子 1，有的具宿萼，萼片下半部联合。

| **功能主治** | 苦、酸，平。驱虫。用于绦虫病。

| **用法用量** | 内服煎汤，9 ~ 12g。

光叶铁仔

Myrsine stolonifera (Koidz.) Walker

| 药 材 名 | 光叶铁仔（药用部位：全株或根。别名：蔓竹杞、匍匐铁仔）。

| 形态特征 | 灌木，高达 2m。分枝多，小枝无毛。叶片坚纸质至近革质，椭圆状披针形，先端渐尖或长渐尖，基部楔形，全缘或有时中部以上具 1～2 对齿，两面无毛；叶面中脉下凹，侧脉微隆起，背面中脉隆起，侧脉及细脉不明显，仅边缘具腺点，其余密布小窝孔；叶柄下延不明显。伞形花序或花簇生，腋生或生于裸枝叶痕上，每花基部具 1 苞片，苞片戟形或披针形，无毛；花梗无毛；花 5 基数；花萼分离或仅基部联合，无毛，萼片狭椭圆形或狭长圆形，先端急尖或钝，具明显的腺点，无缘毛；花冠基部联合成极短的管，外面无毛，里面除联合部分无毛外，其余密被乳头状突起，裂片长圆形，具明显的腺点；雄蕊小，基部与花冠管合生，上部分离，花丝与花药等长或略长，

光叶铁仔

花药广卵形或肾形，背部有时具腺点，在雌花中退化；子房卵形或椭圆形，无毛，具腺点，先端渐尖成花柱，柱头点尖或微裂。果实球形，红色变蓝黑色，无毛。花期 4 ～ 6 月，果期 12 月至翌年 12 月。

| **生境分布** | 生于海拔 300 ～ 1500m 的山谷、路旁、沟边密林潮湿处。分布于重庆开州、北碚、石柱、南川等地。

| **资源情况** | 野生资源一般。药材来源于野生，自产自销。

| **采收加工** | 夏、秋季采收，洗净，切段，晒干。

| **功能主治** | 苦、涩，微平。清热利湿，收敛止血。

| **用法用量** | 内服煎汤，适量。

密花树 *Rapanea neriifolia* (Sieb. et Zucc.) Mez

| **药 材 名** | 密花树（药用部位：叶、根皮。别名：狗骨头、打铁树、大明橘）。

| **形态特征** | 大灌木或小乔木，高 2 ~ 7m，可达 12m。小枝无毛，具皱纹，有时有皮孔。叶片革质，长圆状倒披针形至倒披针形，先端急尖或钝，稀突然渐尖，基部楔形，多少下延，长 7 ~ 17cm，宽 1.3 ~ 6cm，全缘，两面无毛；叶面中脉下凹，侧脉不甚明显，背面中脉隆起，侧脉很多，不明显；叶柄长约 1cm 或较长。伞形花序或花簇生，着生于具覆瓦状排列的苞片的小短枝上，小短枝腋生或生于无叶老枝叶痕上，有花 3 ~ 10；苞片广卵形，具疏缘毛；花梗长 2 ~ 3mm 或略长，无毛，粗壮；花长（2 ~）3 ~ 4mm；花萼仅基部联合，萼片卵形，先端钝或广急尖，稀圆形，长约 1mm，具缘毛，有时具

密花树

腺点；花瓣白色或淡绿色，有时为紫红色，基部联合达全长的1/4，花时反卷，长（2～）3～4mm，卵形或椭圆形，先端急尖或钝，具腺点，外面无毛，里面和边缘密被乳头状突起，中部以下无上述凸起；雄蕊在雌花中退化，在雄花中着生于花冠中部，花丝极短，花药卵形，略小于花瓣，无腺点，先端常具乳头状突起；雌蕊与花瓣等长或超过花瓣，子房卵形或椭圆形，无毛，花柱极短，柱头伸长，先端扁平，基部圆柱形，长约为子房的2倍。果实球形或近卵形，直径4～5mm，灰绿色或紫黑色，有时具纵行腺条纹或纵肋，冠以宿存花柱基部，果梗有时长达7mm。花期4～5月，果期10～12月。

| **生境分布** | 生于海拔650～2400m的混交林或杂木林中。分布于重庆彭水、南川、綦江、巴南、北碚、江津、开州等地。

| **资源情况** | 野生资源一般。药材主要来源于野生。

| **采收加工** | 夏、秋季采收，洗净，晒干或鲜用。

| **功能主治** | 淡，寒。清热利湿，凉血解毒。用于乳痈，湿疹，疮疖，膀胱结石。

| **用法用量** | 内服煎汤，30～60g。外用适量，鲜品捣敷；或煎汤洗。

| **附　注** | 在FOC中，本种的拉丁学名被修订为 *Myrsine seguinii* H. Léveillé，属名被修订为铁仔属 *Myrsine*。

报春花科 Primulaceae 点地梅属 Androsace

莲叶点地梅 *Androsace henryi* Oliv.

| 药 材 名 | 破头风（药用部位：全草。别名：云雾草）。

| 形态特征 | 多年生草本。根茎粗短，基部具多数纤维状须根。叶基生，圆形至圆肾形，直径 3 ～ 7cm，先端圆形，基部心形弯缺深达叶片的 1/3，边缘具浅裂状圆齿或重牙齿，两面被短糙伏毛，具 3（～ 5）基出脉；叶柄长 6 ～ 16cm，被稍开展的柔毛。花葶通常 2 ～ 4 自叶丛中抽出，高（7 ～）15 ～ 30cm。伞形花序，有花 12 ～ 40；苞片小，线形或线状披针形，长 3 ～ 9mm；花梗纤细，近等长，长 10 ～ 18mm，密被小柔毛；花萼漏斗状，长 3 ～ 4mm，被小伏毛，分裂达中部，裂片三角形或狭卵状三角形，果时几不增大，具明显的 3 ～ 5 脉；花冠白色，筒部与花萼近等长，裂片倒卵状心形。蒴果近陀螺形，先端近平截。花期 4 ～ 5 月，果期 5 ～ 6 月。

莲叶点地梅

| **生境分布** | 生于海拔 1300 ～ 2700m 的山坡疏林下、沟谷水边或石上。分布于重庆巫溪、巫山、奉节、酉阳、秀山、南川、武隆、开州、城口等地。 |

| **资源情况** | 野生资源较少。药材来源于野生，自产自销。 |

| **采收加工** | 春季采收，洗净，鲜用或晒干。 |

| **药材性状** | 本品皱缩。根茎粗短，根细须状。茎黄棕色，直径 1 ～ 2mm。叶基生，多皱缩破碎，展开后呈圆形至圆肾形，直径 3 ～ 7cm，先端圆形，基部心形弯缺深达叶片的 1/3，边缘具浅裂状圆齿或重牙齿，两面被短糙伏毛，叶面黄褐色；叶柄长 6 ～ 16cm，有柔毛。花葶黄棕色，直径 1 ～ 2mm；伞形花序多花；小花黄褐色，花梗纤细，密被小柔毛。 |

| **功能主治** | 苦，凉。清热解毒，利湿止痒。用于肝热头目疼痛，肺热咳嗽，疔疮疖肿，湿疹瘙痒。 |

| **用法用量** | 内服煎汤，9 ～ 15g。外用适量，煎汤洗；或鲜品捣敷。 |

报春花科 Primulaceae 点地梅属 Androsace

点地梅
Androsace umbellata (Lour.) Merr.

| 药 材 名 | 点地梅（药用部位：全草。别名：喉咙草、小一口血、佛顶珠）。

| 形态特征 | 一年生或二年生草本。主根不明显，具多数须根。叶全部基生，叶片近圆形或卵圆形，直径5～20mm，先端钝圆，基部浅心形至近圆形，边缘具三角状钝牙齿，两面均被贴伏的短柔毛。花葶通常数枚自叶丛中抽出，高4～15cm，被白色短柔毛。伞形花序，具花4～15；苞片卵形至披针形；花梗纤细，果时伸长可达6cm，被柔毛并杂生短柄腺体；花冠白色，直径4～6mm，筒部长约2mm，短于花萼，喉部黄色，裂片倒卵状长圆形，长2.5～3mm，宽1.5～2mm。蒴果近球形，直径2.5～3mm，果皮白色，近膜质。花期2～4月，果期5～6月。

点地梅

| **生境分布** | 生于海拔 500 ～ 1500m 的疏林下林缘或荒地。分布于重庆涪陵、秀山、南川、巴南、江津、荣昌、酉阳、武隆、铜梁、北碚等地。 |

| **资源情况** | 野生资源较少。药材来源于野生，自产自销。 |

| **采收加工** | 春末夏初采收，除去杂质，晒干或鲜用。 |

| **药材性状** | 本品为短小草本，密被白色柔毛，长 8 ～ 15cm。须根褐色。叶呈莲座状基生，叶片多皱缩卷曲、破碎，完整者呈圆形至浅心形，边缘齿裂，叶柄长 1 ～ 2cm，向下两侧有膜质翅。花梗 6 ～ 10 枝自底座伸出，下部淡褐色，向上淡黄色；伞形花序小花梗长 1 ～ 2cm，花萼草质，开展，直径 0.5cm。蒴果近球形，果皮 5 裂。种子多数，黑色。气微，味微苦。 |

| **功能主治** | 苦、辛，寒。清热解毒，消肿止痛。用于咽喉炎，小儿肺炎，赤眼，偏正头痛，疔疮肿毒。 |

| **用法用量** | 内服煎汤，9 ～ 15g。外用鲜品 50g，捣敷患处。 |

报春花科 Primulaceae 珍珠菜属 Lysimachia

细梗香草
Lysimachia capillipes Hemsl.

| 药 材 名 | 香排草（药用部位：全草。别名：排香、排香草、香草）。

| 形态特征 | 一年生草本。株高 40 ~ 60cm，干后有浓郁香气。茎通常 2 至多条簇生，直立，中部以上分枝，草质，具棱，棱边有时呈狭翅状。叶互生，卵形至卵状披针形，长 1.5 ~ 7cm，宽 1 ~ 3cm，先端锐尖或有时渐尖，基部短渐狭或钝，全缘或边缘微皱呈波状，无毛或上面被极疏的小刚毛；侧脉 4 ~ 5 对，网脉不明显；叶柄长 2 ~ 8mm。花单出腋生；花梗纤细，丝状，长 1.5 ~ 3.5cm；花萼长 2 ~ 4mm，深裂近达基部，裂片卵形或披针形，先端渐尖；花冠黄色，长 6 ~ 8mm，分裂近达基部，裂片狭长圆形或近线形，宽 1.8 ~ 3mm，先端稍钝；花丝基部与花冠合生约 0.5mm，分离部分明显，长约 1.25mm；花药长 3.5 ~ 4mm，顶孔开裂；花柱丝状，稍长于雄蕊。蒴果近球形，

细梗香草

带白色，直径 3 ~ 4mm，比宿存花萼长。花期 6 ~ 7 月，果期 8 ~ 10 月。

| **生境分布** | 生于海拔 300 ~ 1700m 的山谷林下或溪边。分布于重庆忠县、丰都、垫江、涪陵、石柱、黔江、彭水、南川、巴南、合川、大足、璧山、铜梁、南岸、长寿、奉节、綦江、酉阳、九龙坡、江津、武隆、沙坪坝、北碚等地。

| **资源情况** | 野生资源一般。药材来源于野生，自产自销。

| **采收加工** | 夏季花开时采集，除去杂质，阴干。

| **药材性状** | 本品须根细小。茎平直或稍弯曲，具 4 ~ 5 棱，直径 1.5 ~ 3mm，有狭翅；灰绿色或黄绿色；质脆，易折断，断面不平，多中空。叶互生，完整者展平后呈卵形至卵状披针形，多皱缩，上表面深绿色，下表面灰绿色，全缘。花梗纤细，丝状，可见 5 枚花萼及黄色小花冠。蒴果球形，直径约 3mm，白色。有香气，味甘、淡。

| **功能主治** | 甘，平。归肺、肝经。祛风除湿，行气止痛，调经，解毒。用于感冒，咳嗽，气管炎，哮喘，月经不调，神经衰弱，风湿痹痛，脘腹胀痛，疔疮。

| **用法用量** | 内服煎汤，9 ~ 15g。外用适量，捣敷。

报春花科 Primulaceae 珍珠菜属 Lysimachia

过路黄
Lysimachia christinae Hance

| **药 材 名** | 金钱草（药用部位：全草。别名：大金钱草、对座草、路边黄）。

| **形态特征** | 多年生蔓生草本。茎柔弱，平卧延伸，长 20 ~ 60cm，无毛或被疏毛，幼嫩部分密被褐色无柄腺体，下部节间较短，常发出不定根，中部节间长 1.5 ~ 5cm。叶对生，卵圆形、近圆形以至肾圆形，长 2 ~ 6cm，宽 1 ~ 4cm，两面无毛或密被糙伏毛；叶柄比叶片短或与之近等长。花单生叶腋；花梗长 1 ~ 5cm，毛被如茎；花萼长 5 ~ 7mm，分裂近达基部，裂片披针形、椭圆状披针形至线形或上部稍扩大而近匙形；花冠黄色，长 7 ~ 15mm，裂片狭卵形至近披针形，先端锐尖或钝，质地稍厚，具黑色长腺条；花丝长 6 ~ 8mm，下半部合生成筒；花药卵圆形，长 1 ~ 1.5mm；花粉粒具 3 孔沟，近球形，表面具网状纹饰；子房卵珠形，花柱长 6 ~ 8mm。蒴果球形，直径

过路黄

4 ～ 5mm，无毛，有稀疏黑色腺条。花期 5 ～ 7 月，果期 7 ～ 10 月。

| 生境分布 | 生于海拔 2300m 以下的土坡路边、沟边或林缘较阴湿处。重庆各地均有分布。

| 资源情况 | 野生资源丰富，亦有零星栽培。药材主要来源于野生，自产自销。

| 采收加工 | 夏、秋季采收，除去杂质，晒干。

| 药材性状 | 本品常缠结成团，无毛或被疏柔毛。茎扭曲，表面棕色或暗棕红色，有纵纹，下部茎节上有时具须根，断面实心。叶对生，多皱缩，展平后呈宽卵形或心形，长 2 ～ 6cm，宽 1 ～ 4cm，基部微凹，全缘，上表面灰绿色或棕褐色，下表面色较浅，主脉明显凸起，用水浸后，对光透视可见黑色或褐色条纹；叶柄长 1 ～ 4cm。有的带花，花黄色，单生叶腋，具长梗。蒴果球形。气微，味淡。

| 功能主治 | 甘、咸，微寒。归肝、胆、肾、膀胱经。利湿退黄，利尿通淋，解毒消肿。用于湿热黄疸，胆胀胁痛，石淋，热淋，小便涩痛，痈肿疔疮，蛇虫咬伤。

| 用法用量 | 内服煎汤，15 ～ 60g。

| 附　注 | （1）在 FOC 中，本种的拉丁学名被修订为 *Lysimachia christiniae* Hance。
（2）本种药材与广金钱草均为中医保守治疗结石症的常用药，都有利尿、清热退火、抗炎等作用，在临床应用中常相互替代。但也有观点认为，治疗肝、胆结石以金钱草疗效为佳，治疗泌尿系结石以广金钱草疗效较好。《中国药典》对它们进行了区分，分别加以收载。
（3）本种喜温暖、阴凉、湿润环境，不耐寒。适宜肥沃疏松、腐殖质较多的砂壤土。一般采用扦插繁殖或种子繁殖。

报春花科 Primulaceae 珍珠菜属 Lysimachia

露珠珍珠菜 Lysimachia circaeoides Hemsl.

| 药 材 名 | 水红袍（药用部位：全草。别名：血草、对叶红线草、见缝合）。

| 形态特征 | 多年生草本，全体无毛。茎直立，粗壮，高 45 ~ 70cm，四棱形，上部分枝。叶对生，在茎上部有时互生，椭圆形或倒卵形，上部茎叶长圆状披针形至披针形，长 5 ~ 10cm，宽 1.5 ~ 3cm，上面深绿色，下面较淡，有极细密的红色小腺点；侧脉 6 ~ 7 对，纤细，网脉不明显；叶柄长 5 ~ 15mm，具狭翅。总状花序生于茎端和枝端，最下方的苞片披针形；花梗长 5 ~ 7mm；花萼长 3 ~ 4mm，裂片卵状披针形，背面有 2 ~ 4 胼胝状粗腺条；花冠白色，阔钟状，裂片菱状卵形，裂片间的弯缺成锐角；雄蕊内藏，花丝贴生于花冠裂片的基部；花药卵形，药隔先端有红色粗腺体；花粉粒具 3 孔沟，长球形，表面近于平滑；子房无毛，花柱稍粗，长约 2mm。蒴果球形，

露珠珍珠菜

直径约 3mm。花期 5 ～ 6 月，果期 7 ～ 8 月。

| **生境分布** | 生于海拔 600 ～ 1200m 的山谷湿润处。分布于重庆奉节、云阳、黔江、彭水、酉阳、石柱、开州等地。

| **资源情况** | 野生资源一般。药材来源于野生，自产自销。

| **采收加工** | 花期拔取带根全草，洗净，晒干或鲜用。

| **功能主治** | 辛、苦，寒。清热解毒，散瘀止血。用于咽喉肿痛，咯血，痈肿疮疖，跌打损伤，骨折，外伤出血，烫火伤，蛇咬伤，目翳。

| **用法用量** | 内服煎汤，3 ～ 9g；或捣汁。外用适量，鲜品捣敷。

报春花科 Primulaceae 珍珠菜属 Lysimachia

矮桃
Lysimachia clethroides Duby

| 药 材 名 | 珍珠菜（药用部位：全草或根。别名：红根草、珍珠草、调经草）。

| 形态特征 | 多年生草本，全株多少被黄褐色卷曲柔毛。根茎横走，淡红色。茎直立，高 40 ～ 100cm，圆柱形，基部带红色，不分枝。叶互生，长椭圆形或阔披针形，长 6 ～ 16cm，宽 2 ～ 5cm，先端渐尖，基部渐狭，两面散生黑色粒状腺点，近无柄或具长 2 ～ 10mm 的柄。总状花序顶生，盛花期长约 6cm，花密集，常转向一侧，后渐伸长，果时长 20 ～ 40cm；苞片线状钻形，比花梗稍长；花梗长 4 ～ 6mm；花萼长 2.5 ～ 3mm，分裂近达基部，裂片卵状椭圆形，先端圆钝，周边膜质，有腺状缘毛；花冠白色，长 5 ～ 6mm，基部合生部分长约 1.5mm，裂片狭长圆形，先端圆钝；雄蕊内藏，花丝基部约 1mm 联合并贴生于花冠基部，分离部分长约 2mm，被腺毛；花药长圆形，

矮桃

长约 1mm；花粉粒具 3 孔沟，长球形，表面近于平滑；子房卵珠形，花柱稍粗，长 3 ~ 3.5mm。蒴果近球形，直径 2.5 ~ 3mm。花期 5 ~ 7 月，果期 7 ~ 10 月。

| 生境分布 | 生于山坡林缘或草丛中。分布于重庆黔江、城口、石柱、奉节、云阳、酉阳、江津、开州、巫溪、梁平等地。

| 资源情况 | 野生资源丰富。药材来源于野生，自产自销。

| 采收加工 | 夏、秋季采收，洗净，切片，鲜用或晒干。

| 药材性状 | 本品茎单一，长约 1m。单叶互生，多皱缩卷曲，展平后呈卵状椭圆形或阔披针形，长 6 ~ 14cm，宽 2 ~ 5cm，先端渐尖，基部楔形，渐狭窄成短柄；两面疏被刚毛及黑色腺点。总状花序顶生。蒴果球形。气微，味微涩。

| 功能主治 | 辛、涩，平。清热利湿，活血散瘀，解毒消痈。用于水肿，热淋，黄疸，痢疾，风湿热痹，带下，经闭，跌打骨折，外伤出血，乳痈，疔疮，蛇咬伤。

| 用法用量 | 内服煎汤，15 ~ 30g。外用适量。

报春花科 Primulaceae 珍珠菜属 Lysimachia

临时救 *Lysimachia congestiflora* Hemsl.

| 药材名 | 风寒草（药用部位：全草。别名：临时救、小风寒草、小过路黄）。

| 形态特征 | 多年生匍匐草本。茎下部匍匐，节上生根，上部及分枝上升，长6～50cm，圆柱形，密被多细胞卷曲柔毛；分枝纤细。叶对生，叶片卵形、阔卵形以至近圆形，上面绿色，下面较淡，有时沿中肋和侧脉染紫红色，两面近边缘有暗红色或有时变为黑色的腺点；侧脉2～4对，网脉纤细；叶柄比叶片短2～3倍。花2～4，集生茎端和枝端，呈近头状的总状花序；花梗极短或长至2mm；花萼长5～8.5mm，分裂近达基部，裂片披针形，宽约1.5mm，背面被疏柔毛；花冠黄色，内面基部紫红色，5裂，裂片卵状椭圆形至长圆形，散生暗红色或变黑色的腺点；花丝下部合生成高约2.5mm的筒；花药长圆形，长约1.5mm；花粉粒近长球形；子房被毛，花柱长

临时救

5 ~ 7mm。蒴果球形，直径 3 ~ 4mm。花期 5 ~ 6 月，果期 7 ~ 10 月。

| **生境分布** | 生于海拔 2100m 以下的水沟边、田埂上、山坡林缘、草地等湿润处。重庆各地均有分布。

| **资源情况** | 野生资源丰富。药材来源于野生，自产自销。

| **采收加工** | 夏初采收，除去杂质，晒干。

| **药材性状** | 本品常缠结成团。茎有分枝，直径 1 ~ 2mm，被柔毛；表面紫红色或红棕色或灰棕色，有纵纹，有的茎节上具须根；断面中空。叶对生，多皱缩，展平后呈卵形至阔卵形，长 1.5 ~ 2.8cm，宽 1 ~ 2cm，先端钝尖，基部楔形，全缘，上表面绿色或紫绿色，下表面色较浅或紫红色，两面疏被柔毛，用水浸后，对光透视可见棕红色腺点，近叶缘处多而明显；叶柄长约 1cm。花黄色，有时可见 2 ~ 4 朵集生于茎端叶腋处，花梗极短。气微，味微涩。

| **功能主治** | 辛、甘，微温。归肺、大肠经。祛风散寒，化痰止咳，解毒利湿，消积排石。用于风寒感冒，咳嗽痰多，咽喉肿痛，黄疸，尿路结石，小儿疳积，痈疽疔疮，毒蛇咬伤。

| **用法用量** | 内服煎汤，9 ~ 15g；或浸酒。

| **附　注** | 本种耐寒、耐旱、耐湿，在平坝、山区都可栽培，土壤以较肥沃、疏松、湿润的夹砂土为好。生产中一般采用分株繁殖方式。

报春花科 Primulaceae 珍珠菜属 *Lysimachia*

管茎过路黄
Lysimachia fistulosa Hand.-Mazz.

| 药 材 名 | 头顶一朵花（药用部位：全草）。

| 形态特征 | 一年生草本。茎直立或膝曲直立，高 20 ~ 35cm，钝四棱形，单一或有分枝，节间长 4 ~ 10cm，被长 1 ~ 1.5mm 的多细胞柔毛。叶对生，茎端的 2 ~ 3 对密聚成轮生状，常较下部叶大 2 ~ 3 倍；叶片披针形，长 4 ~ 9cm，宽 1 ~ 2.5（~ 3）cm，先端多少渐尖，基部渐狭，下延，上面疏被具节小刚毛或变无毛，下面被柔毛，沿叶脉较密；侧脉每边 3 ~ 5，在下面稍明显；茎端叶仅具极短的柄，下部叶具较长的柄，通常长为叶片的 1/3 ~ 1/2。缩短的总状花序生于茎端和枝端，呈头状花序状；花梗极短或长达 5mm，疏被柔毛；花萼长 9 ~ 15mm，分裂近达基部，裂片披针形，先端渐尖成钻形，背面被稀疏多细胞柔毛，中肋微隆起；花冠黄色，长 10 ~ 13mm，筒部长 3 ~ 4mm，

管茎过路黄

裂片倒卵状长圆形，先端圆钝或具小尖头；花丝基部合生成高 4 ~ 5mm 的筒，分离部分长 3 ~ 5mm；花药卵状披针形，长 1.5 ~ 2mm；花柱达 8.5mm，子房密被柔毛。蒴果球形，直径 3 ~ 3.5mm。花期 5 ~ 7 月，果期 7 ~ 10 月。

| 生境分布 | 生于海拔 500 ~ 1650m 的山谷林下或路边。分布于重庆城口、奉节、酉阳、南川、彭水、九龙坡、开州等地。

| 资源情况 | 野生资源较少。药材来源于野生，自采自用。

| 采收加工 | 夏季采收，鲜用或晒干。

| 功能主治 | 酸、苦，凉。清热解毒，活血消肿。用于无名肿毒，毒蛇咬伤，跌打损伤。

| 用法用量 | 外用适量，鲜品捣敷。

報春花科 Primulaceae 珍珠菜属 Lysimachia

灵香草
Lysimachia foenum-graecum Hance

| 药 材 名 | 灵香草（药用部位：地上部分。别名：零陵草、陵草、排草）。

| 形态特征 | 株高 20 ～ 60cm，干后有浓郁香气。越年老茎匍匐，发出多数纤细的须根，当年生茎部为老茎的单轴延伸，上升或近直立，草质，具棱，棱边有时呈狭翅状，绿色。叶互生，叶片广卵形至椭圆形，先端锐尖或稍钝，具短骤尖头，基部渐狭或为阔楔形，边缘微皱呈波状，草质，干时两面密布极不明显的下陷小点和稀疏的褐色无柄腺体，网脉通常不明显；叶柄具狭翅。花单出腋生；花梗纤细，深裂近达基部，裂片卵状披针形或披针形，先端渐尖，有时呈钻状，草质，两面多少被褐色无柄腺体；花冠黄色，分裂近达基部，裂片长圆形，先端圆钝；花丝基部与花冠合生，分离部分极短；花药基部心形，顶孔开裂；花粉粒具3孔沟，圆球形，表面微皱。蒴果近球形，灰白色，

灵香草

不开裂或先端浅裂。花期 5 月，果期 8 ～ 9 月。

| **生境分布** | 生于海拔 800 ～ 1700m 的山谷溪边或林下腐殖质土壤中。分布于重庆南川等地。

| **资源情况** | 野生资源较少，亦有零星栽培。药材来源于栽培，自采自用。

| **采收加工** | 9 ～ 10 月间采收，洗净，阴干或低温烘干。

| **药材性状** | 本品根呈须状，棕褐色。茎呈类圆柱形，表面灰绿色或暗绿色，长 7 ～ 40cm，直径约 3mm，有纵纹及棱翅，棱边多向内卷，茎下部节上生有细根；质脆，易折断，断面类圆形，黄白色。叶互生，多皱缩，展平后呈卵形、椭圆形，长 5 ～ 10cm，宽 2 ～ 5cm，先端微尖，基部楔形，具翼，纸质，有柄。叶腋有时可见球形蒴果，类白色，果柄细长，具宿萼，果皮薄，内藏多数细小的棕色种子，呈三角形。气浓香，味微辛、苦。

| **功能主治** | 甘、淡，平。归肝经。散风邪，活血止痛，明目止泪。用于心腹胀痛，风邪头痛，迎风流泪。

| **用法用量** | 内服煎汤，3 ～ 9g。多服作喘。

| **附　　注** | 本种喜阴凉、湿润气候，栽培宜选深山阴凉湿润、具有落叶层、富含腐殖质、排水良好的杂木林地。生产中一般采用种子和扦插繁殖方式。

报春花科 Primulaceae **珍珠菜属** Lysimachia

点腺过路黄 *Lysimachia hemsleyana* Maxim.

| 药 材 名 | 点腺过路黄（药用部位：全草。别名：女儿红、露天过路黄、露天金钱草）。

| 形态特征 | 多年生草本。茎簇生，平铺地面，先端伸长成鞭状，长可达 90cm，圆柱形，基部直径 1.5 ～ 2mm，密被多细胞柔毛。叶对生，卵形或阔卵形，长 1.5 ～ 4cm，宽 1.2 ～ 3cm，先端锐尖，基部近圆形、截形以至浅心形，上面绿色，密被小糙伏毛，下面淡绿色，毛被较疏或近于无毛，两面均有褐色或黑色粒状腺点，极少为透明腺点；侧脉 3 ～ 4 对，在下面稍明显，网脉隐蔽；叶柄长 5 ～ 18mm。花单生茎中部叶腋，极少生于短枝上叶腋；花梗长 7 ～ 15mm，果时下弯，可增长至 2.5cm；花萼长 7 ～ 8mm，分裂近达基部，裂片狭披针形，宽 1 ～ 1.5mm，背面中肋明显，被稀疏小柔毛，散生褐色腺点；花

点腺过路黄

冠黄色，长 6 ~ 8mm，基部合生部分长约 2mm，裂片椭圆形或椭圆状披针形，宽 3.5 ~ 4mm，先端锐尖或稍钝，散生暗红色或褐色腺点。蒴果近球形，直径 3.5 ~ 4mm。花期 4 ~ 6 月，果期 5 ~ 7 月。

| **生境分布** | 生于海拔 400 ~ 1900m 的山谷林缘、溪边或里边草丛中。分布于重庆城口、巫溪、酉阳、彭水等地。

| **资源情况** | 野生资源一般。药材来源于野生，自采自用。

| **采收加工** | 夏季采收，鲜用或晒干。

| **功能主治** | 微苦，凉。清热利湿，通经。用于肝炎，肾盂肾炎，膀胱炎，闭经。

| **用法用量** | 内服煎汤，30 ~ 60g。

宜昌过路黄 *Lysimachia henryi* Hemsl.

| **药 材 名** | 宜昌过路黄（药用部位：全草）。

| **形态特征** | 草本。茎簇生，直立或基部有时倾卧生根，高 8 ~ 30cm，圆柱形，直径可达 2mm，单一或有分枝，疏被铁锈色多细胞柔毛。叶对生，茎端的 2 ~ 3 对间距极短，呈轮生状，近等大或较下部茎叶大 1 ~ 2 倍，叶片披针形至卵状披针形，稀卵状椭圆形，长 1 ~ 4.5cm，宽 5 ~ 16mm，先端锐尖或稍钝，基部楔状渐狭，稀为阔楔形，无毛或仅下面沿中肋被疏柔毛，干时坚纸质，两面密布粒状突起的小腺点；中肋在下面隆起，侧脉不明显；叶柄长 4 ~ 10mm。花集生茎端，略成头状花序状；花梗极短或长可达 4mm，被疏柔毛；花萼长约 8mm，分裂近达基部，裂片披针形，先端渐尖，无毛或近基部被极稀疏的柔毛，密布透明腺点；花冠黄色，长约 12mm，基部

宜昌过路黄

合生部分长 3 ~ 4.5mm，裂片卵状椭圆形，宽 4 ~ 6mm，先端圆钝；花丝下部合生成高约 3mm 的筒，分离部分长 3 ~ 5mm；花药长圆形，长约 1.5mm；子房被毛，花柱长 5 ~ 6mm。蒴果褐色，直径约 3mm，被疏柔毛。花期 5 ~ 6 月，果期 6 ~ 7 月。

| **生境分布** | 生于河边石缝中。分布于重庆大足、武隆等地。

| **资源情况** | 野生资源稀少，无栽培资源。药材主要来源于野生。

| **采收加工** | 夏季采收，晒干或鲜用。

| **功能主治** | 调经养血。

| **用法用量** | 内服煎汤，25 ~ 50g。外用鲜品，捣敷患处。

报春花科 Primulaceae 珍珠菜属 Lysimachia

琴叶过路黄
Lysimachia ophelioides Hemsl.

| 药 材 名 | 琴叶过路黄（药用部位：全草）。

| 形态特征 | 草本。茎通常簇生，直立，高 25 ～ 40cm，圆柱形，被细密短柔毛，中部以上分枝。叶对生，无柄，叶片披针形至狭披针形，长 1 ～ 6cm，宽 4 ～ 13mm，先端长渐尖，下部收缩，至基部再扩展成耳状抱茎，上面绿色，无毛，下面淡绿色，沿叶脉被细密短柔毛，两面均有透明腺点；侧脉 4 ～ 5 对，网脉隐蔽。花通常 4 ～ 6 单生茎端和枝端叶腋，稍密聚，略呈伞房花序状；花梗被毛，最下方的长约 5mm，上部的极短；花萼长 4 ～ 5mm，分裂近达基部，裂片披针形，宽约 2mm，先端渐尖成钻形，背面中肋明显隆起；花冠黄色，长 6 ～ 7mm，基部合生部分长 1 ～ 2mm，裂片椭圆形，有透明腺点；花丝基部合生成高约 1.2mm 的短筒，离生部分长 2 ～ 4mm；花粉粒具 3 孔沟，

琴叶过路黄

圆球形，长 35 ～ 26μm，宽 24 ～ 25μm，表面具网状纹饰；子房无毛，花柱长约 5mm。蒴果褐色，直径约 2.5mm。花期 6 月。

| **生境分布** | 生于山坡路旁草丛中。分布于重庆合川、北碚等地。

| **资源情况** | 野生资源较少。药材来源于野生，自采自用。

| **采收加工** | 春、夏季采收，除去杂质，洗净，晒干。

| **功能主治** | 用于咳嗽痰多，咽喉肿痛，泄泻，小儿惊风。

| **用法用量** | 内服煎汤，适量。

报春花科 Primulaceae 珍珠菜属 Lysimachia

落地梅

Lysimachia paridiformis Franch.

| 药 材 名 | 红四块瓦（药用部位：全草。别名：四块瓦、大四块瓦、四叶黄）。

| 形态特征 | 根茎粗短或成块状；根簇生，纤维状，直径约1mm，密被黄褐色绒毛。茎通常2至数条簇生，直立，高10～45cm，无毛，不分枝，节部稍膨大。叶4～6在茎端轮生，极少出现第2轮叶，下部叶退化成鳞片状；叶片倒卵形以至椭圆形，长5～17cm，宽3～10cm，先端短渐尖，基部楔形，无柄或近于无柄，干时坚纸质，无毛，两面散生黑色腺条。花集生茎端成伞形花序，有时亦有少数花生于近茎端的1对鳞片状叶腋；花冠黄色，长12～14mm，基部合生部分长约3mm，裂片狭长圆形，宽约4.5mm，先端钝或圆形；花丝基部合生成高2mm的筒，分离部分长3～5mm；花药椭圆形，长约1.5mm。蒴果近球形，直径3.5～4mm。花期5～6月，果期7～9月。

落地梅

| **生境分布** | 生于海拔 600 ～ 1400m 的山谷林下湿润处。重庆各地均有分布。

| **资源情况** | 野生资源丰富。药材来源于野生，自产自销。

| **采收加工** | 秋季采集，除去杂质，晒干或鲜用。

| **药材性状** | 本品根茎长 1.5 ～ 6cm，直径 0.5 ～ 2cm；表面灰棕色至棕黑色，略粗糙；先端常附有鳞片状叶。须根多数簇生，细长圆柱形，多弯曲或扭曲；表面红棕色或暗棕色，密被棕黄色短绒毛；质脆，易折断，折断面皮部暗棕色或红棕色，放大镜下可见黑色小点，木部黄白色。茎呈不规则扁圆柱形，直径 0.2 ～ 0.6cm；表面淡棕色、淡红褐色或淡红棕色，有数至十数条纵棱，节明显且稍膨大，节间长 3 ～ 18cm，有退化成鳞片的小叶。叶 4 ～ 6，轮生于茎先端，皱缩或稍皱缩，展平后呈倒卵形至椭圆形，长 5 ～ 17cm，宽 3 ～ 7cm，先端短渐尖，基部楔形，无柄或近无柄，全缘，薄革质；上表面淡灰绿色或淡红褐色，下表面色稍浅，光滑；叶脉清晰，上表面略凹入，下表面凸出。花多数，簇生于茎先端。气微香，味苦、涩。

| **功能主治** | 辛、涩，温。归肝、脾、胃经。活血调经，止血，祛风除湿，止咳。用于产后出血，月经不调，崩漏，吐血便血，血淋，跌打损伤，风寒咳嗽，风湿疼痛，胃痛。

| **用法用量** | 内服煎汤，10 ～ 30g。外用鲜品适量，捣敷患处。

报春花科 Primulaceae 珍珠菜属 Lysimachia

狭叶落地梅 Lysimachia paridiformis Franch. var. stenophylla Franch.

| **药 材 名** | 追风伞（药用部位：全草。别名：惊风伞、一把伞、公接骨丹）。

| **形态特征** | 本种与原变种落地梅的区别在于叶 6 ～ 18 片轮生茎端，叶片披针形至线状披针形。花较大，长可达 17mm；花梗长可达 3cm。

| **生境分布** | 生于林下或阴湿沟边。分布于重庆綦江、石柱、南川等地。

| **资源情况** | 野生资源较少。药材来源于野生，自采自用。

| **采收加工** | 秋季采收，晒干。

| **药材性状** | 本品须根淡黄色至棕褐色，直径 0.1 ～ 0.2cm。茎丛生，不分枝，茎基部红色，有柔毛，上部绿色或略带红色，节稍膨大，具短柔毛。

狭叶落地梅

茎下部叶退化成鳞片状，对生；茎顶生叶轮生，多为 5 ～ 18，披针形或倒卵形，长 4 ～ 20cm，宽 1 ～ 3cm，全缘或略呈皱波状；上表面绿色，下表面灰绿色；叶柄无或极短，枣红色。花簇生于茎顶，花萼合生成球形，上部 5 裂片线状披针形，宿存；花冠黄色，5 深裂。蒴果球形。气微，味辛。

| **功能主治** | 辛、苦，温。祛风活络，活血止痛。用于风湿痹痛，四肢拘挛，半身不遂，跌打损伤，瘀血肿痛，小儿惊风。

| **用法用量** | 内服煎汤，10 ～ 30g。

报春花科 Primulaceae 珍珠菜属 Lysimachia

叶头过路黄
Lysimachia phyllocephala Hand.-Mazz.

| 药 材 名 | 大过路黄（药用部位：全草。别名：姜花草、痰药）。

| 形态特征 | 多年生草本。茎通常簇生，膝曲直立，高 10 ~ 30cm，在荫湿生境中，茎下部常长匍匐，节上生根，上部曲折上升，长可达 60cm。叶对生，密聚成轮生状，叶片卵形至卵状椭圆形，长 1.5 ~ 8cm，宽 8 ~ 40mm，基部阔楔形，上面深绿色，下面较淡，侧脉纤细；叶柄比叶片短 2 ~ 12 倍，密被柔毛。花序顶生，头状，多花；花梗长 1 ~ 7mm，密被柔毛；花萼长 6 ~ 9mm，分裂近达基部，裂片披针形，先端渐尖，背面被柔毛；花冠黄色，长 10 ~ 13mm，基部合生部分长约 3mm，裂片倒卵形或长圆形，宽 4 ~ 6mm，先端锐尖或圆形，有透明腺点；花丝基部合生成高 3 ~ 4mm 的筒；花药卵状披针形，长达 2mm；花粉粒具 3 孔沟，近球形，表面具网状纹饰；花柱长达 8mm。蒴果褐色，

叶头过路黄

直径 3.5 ~ 4mm。花期 5 ~ 6 月，果期 8 ~ 9 月。

| **生境分布** | 生于海拔 300 ~ 1700m 的阔叶林、山谷溪边或路旁。分布于重庆黔江、垫江、大足、合川、长寿、涪陵、丰都、綦江、铜梁、九龙坡、开州、南川、忠县、江津、石柱、巴南、荣昌、沙坪坝等地。

| **资源情况** | 野生资源丰富。药材来源于野生，自产自销。

| **采收加工** | 夏季采收，晒干或鲜用。

| **功能主治** | 淡，平。散风，清热，解毒。用于风热咳嗽，咽喉疼痛，热毒疮疥。

| **用法用量** | 内服煎汤，15 ~ 30g。外用适量，鲜品捣敷；或煎汤洗。

報春花科 Primulaceae 珍珠菜屬 Lysimachia

疏头过路黄
Lysimachia pseudohenryi Pamp.

| 药 材 名 | 疏头过路黄（药用部位：全草）。

| 形态特征 | 多年生草本。茎通常 2 ~ 4 簇生，直立或膝曲直立，高 7 ~ 25cm，基部圆柱形，上部微具棱，单一或上部具短分枝，密被多细胞柔毛。叶对生，茎下部的较小，菱状卵形或卵圆形；上部叶较大，茎端的 2 ~ 3 对通常稍密聚，叶片卵形，稀卵状披针形，长 2 ~ 8cm，宽 8 ~ 25mm，两面均密被小糙伏毛，散生粒状半透明腺点；侧脉 2 ~ 3 对，纤细，网脉不明显；叶柄长 3 ~ 12mm，具草质狭边缘。花序为顶生缩短成近头状的总状花序；花梗长 4 ~ 10mm，果时下弯；花萼长 8 ~ 11mm，分裂近达基部，裂片披针形；花冠黄色，长 10 ~ 15mm，裂片窄椭圆形或倒卵状椭圆形，宽 5 ~ 6mm；花丝下部合生成高 2 ~ 3mm 的筒，分离部分长 3 ~ 5mm；子房和花柱

疏头过路黄

下部被毛，花柱长 5 ～ 6mm。蒴果近球形，直径 3 ～ 3.5mm。花期 5 ～ 6 月，果期 6 ～ 7 月。

| **生境分布** | 生于上限可达海拔 1500m 的山地林缘或灌丛中，垂直分布。分布于重庆彭水等地。

| **资源情况** | 野生资源较少。药材来源于野生，自采自用。

| **采收加工** | 夏季采收，晒干或鲜用。

| **功能主治** | 用于黄疸，痢疾，无名肿毒，跌打损伤。

| **用法用量** | 内服煎汤，适量。

报春花科 Primulaceae 珍珠菜属 Lysimachia

显苞过路黄

Lysimachia rubiginosa Hemsl.

| 药 材 名 | 显苞过路黄（药用部位：全草）。

| 形态特征 | 多年生草本。茎直立或基部倾卧生根，高 30 ~ 60cm，被铁锈色柔毛，通常有分枝；枝纤细，常较叶片短，先端具叶状苞片及花。叶对生，卵形至卵状披针形，先端锐尖或短渐尖，基部近圆形或阔楔形，边缘具缘毛，两面密布黑色或棕褐色腺条，侧脉约 5 对；叶柄长 8 ~ 20mm，具草质狭边缘。花 3 ~ 5，单生枝端密集的苞腋；苞片叶状，卵形或近圆形；花萼长 8 ~ 9mm，分裂近达基部，裂片狭披针形，宽约 1.5mm，无毛或被疏柔毛，有黑色腺条；花冠黄色，长 13 ~ 15mm，裂片狭长圆形，宽 3.5 ~ 5mm，具黑色或褐色腺条；花丝基部合生成高约 3mm 的筒；花药长圆形，长约 1.5mm；花粉粒具 3 孔沟，近球形，表面具网状纹饰；子房上部被毛，花柱长约

显苞过路黄

7mm。蒴果直径约 3mm。花期 5 月，果期 7 ～ 8 月。

| **生境分布** | 生于海拔 700 ～ 1300m 的山谷、溪旁、林间空地或路边阴湿处。分布于重庆丰都、巫溪、大足、奉节、石柱、武隆、南川等地。

| **资源情况** | 野生资源较少。药材来源于野生，自采自用。

| **采收加工** | 夏季采收，晒干或鲜用。

| **功能主治** | 祛风，清热，化痰。

| **用法用量** | 内服煎汤，适量。

报春花科 Primulaceae 珍珠菜属 Lysimachia

腺药珍珠菜 *Lysimachia stenosepala* Hemsl.

腺药珍珠菜

| 药 材 名 |

腺药珍珠菜（药用部位：全草。别名：四面消、四方消、透心红）。

| 形态特征 |

多年生草本，全体光滑无毛。茎直立，高30 ~ 65cm，下部近圆柱形，上部明显四棱形，常有分枝。叶对生，在茎上部常互生，叶片披针形至长圆状披针形或长椭圆形，长 4 ~ 10cm，宽 0.8 ~ 4cm，边缘微呈皱波状，上面绿色，下面粉绿色，两面近边缘散生粒状腺点或短腺条。总状花序顶生，疏花；苞片线状披针形，长 3 ~ 5mm；花梗长 2 ~ 7mm，果时稍伸长；花萼长约5mm，裂片线状披针形；花冠白色，钟状，长 6 ~ 8mm，裂片倒卵状长圆形或匙形，宽 1.5 ~ 2mm，先端圆钝；雄蕊约与花冠等长，花丝贴生于花冠裂片的中下部；花药线形，长约 1.5mm；花粉粒具 3 孔沟，长球形，表面近于平滑；子房无毛，花柱细长，长达5mm。蒴果球形，直径约 3mm。花期 5 ~ 6月，果期 7 ~ 9 月。

| 生境分布 |

生于海拔 400 ~ 1900m 的溪边湿地或灌丛

中。分布于重庆黔江、城口、彭水、酉阳、万州、丰都、云阳、南川、涪陵、开州等地。

| **资源情况** | 野生资源一般。药材来源于野生，自采自用。

| **采收加工** | 春、夏季采收，晒干或鲜用。

| **功能主治** | 苦、酸、涩，平。行气破血，消肿解毒。

| **用法用量** | 内服煎汤，适量。

报春花科 Primulaceae 报春花属 Primula

鄂报春
Primula obconica Hance

| **药 材 名** | 鄂报春（药用部位：根。别名：四季报春）。

| **形态特征** | 多年生草本。根茎粗短或有时伸长，向下发出棕褐色长根。叶卵圆形、椭圆形或矩圆形，长 3 ~ 14cm，宽 2.5 ~ 11cm，基部心形或有时圆形，上面近于无毛或被毛，下面沿叶脉被多细胞柔毛，中肋及 4 ~ 6 对侧脉在下面显著；叶柄长 3 ~ 14cm，呈鞘状。花葶高 6 ~ 28cm，被毛同叶柄；伞形花序具 2 ~ 13 花；苞片线形至线状披针形，长 5 ~ 10mm，被柔毛；花梗长 5 ~ 20mm，被柔毛；花萼杯状或阔钟状，长 5 ~ 10mm，具 5 脉，被柔毛；花冠玫瑰红色，稀白色，喉部具环状附属物，裂片倒卵形；花异型或同型，长花柱花雄蕊靠近冠筒基部着生，花柱长近达冠筒口；短花柱花雄蕊着生于冠筒中上部，花柱长 2 ~ 2.5mm；同型花雄蕊着生处和花柱长均近达冠筒口。蒴

鄂报春

果球形，直径约 3.5mm。花期 3 ～ 6 月。

| **生境分布** | 生于海拔 800 ～ 2500m 的山地石灰岩地区林下或草地。分布于重庆彭水、酉阳、綦江、武隆、开州、石柱等地。

| **资源情况** | 野生资源较少。药材来源于野生，自采自用。

| **采收加工** | 秋季或初春采挖，除去地上部分，洗净，晒干。

| **药材性状** | 本品呈不规则圆柱形，棕褐色，周围丛生多数灰白色或灰褐色须状根。质脆，易碎。气微。

| **功能主治** | 苦，凉。解酒毒，止腹痛。用于嗜酒无度，酒毒伤脾，腹痛便血。

| **用法用量** | 内服煎汤，9 ～ 15g。

| **附　　注** | 本种喜温暖，耐潮湿，忌暴晒，幼苗不耐高温，栽培土壤以中性或微酸性土壤为好，忌碱土。

报春花科 Primulaceae 报春花属 Primula

卵叶报春 *Primula ovalifolia* Franch.

卵叶报春

| 药 材 名 |

卵叶报春（药用部位：全草）。

| 形态特征 |

多年生草本，全株无粉。根茎粗短或稍伸
长，具多数纤维状须根。开花期叶丛基部外
围有鳞片；鳞片矩圆形，长 6 ~ 20mm，鲜
时带红色。叶阔椭圆形至阔倒卵形，叶长
3.5 ~ 11.5cm，宽 2 ~ 14cm，基部圆形或阔
楔形，稀微呈心形，侧脉 10 ~ 14 对；叶柄
具狭翅。花葶高 5 ~ 18cm，被柔毛，果时
稍伸长，近于无毛。伞形花序具 2 ~ 7 花；
苞片自基部渐尖成狭披针形，长 3 ~ 8mm；
花梗长 5 ~ 20mm，被柔毛；花萼钟状，长
6 ~ 10mm，常有褐色小腺点，裂片卵形至
卵状披针形，全缘或有时边缘具小齿，具小
缘毛；花冠紫色或蓝紫色，喉部具环状附属
物，冠檐直径 1.5 ~ 2.5cm，裂片倒卵形；
有长花柱花和短花柱花。蒴果球形，藏于萼
筒中。花期 3 ~ 4 月，果期 5 ~ 6 月。

| 生境分布 |

生于海拔 600 ~ 2500m 的林下或山谷阴处。
分布于重庆城口、开州、巫山、奉节、丰都、
石柱、酉阳、南川等地。

| **资源情况** | 野生资源较少。药材来源于野生，自采自用。

| **采收加工** | 夏季采收，晒干或鲜用。

| **功能主治** | 清热解毒，消肿止痛。用于肺热咳嗽，风湿病，食积。

| **用法用量** | 内服煎汤，适量。

报春花科 Primulaceae 报春花属 Primula

小伞报春
Primula sertulum Franch.

| **药 材 名** | 矮葵叶报春（药用部位：全草）。

| **形态特征** | 多年生草本，具粗短的根茎和多数长根。叶丛基部外围有少数舌状
鳞片；叶片倒披针形，连柄长 3 ~ 12cm，宽 7 ~ 20cm，先端钝或
近圆形，基部楔状长渐狭，边缘具不整齐的锐尖牙齿，通常每 2 大
齿间具 1 小齿，大齿深 1 ~ 1.5mm，小齿深度减半，两面绿色，下
面散布头状小腺体，中肋宽，在下面隆起；侧脉 6 ~ 8 对，纤细；
叶柄分化不明显。花葶高 5 ~ 15cm，被稀疏小腺体。伞形花序具
6 ~ 20 花；苞片披针形，长 5 ~ 10mm。基部不下延，稍膨大而略
呈囊状，草质，被小腺体；花梗长 8 ~ 20mm，被小腺体；花萼钟状，
长 4.5 ~ 6mm，外面疏被小腺体，裂齿间及内面有时被淡黄色粉，
分裂深达全长的 1/2 ~ 2/3，裂片披针形或矩圆形，先端锐尖或稍钝；

小伞报春

花冠堇蓝色或粉红色，冠筒长 7 ~ 8mm，喉部具环状附属物，稍长于花萼，冠檐直径约 1.5cm，裂片倒卵形，先端深 2 裂；长花柱花雄蕊着生处距冠筒基部约 2mm，花柱长达喉部环状附属物；短花柱花雄蕊着生处稍高于冠筒中部，花柱长约 2mm。蒴果卵圆形，直径约 3mm，短于花萼。花期 5 月，果期 6 月。

| **生境分布** | 生于海拔 1400 ~ 2000m 的滴水的石缝中、灌丛下。分布于重庆南川、城口等地。

| **资源情况** | 野生资源稀少。药材来源于野生，自采自用。

| **采收加工** | 夏季采收，晒干或鲜用。

| **功能主治** | 清湿热，祛风寒。

| **用法用量** | 内服煎汤，适量。

白花丹科 Plumbaginaceae 蓝雪花属 Ceratostigma

蓝雪花 Ceratostigma plumbaginoides Bunge

| 药 材 名 | 紫金莲（药用部位：根。别名：七星箭、转子莲、紫金标）。

| 形态特征 | 多年生直立草本，通常高 20 ~ 30 （~ 60）cm。每年由地下茎上端接近地面的几个节上生出数条更新枝成为地上茎。地下茎分枝多，直径 2 ~ 3mm，节上有一红褐至褐色鳞片，鳞片卵形而基部抱茎。地上茎细弱（常较地下茎为细），不分枝或分枝，茎枝基部无芽鳞，沿节多少呈"之"字形曲折，略有棱或在上部节间兼有较为明显的沟，枝上部的棱上被稀少硬毛，被细小钙质颗粒。叶宽卵形或倒卵形，长（2 ~）4 ~ 6（~ 10）cm，宽（0.8 ~）2 ~ 3（~ 5.3）cm，枝两端者较小，先端渐尖或偶尔钝圆，基部骤窄而后渐狭或仅为渐狭，除边缘外两面无毛或近无毛，常有细小钙质颗粒。花序生于枝端和上部 1 ~ 3 节叶腋的短柄上，基部紧托有一披针形至长圆形的叶，

蓝雪花

含（1～5）15～30 或更多的花，花期中经常有 1～5 花开放；苞片长 6.5～8mm，宽 3～3.5mm，长卵形，先端渐尖成一短细尖，小苞长 8～9.5mm，宽 3～3.5mm，狭长圆形至狭长卵形，先端有细尖；花萼长（12～）13～15（～18）mm，中部直径 1.5～2mm，沿脉被稀少长硬毛，裂片长约 2mm；花冠长 25～28mm，筒部紫红色，裂片蓝色，倒三角形，长 8mm，先端宽达 8mm，顶缘浅凹而沿中脉伸出一窄三角形的短尖；花丝略伸于花冠喉部之外，花药长约 2mm，蓝色；子房椭圆形，花柱异长，短柱型的柱头不外露，长柱型的柱头伸于花药之上。蒴果椭圆状卵形，淡黄褐色，长约 6mm；种子红褐色，粗糙，有棱，先端约 1/3 渐细成喙。花期 7～9 月，果期 8～10 月。

| **生境分布** | 栽培于路边、庭园。分布于重庆南川、北碚、南岸、巴南等地。

| **资源情况** | 栽培资源较少，无野生资源。药材来源于栽培，自采自用。

| **采收加工** | 夏、秋季采收，切碎，晒干或鲜用。

| **功能主治** | 辛、甘，温；有毒。归肝经。行气活血止痛。用于脘腹胁痛，跌打损伤，骨折。

| **用法用量** | 内服煎汤，1.5～6g；鲜品捣汁或浸酒。外用适量，捣敷。

白花丹科 Plumbaginaceae　白花丹属 Plumbago

白花丹

Plumbago zeylanica L.

| 药 材 名 | 白花丹（药用部位：全草或根。别名：山坡苓、假茉莉、总管）。

| 形态特征 | 常绿亚灌木，茎直立，高达 3m，多分枝，蔓状。叶卵形，长（3～）5～8（～13）cm，先端渐尖，基部楔形，有时耳状。穗形总状花序具花 25～78，花序梗长 0.5～1.5cm，被头状腺体，无毛，花序轴长 3～8（～15）cm，无毛，被头状腺体；萼长 1.1～1.2cm，几全长被腺体；花冠白色或微带蓝色；花冠筒长 1.8～2.2cm，冠檐直径 1.6～1.8cm，裂片倒卵形，长约 7mm，宽约 4mm，先端具短尖；雄蕊与花冠近等长，花药蓝色，长约 2mm；子房椭圆形，具 5 棱，花柱无毛。蒴果长椭圆形，淡黄褐色；种子红褐色，长约 7mm，先端尖。花期 10 月至翌年 3 月，果期 12 月至翌年 4 月。

白花丹

| **生境分布** | 栽培于保存圃。分布于重庆南川、南岸、巴南等地。

| **资源情况** | 栽培资源稀少，无野生资源。药材主要来源于栽培。

| **采收加工** | 全年均可采收，切段，晒干或鲜用。

| **药材性状** | 本品主根呈细长圆柱形，多分枝，长可达 30cm，直径约 5mm，略弯曲，上端着生多数细根，表面灰褐色或棕黄色。茎呈圆柱形，直径 4 ~ 6mm，有分枝；表面黄绿色至淡褐色，节明显，具细纵棱；质硬，易折断，断面皮部呈纤维状，淡棕黄色，中间呈颗粒状，淡黄白色，髓部白色。叶多皱缩破碎，完整者展平后呈卵形或长圆状卵形，长 4 ~ 9cm，宽 3 ~ 6cm；上面淡绿色至黄绿色，下面淡灰绿色至淡黄绿色。穗状花序顶生，花萼管状，被有柄腺体，花白色至淡黄色。气微，味辛、辣。

| **功能主治** | 辛、苦、涩，温；有毒。祛风除湿，行气活血，解毒消肿，止痒。用于风湿痹痛，肝区疼痛，血瘀经闭，跌打扭伤，痈肿瘰疬，疥癣瘙痒，毒蛇咬伤等。

| **用法用量** | 内服煎汤，9 ~ 15g。外用适量，煎汤洗；或捣敷；或涂擦。孕妇禁服。

乌柿
Diospyros cathayensis Steward

| 药 材 名 | 黑塔子根（药用部位：根。别名：油柿根）、黑塔子叶（药用部位：叶）。

| 形态特征 | 常绿或半常绿小乔木，高 10m 左右。树干短而粗，直径可达 30 ～ 80cm；枝圆筒形，深褐色至黑褐色；小枝纤细，被短柔毛。叶柄短，被微柔毛。雄花生于聚伞花序，裂片三角形，花冠壶状，花梗长 3 ～ 6mm，总梗长 7 ～ 12mm。雌花单生，白色，芳香，裂片卵形；花冠较花萼短，壶状，被短柔毛，花丝被短柔毛；子房球形，被长柔毛；花柱无毛；花梗纤细。果实球形，直径 1.5 ～ 3cm，嫩时绿色，熟时黄色，变无毛；种子褐色，长椭圆形，长约 2cm，宽约 7mm，侧扁；宿存萼 4 深裂，裂片革质，卵形，长 1.2 ～ 1.8cm，宽约 8mm，先端急尖，有纵脉 9；果柄纤细，长 3 ～ 4（～ 6）cm。花

乌柿

期 4 ~ 5 月，果期 8 ~ 10 月。

| **生境分布** | 生于海拔 200 ~ 1700m 的山地、河谷或山谷林中。分布于重庆丰都、潼南、巴南、北碚、大足、彭水、石柱、酉阳、綦江、涪陵、武隆、垫江、九龙坡、荣昌等地。

| **资源情况** | 野生资源一般。药材来源于野生，自产自销。

| **采收加工** | 黑塔子根：9 ~ 11 月采挖，洗净，切片，晒干。
黑塔子叶：夏、秋季采收，鲜用或晒干研粉。

| **药材性状** | 黑塔子根：本品呈圆柱形或长条形，有的略弯曲，长 30 ~ 40cm，直径 1 ~ 2cm，有的数股分枝，具细须根。表面黑褐色，细腻，皮薄，内心坚硬，黄白色。气微，味略涩。

| **功能主治** | 黑塔子根：苦、涩，微寒。清肺热，凉血止血，行气利水。用于肺热咳嗽，吐血，肠风，痔血，水臌腹胀，疮疖，烫火伤。
黑塔子叶：解毒，散结。用于疮疖，烫火伤。

| **用法用量** | 黑塔子根：内服煎汤，15 ~ 30g。体弱有寒者忌用。
黑塔子叶：外用适量，干叶打粉调敷；或鲜叶捣敷。

柿科 Ebenaceae 柿属 *Diospyros*

福州柿 *Diospyros cathayensis* Steward var. *foochowensis* (Metc. et Chen) S. Lee

| 药 材 名 | 猴闼子（药用部位：果实。别名：仙茅果）。

| 形态特征 | 本种与原变种乌柿的区别在于叶椭圆形、狭椭圆形以至倒披针形，下面中脉上常散生长伏柔毛。

| 生境分布 | 生于山野的田边、草坡、沟坎边，亦有栽培。分布于重庆万州、涪陵、巴南、云阳、沙坪坝等地。

| 资源情况 | 野生资源较少。药材来源于野生和栽培，自采自用。

| 采收加工 | 7～9月果实成熟时采摘，鲜用或晒干。

福州柿

| 功能主治 | 苦，温。益肾健脾。用于肾虚脾弱，疲倦乏力。

| 用法用量 | 内服煎汤，适量，用作食品；或研粉冲服。

| 附　　注 | 在 FOC 中，本种被修订为乌柿 *Diospyros cathayensis* Steward。

柿
Diospyros kaki Thunb.

| **药 材 名** | 柿蒂（药用部位：宿存花萼。别名：柿钱、柿丁、柿子把）、柿叶（药用部位：叶）、柿子（药用部位：果实）、柿饼（药材来源：果实经加工后的柿饼。别名：火柿、乌柿、干柿）、柿霜（药材来源：果实制成柿饼时析出的白色粉霜）、柿漆（药材来源：未成熟果实加工制成的胶状液。别名：柿涩）、柿皮（药用部位：外果皮）、柿花（药用部位：花）、柿木皮（药用部位：树皮）、柿根（药用部位：根、根皮。别名：柿子根、狐柿子根皮）。 |

| **形态特征** | 落叶大乔木，高一般 10 ~ 14m 或更高。树皮深灰色至灰黑色，沟纹较密；树冠球形或长圆球形；嫩枝初时有棱，少毛。叶纸质，卵状椭圆形至倒卵形或近圆形；叶柄长 8 ~ 20mm。花雌雄异株，腋生，为聚伞花序。雄花序小，总花梗长约 5mm；花萼钟状，裂片卵形； |

柿

花冠钟状，黄白色；花梗长约 3mm。雌花单生叶腋，长约 2cm；花萼绿色，有光泽，直径约 3cm 或更大，深 4 裂，萼管近球状钟形，肉质，长约 5mm，直径 7 ～ 10mm；花冠淡黄白色或黄白色而带紫红色，壶形或近钟形；子房近扁球形；花梗长 6 ～ 20mm。果形种种，嫩时绿色，后变黄色，橙黄色，果肉较脆硬；种子褐色，椭圆形；果柄粗壮，长 6 ～ 12mm。花期 5 ～ 6 月，果期 9 ～ 10 月。

| 生境分布 | 栽培于山坡、田埂或屋前房后。重庆各地均有分布。

| 资源情况 | 栽培资源丰富。药材来源于栽培，自产自销。

| 采收加工 | 柿蒂：冬季果实成熟时采摘，食用时收集，洗净，晒干。

柿叶：秋季采收，除去杂质，晒干。

柿子：霜降至立冬间采摘，经脱涩红熟后，鲜用。

柿饼：秋季将未成熟的果实摘下，剥除外果皮，日晒夜露 1 个月后，放置席圈内，再经 1 个月左右，即成柿饼。

柿霜：果实制成柿饼时析出的白色粉霜，刷下，即为柿霜。将柿霜放入锅内加热溶化后，呈饴状时，倒入模具中，冷后，取出干燥，即为柿霜饼。

柿漆：采摘未成熟的果实，捣烂，置于缸中，加入清水，搅动，放置若干时，将渣滓除去，剩下胶状液，即为柿漆。

柿皮：将未成熟的果实摘下，削取外果皮，鲜用。

柿花：花期花落时采收，除去杂质，晒干或研成粉。

柿木皮：全年均可采收，剥取树皮，晒干。

柿根：9～10月采挖，洗净，鲜用或晒干。

| **药材性状** | 柿蒂：本品呈扁圆形，直径1.5～2.5cm，中央较厚，微隆起，有果实脱落后的圆形疤痕，边缘较薄，4裂，裂片多反卷，易碎；基部有果梗或圆孔状的果梗痕。外表面黄褐色或红棕色，内表面黄棕色，密被细绒毛。质硬而脆。气微，味涩。

柿叶：本品呈椭圆形或近圆形，全缘，边缘微反卷。上表面灰绿色或黄棕色，较光滑，下表面淡绿色，具短柔毛。中脉及侧脉在上面凹下或平坦，侧脉每边5～7条，向上斜生，近叶脉网络结，脉上有密生褐色绒毛。叶柄长8～20mm。质脆。气微，味微苦。

柿霜：本品呈白色粉状，易潮解。

柿霜饼：本品呈扁圆形，底平，上面微隆起，直径4～7cm，厚3～6mm，表面灰白色或棕黄色，平滑，易碎裂。气微，味甘，有清凉感。

| **功能主治** | 柿蒂：苦、涩，平。归胃经。降逆止呃。用于呃逆。

柿叶：苦，寒。归肺经。清肺止咳，凉血止血，活血化瘀。用于肺热咳喘，肺气胀，各种内出血，高血压，津伤口渴。

柿子：甘、涩，凉。归心、肺、大肠经。清热，润肺，生津，解毒。用于咳嗽，吐血，热渴，口疮，热痢，便血。

柿饼：甘，平、微温。润肺，止血，健脾，涩肠。用于咯血，吐血，便血，尿血，脾虚消化不良，泄泻，痢疾，喉干喑哑，颜面黑斑。

柿霜：甘，凉。归心、肺、胃经。润肺止咳，生津利咽，止血。用于肺热燥咳，咽干喉痛，口舌生疮，吐血，咯血，消渴。

柿漆：苦、涩。平肝。用于高血压。

柿皮：甘、涩，寒。清热解毒。用于疔疮，无名肿毒。

柿花：甘，平。归脾、肺经。降逆和胃，解毒收敛。用于呕吐，吞酸，痘疮。

柿木皮：涩，平。清热解毒，止血。用于下血，烫火伤。

柿根：涩，平。清热解毒，凉血止血。用于血崩，血痢，痔疮，蜘蛛背。

| **用法用量** | 柿蒂：内服煎汤，5～10g。

柿叶：内服煎汤，5～15g，重症加倍。外用适量。

柿子：内服煎汤，适量，用作食品；或煎汤；或烧炭研末；或在未成熟时，捣汁冲服。凡脾胃虚寒、痰湿内盛、外感咳嗽、脾虚泄泻、疟疾等病人禁食鲜柿。

柿饼：内服适量，嚼食；或煎汤；或烧存性，入散剂。脾胃虚寒、痰湿内盛者慎服。

柿霜：3 ~ 9g，多用于散剂。外用适量，撒敷。

柿漆：内服 20 ~ 40ml。

柿皮：外用鲜品贴敷。

柿花：内服煎汤，3 ~ 6g。外用适量，研末搽。

柿木皮：内服研末，5 ~ 6g。外用适量，烧灰调敷。

柿根：内服煎汤，30 ~ 60g。外用适量，鲜品捣敷。

| 附　　注 | 本种喜温暖气候，宜栽培于深厚、肥沃、湿润、排水良好的中性土壤，较耐寒，较耐瘠薄，抗旱性不强，不耐盐碱土。

柿科 Ebenaceae 柿属 Diospyros

野柿

Diospyros kaki Thunb. var. *sylvestris* Makino

| 药 材 名 | 野柿（药用部位：根、叶、宿萼。别名：山柿、油柿、四川油柿）。

| 形态特征 | 本种与原变种柿的区别在于小枝及叶柄常密被黄褐色柔毛，叶较栽培柿树的叶小，叶片下面的毛较多，花较小，果实亦较小，直径 2 ~ 5cm。

| 生境分布 | 生于山地自然林或次生林中，或在山坡灌丛中，垂直分布约达 1600m。分布于重庆奉节、武隆、彭水、南川等地。

| 资源情况 | 野生资源稀少。药材主要来源于野生。

| 采收加工 | 宿萼，冬季果实成熟时采摘，食用时收集，洗净，晒干。叶，秋季采收，除去杂质，晒干。根，9 ~ 10 月采挖，洗净，鲜用或晒干。

野柿

| **功能主治** | 开窍辟恶，行气活血，祛痰，清热凉血，润肠。用于吐血，痔疮出血，呃逆。

| **用法用量** | 内服煎汤，适量。

柿科 Ebenaceae 柿属 Diospyros

君迁子

Diospyros lotus L.

| 药 材 名 | 君迁子（药用部位：果实。别名：梬枣、牛奶柿、软枣）。

| 形态特征 | 落叶乔木，高可达 30m，胸径可达 1.3m。树冠近球形或扁球形；树皮灰黑色或灰褐色，深裂或不规则的厚块状剥落。小枝褐色或棕色，有纵裂的皮孔；嫩枝通常淡灰色，有时带紫色；冬芽狭卵形。叶椭圆形至长椭圆形，长 5 ~ 13cm，宽 2.5 ~ 6cm，侧脉纤细，连接成不规则的网状，叶柄长 7 ~ 15（~ 18）mm。雄花 1 ~ 3 腋生，簇生，近无梗，长约 6mm；花萼钟形，4 裂，裂片卵形；花冠壶形，带红色或淡黄色，裂片近圆形。果实近球形或椭圆形，直径 1 ~ 2cm，初熟时为淡黄色，后则变为蓝黑色；种子长圆形，长约 1cm，宽约 6mm，褐色，侧扁，背面较厚；宿存萼 4 裂，深裂至中部，裂片卵形，长约 6mm，先端钝圆。花期 5 ~ 6 月，果期 10 ~ 11 月。

君迁子

| 生境分布 | 生于海拔 250 ～ 2200m 的山坡、山谷或林缘。分布于重庆丰都、黔江、綦江、城口、酉阳、云阳、长寿、江津、武隆、石柱、巫溪、巫山、梁平等地。 |

| 资源情况 | 野生资源一般。药材来源于野生，自产自销。 |

| 采收加工 | 10 ～ 11 月果实成熟时采收，晒干或鲜用。 |

| 功能主治 | 甘、涩，凉。清热，止渴。用于烦热，消渴。 |

| 用法用量 | 内服煎汤，15 ～ 30g。脾胃虚寒者慎服。 |

| 附　　注 | 本种喜阳光，耐严寒，根系发达，适应性强，对土壤要求不严。生产中一般采用种子繁殖方式。 |

柿科 Ebenaceae 柿属 Diospyros

川柿
Diospyros sutchuensis Yang

川柿

|药 材 名|

柿树（药用部位：果实、果蒂、根）。

|形态特征|

乔木，高 7 ~ 8m。树皮灰色，有皱纹。嫩枝绿色，被小柔毛；去年生枝无毛或疏生小柔毛。叶革质，长圆形或椭圆状长圆形，长 8 ~ 12cm，宽 2.8 ~ 4.7cm，先端急尖，极少渐尖，基部圆形或近圆形，上面深绿色，有光泽，下面绿色；中脉上面凹陷，被微柔毛，下面凸起，疏生长伏毛，侧脉每边 6 ~ 8，上面凹陷，下面凸起；叶柄长 6 ~ 10mm，密被短柔毛。花未见。果实腋生，单生，近球形，直径 3 ~ 4cm，黄绿色，密被短柔毛，有种子 3 ~ 7；种子褐色，近肾形，长 1.6 ~ 1.8cm，宽约 1.1cm；宿存萼裂片 4，卵形，长 1.2 ~ 1.8cm，宽 1 ~ 1.4cm，有脉纹，两面被毛；果柄长 1.2 ~ 2cm，密被柔毛。果期 10 月。

|生境分布|

生于海拔 1300m 左右的林中。分布于重庆綦江、合川等地。

| **资源情况** | 野生资源稀少，无栽培资源。药材主要来源于野生。

| **功能主治** | 果实，甘，凉。生津止渴，健胃行气。果蒂，苦，平。降逆顺气，止呕。根，苦，寒。凉血止血。

安息香科 Styracaceae 赤杨叶属 Alniphyllum

赤杨叶
Alniphyllum fortunei (Hemsl.) Makino

| 药 材 名 | 豆渣树（药用部位：根、叶。别名：冬瓜木、红皮岭麻、白花盏）。

| 形态特征 | 乔木，高 15 ~ 20m，胸径达 60cm。树干通直，树皮灰褐色，有不规则细纵皱纹。总状花序或圆锥花序，顶生或腋生，有花 10 ~ 20 或更多；花序梗和花梗均密被褐色或灰色星状短柔毛；花白色或粉红色，长 1.5 ~ 2cm；花梗长 4 ~ 8mm；小苞片钻形；花萼杯状，萼齿卵状披针形，较萼筒长；花冠裂片长椭圆形；花药长卵形，长约 3mm；子房密被黄色长绒毛；花柱较雄蕊长，初被稀疏星状长柔毛，以后被毛脱落。果实长圆形或长椭圆形，长 10 ~ 18mm，直径 6 ~ 10mm，疏被白色星状柔毛或无毛，外果皮肉质，干时黑色，常脱落，内果皮浅褐色，成熟时 5 瓣开裂；种子多数，长 4 ~ 7mm，两端有不等大的膜质翅。花期 4 ~ 7 月，果期 8 ~ 10 月。

赤杨叶

| **生境分布** | 生于海拔 650 ~ 1400m 的林中。分布于重庆巫山、开州、涪陵、江津、南川、綦江、武隆、奉节、北碚等地。 |

| **资源情况** | 野生资源较少。药材来源于野生，自产自销。 |

| **采收加工** | 夏、秋季采收，洗净，晒干。 |

| **功能主治** | 辛，微温。祛风除湿，利水消肿。用于风湿痹痛，水肿，小便不利。 |

| **用法用量** | 内服煎汤，3 ~ 10g。外用适量，煎汤洗。 |

安息香科 Styracaceae 白辛树属 Pterostyrax

白辛树
Pterostyrax psilophyllus Diels ex Perk.

| 药 材 名 | 白辛树（药用部位：根。别名：白辛木、鄂西野茉莉、裂叶白辛树）。

| 形态特征 | 乔木。树皮灰褐色，呈不规则开裂。嫩枝被星状毛。叶硬纸质，长椭圆形、倒卵形或倒卵状长圆形，先端急尖或渐尖，基部楔形，少近圆形，边缘具细锯齿，近先端有时具粗齿或3深裂，上面绿色，下面灰绿色，嫩叶上面被黄色星状柔毛，以后无毛，下面密被灰色星状绒毛；侧脉近平行，在两面均明显隆起，中脉在上面平坦或稍凹陷，下面隆起，第三级小脉彼此近平行；叶柄密被星状柔毛，上面具沟槽。圆锥花序顶生或腋生，第2次分枝几成穗状；花序梗、花梗和花萼均密被黄色星状绒毛；花白色；苞片和小苞片早落；花萼钟状，萼齿披针形，先端渐尖；花瓣长椭圆形或椭圆状匙形，先端钝或短尖；雄蕊近等长，伸出，花丝宽扁，两面均被疏柔毛，花

白辛树

药长圆形，稍弯；子房密被灰白色粗毛，柱头稍 3 裂。果实近纺锤形，中部以下渐狭，密被灰黄色、疏展、丝质长硬毛。花期 4 ~ 5 月，果期 8 ~ 10 月。

| 生境分布 | 生于海拔 1200 ~ 1930m 的山地阴湿杂木林中。分布于重庆奉节、开州、南川等地。

| 资源情况 | 野生资源稀少。药材主要来源于野生。

| 采收加工 | 全年均可采挖，洗净，切片，晒干。

| 功能主治 | 辛，凉。活血散瘀，消肿止痛。用于跌打损伤，腰膝疼痛，关节肿痛等。

| 用法用量 | 内服煎汤，适量。

安息香科 Styracaceae 木瓜红属 Rehderodendron

木瓜红 *Rehderodendron macrocarpum* Hu

木瓜红

药材名

木瓜红（药用部位：花序。别名：野草果）。

形态特征

小乔木，高 7 ~ 10m，胸径约 20cm。树皮灰黑色；小枝紫红色，被毛，老枝灰黄色或灰褐色，无毛；冬芽卵形或长卵形，最外的鳞片被短柔毛。叶纸质至薄革质，长卵形、椭圆形或长圆状椭圆形，长 9 ~ 13cm，宽 4 ~ 5.5cm，先端急尖或短渐尖，基部楔形或宽楔形，边缘有疏锯齿，上面绿色，下面灰绿色；叶脉常呈紫红色，除嫩叶脉上被星状柔毛外，其余无毛，侧脉每边 7 ~ 13，和网脉在两面均明显隆起；叶柄长 1 ~ 1.5cm，疏被星状柔毛。总状花序有花 6 ~ 8，生于小枝下部叶腋，长 4 ~ 5cm；花序梗、花梗和小苞片外面均密被灰黄色星状柔毛；花白色，与叶同时开放；花梗长 3 ~ 10mm；小苞片披针形，着生于花梗近中部，长约 5mm，早落；花萼高约 4mm，宽约 3mm，萼齿三角形，先端渐尖，长约 2mm，密被星状短柔毛；花冠裂片椭圆形或倒卵形，长 1.5 ~ 1.8cm，宽 5 ~ 8mm，先端钝圆，两面均密被细绒毛；雄蕊长者较花冠稍长，短者与花冠近相等；花柱棒状，较雄蕊稍长。

果实长圆形或长卵形，稍弯，长 3.5 ～ 9cm，宽 2.5 ～ 3.5cm，有 8 ～ 10 棱，棱间平滑，无毛，熟时红褐色，先端收狭成脐状突起，外果皮厚 1.5mm，中果皮纤维状木栓质，厚约 10mm，内果皮木质，向中果皮放射成许多间隙；种子长圆状线形，栗棕色，长 2 ～ 2.5cm。花期 3 ～ 4 月，果期 7 ～ 9 月。

| 生境分布 |

生于海拔 1700 ～ 2250m 的山间杂木林中。分布于重庆奉节、开州、江津、南川等地。

| 资源情况 |

野生资源较少。药材来源于野生，自产自销。

| 采收加工 |

花期花盛开时采收，洗净，晒干。

| 功能主治 |

清热，杀虫。

| 用法用量 |

内服煎汤，适量。

| 附　注 |

本种喜温凉、湿润、雨量充沛的气候环境和肥沃、排水良好的酸性土壤。生产中主要采用分株繁殖方式，也可采用扦插和种子繁殖方式。

安息香科 Styracaceae 安息香属 Styrax

老鸹铃 *Styrax hemsleyanus* Diels

| 药材名 | 老鸹铃（药用部位：果实）。

| 形态特征 | 乔木，高 5 ~ 12m，胸径 12cm。树皮暗褐色；嫩枝扁圆柱形，密被灰褐色星状短柔毛，老枝暗褐色，无毛；冬芽圆锥形，密被锈色星状柔毛。叶纸质，生于小枝下部的 2 叶近对生，长圆形或卵状长圆形，长 8 ~ 12cm，宽 4 ~ 6cm，先端急尖，基部近圆形或宽楔形；生于小枝上部的互生叶为椭圆形或卵状椭圆形，稀宽椭圆形，长 7 ~ 15cm，宽 4 ~ 9cm，先端短尖，少有渐尖而稍弯，基部楔形或宽楔形，两边有时稍不等，上部边缘具锯齿或有时近全缘；两面除叶脉疏生灰褐色星状短柔毛外，其余无毛，叶干时灰绿色或暗绿色，粗糙，侧脉每边 7 ~ 10，第三级小脉近平行；叶柄长 7 ~ 15mm，疏生灰褐色星状短柔毛。总状花序，有花 8 ~ 10 或更多，长 9 ~ 15cm，花

老鸹铃

序基部常 2 ~ 3 分枝；花序梗和花梗密被黄褐色星状绒毛；花白色，芳香，长 1.8 ~ 2.7cm；花梗长 2 ~ 4mm，花后下弯；小苞片生于花梗基部和上部，钻形，长 2 ~ 3mm，早落，密被黄褐色星状柔毛；花萼杯状，高 4 ~ 8mm，宽 3 ~ 6mm；密被黄褐色星状绒毛和暗褐色星状长柔毛，先端 5 齿；萼齿钻形或三角形，常不等大，长 2 ~ 3mm，边缘和先端常具褐色腺体；花冠裂片椭圆形或椭圆状倒卵形，长约 15mm，宽约 5mm，先端短尖，两面均密被淡黄色星状细绒毛，花蕾时作覆瓦状排列，花冠管长 4 ~ 5mm，无毛；雄蕊较花冠裂片短，花丝扁平，下部联合成管，上部分离，疏生白色星状柔毛，花药长圆形，长约 4mm，边缘被星状毛；花柱近无毛。果实球形至卵形，长 8 ~ 13mm 或更长，直径 10 ~ 15mm，先端具短尖头，密被黄褐色或灰黄色星状绒毛，稍具皱纹；种子 1 ~ 2，褐色，无毛，稍粗糙或平滑。花期 5 ~ 6 月，果期 7 ~ 9 月。

| **生境分布** | 生于海拔 1000 ~ 2700m 的向阳山坡、疏林中、林缘或灌丛中。分布于重庆城口、巫溪、巫山、涪陵、南川等地。

| **资源情况** | 野生资源较少。药材来源于野生，自产自销。

| **采收加工** | 7 ~ 8 月果熟时采收，晒干备用。

| **功能主治** | 驱虫，止痛。

| **用法用量** | 内服煎汤，适量。

安息香科 Styracaceae 安息香属 Styrax

墨泡
Styrax huanus Rehd.

| 药 材 名 | 墨泡（药用部位：根、树皮）。

| 形态特征 | 乔木，高6～15m。树皮暗褐色，呈不规则细片状脱落；冬芽圆锥形，密被褐棕色星状柔毛；嫩枝密被灰黄色星状短柔毛，扁圆柱形，成长后无毛，暗紫色，圆柱形。叶纸质，生于小枝上部的叶互生，椭圆形或椭圆状长圆形，稀宽椭圆形，长5～15cm，宽5.5～10cm，先端急尖至短尖，基部楔形或宽楔形，边缘中部以上具锯齿，上面除中脉和侧脉被黄褐色星状短柔毛外无毛，下面密被灰白色星状绒毛，侧脉每边7～9，第三级小脉近平行；生于小枝最下部的2叶近对生，长圆形或卵状长圆形，长8～12cm，宽5.5～10cm；叶柄长1～2cm，上面具槽，密被黄褐色星状短柔毛。总状花序顶生或腋生，花序长6～15cm，基部有时2～3分枝；花序梗、花梗和小

墨泡

苞片密被暗褐色星状绒毛；花白色，芳香，长 13 ~ 18mm；花梗长 2 ~ 5mm，常下弯；小苞片钻形，长达 4mm；花萼钟状，高 4 ~ 6mm，宽 3 ~ 6mm，外面密被暗褐色星状绒毛和星状长柔毛；萼齿钻形或近三角形，常不等大，长 1 ~ 3mm，先端渐尖，两侧常有黑色腺点；花冠裂片倒卵状椭圆形或椭圆形，长 10 ~ 15mm，宽约 5mm，花蕾时作覆瓦状排列，外面密被白色星状短柔毛，花冠管长 3 ~ 4mm；雄蕊 10，较花冠裂片为短，花丝纤细，无毛或仅中部疏生星状毛，花药长圆形；花柱无毛，约与花冠裂片近等长。果实卵形，直径 8mm，先端具短尖头，密被灰色星状绒毛，常具细皱纹；种子褐色，平滑。花期 5 ~ 6 月，果期 9 ~ 10 月。

| **生境分布** | 生于海拔 1200 ~ 1700m 的灌丛或林中。分布于重庆南川、巫溪等地。

| **资源情况** | 野生资源较少。药材来源于野生，自产自销。

| **采收加工** | 夏、秋季采收根和树皮，洗净，晒干。

| **功能主治** | 祛风除湿。

| **用法用量** | 内服煎汤，适量。

安息香科 Styracaceae 安息香属 Styrax

野茉莉
Styrax japonicus Sieb. et Zucc.

| **药 材 名** | 候风藤（药用部位：叶、果实）。

| **形态特征** | 灌木或小乔木，高 4 ~ 8m。树皮暗褐色或灰褐色。叶互生，纸质或近革质；叶柄长 5 ~ 10mm，疏被星状短柔毛。总状花序顶生，有花 5 ~ 8，长 5 ~ 8cm；花序梗无毛；花白色，长 2 ~ 2.8cm；花梗纤细，开花时下垂，长 2.5 ~ 3.5cm，无毛；小苞片线形或线状披针形，长 4 ~ 5mm，无毛，易脱落；花萼漏斗状，膜质，高 4 ~ 5mm，宽3 ~ 5mm，无毛，萼齿短而不规则；花冠裂片卵形、倒卵形或椭圆形，花蕾时作覆瓦状排列，花冠管长 3 ~ 5mm；花丝扁平，下部联合成管，上部分离，分离部分的下部被白色长柔毛，上部无毛，花药长圆形，边缘被星状毛，长约5mm。果实卵形，长 8 ~ 14mm，直径 8 ~ 10mm，先端具短尖头，外面密被灰色星状绒毛，有不规则皱纹；种子褐色，

野茉莉

有深皱纹。花期 4 ~ 7 月，果期 9 ~ 11 月。

| 生境分布 | 生于海拔 410 ~ 2200m 的林中。分布于重庆黔江、大足、丰都、永川、綦江、江津、璧山、巫山、城口、奉节、石柱、酉阳、万州、忠县、涪陵、南川、北碚等地。

| 资源情况 | 野生资源丰富。药材来源于野生，自产自销。

| 采收加工 | 春、夏季采收叶，夏、秋季果熟期采摘果实，鲜用或晒干。

| 功能主治 | 辛、苦，温；有小毒。祛风除湿，舒筋通络。用于风湿痹痛，瘫痪。

| 用法用量 | 内服煎汤，3 ~ 10g。

| 附　　注 | 本种属阳性树种，生长迅速，喜生于酸性、疏松肥沃、土层较深厚的土壤中。

安息香科 Styracaceae 安息香属 Styrax

粉花安息香 *Styrax roseus* Dunn

粉花安息香

| 药 材 名 |

粉花安息香（药用部位：种子）。

| 形态特征 |

小乔木，高 4 ~ 8m，胸径约 8cm。冬芽椭圆形，密被橘红色或灰黄色星状柔毛；树皮灰色或暗灰色，具细纵条纹，不开裂；嫩枝圆柱形，褐色，初被灰褐色星状细柔毛，以后毛渐脱落。叶互生，纸质，椭圆形、长椭圆形或卵状椭圆形；叶柄长 3 ~ 5mm，疏被星状微柔毛。总状花序顶生，下部花常腋生；花序梗、花梗和小苞片均密被星状柔毛；花白色，有时粉红色；小苞片线形，生于花梗上和花萼基部，易脱落；花萼膜质，杯状，先端有不明显小齿；花冠裂片倒卵状椭圆形，长 12 ~ 15mm，宽 5 ~ 8mm，花蕾时作覆瓦状排列，花冠管长约 5mm；雄蕊较花冠稍短，花药长圆形。果实近球形，密被灰色和橙红色星状绒毛，干时有皱纹；种子 1 ~ 2，近平滑。花期 7 ~ 9 月，果期 9 ~ 12 月。

| 生境分布 |

生于海拔 700 ~ 2300m 的林中或灌丛中。分布于重庆巫溪、开州、巫山、南川等地。

| **资源情况** | 野生资源较少。药材来源于野生，自产自销。 |

| **采收加工** | 果期果实成熟时采收，去掉皮剥出种子，晒干备用。 |

| **功能主治** | 清热解毒。 |

| **用法用量** | 内服煎汤，适量。 |

山矾科 Symplocaceae 山矾属 Symplocos

腺柄山矾 *Symplocos adenopus* Hance

| **药 材 名** | 腺柄山矾（药用部位：根皮）。

| **形态特征** | 灌木或小乔木。小枝稍具棱，芽、嫩枝、嫩叶背面、叶脉、叶柄均被褐色柔毛。叶纸质，干后褐色，椭圆状卵形或卵形，长 8 ~ 16cm，宽 2 ~ 6cm，先端急尖或急渐尖，基部圆或阔楔形，边缘及叶柄两侧有大小相间而半透明的腺锯齿；中脉及侧脉在叶面明显凹下，侧脉每边 6 ~ 10，离叶缘 3 ~ 5mm 处向上弯拱环结，网脉稀疏而明显；叶柄长 0.5 ~ 1.5cm。团伞花序腋生；苞片和小苞片的外面均密被褐色长毛，苞片近圆形，直径 2 ~ 3mm，边缘有大而透明的腺体，小苞片椭圆形，长约 2mm，边缘有较小而透明的腺体；花萼长 2 ~ 3mm，5 裂，裂片半圆形，膜质，有褐色条纹，边缘无腺点，与萼筒等长或稍短于萼筒，萼筒无腺点；花冠白色，长约 5mm，5 深裂几达基部；

腺柄山矾

雄蕊 20 ~ 30；子房 3 室，无毛；花盘环状，无毛。核果圆柱形，长 7 ~ 10mm，先端宿萼裂片直立。花期 11 ~ 12 月，果期翌年 7 ~ 8 月。

| **生境分布** | 生于海拔 1200 ~ 1700m 的山地密林中。分布于重庆南川、綦江、忠县等地。

| **资源情况** | 野生资源较少。药材来源于野生，自产自销。

| **采收加工** | 夏、秋季采挖，洗净，鲜用或切片晒干。

| **功能主治** | 祛风除湿。

| **用法用量** | 内服煎汤，适量。外用适量，煎水洗或鲜根皮捣敷。

山矾科 Symplocaceae 山矾属 Symplocos

铜绿山矾 *Symplocos aenea* Hand.-Mazz.

铜绿山矾

| 药材名 |

铜绿山矾（药用部位：根皮）。

| 形态特征 |

乔木。小枝粗壮，无毛，髓心横隔状。叶革质，干后叶面铜绿色，叶背赤褐色，狭椭圆形或倒披针形，先端具骤狭而短的尾状尖，基部楔形或近圆钝，边缘具疏离的腺齿；中脉在叶面凹下，侧脉每边 11 ~ 20，偏斜直伸出，在离叶缘 3 ~ 8mm 处分叉网结，网脉不明显；叶柄粗壮，具沟。花集成团伞花序，腋生；苞片质厚，褐色，阔卵形，长 3 ~ 4mm，边缘有大而透明的腺体；小苞片卵形，背面有中肋，被柔毛和缘毛；花萼长约 3mm，5裂，裂片有缘毛，短于萼筒或等于萼筒，萼筒无毛；花冠白色，5 深裂几达基部；雄蕊20 ~ 50，花丝伸出于花冠，花柱粗壮；花盘平坦，无毛。核果圆柱形，核具棱。花期2 ~ 5 月，果期 6 ~ 9 月。

| 生境分布 |

生于海拔 1000 ~ 1700m 的山林中。分布于重庆南川、酉阳、涪陵、铜梁等地。

| **资源情况** | 野生资源较少。药材来源于野生，自产自销。

| **采收加工** | 夏、秋季采挖，洗净，鲜用或切片晒干。

| **功能主治** | 祛风除湿。

| **用法用量** | 内服煎汤，适量。外用适量，煎水洗或鲜根皮捣敷。

| **附　　注** | 在 FOC 中，本种的拉丁学名被修订为 *Symplocos stellaris* Brand var. *aenea* (Handel-Mazzetti) Nooteboom。

山矾科 Symplocaceae 山矾属 Symplocos

薄叶山矾

Symplocos anomala Brand

| 药 材 名 | 薄叶山矾（药用部位：果实）。

| 形态特征 | 小乔木或灌木。顶芽、嫩枝被褐色柔毛；老枝通常黑褐色。叶薄革质，狭椭圆形、椭圆形或卵形，长 5 ~ 7 (~ 11) cm，宽 1.5 ~ 3cm，先端渐尖，基部楔形，全缘或具锐锯齿，叶面有光泽，中脉和侧脉在叶面均凸起，侧脉每边 7 ~ 10，叶柄长 4 ~ 8mm。总状花序腋生，长 8 ~ 15mm，有时基部有 1 ~ 3 分枝，被柔毛；苞片与小苞片同为卵形，长 1 ~ 1.2mm，先端尖，有缘毛；花萼长 2 ~ 2.3mm，被微柔毛，5 裂，裂片半圆形，与萼筒等长，有缘毛；花冠白色，有桂花香，长 4 ~ 5mm，5 深裂几达基部；雄蕊约 30，花丝基部稍合生；花盘环状，被柔毛；子房 3 室。核果褐色，长圆形，长 7 ~ 10mm，被短柔毛，有明显的纵棱，3 室，先端宿萼裂片直立或向内伏。花

薄叶山矾

果期 4 ～ 12 月，边开花边结果。

| **生境分布** | 生于海拔 1000 ～ 1700m 的山地杂林中。分布于重庆万州、梁平、巫山、石柱、南川、綦江等地。

| **资源情况** | 野生资源较少。药材来源于野生，自产自销。

| **采收加工** | 8 ～ 9 月采收成熟的果实，晒干。

| **功能主治** | 清热解毒，平肝泻火。

| **用法用量** | 内服煎汤，适量。

山矾科 Symplocaceae 山矾属 Symplocos

总状山矾 *Symplocos botryantha* Franch.

总状山矾

| 药 材 名 |

总状山矾（药用部位：果实）。

| 形态特征 |

常绿乔木。嫩枝黄绿色，老枝褐色，无毛。叶厚革质，长圆状椭圆形、卵形或倒卵形，长 6 ~ 9cm，宽 2.5 ~ 3.5cm，先端尾状渐尖，基部楔形或宽楔形，边缘具波状齿；中脉在叶面凹下，侧脉不明显；叶柄长 0.8 ~ 1cm。总状花序长 2 ~ 4cm，被展开的长柔毛；小苞片条状披针形，长约 5mm，被绢状长毛和缘毛；花萼无毛，长 2 ~ 3mm，裂片三角状卵形，短于萼筒，长 0.5 ~ 0.7mm；花冠长 5 ~ 6mm，5 深裂几达基部；雄蕊 24 ~ 30，花丝扁平，基部稍联合；花盘无毛。核果坛形，长 7 ~ 8mm，先端宿萼裂片直立或稍向内弯。

| 生境分布 |

生于海拔 500 ~ 2430m 的山林间。分布于重庆奉节、丰都、铜梁、涪陵、璧山、綦江、永川、城口、巫山、南川等地。

| 资源情况 |

野生资源较丰富。药材来源于野生，自产自销。

| **采收加工** | 8～9月采收成熟的果实，晒干。

| **功能主治** | 补肝益肾，强筋壮骨。

| **用法用量** | 内服煎汤，适量。

| **附　　注** | 在 FOC 中，本种被修订为山矾 *Symplocos sumuntia* Buch.-Ham. ex D. Don。

山矾科 Symplocaceae 山矾属 Symplocos

华山矾

Symplocos chinensis (Lour.) Druce

| 药 材 名 | 华山矾（药用部位：叶。别名：针地黄、水泡木、檬子柴）、华山矾果（药用部位：果实）、华山矾根（药用部位：根）。

| 形态特征 | 灌木。嫩枝、叶柄、叶背均被灰黄色皱曲柔毛。叶纸质，椭圆形或倒卵形，长 4 ~ 7 (~ 10) cm，宽 2 ~ 5cm，先端急尖或短尖，有时圆，基部楔形或圆形，边缘有细尖锯齿，叶面被短柔毛；中脉在叶面凹下，侧脉每边 4 ~ 7。圆锥花序顶生或腋生，长 4 ~ 7cm，花序轴、苞片、花萼外面均密被灰黄色皱曲柔毛；苞片早落；花萼长 2 ~ 3mm，裂片长圆形，长于萼筒；花冠白色，芳香，长约 4mm，5 深裂几达基部；雄蕊 50 ~ 60，花丝基部合生成五体雄蕊；花盘具 5 凸起的腺点，无毛；子房 2 室。核果卵状圆球形，歪斜，长 5 ~ 7mm，被紧贴的柔毛，熟时蓝色，先端宿萼裂片向内伏。花期 4 ~ 5 月，果期 8 ~ 9 月。

华山矾

| **生境分布** | 生于海拔 1200m 以下的丘陵、山坡或杂木林下。分布于重庆黔江、璧山、彭水、江津、奉节、城口、酉阳、永川、开州、石柱、武隆、南川等地。 |

| **资源情况** | 野生资源较丰富。药材来源于野生，自产自销。 |

| **采收加工** | 华山矾：夏、秋季采收，切碎，晒干或鲜用。
华山矾果：8～9月采收成熟果实，晒干。
华山矾根：夏、秋季采收，洗净，鲜用或切片晒干。 |

| **药材性状** | 华山矾：本品多皱缩破碎，绿色或黄绿色，完整者展平后呈椭圆形或倒卵形，长 4～7cm，宽 2～5cm，先端急尖或短尖，基部楔形或圆形，边缘有细小锯齿，上面有短柔毛，中脉在上面凹下，侧脉每边 4～7。嫩枝、叶柄、叶背均被黄色皱曲柔毛。叶片纸质。气微，味苦。
华山矾根：本品呈圆柱形，直或弯曲。表面具瘤状隆起及不规则纵裂，有的有小的支根痕；栓皮棕黄色，常成片状剥离。质坚硬，难折断，断面皮部外侧棕黄色，内侧淡黄色，形成层清楚，木部灰白色至淡黄色，射线纤细，不显著，有环状年轮。 |

| **功能主治** | 华山矾：苦，凉；有小毒。归胃、大肠经。清热利湿，解毒，止血生肌。用于泻痢，疮疡肿毒，创伤出血，烫火伤，溃疡。
华山矾果：清热解毒。用于烂疮。
华山矾根：苦，凉；有小毒。清热解毒，化痰截疟，通络止痛。用于感冒发热，泻痢，疮疡疖肿，毒蛇咬伤，疟疾，筋骨疼痛，跌打损伤。 |

| **用法用量** | 华山矾：内服，鲜品 15～30g，捣汁。外用适量，捣敷；或研末调敷。
华山矾果：外用适量，研末撒。
华山矾根：内服煎汤，9～15g，大剂量可用 15～30g。外用适量，煎汤洗；或鲜根皮捣敷。 |

| **附 注** | （1）在 FOC 中，本种被修订为白檀 *Symplocos paniculata* (Thunb.) Miq.。
（2）本种适宜栽培在温和山坡林下或荫蔽的环境中，土壤以疏松、湿润的砂壤土为宜。生产中采用种子和分根繁殖方式。 |

山矾科 Symplocaceae 山矾属 Symplocos

光叶山矾

Symplocos lancifolia Sieb. et Zucc.

光叶山矾

药材名

刀灰树（药用部位：根、叶。别名：剑叶灰木、甜茶、乌脚看）。

形态特征

小乔木。芽、嫩枝、嫩叶背面脉上、花序均被黄褐色柔毛，小枝细长，黑褐色，无毛。叶纸质或近膜质，干后有时呈红褐色，卵形至阔披针形，长 3 ~ 6cm，宽 1.5 ~ 2.5cm，先端尾状渐尖，基部阔楔形或稍圆，边缘具稀疏的浅钝锯齿；中脉在叶面平坦，侧脉纤细，每边 6 ~ 9；叶柄长约 5mm。穗状花序长 1 ~ 4cm；苞片椭圆状卵形，长约 2mm，小苞片三角状阔卵形，长 1.5mm，宽 2mm；花萼长 1.6 ~ 2mm，5 裂，裂片卵形，先端圆，背面被微柔毛，与萼筒等长或稍长于萼筒，萼筒无毛；花冠淡黄色，裂片椭圆形，长 2.5 ~ 4mm；雄蕊约 25，花丝基部稍合生；子房 3 室，花盘无毛。核果近球形，直径约 4mm，先端宿萼裂片直立。花期 3 ~ 11 月，果期 6 ~ 12 月，边开花边结果。

生境分布

生于海拔 600 ~ 1500m 的杂木林中。分布于重庆綦江、璧山、南川、九龙坡、永川、巫溪、奉节、黔江、北碚、江津、彭水等地。

| **资源情况** | 野生资源较丰富。药材来源于野生，自产自销。

| **采收加工** | 全年均可采收，根洗净，切片，晒干；叶鲜用。

| **功能主治** | 甘，平。止血生肌，和肝健脾。用于外伤出血，吐血，咯血，疳积，眼结膜炎。

| **用法用量** | 内服煎汤，30～60g。外用适量，鲜品捣敷；或干品研末敷。

山矾科 Symplocaceae 山矾属 Symplocos

黄牛奶树
Symplocos laurina (Retz.) Wall.

| 药 材 名 | 泡花子（药用部位：树皮）。

| 形态特征 | 乔木。小枝无毛，芽被褐色柔毛。叶革质，倒卵状椭圆形或狭椭圆形，长7～14cm，宽2～5cm，先端急尖或渐尖，基部楔形或宽楔形，边缘有细小的锯齿；中脉在叶面凹下，侧脉很细，每边5～7；叶柄长1～1.5cm。穗状花序长3～6cm，基部通常分枝，花序轴通常被柔毛，在结果时毛渐脱落；苞片和小苞片外面均被柔毛，边缘有腺点，苞片阔卵形，长约2mm，小苞片长约1mm；花萼长约2mm，无毛，裂片半圆形，短于萼筒；花冠白色，长约4mm，5深裂几达基部；雄蕊约30，花丝长3～5mm，基部稍合生；花柱粗壮，子房3室，花盘环状，无毛。核果球形，直径4～6mm，先端宿萼裂片直立。花期8～12月，果期翌年3～6月。

黄牛奶树

| 生境分布 | 生于海拔300～800m的林边石上或密林中。分布于重庆北碚、璧山、南岸、大足、江津、合川、秀山、永川、铜梁、垫江、巴南、荣昌、沙坪坝、长寿、九龙坡、南川等地。

| 资源情况 | 野生资源丰富。药材来源于野生，自采自用。

| 采收加工 | 全年均可采收，剥取树皮，晒干。

| 功能主治 | 苦，凉。清热，解表。用于感冒身热，头昏口燥。

| 用法用量 | 内服煎汤，15～30g。

| 附　　注 | 在FOC中，本种的拉丁学名被修订为 *Symplocos cochinchinensis* (Lour.) S. Moore var. *laurina* (Retzius) Nooteboom。

▦ 山矾科 ▦ Symplocaceae ▦ 山矾属 ▦ *Symplocos*

白檀 *Symplocos paniculata* (Thunb.) Miq.

| 药 材 名 | 白檀（药用部位：根、叶、花、种子。别名：砒霜子、蛤蟆涩、白花茶）、山矾叶（药用部位：叶）。

| 形态特征 | 落叶灌木或小乔木。嫩枝被灰白色柔毛，老枝无毛。叶膜质或薄纸质，阔倒卵形、椭圆状倒卵形或卵形，长 3 ~ 11cm，宽 2 ~ 4cm，先端急尖或渐尖，基部阔楔形或近圆形，边缘有细尖锯齿，叶面无毛或被柔毛，叶背通常被柔毛或仅脉上被柔毛；中脉在叶面凹下，侧脉在叶面平坦或微凸起，每边 4 ~ 8；叶柄长 3 ~ 5mm。圆锥花序长 5 ~ 8cm，通常被柔毛；苞片早落，通常条形，有褐色腺点；花萼长 2 ~ 3mm，萼筒褐色，无毛或别疏柔毛，裂片半圆形或卵形，稍长于萼筒，淡黄色，有纵脉纹，边缘有毛；花冠白色，长 4 ~ 5mm，5 深裂几达基部；雄蕊 40 ~ 60，子房 2 室，花盘具 5 凸起的腺点。

白檀

核果熟时蓝色，卵状球形，稍偏斜，长 5 ～ 8mm，先端宿萼裂片直立。

| 生境分布 | 生于海拔 300 ～ 2670m 的山坡、路边、疏林或密林中。分布于重庆丰都、云阳、奉节、巫山、永川、合川、荣昌、沙坪坝、城口、巫溪、石柱、酉阳、南川、綦江等地。

| 资源情况 | 野生资源丰富。药材来源于野生，自采自用。

| 采收加工 | 白檀：秋、冬季采挖根，春、夏季采摘叶，5 ～ 7 月花果期采收花、种子，晒干。
山矾叶：夏季采集，晾干。

| 药材性状 | 山矾叶：本品多皱缩破碎，草绿色至淡黄色，完整者呈椭圆形，两侧向内稍卷曲，先端急尖，基部楔形；中脉明显，背面凸起，侧脉细弱，对称，边缘具细锐齿。气微，味微苦。

| 功能主治 | 白檀：苦，微寒。散风解毒，调气散结，祛风止痒。用于乳腺炎，淋巴结炎，肠痈，疮疖，疝气，荨麻疹，皮肤瘙痒。
山矾叶：苦，平。清热，消炎。用于肺热病，肾热病，传染性热病，扩散伤热病，腰肌劳损，口腔炎。

| 用法用量 | 白檀：内服煎汤，9 ～ 24g，根可用 30 ～ 45g。外用适量，煎汤洗；或研末调敷。
山矾叶：内服煎汤，9 ～ 15g。

| 附　注 | 本种喜湿，好光。栽培宜选肥沃土壤。生产中一般采用种子繁殖方式。

山矾科 Symplocaceae 山矾属 Symplocos

多花山矾
Symplocos ramosissima Wall. ex G. Don

| 药 材 名 | 多花山矾（药用部位：根）。

| 形态特征 | 灌木或小乔木。嫩枝紫色，被平伏短柔毛，老枝紫褐色，无毛。叶膜质，椭圆状披针形或卵状椭圆形，长 6 ～ 12cm，宽 2 ～ 4cm，先端具尾状渐尖，基部楔形或圆形，边缘有腺锯齿；中脉在叶面凹下，在离叶缘 3 ～ 7mm 处向上弯弓环结；叶柄长约 1cm。总状花序长 1.5 ～ 3cm，被短柔毛；花梗长约 2mm；苞片卵形，长约 2mm，近基部边缘有 2 腺点；花萼长约 3mm，被短柔毛，裂片阔卵形，先端圆，稍短于萼筒；花冠白色，长 4 ～ 5mm，5 深裂几达基部；雄蕊 30 ～ 40，长短不一，稍伸出花冠，花丝基部稍合生；花盘无毛，有 5 腺点；子房 3 室。核果长圆形，长 9 ～ 12mm，宽 4 ～ 5mm，被微柔毛，嫩时绿色，成熟时黄褐色，有时蓝黑色，先端宿萼裂片张开。

多花山矾

花期 4 ~ 5 月，果期 5 ~ 6 月。

| **生境分布** | 生于海拔 1000 ~ 2200m 的溪边、岩壁或阴湿的密林中。分布于重庆城口、奉节、石柱、酉阳、南川、綦江等地。

| **资源情况** | 野生资源较少。药材来源于野生，自采自用。

| **采收加工** | 夏、秋季采挖，洗净，鲜用或切片晒干。

| **功能主治** | 生肌收敛。

| **用法用量** | 内服煎汤，适量。外用适量，煎水洗或鲜根皮捣敷。

山矾科 Symplocaceae 山矾属 Symplocos

四川山矾
Symplocos setchuensis Brand

| 药 材 名 | 四川山矾（药用部位：根、茎、叶。别名：灰灰树、黄夹柴）。

| 形态特征 | 小乔木。小枝略有棱，无毛。叶薄革质，长圆形或狭椭圆形，长7～13cm，宽2～5cm，先端渐尖或长渐尖，基部楔形，边缘具尖锯齿，中脉在叶面凸起；叶柄长5～10mm。穗状花序宿短，呈团伞状；苞片阔倒卵形，宽约2mm，背面被白色长柔毛或柔毛；花萼长约3mm，裂片长圆形，长约2mm，背面被白色长柔毛或微柔毛，萼筒短，长约1mm；花冠长3～4mm，5深裂几达基部；雄蕊30～40，花丝长短不一，伸出花冠外，长4～5mm，花丝基部稍联合成明显的五体雄蕊，花盘被白色长柔毛或微柔毛，花柱长约3mm；子房3室。核果卵圆形或长圆形，长5～8mm，先端具直立的宿萼裂片，基部有宿存的苞片；核骨质，分开成3分核。花期3～4月，果期5～6月。

四川山矾

| **生境分布** | 生于海拔 600 ~ 2300m 的山地林间。分布于重庆北碚、城口、石柱、璧山、涪陵、长寿、南川、合川、忠县、奉节等地。 |

| **资源情况** | 野生资源较丰富。药材来源于野生，自产自销。 |

| **采收加工** | 夏、秋季采收，洗净，切片或段，晒干。 |

| **药材性状** | 本品叶多皱缩破碎，黄褐色，完整者展平后呈长圆形或狭椭圆形，长 7 ~ 13cm，宽 2 ~ 5cm，先端渐尖或长渐尖，基部楔形，边缘具尖锯齿，中脉在两面均凸起。叶柄长 5 ~ 10mm。叶薄革质。气微，味淡。 |

| **功能主治** | 苦，寒。归肺经。行水，定喘，清热解毒。用于水湿胀满，咳嗽喘逆，火眼，疮癣。 |

| **用法用量** | 内服煎汤，9 ~ 15g。 |

| **附　注** | 在 FOC 中，本种被修订为光亮山矾 *Symplocos setchuensis* Brand。 |

老鼠矢 *Symplocos stellaris* Brand

| **药材名** | 小药木（药用部位：根、叶。别名：佳崩、羊舌树）。

| **形态特征** | 常绿乔木。小枝粗，髓心中空，具横隔；芽、嫩枝、嫩叶柄、苞片和小苞片均被红褐色绒毛。叶厚革质，叶面有光泽，叶背粉褐色，披针状椭圆形或狭长圆状椭圆形，长 6 ~ 20cm，宽 2 ~ 5cm；中脉在叶面凹下，在叶背明显凸起，侧脉每边 9 ~ 15，侧脉和网脉在叶面均凹下，在叶背不明显；叶柄有纵沟，长 1.5 ~ 2.5cm。团伞花序着生于二年生枝的叶痕之上；苞片圆形，直径 3 ~ 4mm，有缘毛；花萼长约 3mm，裂片半圆形，长不到 1mm，有长缘毛；花冠白色，长 7 ~ 8mm，5 深裂几达基部，裂片椭圆形，先端有缘毛，雄蕊 18 ~ 25，花丝基部合生成 5 束；花盘圆柱形，无毛；子房 3 室；核果狭卵状圆柱形，长约 1cm，先端宿萼裂片直立；核具 6 ~ 8 纵棱。

老鼠矢

花期 4 ~ 5 月，果期 6 月。

| **生境分布** | 生于海拔 600 ~ 1500m 的山地林中。分布于重庆黔江、綦江、忠县、江津、南川、涪陵、丰都、武隆、垫江、北碚、巴南、奉节、石柱等地。

| **资源情况** | 野生资源较丰富。药材来源于野生，自产自销。

| **采收加工** | 春、夏季采摘叶，秋、冬季采挖根，洗净，鲜用或晒干。

| **功能主治** | 活血，止血。用于跌打损伤，内出血。

| **用法用量** | 内服煎汤，9 ~ 15g。外用适量，捣敷。

山矾科 Symplocaceae 山矾属 Symplocos

山矾

Symplocos sumuntia Buch.-Ham. ex D. Don

山矾

| 药 材 名 |

山矾叶（药用部位：叶）、山矾花（药用部位：花）、山矾根（药用部位：根。别名：土白芷）。

| 形态特征 |

乔木。嫩枝褐色。叶薄革质，卵形、狭倒卵形、倒披针状椭圆形，长3.5～8cm，宽1.5～3cm，先端常呈尾状渐尖，基部楔形或圆形，边缘具浅锯齿或波状齿，有时近全缘；中脉在叶面凹下，侧脉和网脉在两面均凸起，侧脉每边4～6；叶柄长0.5～1cm。总状花序长2.5～4cm，被展开的柔毛；苞片早落，阔卵形至倒卵形，长约1mm，密被柔毛，小苞片与苞片同形；花萼长2～2.5mm，萼筒倒圆锥形，无毛，裂片三角状卵形，与萼筒等长或稍短于萼筒，背面被微柔毛；花冠白色，5深裂几达基部，长4～4.5mm，裂片背面被微柔毛；雄蕊25～35，花丝基部稍合生；花盘环状，无毛；子房3室。核果卵状坛形，长7～10mm，外果皮薄而脆，先端宿萼裂片直立，有时脱落。花期2～3月，果期6～7月。

| **生境分布** | 生于海拔 600 ～ 2000m 的山谷、溪边灌丛中或山坡林下。分布于重庆綦江、万州、丰都、黔江、涪陵、北碚、永川、铜梁、南川、武隆、忠县、江津、垫江、石柱、巫溪、梁平、九龙坡、沙坪坝、巫山、彭水、酉阳等地。

| **资源情况** | 野生资源丰富。药材来源于野生，自产自销。

| **采收加工** | 山矾叶：夏、秋季采收，鲜用或晒干。
山矾花：2 ～ 3 月采收，晒干。
山矾根：夏、秋季采挖，洗净，切片，晒干。

| **药材性状** | 山矾叶：本品多皱缩破碎，棕褐色或黄褐色，完整者展平后呈卵形、狭倒卵形或倒披针状椭圆形，长 3.5 ～ 8cm，宽 1.5 ～ 3cm，先端常成尾状渐尖，基部楔形或圆形，边缘具浅锯齿或波状齿，有时近全缘，中脉在上面部分凹下，侧脉和网脉在两面均凸起，侧脉每边 4 ～ 6；叶柄长 5 ～ 10mm。叶薄革质。气微，味淡。
山矾花：本品总状花序长 2 ～ 4cm，被展开柔毛；苞片阔卵形至倒卵形，密被柔毛，小苞片和苞片圆形；花萼筒倒圆锥形，无毛，裂片三角状卵形，背面有微柔毛；花冠黄褐色，5 深裂几达基部，长 4 ～ 4.5mm，裂片背面有微柔毛。气微，味淡。

| **功能主治** | 山矾叶：酸、涩、微甘，平。归肺、胃经。清热解毒，收敛止血。用于久痢，风火赤眼，扁桃体炎，中耳炎，咯血，便血，鹅口疮。
山矾花：苦、辛，平。归肺经。化痰解郁，生津止渴。用于咳嗽胸闷，小儿消渴。
山矾根：苦、辛，平。归肝、胃经。清热利湿，凉血止血，祛风止痛。用于黄疸，泄泻，痢疾，血崩，风火牙痛，头痛，风湿痹痛。

| **用法用量** | 山矾叶：内服煎汤，15 ～ 30g。外用适量，煎汤洗；或捣汁含漱、滴耳。
山矾花：内服煎汤，6 ～ 9g。
山矾根：内服煎汤，15 ～ 30g。

木犀科 Oleaceae 连翘属 Forsythia

连翘
Forsythia suspensa (Thunb.) Vahl

| 药 材 名 | 连翘（药用部位：果实。别名：旱连子、大翘子、空翘）、连翘叶（药用部位：叶）、连翘茎叶（药用部位：嫩茎叶）、连翘根（药用部位：根。别名：连轺）。

| 形态特征 | 落叶灌木。枝开展或下垂，棕色、棕褐色或淡黄褐色，小枝土黄色或灰褐色，略呈四棱形，疏生皮孔，节间中空，节部具实心髓。叶通常为单叶，叶片卵形、宽卵形或椭圆状卵形至椭圆形，长 2 ～ 10cm，宽 1.5 ～ 5cm，叶缘除基部外具锐锯齿或粗锯齿，上面深绿色，下面淡黄绿色，两面无毛。花通常单生或 2 至数朵着生于叶腋，先于叶开放；花梗长 5 ～ 6mm；花萼绿色，裂片长圆形或长圆状椭圆形，与花冠管近等长；花冠黄色，裂片倒卵状长圆形或长圆形，长 1.2 ～ 2cm，宽 6 ～ 10mm；在雌蕊长 5 ～ 7mm 的花中，雄蕊

连翘

长 3 ～ 5mm，在雄蕊长 6 ～ 7mm 的花中，雌蕊长约 3mm。果实卵球形、卵状椭圆形或长椭圆形，长 1.2 ～ 2.5cm，宽 0.6 ～ 1.2cm，表面疏生皮孔；果梗长 0.7 ～ 1.5cm。花期 3 ～ 4 月，果期 7 ～ 9 月。

| **生境分布** | 生于海拔 1000 ～ 1900m 的山坡灌丛、林下或草丛中，或山谷、山沟疏林中。分布于重庆城口、巫溪、万州、云阳、南川、北碚、黔江、巫山等地。

| **资源情况** | 野生资源稀少，栽培资源一般。药材主要来源于栽培。

| **采收加工** | 连翘：秋季果实初熟尚带绿色时采收，除去杂质，蒸熟，晒干，习称"青翘"；果实熟透时采收，晒干，除去杂质，习称"老翘"。

连翘叶：秋季枝叶茂盛时采收，晒干或低温干燥。

连翘茎叶：夏、秋季采集，鲜用或晒干。

连翘根：秋、冬季采挖，洗净，切段或片，晒干。 |
|---|---|

| **药材性状** | 连翘：本品呈长卵形至卵形，稍扁，长 1.5 ~ 2.5cm，直径 0.5 ~ 1.2cm。表面有不规则的纵皱纹和多数凸起的小斑点，两面各有 1 条明显的纵沟；先端锐尖，基部有小果梗或已脱落。青翘多不开裂；表面绿褐色，凸起的灰白色小斑点较少；质硬；种子多数，黄绿色，细长，一侧有翅。老翘自先端开裂或裂成 2 瓣；外表面黄棕色或红棕色，内表面多为浅黄棕色，平滑，具 1 纵隔；质脆；种子棕色，多已脱落。气微香，味苦。

连翘叶：本品多卷曲，完整者展平后呈卵形、宽卵形或椭圆状卵形，长 3 ~ 10cm，宽 2 ~ 5cm。上表面黄绿色或黄棕色，下表面灰白色；无毛，先端锐尖，基部圆形至宽楔形，边缘除基部以外有粗锯齿，叶柄长 0.8 ~ 2cm，灰白色，基部黄棕色。质脆。气微，味苦。 |
|---|---|

功能主治	连翘：苦，微寒。归肺、心、小肠经。清热解毒，消肿散结，疏散风热。用于痈疽，瘰疬，乳痈，丹毒，风热感冒，温病初起，温热入营，高热烦渴，神昏发斑，热淋涩痛。

连翘叶：苦，微寒。归肺、心、小肠经。清心明目，利心肺，保肝。用于心肺实热。

连翘茎叶：苦，寒。清热解毒。用于心肺积热。

连翘根：苦，寒。清热，解毒，退黄。用于黄疸，发热。

| **用法用量** | 连翘：内服煎汤，6 ~ 15g。

连翘叶：内服煎汤，6 ~ 15g。

连翘茎叶：内服煎汤，6 ~ 9g。

连翘根：内服煎汤，15 ~ 30g。

| **附　　注** | 本种喜温暖潮湿气候，适应性强，耐寒、耐瘠薄，喜阳光充足。对土壤要求不严，在腐殖质土及砂质砾土中都能生长。生产中采用种子、压条、扦插繁殖方式。

木犀科 Oleaceae 连翘属 Forsythia

金钟花 *Forsythia viridissima* Lindl.

| 药 材 名 | 金钟花（药用部位：果实、根、叶。别名：土连翘）。

| 形态特征 | 落叶灌木，高可达 3m，全株除花萼裂片边缘具睫毛外，其余均无毛。枝棕褐色或红棕色，直立，小枝绿色或黄绿色，呈四棱形，皮孔明显，具片状髓。叶片长椭圆形至披针形，或倒卵状长椭圆形，长 3.5 ~ 15cm，宽 1 ~ 4cm，先端锐尖，基部楔形，通常上半部具不规则锐锯齿或粗锯齿，稀近全缘，上面深绿色，下面淡绿色，两面无毛，中脉和侧脉在上面凹入，下面凸起；叶柄长 6 ~ 12mm。花 1 ~ 3（~ 4）着生于叶腋，先于叶开放；花梗长 3 ~ 7mm；花萼长 3.5 ~ 5mm，裂片绿色，卵形、宽卵形或宽长圆形，长 2 ~ 4mm，具睫毛；花冠深黄色，长 1.1 ~ 2.5cm，花冠管长 5 ~ 6mm，裂片狭长圆形至长圆形，长 0.6 ~ 1.8cm，宽 3 ~ 8mm，内面基部具橘黄色条纹，反卷；

金钟花

在雄蕊长 3.5 ~ 5mm 的花中，雌蕊长 5.5 ~ 7mm，在雄蕊长 6 ~ 7mm 的花中，雌蕊长约 3mm。果实卵形或宽卵形，长 1 ~ 1.5cm，宽 0.6 ~ 1cm，基部稍圆，先端喙状渐尖，具皮孔；果梗长 3 ~ 7mm。花期 3 ~ 4 月，果期 8 ~ 11 月。

| 生境分布 | 生于海拔 300 ~ 2600m 的山地、谷地或河谷边林缘、溪沟边或山坡路旁灌丛中。分布于重庆南川、南岸、北碚等地。

| 资源情况 | 栽培资源一般，无野生资源。药材来源于栽培，自产自销。

| 采收加工 | 夏、秋季采收果实，晒干。全年均可采挖根，洗净，切段，鲜用或晒干。春、夏、秋季采集叶，鲜用或晒干。

| 药材性状 | 本品果实呈卵球形，长 1 ~ 1.5cm，直径约 1cm，多开裂成 2 个分离的果瓣，每瓣中间有残留的膜质中隔，先端向外反卷，基部钝圆；表面黄棕色至黄褐色，有不规则的纵横细脉纹；中部至顶部的纵沟两侧分布多数小瘤点，基部有果梗或果梗痕；质硬脆；气微，味苦。叶片多皱缩卷曲，展平后呈椭圆状矩圆形至披针形，长 5 ~ 14cm，宽 1.5 ~ 4cm，先端锐尖，基部楔形，边缘有锯齿，上表面暗绿色，下表面淡绿色；叶柄长 0.5 ~ 1cm；气微，味苦。

| 功能主治 | 苦，凉。清热，解毒，散结。用于感冒发热，目赤肿痛，痈疮，丹毒，瘰疬。

| 用法用量 | 内服煎汤，10 ~ 15g，鲜品加倍。外用适量，煎汤洗。

| 附　注 | 本种为温带、亚热带树种，喜光，耐半阴，耐旱，耐寒，忌湿涝。生产中采用种子、扦插、压条及分株繁殖方式均可，但以扦插繁殖最为方便。

木犀科 Oleaceae 梣属 Fraxinus

白蜡树 *Fraxinus chinensis* Roxb.

| 药 材 名 | 秦皮（药用部位：枝皮、干皮。别名：梣皮、樊槻皮、秦白皮）、白蜡树叶（药用部位：叶）、白蜡树花（药用部位：花）。

| 形态特征 | 落叶乔木，高 10 ~ 12m。树皮灰褐色，纵裂。芽阔卵形或圆锥形，被棕色柔毛或腺毛。小枝黄褐色，粗糙，无毛或疏被长柔毛，旋即秃净，皮孔小，不明显。羽状复叶长 15 ~ 25cm；叶柄长 4 ~ 6cm，基部不增厚；叶轴挺直，上面具浅沟，初时疏被柔毛，旋即秃净；小叶 5 ~ 7，硬纸质，卵形、倒卵状长圆形至披针形，顶生小叶与侧生小叶近等大或稍大，先端锐尖至渐尖，基部钝圆或楔形，叶缘具整齐锯齿，上面无毛，下面无毛或有时沿中脉两侧被白色长柔毛，中脉在上面平坦，侧脉 8 ~ 10 对，下面凸起。花雌雄异株；雄花密集，花萼小，钟状，长约 1mm，无花冠，花药与花丝近等长；雌花疏离，花萼大，

白蜡树

桶状，花柱细长，柱头 2 裂。翅果匙形，长 3 ~ 4cm，宽 4 ~ 6mm，上中部最宽，先端锐尖，常呈犁头状，基部渐狭，翅平展，下延至坚果中部，坚果圆柱形。花期 4 ~ 5 月，果期 7 ~ 9 月。

| 生境分布 | 生于海拔 250 ~ 2200m 的山地杂木林中。分布于重庆涪陵、万州、丰都、江津、酉阳、南川、秀山、綦江、武隆、巫山等地。

| 资源情况 | 栽培资源较丰富。药材主要来源于栽培，自产自销。

| 采收加工 | 秦皮：春、秋季剥取，晒干。

白蜡树叶：夏、秋季采收，除去杂质，晒干。

白蜡树花：4 ~ 5 月花盛开时采收，洗净，晒干。

| 药材性状 | 秦皮：本品枝皮呈卷筒状或槽状，长 10 ~ 60cm，厚 1.5 ~ 3mm；外表面灰白色、灰棕色至黑棕色或相间呈斑状，平坦或稍粗糙，并有灰白色圆点状皮孔及细斜皱纹，有的具分枝痕，内表面黄白色或棕色，平滑；质硬而脆，断面纤维性，黄白色；气微，味苦。干皮为长条状块片，厚 3 ~ 6mm；外表面灰棕色，具龟裂状沟纹及红棕色圆形或横长皮孔；质坚硬，断面纤维性较强。

| 功能主治 | 秦皮：苦、涩，寒。归肝、胆、大肠经。清热燥湿，收涩止痢，止带，明目。用于湿热泻痢，赤白带下，目赤肿痛，目生翳膜。

白蜡树叶：辛，温。调经，止血，生肌，收敛。

白蜡树花：止咳，定喘。用于咳嗽，哮喘。

| 用法用量 | 内服煎汤，6 ~ 12g。外用适量，煎汤洗患处。

| 附　　注 | 本种喜温暖湿润气候，喜光，对土壤要求不严，在黄壤、黄棕壤等土壤中均能生长。一般采用种子及扦插繁殖方式。

木犀科 Oleaceae 梣属 Fraxinus

苦枥木 *Fraxinus insularis* Hemsl.

| 药 材 名 | 苦枥木（药用部位：树皮、枝、叶）。

| 形态特征 | 落叶大乔木，高 20 ～ 30m，胸径 30 ～ 85cm。树皮灰色，平滑。芽狭三角状圆锥形，密被黑褐色绒毛，干后变黑色，光亮；芽鳞紧闭，内侧密被黄色曲柔毛。嫩枝扁平，细长而直，棕色至褐色，皮孔细小，点状突起，白色或淡黄色，节膨大。羽状复叶长 10 ～ 30cm；叶柄长 5 ～ 8cm，基部稍增厚，变黑色；叶轴平坦，具不明显浅沟；小叶（3 ～）5 ～ 7，嫩时纸质，后期变硬纸质或革质，长圆形或椭圆状披针形，长 6 ～ 9（～ 13）cm，宽 2 ～ 3.5（～ 4.5）cm，顶生小叶与侧生小叶近等大，先端急尖、渐尖至尾尖，基部楔形至钝圆，两侧不等大，叶缘具浅锯齿，或中部以下近全缘，两面无毛，上面

苦枥木

深绿色，下面淡白色，散生微细腺点，中脉在上面平坦，下面凸起，侧脉7～11对，细脉网结甚明显；小叶柄纤细，长（0.5～）1～1.5cm。圆锥花序生于当年生枝端，顶生及侧生叶腋，长20～30cm，分枝细长，多花，叶后开放；花序梗扁平而短，基部有时具叶状苞片，无毛或被细柔毛；花梗丝状，长约3mm；花芳香；花萼钟状，齿截平，上方膜质，长1mm，宽1.5mm；花冠白色，裂片匙形，长约2mm，宽1mm；雄蕊伸出花冠外，花药长1.5mm，先端钝，花丝细长；雌蕊长约2mm，花柱与柱头近等长，柱头2裂。翅果红色至褐色，长匙形，长2～4cm，宽3.5～4（～5）mm，先端钝圆，微凹头并具短尖，翅下延至坚果上部，坚果近扁平；花萼宿存。花期4～5月，果期7～9月。

| 生境分布 | 生于海拔500～1800m的山地阴湿杂木林中或岩边。分布于重庆奉节、北碚、南岸、南川等地。

| 资源情况 | 野生资源较少。药材来源于野生，自采自用。

| 采收加工 | 夏、秋季采收枝、叶和树皮，洗净，晒干。

| 功能主治 | 树皮，清热燥湿。枝、叶，外用于风湿痹痛。

| 用法用量 | 树皮，内服煎汤，适量。枝、叶，外用适量。

尖萼梣
Fraxinus odontocalyx Handel-Mazzetti ex E. Peter

| 药 材 名 | 尖萼梣（药用部位：树皮）。

| 形态特征 | 落叶乔木，高10～12m。树皮灰色。芽卵状三角形，鳞片2～3对，外侧密被红褐色糠秕状腺毛，干后变黑。羽状复叶长10～15cm，叶柄长3～4.5cm，叶轴具深沟，小叶长椭圆形或披针形，两面无毛或下面基部稀被柔毛，散生细腺点，下面脉纹明显网结。圆锥花序顶生枝端，花序梗扁平，花梗细而短；雄花与两性花异株；花萼阔杯状，萼齿三角形，先端锥尖，无毛，膜质；花冠黄绿色，裂片线形，长约1.5mm，两端均狭尖；雄花具雄蕊2，藏于花冠之内，花药椭圆形，长约1.5mm，花丝极短，花冠裂片早落；两性花的雄蕊与雌蕊近等长，花柱短，柱头长圆形。翅果倒披针形，中央具宿存花柱，紫色，翅延至坚果中部，坚果长约1cm，脉棱细直；花萼

尖萼梣

宿存。花期 5 月，果期 9 月。

| **生境分布** | 生于海拔 1750m 左右的杂木林中。分布于重庆南川、城口、开州等地。

| **资源情况** | 野生资源稀少。药材来源于野生。

| **采收加工** | 全年均可采收，剥取树皮，晒干。

| **功能主治** | 甘，平。清热燥湿。

| **用法用量** | 内服煎汤，适量。

| **附　　注** | 河南部分地区将本种作秦皮入药，药材商品称"河南秦皮"。

木犀科 Oleaceae 素馨属 Jasminum

探春花
Jasminum floridum Bge.

探春花

药 材 名

小柳拐（药用部位：叶、根、花。别名：山救驾、牛虱子、败火草）。

形态特征

直立或攀缘灌木，高 0.4 ~ 3m。叶互生，复叶，小叶 3 或 5；叶柄长 2 ~ 10mm；叶片和小叶片上面光亮，干时常具横皱纹，两面无毛；小叶片卵形、卵状椭圆形至椭圆形，具小尖头，中脉在上面凹入，下面凸起，侧脉不明显；顶生小叶片常稍大，具小叶柄，侧生小叶片近无柄；单叶通常为宽卵形、椭圆形或近圆形，长 1 ~ 2.5cm，宽 0.5 ~ 2cm。聚伞花序或伞状聚伞花序顶生，有花 3 ~ 25；苞片锥形，长 3 ~ 7mm；花梗缺或长达 2cm；花萼具 5 凸起的肋，无毛，萼管长 1 ~ 2mm，裂片锥状线形，长 1 ~ 3mm；花冠黄色，近漏斗状，花冠管长 0.9 ~ 1.5cm，裂片卵形或长圆形，长 4 ~ 8mm，宽 3 ~ 5mm，边缘具纤毛。果实长圆形或球形，长 5 ~ 10mm，直径 5 ~ 10mm，成熟时呈黑色。花期 5 ~ 9 月，果期 9 ~ 10 月。

| 生境分布 | 生于海拔 2000m 以下的坡地、山谷或林中。分布于重庆垫江、长寿、涪陵、巫山、万州、丰都、石柱、云阳、南川、忠县、武隆、巫溪等地。 |

| 资源情况 | 野生资源丰富。药材主要来源于野生，亦有少量栽培。 |

| 采收加工 | 全年均可采收根，洗净，切片，晒干。夏、秋季生长茂盛时，把有叶的枝条割下，晒干，打下叶片，除去枝梗。花期花盛开时采收花，洗净，晒干。 |

| 药材性状 | 本品根呈圆柱形，有多数扭曲、粗细不等的支根，长短不一，直径 0.5 ~ 1cm。表面土黄色或黄褐色，有细纵皱纹及细根痕。质坚硬。气微，味微苦、涩。 |

| 功能主治 | 苦、涩、辛，寒。叶、根，清热解毒，消肿止痛，收敛生肌。用于咽喉肿痛，跌打损伤，恶疮肿毒。外用于刀伤，烫火伤。花，清热解毒，利湿。 |

| 用法用量 | 内服煎汤，10 ~ 20g；或研末冲酒。外用适量，鲜品捣敷；或干品研末调敷。 |

| 附 注 | 本种喜温暖向阳环境，常野生于较干燥的山坡。栽培土壤以深厚、排水良好的黄色砂壤土较好。生产中采用种子和分株繁殖方式。 |

木犀科 Oleaceae 素馨属 *Jasminum*

素馨花
Jasminum grandiflorum L.

| 药 材 名 | 素馨花（药用部位：花蕾、开放的花。别名：素馨针）。

| 形态特征 | 攀缘灌木，高 1 ~ 4m。小枝圆柱形，具棱或沟。叶对生，羽状深裂或具 5 ~ 9 小叶，长 3 ~ 8cm，宽 3 ~ 6cm；叶轴常具窄翼，叶柄长 0.5 ~ 4cm；小叶片卵形或长卵形，顶生小叶片常为窄菱形，长 0.7 ~ 3.8cm，宽 0.5 ~ 1.5cm，先端急尖、渐尖、钝或圆，有时具短尖头，基部楔形、钝或圆。聚伞花序顶生或腋生，有花 2 ~ 9；花序梗长 0 ~ 3cm；苞片线形，长 2 ~ 3mm；花梗长 0.5 ~ 2.5cm，花序中间之花的梗明显短于周围之花的梗；花芳香；花萼无毛，裂片锥状线形，长（3 ~ ）5 ~ 10mm；花冠白色，高脚碟状，花冠管长 1.3 ~ 2.5cm，裂片多为 5，长圆形，长 1.3 ~ 2.2cm，宽 0.8 ~ 1.4cm。果实未见。花期 8 ~ 10 月。

素馨花

| **生境分布** | 生于海拔约 1800m 的石灰岩山地，或栽培于庭院。分布于重庆江津、南川等地。

| **资源情况** | 野生资源稀少。药材来源于栽培，自产自销。

| **采收加工** | 夏、秋季采收，清晨太阳未出时采摘，隔水蒸约 20min，至花蕾变软后，取出，晒干。

| **药材性状** | 花蕾，本品呈线形，先端膨大成狭长卵圆形，长 2～3cm；全体金黄色至淡黄棕色。花冠管长 1～2cm，直径 1～1.5cm，花冠上部 5 裂，成覆瓦状紧裹，直径 2～3mm；花冠下部细而质软，剖开后可见雄蕊 2，着生于花冠管上部，花丝短，花药长圆形；花柱细柱状，柱头稍膨大。质稍脆，遇潮变软。气香，味苦、微涩。开放的花，常皱缩成规则小团块。展开的花瓣 5 片开裂，基部联合成筒形，黄色或黄棕色。质柔软。

| **功能主治** | 微苦，平。归肝经。舒肝解郁。用于肝气郁滞，胸脘胁肋疼痛。

| **用法用量** | 内服煎汤，6～19g。

| **附　　注** | （1）本种喜温暖、湿润的自然条件，土壤以富含腐殖质的砂壤土为好。生产中采用压条、扦插繁殖方式。
（2）花蕾商品习称"素馨针"，开放的花商品习称"素馨花"。

木犀科 Oleaceae 素馨属 *Jasminum*

清香藤 *Jasminum lanceolarium* Roxb.

| **药 材 名** | 破骨风（药用部位：全株或根、茎叶。别名：破藤风、碎骨风、散骨藤）。 |

| **形态特征** | 大型攀缘灌木，高 10 ～ 15m。叶对生或近对生，三出复叶，有时花序基部侧生小叶退化成线状而成单叶；叶柄长 1 ～ 4.5cm，叶片上面绿色，光亮，无毛或被短柔毛，下面具凹陷的小斑点；小叶片椭圆形、长圆形、卵圆形、卵形或披针形，稀近圆形。复聚伞花序常排列呈圆锥状，顶生或腋生，有花多朵，密集；苞片线形；花梗短或无，果时增粗、增长，无毛或密被毛；花芳香；花萼筒状，果时增大，萼齿三角形；花冠白色，高脚碟状，花冠管纤细，长 1.7 ～ 3.5cm，裂片 4 ～ 5，披针形、椭圆形或长圆形，长 5 ～ 10mm，宽 3 ～ 7mm，先端钝或锐尖；花柱异长。果实球形或椭圆形，长 0.6 ～ 1.8cm，直径 0.6 ～ 1.5cm，2 心皮基部相连或仅 1 心皮成熟，黑色，干时呈橘 |

清香藤

黄色。花期 4 ~ 10 月，果期 6 月至翌年 3 月。

| **生境分布** | 生于海拔 600 ~ 1600m 的山坡、灌丛、山谷密林中。分布于重庆垫江、彭水、丰都、忠县、铜梁、涪陵、长寿、綦江、江津、云阳等地。

| **资源情况** | 野生资源较丰富。药材来源于野生，自产自销。

| **采收加工** | 全年均可采收，除去杂质，晒干。

| **药材性状** | 本品根呈圆柱形，稍弯曲，或有分枝，上端较粗，长 6 ~ 30cm，直径 0.3 ~ 2cm 或更粗；表面灰黄色至棕黄色；体轻，质硬，易折断，断面纤维性，呈灰白色，外皮灰黄色至棕黄色，易与木部分离。小枝呈圆柱形；表面灰绿色；断面纤维性，灰白色，有的中空；粗茎类方柱形，有的对边内凹，稍扭曲。叶革质，完整者呈卵状长圆形，长 6 ~ 13cm，宽 3 ~ 6cm，先端尾状渐尖，基部呈心形或圆形，两面均无毛，全缘，上表面黄褐色，下表面棕黄色，质脆。气微，味苦、涩。

| **功能主治** | 苦、辛，平。归心、肝经。活血破瘀，理气止痛。用于风湿痹痛，跌打骨折，外伤出血。

| **用法用量** | 内服煎汤，15 ~ 20g。外用适量。孕妇忌服。

| **附　　注** | 在 FOC 中，本种的拉丁学名被修订为 *Jasminum lanceolaria* Roxburgh。

▍木犀科▍ Oleaceae ▍素馨属▍ Jasminum

迎春花 *Jasminum nudiflorum* Lindl.

| **药 材 名** | 迎春花（药用部位：叶、花。别名：金腰带、清明花、金梅花）、迎春花根（药用部位：根。别名：金腰带根）。 |

| **形态特征** | 落叶灌木，直立或匍匐，高 0.3 ~ 5m，枝条下垂。枝稍扭曲，光滑无毛，小枝四棱形，棱上多少具狭翼。叶对生，三出复叶，小枝基部常具单叶；叶轴具狭翼，叶柄长 3 ~ 10mm，无毛；叶片和小叶片幼时两面稍被毛，老时仅叶缘具睫毛；小叶片卵形、长卵形或椭圆形、狭椭圆形，稀倒卵形，先端锐尖或钝，具短尖头，基部楔形，叶缘反卷，中脉在上面微凹入，下面凸起，侧脉不明显；顶生小叶片较大，长 1 ~ 3cm，宽 0.3 ~ 1.1cm，无柄或基部延伸成短柄；侧生小叶片长 0.6 ~ 2.3cm，宽 0.2 ~ 11cm，无柄；单叶为卵形或椭圆形，有时近圆形，长 0.7 ~ 2.2cm，宽 0.4 ~ 1.3cm。花单生于去年生小 |

迎春花

枝的叶腋，稀生于小枝先端；苞片小叶状，披针形、卵形或椭圆形，长 3 ～ 8mm，宽 1.5 ～ 4mm；花梗长 2 ～ 3mm；花萼绿色，裂片 5 ～ 6，窄披针形，长 4 ～ 6mm，宽 1.5 ～ 2.5mm，先端锐尖；花冠黄色，直径 2 ～ 2.5cm，花冠管长 0.8 ～ 2cm，基部直径 1.5 ～ 2mm，向上渐扩大，裂片 5 ～ 6，长圆形或椭圆形，长 0.8 ～ 1.3cm，宽 3 ～ 6mm，先端锐尖或圆钝。花期 6 月。

| 生境分布 | 生于海拔 800 ～ 2000m 的山坡灌丛中。重庆各地均有分布。

| 资源情况 | 野生资源较少。药材主要来源于栽培，自产自销。

| 采收加工 | 迎春花：春、夏、秋季采摘，晾干或晒干。
迎春花根：全年或秋季采挖，洗净泥土，切片或段，晒干。

| 药材性状 | 迎春花：本品叶多卷曲皱缩，三出复叶，小叶展平后呈卵形或矩圆状卵形，长 1 ～ 3cm，先端凸尖，边缘有短睫毛，下面无毛，灰绿色。花皱缩成团，展开后可见狭窄的黄绿色叶状苞片；萼片 5 ～ 6，条形或长圆状披针形，与萼筒等长或较长；花冠棕黄色，直径 2cm。花冠筒长 1 ～ 1.5cm，裂片通常 6，倒卵形或椭圆形，长约为冠筒的 1/2。气清香，味微苦、涩。

| 功能主治 | 迎春花：苦、微涩，平。归肝、心包、膀胱经。解毒消肿，清热利尿，止血止痛。用于发热头痛，小便热痛，跌打损伤，外伤出血，口疮，痈疖肿痛，下肢溃疡。
迎春花根：苦，平。清热息风，活血调经。用于肺热咳嗽，小儿惊风，月经不调。

| 用法用量 | 迎春花：内服煎汤，10 ～ 20g。外用适量，捣敷或煎汤洗，或麻油调敷。
迎春花根：内服煎汤，15 ～ 30g。外用适量，研末撒或调敷。

| 附　注 | 本种喜半阴湿润环境，耐寒，耐旱，耐碱，忌涝。对土壤要求不严，但以肥沃土壤为好。生产中采用扦插、分株、压条等方式繁殖，多采用扦插繁殖方式。

木犀科 Oleaceae 素馨属 Jasminum

茉莉花 *Jasminum sambac* (L.) Ait.

茉莉花

| 药 材 名 |

茉莉花（药用部位：花。别名：小南强、奈花、鬘华）、茉莉花叶（药用部位：叶）、茉莉花根（药用部位：根）、茉莉花露（药材来源：花的蒸馏液）。

| 形态特征 |

直立或攀缘灌木，高达 3m。小枝圆柱形或稍压扁状，有时中空，疏被柔毛。叶对生，单叶，叶片纸质，圆形、椭圆形、卵状椭圆形或倒卵形，长 4 ~ 12.5cm，宽 2 ~ 7.5cm，两端圆或钝，基部有时微心形，侧脉 4 ~ 6 对，在上面稍凹入或凸起，下面凸起，细脉在两面常明显，微凸起，除下面脉腋间常被簇毛外，其余无毛；叶柄长 2 ~ 6mm，被短柔毛，具关节。聚伞花序顶生，通常有花 3，有时单花或多达 5；花序梗长 1 ~ 4.5cm，被短柔毛；苞片微小，锥形，长 4 ~ 8mm；花梗长 0.3 ~ 2cm；花极芳香；花萼无毛或疏被短柔毛，裂片线形，长 5 ~ 7mm；花冠白色，花冠管长 0.7 ~ 1.5cm，裂片长圆形至近圆形，宽 5 ~ 9mm，先端圆或钝。果实球形，直径约 1cm，呈紫黑色。花期 5 ~ 8 月，果期 7 ~ 9 月。

| 生境分布 | 栽培于庭院。重庆各地均有分布。

| 资源情况 | 栽培资源丰富。药材来源于栽培。

| 采收加工 | 茉莉花：7 月前后花初开时，择晴天采收，晒干，贮存干燥处。

茉莉花叶：全年均可采收，晒干。

茉莉花根：秋后采挖，切片，晒干。

茉莉花露：花期采集花，制备蒸馏液。

| 药材性状 | 茉莉花：本品多呈扁缩团状，长 1.5 ～ 2cm，直径约 1cm。花萼管状，有细长的裂齿 8 ～ 10。花瓣展平后呈椭圆形，长约 1cm，宽约 5mm，黄棕色至棕褐色，表面光滑无毛，基部联合成管状；质脆。气芳香，味涩。以朵大、色黄白、气香浓者为佳。

茉莉花叶：本品多卷曲皱缩，展平后呈阔卵形或椭圆形，长 4 ～ 12cm，宽 2 ～ 7cm，两端较钝，下面脉腋有黄色簇生毛；叶柄短，长 2 ～ 6mm，微有柔毛。气微香，味微涩。

茉莉花露：本品为无色至浅黄白色液体。气芳香，味淡。

| 功能主治 | 茉莉花：辛、微甘，温。归脾、胃、肝经。理气止痛，辟秽开郁。用于湿浊中阻，胸膈不舒，泻痢腹痛，头晕头痛，目赤，疮毒等。

茉莉花叶：辛、微苦，温。疏风解表，消肿止痛。用于外感发热，脚气肿痛，毒虫蜇伤等。

茉莉花根：苦，热；有毒。归肝经。麻醉，止痛。用于跌打损伤，龋齿疼痛，头痛，失眠等。

茉莉花露：淡，温。归脾经。醒脾辟秽，理气，美容泽肌。用于胸膈陈腐之气，肌肤干燥。

| 用法用量 | 茉莉花：内服煎汤，3 ～ 10g；或代茶饮。外用适量，煎汤洗目或菜油浸滴耳。

茉莉花叶：内服煎汤，3 ～ 6g。外用适量，煎汤洗眼。

茉莉花根：内服煎汤，3 ～ 6g。外用适量，捣敷患处。

茉莉花露：内服煎汤，适量，点茶。外用适量，涂搽；或兑水烧汤沐浴。

| 附　注 | 本种喜温暖、湿润。栽培以富含腐殖质和排水良好的砂壤土为好。生产中多采用扦插繁殖方式。

木犀科 Oleaceae 素馨属 Jasminum

华素馨

Jasminum sinense Hemsl.

| 药 材 名 | 华清香藤（药用部位：全株。别名：九龙藤、吊三角）。

| 形态特征 | 缠绕藤本，高 1 ~ 8m。小枝淡褐色、褐色或紫色，圆柱形，密被锈色长柔毛。叶对生，三出复叶；小叶片纸质，卵形、宽卵形或卵状披针形，稀近圆形或椭圆形，先端钝、锐尖至渐尖，基部圆形或圆楔形，叶缘反卷，两面被锈色柔毛，下面脉上尤密，稀两面除脉上被毛外其余无毛，羽状脉，侧脉 3 ~ 6 对，在两面明显；顶生小叶片较大，侧生小叶柄短。聚伞花序常呈圆锥状排列，顶生或腋生，花多数，稍密集，稀单花腋生；花梗缺或具短梗；花萼被柔毛，裂片线形或尖三角形，果时稍增大；花冠白色或淡黄色，高脚碟状，花冠管细长，裂片 5，长圆形或披针形；花柱异长。果实长圆形或近球形，呈黑色。花期 6 ~ 10 月，果期 9 月至翌年 5 月。

华素馨

| **生境分布** | 生于海拔500～1600m的山坡、灌丛或林中。分布于重庆涪陵、忠县、南川、奉节、北碚等地。 |

| **资源情况** | 野生资源较少。药材来源于野生,自产自销。 |

| **采收加工** | 全午或夏、秋季采收,除去泥土等杂质,切片或段,鲜用或晒干。 |

| **药材性状** | 本品藤茎呈类圆柱形,多扭曲成团,直径3～5mm;表面有柔毛;质稍硬,断面纤维性较强,黄白色,中央有黄棕色髓部。叶对生或脱落,小叶展平后呈长卵形,长3～12cm,宽2～8cm,先端钝或尖,基部圆形或楔形,叶缘反卷,两面有柔毛,侧脉3～6对;小叶柄长短不一。有时可见聚伞花序。气微香。味微苦、涩。 |

| **功能主治** | 苦,寒。清热解毒。用于疮疡肿毒,金属及竹木刺伤。 |

| **用法用量** | 内服煎汤,15～30g,鲜品加倍。外用适量,捣敷。 |

木犀科 Oleaceae 女贞属 Ligustrum

长叶女贞

Ligustrum compactum (Wall. ex G. Don) Hook. f. et Thoms. ex Brandis

| 药 材 名 | 长叶女贞（药用部位：树皮、叶、种子）。

| 形态特征 | 灌木或小乔木，高可达12m。树皮灰褐色。叶片纸质，椭圆状披针形、卵状披针形或长卵形，花枝上叶片有时为狭椭圆形或卵状椭圆形，长5～15cm，宽3～6cm，基部近圆形或宽楔形，有时呈楔形；叶柄长5～25mm。圆锥花序疏松，顶生或腋生，长7～20cm，宽7～16 cm；花序梗长0～3cm；花序轴及分枝轴具棱，果时尤明显，无毛或被微柔毛；苞片小叶状，匙形或披针形；花无梗或近无梗；花萼长1～1.5mm，花冠长3.5～4mm，花冠管长1.5～2.5mm，裂片长1.2～2.5mm；花丝长1～3mm，花药长圆状椭圆形，长1～2mm；花柱内藏，稍短于花冠管。果实椭圆形或近球形，长7～10mm，直径4～6mm，常弯生，蓝黑色或黑色；

长叶女贞

果梗长约 6mm。花期 3 ~ 7 月，果期 8 ~ 12 月。

| **生境分布** | 生于海拔 680 ~ 1600m 的河边或路旁林中。分布于重庆武隆、南川等地。

| **资源情况** | 野生资源较少。药材来源于野生，自采自用。

| **采收加工** | 全年或秋、冬季剥取树皮，除去杂质，切片，晒干。冬季果实成熟时采收种子，除去枝叶，稍蒸或置沸水中略烫后，干燥，或直接干燥。全年均可采收叶，鲜用或晒干。

| **功能主治** | 树皮、叶，清热除烦。种子，甘，平。滋阴补血。用于肝肾亏损。

| **用法用量** | 内服煎汤，适量。

木犀科 Oleaceae 女贞属 Ligustrum

丽叶女贞 *Ligustrum henryi* Hemsl.

| 药 材 名 | 四川苦丁茶（药用部位：叶。别名：苦丁茶）。

| 形态特征 | 灌木，高 0.2 ~ 4m。树皮灰褐色。枝灰色，无毛或被短柔毛，具圆形皮孔，有时被短硬毛。叶片薄革质，宽卵形、椭圆形或近圆形，有时为长圆状椭圆形，先端锐尖至渐尖，或短尾状渐尖，有时圆钝，基部圆形、宽楔形或浅心形，叶缘平或微反卷，上面光亮，侧脉 4 ~ 6 对，在上面微凹入或不明显，下面微凸起；叶柄长 1 ~ 5mm，被微柔毛或无毛。圆锥花序圆柱形，顶生；花序轴圆柱形或具棱，密被短柔毛，最下分枝轴长达 2cm，上部分枝轴极短，常不超过 5mm；花序基部苞片有时呈小叶状，小苞片细小，呈披针形，长 0.4 ~ 1.2cm；花萼无毛，长

丽叶女贞

约 1mm；花丝稍短于裂片，花药与裂片近等长；花柱内藏，柱头微 2 裂。果实近肾形，弯曲，呈黑色或紫红色。花期 5 ~ 6 月，果期 7 ~ 10 月。

| **生境分布** | 生于海拔 520 ~ 1650m 的山坡灌丛中或峡谷疏、密林中。分布于重庆黔江、长寿、酉阳、忠县、綦江、丰都、城口、云阳、涪陵、巫山、合川等地。

| **资源情况** | 野生资源和栽培资源均较丰富。药材来源于野生和栽培。

| **采收加工** | 春、夏季采收，晒干或烘干。

| **功能主治** | 苦、微甘，微寒。归肝、胆、胃经。散风热，清头目，除烦渴。用于头痛，齿痛，咽痛，唇疮，耳鸣，目赤，咯血，暑热烦渴。

| **用法用量** | 内服煎汤，3 ~ 9g；或泡茶饮。

木犀科 Oleaceae 女贞属 Ligustrum

日本女贞 *Ligustrum japonicum* Thunb.

药 材 名	苦茶叶（药用部位：叶。别名：小白蜡、苦味散、苦丁茶）。

| **形态特征** | 大型常绿灌木，高 3 ~ 5m，无毛。小枝灰褐色或淡灰色，圆柱形，疏生圆形或长圆形皮孔，幼枝圆柱形，稍具棱，节处稍压扁。叶片厚革质，椭圆形或宽卵状椭圆形，稀卵形，先端锐尖或渐尖，基部楔形、宽楔形至圆形，叶缘平或微反卷，上面深绿色，光亮，下面黄绿色，具不明显腺点，两面无毛，中脉在上面凹入，下面凸起，呈红褐色，侧脉 4 ~ 7 对，两面凸起；叶柄长 0.5 ~ 1.3cm，上面具深而窄的沟，无毛。圆锥花序塔形，无毛；花序轴和分枝轴具棱，第 2 级分枝长达 9cm；花梗极短，长不超过 2mm；小苞片披针形，先端近截形或具不规则齿裂；先端稍内折，盔状；雄蕊伸出花冠管外，花丝几与花冠裂片等长，花药长圆形，长 1.5 ~ 2mm；花柱长 |

日本女贞

3 ～ 5mm，稍伸出于花冠管外，柱头棒状，先端浅 2 裂。果实长圆形或椭圆形，直立，呈紫黑色，外被白粉。花期 6 月，果期 11 月。

| 生境分布 | 生于低海拔的林中或灌丛中。分布于重庆垫江、南川、长寿、武隆等地。

| 资源情况 | 野生和栽培资源均一般。药材来源于野生和栽培。

| 采收加工 | 全年或夏、秋季采收，鲜用或晒干。

| 药材性状 | 本品多破碎，部分数片黏合，呈绿褐色、茶褐色或棕褐色，完整者展平后呈椭圆形、卵状椭圆形至卵状披针形，长 4 ～ 8cm，宽 1.5 ～ 4cm，先端渐尖，基部楔形或圆形，全缘，上面平滑光亮，下面主脉凸起；叶柄长 0.3 ～ 1.2cm。革质，质脆。微具焦糖气，味苦、甜。

| 功能主治 | 苦、微甘，凉。清肝火，解热毒。用于头目眩晕，火眼，口疮，无名肿毒，烫火伤。

| 用法用量 | 内服煎汤，10 ～ 15g；代茶饮；熬膏。外用适量，熬膏贴；煎汤洗；研末撒；或调敷。

木犀科 Oleaceae 女贞属 Ligustrum

女贞 *Ligustrum lucidum* Ait.

药 材 名	女贞子（药用部位：果实。别名：女贞实、冬青子、爆格蚤）、女贞皮（药用部位：树皮。别名：女贞树皮）、女贞叶（药用部位：叶。别名：冬青叶、土金刚叶、爆竹叶）、女贞根（药用部位：根）。
形态特征	灌木或乔木，高可达 25m。树皮灰褐色。枝黄褐色、灰色或紫红色，圆柱形，疏生圆形或长圆形皮孔。叶片常绿，革质，卵形、长卵形或椭圆形至宽椭圆形，长 6 ~ 17cm，宽 3 ~ 8cm，叶缘平坦，两面无毛；叶柄长 1 ~ 3cm，无毛。圆锥花序顶生，长 8 ~ 20cm，宽 8 ~ 25cm；花序梗长约 3cm；花序轴及分枝轴无毛，果时具棱；花序基部苞片常与叶同型，小苞片披针形或线形；花无梗或近无梗；花萼无毛，长 1.5 ~ 2mm，齿不明显或近截形；花冠长 4 ~ 5 mm，花冠管长 1.5 ~ 3mm，裂片长 2 ~ 2.5mm，反折；花丝长 1.5 ~ 3mm，

女贞

花药长圆形，长 1 ~ 1.5mm；花柱长 1.5 ~ 2mm，柱头棒状。果实肾形或近肾形，长 7 ~ 10mm，直径 4 ~ 6mm，深蓝黑色，成熟时呈红黑色，被白粉；果梗长约 5mm。花期 5 ~ 7 月，果期 7 月至翌年 5 月。

| 生境分布 | 生于疏、密林中，或栽培于庭院、公路旁。分布于重庆黔江、綦江、万州、丰都、彭水、秀山、大足、沙坪坝、潼南、合川、长寿、城口、巫山、永川、云阳、江津、铜梁、忠县、垫江、南川、涪陵、璧山、九龙坡、巫溪、武隆、北碚、开州、石柱、南岸、梁平、巴南、荣昌等地。

| 资源情况 | 野生和栽培资源均较丰富。药材来源于野生和栽培。

| 采收加工 | 女贞子：冬季果实成熟时采收，除去枝叶，稍蒸或置沸水中略烫后，干燥；或直接干燥。

女贞皮：全年或秋、冬季剥取，除去杂质，切片，晒干。

女贞叶：全年均可采收，鲜用或晒干。

女贞根：全年或秋季采挖，洗净，切片，晒干。

| 药材性状 | 女贞子：本品呈卵形、椭圆形或肾形，长6～8.5mm，直径3.5～5.5mm。表面黑紫色或灰黑色，皱缩不平，基部有果梗痕或具宿萼及短梗。外果皮薄，中果皮较松软，易剥离，内果皮木质，黄棕色，具纵棱，破开后种子通常为1，肾形，紫黑色，油性。体轻。无臭，味甘、微苦、涩。

| 功能主治 | 女贞子：甘、苦，凉。归肝、肾经。滋补肝肾，明目乌发。用于肝肾阴虚，眩晕耳鸣，腰膝酸软，须发早白，目暗不明，内热消渴，骨蒸潮热。

女贞皮：微苦，凉。强筋健骨。用于腰膝酸痛，两脚无力，烫火伤。

女贞叶：苦，凉。清热明目，解毒散瘀，消肿止咳。用于头目昏痛，风热赤眼，口舌生疮，牙龈肿痛，疮肿溃烂，烫火伤，肺热咳嗽。

女贞根：苦，平。归肺、肝经。行气活血，止咳喘，祛湿浊。用于哮喘，咳嗽，经闭，带下。

| 用法用量 | 女贞子：内服煎汤，6 ～ 12g。

女贞皮：内服煎汤，30 ～ 60g；或浸酒。外用适量，研末调敷；或熬膏涂。

女贞叶：内服煎汤，10 ～ 15g。外用适量，捣敷；或绞汁含漱；熬膏涂或点眼。

女贞根：内服炖肉，45g；或浸酒。

| 附 注 | 本种喜温暖湿润气候，喜光耐阴，不甚耐寒。对大气污染的抗性较强，对二氧化硫、氯气、氟化氢及铅蒸气均有较强抗性，也能忍受较高的粉尘、烟尘污染。对土壤要求不严，以砂壤土或黏壤土栽培为宜，但在红、黄壤土中亦能生长。生产中采用种子繁殖方式，也可通过扦插繁殖。

木犀科 Oleaceae 女贞属 Ligustrum

总梗女贞 *Ligustrum pricei* Hayata

| 药 材 名 | 参见"丽叶女贞"条。

| 形态特征 | 灌木或小乔木，高 1 ~ 7m。树皮灰褐色。叶片革质，常绿，长圆状披针形、椭圆状披针形或椭圆形，稀披针形或近菱形，长 3 ~ 9cm，宽 1 ~ 3.5cm，基部楔形；叶柄长 2 ~ 8mm，具槽，无毛或被短柔毛。圆锥花序顶生或腋生，长 2 ~ 6.5cm，宽 1.5 ~ 4.5cm；花序梗通常长 1 ~ 2cm，有时缺；花序轴和分枝轴圆柱形，纤细，果时具棱，密被短柔毛，上部花单生或簇生；苞片线形或披针形；花梗无毛或被微柔毛；花萼无毛，先端具宽三角形齿或近截形；花冠长 0.7 ~ 1.1cm，花冠管长 5 ~ 7mm，裂片卵形，长 2 ~ 3mm，先端尖，盔状；花丝短，长 0.5 ~ 2mm，花药长圆形，与花冠裂片近等长；花柱长 2 ~ 4mm，达花冠管的 1/2 处。果实椭圆形或卵状椭圆形，

总梗女贞

长 7 ～ 10mm，宽 5 ～ 7mm，呈黑色。花期 5 ～ 7 月，果期 8 ～ 12 月。

| 生境分布 | 生于海拔 200 ～ 1250m 的山地、沟谷林中或灌丛中。分布于重庆城口、奉节、黔江、武隆、南川、北碚、石柱等地。

| 资源情况 | 野生资源稀少。药材来源于野生。

| 采收加工 | 参见"丽叶女贞"条。

| 功能主治 | 参见"丽叶女贞"条。

| 用法用量 | 参见"丽叶女贞"条。

木犀科 Oleaceae 女贞属 Ligustrum

小叶女贞 *Ligustrum quihoui* Carr.

| 药 材 名 | 水白蜡（药用部位：叶。别名：崂山茶，对节子茶）。

| 形态特征 | 落叶灌木，高 1 ～ 3m。小枝淡棕色，圆柱形，密被微柔毛，后脱落。叶片薄革质，形状和大小变异较大，披针形、长圆状椭圆形、椭圆形、倒卵状长圆形至倒披针形或倒卵形，长 1 ～ 4cm，宽 0.5 ～ 2cm，上面深绿色，下面淡绿色，常具腺点，两面无毛，近叶缘处网结不明显；叶柄长 0 ～ 5mm，无毛或被微柔毛。圆锥花序顶生，近圆柱形，长 4 ～ 15cm，宽 2 ～ 4cm，分枝处常有 1 对叶状苞片；小苞片卵形，具睫毛；花萼无毛，长 1.5 ～ 2mm，萼齿宽卵形或钝三角形；花冠长 4 ～ 5mm，花冠管长 2.5 ～ 3mm，裂片卵形或椭圆形，长 1.5 ～ 3mm，先端钝；雄蕊伸出裂片外，花丝与花冠裂片近等长或稍长。果实倒卵形、宽椭圆形或近球形，

小叶女贞

长 5 ～ 9mm，直径 4 ～ 7mm，呈紫黑色。花期 5 ～ 7 月，果期 8 ～ 11 月。

| 生境分布 | 生于海拔 100 ～ 2500m 的沟边、路旁或河边灌丛中，或山坡，或栽培于庭院、公路旁。重庆各地均有分布。

| 资源情况 | 野生资源较少，栽培资源丰富。药材来源于栽培。

| 采收加工 | 全年或夏、秋季采收，鲜用或晒干。

| 功能主治 | 清热祛暑，解毒消肿。用于伤暑发热，风火牙痛，咽喉肿痛，口舌生疮，痈肿疮毒，烫火伤。

| 用法用量 | 内服煎汤，9 ～ 15g；或代茶饮。外用适量，捣敷或绞汁涂，煎汤洗或研末撒。

木犀科 Oleaceae 女贞属 Ligustrum

小蜡
Ligustrum sinense Lour.

药 材 名	小蜡树叶（药用部位：叶）、小蜡树（药用部位：枝叶、树皮。别名：水冬青、鱼腊、鱼腊树）。
形态特征	落叶灌木或小乔木，高 2 ~ 4m。叶片纸质或薄革质，卵形、椭圆状卵形、长圆形、长圆状椭圆形至披针形，或近圆形，长 2 ~ 7cm，宽 1 ~ 3cm，上面深绿色，疏被短柔毛或无毛，或仅沿中脉被短柔毛，下面淡绿色，疏被短柔毛或无毛；叶柄长 28mm，被短柔毛。圆锥花序顶生或腋生，塔形，长 4 ~ 11cm，宽 3 ~ 8cm；花序轴被较密淡黄色短柔毛或柔毛至近无毛；花梗长 1 ~ 3mm，被短柔毛或无毛；花萼无毛，长 1 ~ 1.5mm，先端截形或具浅波状齿；花冠长 3.5 ~ 5.5mm，花冠管长 1.5 ~ 2.5mm，裂片长圆状椭圆形或卵状椭圆形，长 2 ~ 4mm；花丝与裂片近等长或长于裂片，花药长圆形，

小蜡

长约 1mm。果实近球形，直径 5 ~ 8mm。花期 3 ~ 6 月，果期 9 ~ 12 月。

| 生境分布 | 生于海拔 200 ~ 2600m 的山坡、山谷、溪边、河旁、路边的密、疏林或混交林中。重庆各地均有分布。

| 资源情况 | 野生和栽培资源均较丰富。药材来源于野生和栽培。

| 采收加工 | 小蜡树叶：夏、秋季采收，晒干。
小蜡树：夏、秋季采收，鲜用或晒干。

| 药材性状 | 小蜡树叶：本品多破碎，呈黄绿色或绿褐色，完整者呈卵形、披针形或近圆形，长 1 ~ 4cm，宽 0.5 ~ 2cm，先端锐尖至渐尖，或钝而微凹，基部宽楔形至近圆形，全缘；上表面近无毛，下表面被短柔毛。纸质，易碎。气微，味微苦、甘。

| 功能主治 | 小蜡树叶：苦，凉。归肺、脾经。清热利湿，解毒消肿。用于感冒发热，肺热咳嗽，咽喉肿痛，口舌生疮，湿热黄疸，痢疾，痈肿疮毒，湿疹，皮炎，跌打损伤，烫火伤。
小蜡树：苦，凉。清热利湿，解毒消肿。用于感冒发热，肺热咳嗽，咽喉肿痛，口舌生疮，湿热黄疸，痢疾，痈肿疮毒，湿疹，皮炎，跌打损伤，烫火伤。

| 用法用量 | 小蜡树叶：内服煎汤，10 ~ 15g。外用适量。
小蜡树：内服煎汤，10 ~ 15g；鲜品加倍。外用适量，煎汤含漱；或熬膏涂；捣烂或绞汁涂敷。

木犀科 Oleaceae 女贞属 Ligustrum

多毛小蜡

Ligustrum sinense Lour var. *coryanum*（W. W. Smith）Hand.-Mazz.

多毛小蜡

| 药 材 名 |

多毛小蜡（药用部位：树皮、叶）。

| 形态特征 |

本种与原变种小蜡的区别在于幼枝、花序轴、叶柄以及叶片下面均被较密黄褐色或黄色硬毛或柔毛，稀仅沿下面叶脉被毛；花萼常被短柔毛。

| 生境分布 |

生于海拔 500～2500m 的山地混交林、山坡灌丛或疏、密林中，或林缘。分布于重庆云阳、南川等地。

| 资源情况 |

野生资源稀少。药材来源于野生。

| 采收加工 |

全年均可采收树皮，夏、秋季采收叶，晒干或鲜用。

| 功能主治 |

苦、涩，寒。清热解毒，消肿止痛。用于跌打肿痛，疮疡肿毒，黄疸，烫火伤，产后会阴水肿。

| **用法用量** |　　内服煎汤，适量。外用适量，研粉调敷或鲜品捣汁涂患处。

木犀科 Oleaceae 女贞属 Ligustrum

光萼小蜡
Ligustrum sinense Lour. var. *myrianthum* (Diels) Hofk.

光萼小蜡

| 药 材 名 |

毛女贞（药用部位：枝、叶。别名：细木南、回嚼、苦丁茶）。

| 形态特征 |

本种与原变种小蜡的区别在于幼枝、花序轴和叶柄密被锈色或黄棕色柔毛或硬毛，稀被短柔毛；叶片革质，长椭圆状披针形、椭圆形至卵状椭圆形，上面疏被短柔毛，下面密被锈色或黄棕色柔毛，尤以叶脉为密，稀近无毛；花序腋生，基部常无叶。花期5～6月，果期9～12月。

| 生境分布 |

生于山坡、山谷、溪边的密林、疏林或灌丛中。分布于重庆綦江、彭水、永川、城口、忠县、璧山、云阳、涪陵、长寿、丰都、武隆、垫江、九龙坡、合川等地。

| 资源情况 |

野生资源较丰富。药材来源于野生。

| 采收加工 |

夏、秋季采收，鲜用或晒干。

| **功能主治** | 苦，寒。泻火解毒。用于咽喉炎，口腔炎，痈肿疮毒，跌打损伤，烫火伤。 |

| **用法用量** | 内服煎汤，10 ~ 15g，鲜品加倍。外用适量，煎汤洗或捣敷。 |

木犀科 Oleaceae 木犀榄属 Olea

木犀榄
Olea europaea L.

木犀榄

| 药 材 名 |

齐墩果（药材来源：果肉油）。

| 形 态 特 征 |

常绿小乔木，高达 10m。小枝近四棱形，密被银灰色鳞片，节稍扁。叶窄披针形或椭圆形，长 1.5 ~ 6cm，宽 0.5 ~ 1.5cm，先端具小凸尖，基部楔形，全缘，叶缘反卷，上面稍被银灰色鳞片，下面密被银灰色鳞片，两面无毛；叶柄长 2 ~ 5mm，密被银灰色鳞片。圆锥花序顶生或腋生，长 2 ~ 4cm；苞片披针形或卵形，长 0.5 ~ 2mm；花梗长不及 1mm；花芳香，白色，两性；花萼杯状，长约 1mm，浅裂或近平截；花冠长 3 ~ 4mm，深裂达基部；花丝扁平，长约 1mm；子房无毛。果实椭圆形，长 1.6 ~ 2.5cm，成熟时蓝黑色。花期 4 ~ 5 月，果期 6 ~ 9 月。

| 生 境 分 布 |

栽培于庭院或林中。分布于重庆巫山、万州、丰都、长寿、涪陵、南川、九龙坡、北碚等地。

| 资源情况 | 野生资源和栽培资源均稀少。药材来源于栽培。

| 采收加工 | 夏、秋季果实成熟时采收，榨油。

| 功能主治 | 微苦，平。润肠通便，解毒敛疮。用于肠燥便秘，烫火伤，高血压，高脂血症，冠心病。

| 用法用量 | 外用适量，灌肠；或涂敷。

| 附　　注 | 本种对其生长的土壤没有特别的要求，只要pH6.5～8.0、土壤疏松透气，无论是在硅质土里，还是在钙质土里都能生长。

红柄木犀
Osmanthus armatus Diels

| 药 材 名 | 红柄木犀（药用部位：根。别名：山桂花、红柄木犀根）。

| 形态特征 | 常绿灌木或乔木，高 2 ~ 6m。小枝灰白色，稍有皮孔，幼时被柔毛，老时光滑。叶片厚革质，长圆状披针形至椭圆形，长 6 ~ 8cm，最长可达 15cm，宽 2 ~ 1.5（~ 4.5）cm，先端渐尖，有锐尖头，基部近圆形至浅心形，稀宽楔形，叶缘具硬而尖的刺状牙齿 6 ~ 10 对，稀可至 17 对，长 2 ~ 4mm，稀全缘，两面无毛，仅上面中脉被柔毛，近叶柄处尤密，中脉在上面凸起，侧脉（6 ~）8 ~ 10（~ 15）对，与细脉呈网状在两面均明显凸起，尤以上面更甚；叶柄短，长 2 ~ 5mm，稀长达 8mm，密被柔毛。聚伞花序簇生于叶腋，每腋内有花 4 ~ 12；苞片宽卵形，背部隆起，先端尖锐，被短柔毛；花

红柄木犀

梗细弱，长 6 ~ 10mm，无毛；花芳香；花萼长 1 ~ 1.5mm，裂片大小不等；花冠白色，长 4 ~ 5mm，花冠管与裂片等长；雄蕊着生于花冠管中部，花丝长 0.5 ~ 0.8mm，花药长 1.5 ~ 2mm，药隔在花药先端延伸成一明显小尖头；雄花中不育雌蕊为狭圆锥形，长约 1.5mm。果实长约 1.5cm，直径约 1cm，呈黑色。花期 9 ~ 10 月，果期翌年 4 ~ 6 月。

| **生境分布** | 生于海拔 550 ~ 1550m 的灌木林中。分布于重庆巫山、奉节、开州、石柱、武隆、南川、城口等地。

| **资源情况** | 野生资源一般。药材来源于野生和栽培。

| **采收加工** | 全年均可采收，洗净，切片，晒干。

| **功能主治** | 甘、涩，平。祛风散寒，祛湿止痛。用于风寒感冒，风湿关节痛等。

| **用法用量** | 内服煎汤，适量。

木犀科 Oleaceae 木犀属 Osmanthus

木犀
Osmanthus fragrans (Thunb.) Lour.

| 药 材 名 | 桂花（药用部位：花。别名：木犀花）、桂花露（药材来源：花经蒸馏而得的液体）、桂花子（药用部位：果实）、桂花枝（药用部位：枝叶。别名：土桂枝）、桂花根（药用部位：根、根皮。别名：桂树根、桂根）。

| 形态特征 | 常绿乔木或灌木。高 3 ~ 5m，最高可达 18m。树皮灰褐色。小枝黄褐色，无毛。叶片革质，椭圆形、长椭圆形或椭圆状披针形，先端渐尖，基部渐狭，呈楔形或宽楔形，全缘或通常上半部具细锯齿，两面无毛，腺点在两面连成小水泡状突起。聚伞花序簇生于叶腋，或近于帚状，每腋内有花多朵；苞片宽卵形，质厚，具小尖头，无毛；花梗细弱，长 4 ~ 10mm，无毛；花极芳香；花冠黄白色、淡

木犀

黄色、黄色或橘红色，长 3 ~ 4mm；雄蕊着生于花冠管中部，花丝极短，花药药隔在花药先端稍延伸成不明显的小尖头。果实歪斜，椭圆形，长 1 ~ 1.5cm，呈紫黑色。花期 9 ~ 10 月上旬，果期翌年 3 月。

| **生境分布** | 栽培于庭院、林中、山地。重庆各地均有分布。

| **资源情况** | 栽培资源丰富。药材来源于栽培。

| **采收加工** | 桂花：9 ~ 10 月花盛开时采收，阴干。
桂花露：花采收后，阴干，经蒸馏而得。
桂花子：冬、春季摘取成熟果实，用温水浸泡后晒干。
桂花枝：全年均可采收，鲜用或晒干。
桂花根：秋季采挖老树的根或剥取根皮，洗净，切片，晒干。

| **药材性状** | 桂花：本品呈不规则形，较小，具细柄。花冠淡黄色至黄棕色，4 裂，裂片矩圆形，多皱缩，长 3 ~ 4mm。花萼细小，4 浅裂。气芳香，味淡。
桂花子：本品呈长卵形或椭圆形，长 1 ~ 1.5cm，直径 0.7 ~ 0.9cm，外层果皮通常脱落。外表面淡黄色，两端较尖，一侧稍平，另一侧略隆起，具脉状隆起的纵棱，基部可见果柄痕。果核表面棕黄色至淡黄色，质坚硬，剖开后通常可见种子 1。种子呈长卵形，灰棕色，有略凹下的棕色脉纹，腹面附有长卵状薄膜质中隔；胚乳坚硬肥厚，黄白色，富油质。气微，种子味苦。

| **功能主治** | 桂花：辛，温。归肺、肝、胃经。温肺化饮，散寒止痛。用于痰饮咳喘，脘腹冷痛，肠风血痢，经闭痛经，寒疝腹痛，牙痛，口臭。
桂花露：微辛、微苦，温。疏肝理气，醒脾辟秽，明目，润喉。用于肝气郁结，胸胁不舒，龈肿，牙痛，咽干，口燥，口臭。
桂花子：辛，温。散寒暖胃，平肝理气。用于肝胃气痛。
桂花枝：辛、微甘，温。发表散寒，祛风止痒。用于风寒感冒，皮肤瘙痒，漆疮。
桂花根：辛、甘，温。祛风除湿，散寒止痛。用于风湿痹痛，肢体麻木，胃脘冷痛，肾虚牙痛。

| **用法用量** | 桂花：内服煎汤，3 ~ 9g；或泡茶。外用适量，煎汤含漱，蒸热外熨。
桂花露：内服炖温，30 ~ 60g。
桂花子：内服煎汤，2.4 ~ 4.5g。
桂花枝：内服煎汤，5 ~ 10g。外用适量，煎汤洗。
桂花根：内服煎汤，15 ~ 30g；炖肉或泡酒。外用适量，煎汤洗或熬膏贴。

野桂花

木犀科 Oleaceae 木犀属 Osmanthus

野桂花 *Osmanthus yunnanensis* (Franch.) P. S. Green

| 药 材 名 |

野桂花（药用部位：花、叶）。

| 形态特征 |

常绿乔木或灌木，高 3 ~ 6m，最高可达
10m。树皮灰色。小枝光滑，淡棕黄色或灰
白色，具稀疏皮孔，幼时被柔毛。叶片革
质，卵状披针形或椭圆形，长 8 ~ 14cm，
宽 2.5 ~ 4cm，全缘或具 20 ~ 25 对尖齿状
锯齿，腺点在两面均呈针尖状突起；叶柄长
0.6 ~ 1cm。花序簇生于叶腋，每腋内有花
5 ~ 12；苞片形大，长 2 ~ 4mm，无毛，
边缘具明显睫毛，干时常呈黄色；花梗长约
1cm，无毛；花芳香；花萼长约 1mm，裂片
极短，先端啮蚀状或全缘；花冠黄白色，长
约 5mm，花冠管极短，椭圆形或宽卵形；
雄蕊着生于花冠裂片基部，花丝长约 1.5mm，
花药长约 2.5mm，药隔在花药先端延伸成极
小凸起；雌花中雌蕊长约 3.5mm，花柱长
1 ~ 1.5mm。果实长卵形，长 1 ~ 1.5cm，
呈紫黑色。花期 4 ~ 5 月，果期 7 ~ 8 月。

| 生境分布 |

生于海拔 1100 ~ 1800m 的山坡或沟边密林
中，或混交林中。分布于重庆武隆、开州、
巫溪、南川、万州、巴南等地。

| **资源情况** | 野生资源一般。药材来源于野生。

| **采收加工** | 花期花盛开时采收花，阴干。夏、秋季采收叶，洗净，晒干。

| **功能主治** | 解表。

| **用法用量** | 内服煎汤，适量。

马钱科 Loganiaceae 醉鱼草属 *Buddleja*

巴东醉鱼草
Buddleja albiflora Hemsl.

| 药 材 名 | 巴东醉鱼草（药用部位：根皮、叶）。

| 形态特征 | 灌木，高达 3m。小枝、叶柄、花萼及花冠幼时均被星状毛及腺毛，后脱落无毛。叶对生，纸质，披针形或长椭圆形，长 7 ～ 30cm，先端渐尖，基部楔形或圆形，具重锯齿，上面近无毛，下面被灰白或淡黄色星状短绒毛，侧脉 10 ～ 17 对；叶柄长 0.2 ～ 1.5cm。圆锥聚伞花序顶生，长 7 ～ 25cm；花梗被长硬毛；花萼钟状，长 3 ～ 3.5mm，萼筒长约 2mm，裂片长 1 ～ 1.5mm；花冠蓝紫色、淡紫色至白色，喉部橙黄色，芳香，长 6.5 ～ 8mm，内面花冠筒中部以上及喉部被长髯毛，花冠筒长约 5mm，裂片长 1 ～ 1.5mm，雄蕊着生花冠筒喉部。蒴果长圆形，长 5 ～ 8mm，无毛；种子褐色，两端具长翅；花期 2 ～ 9月，果期 8 ～ 12 月。

巴东醉鱼草

| **生境分布** | 生于海拔 500 ～ 2600m 的山坡林下。分布于重庆黔江、綦江、奉节、丰都、酉阳、忠县、涪陵、南川、江津、云阳、垫江、城口、巫溪、开州等地。

| **资源情况** | 野生资源丰富。药材来源于野生。

| **采收加工** | 春、秋季采挖根皮，洗净，剥皮晒干。夏、秋季采收叶，鲜用或晒干。

| **功能主治** | 根皮，活血散瘀。叶，杀虫止痒。

| **用法用量** | 内服煎汤，适量。

马钱科 Loganiaceae 醉鱼草属 Buddleja

大叶醉鱼草
Buddleja davidii Franch.

| 药 材 名 | 酒药花（药用部位：枝叶、根皮。别名：酒曲花、大蒙花、麻柳）。

| 形态特征 | 灌木，高达 5m。幼枝、叶下面及花序均密被白色星状毛。叶对生，膜质或薄纸质，卵形或披针形，长 1 ~ 20cm，宽 0.3 ~ 7.5cm，先端渐尖，基部楔形，具细齿，上面初疏被星状短柔毛，后脱落无毛，侧脉 9 ~ 14 对；叶柄间具 2 卵形或半圆形托叶，有时早落。总状或圆锥状聚伞花序顶生，长 4 ~ 30cm；小苞片长 2 ~ 5mm；花萼钟状，长 2 ~ 3mm，被星状毛，后脱落无毛，内面无毛，裂片长 1 ~ 2mm；花冠淡紫色、黄白色至白色，喉部橙黄色，芳香，花冠筒长 0.6 ~ 1.1cm，内面被星状短柔毛，裂片长 1.5 ~ 3mm，全缘或具不整齐锯齿；雄蕊着生于花冠筒内壁中部。蒴果长圆形或窄卵圆形，长 5 ~ 9mm，2 瓣裂，无毛，花萼宿存。种子长椭圆形，长 2 ~ 4mm，两端具长翅。

大叶醉鱼草

花期 5 ～ 10 月，果期 9 ～ 12 月。

| **生境分布** | 生于山坡、沟边灌丛中。分布于重庆潼南、城口、石柱、云阳、北碚、铜梁、巫溪、合川、巫山、开州、万州、奉节、石柱、酉阳、秀山、黔江、南川等地。

| **资源情况** | 野生资源较丰富。药材来源于野生。

| **采收加工** | 夏、秋季采收枝叶，鲜用或晒干。春、秋季采挖根，洗净，剥取根皮，晒干。

| **功能主治** | 辛、微苦，温；有毒。祛风散寒，活血止痛，解毒杀虫。用于风寒咳嗽，风湿痹痛，跌打损伤，痈肿疮疖，妇女阴痒，麻风，脚癣。

| **用法用量** | 内服煎汤，9 ～ 15g；或泡酒。外用适量，煎汤洗，或捣敷。

醉鱼草

Buddleja lindleyana Fort.

药 材 名	醉鱼草（药用部位：茎叶。别名：七里香、鱼尾草、闹鱼花）、醉鱼草花（药用部位：花）、醉鱼草根（药用部位：根。别名：七里香、满山香）。
形态特征	直立灌木，高达 3m。小枝 4 棱，具窄翅。叶对生（萌条叶互生或近轮生），膜质，卵形、椭圆形或长圆状披针形，长 3 ~ 11cm，先端渐尖或尾尖，基部宽楔形或圆，全缘或具波状齿，侧脉 6 ~ 8 对；叶柄长 0.2 ~ 1.5cm。穗状聚伞花序顶生，长 4 ~ 40cm；苞片长达 1cm；小苞片长 2 ~ 3.5mm；花紫色，芳香；花萼钟状，长约 4mm，与花冠均被星状毛及小鳞片，花萼裂片长约 1mm；花冠长 1.3 ~ 2cm，内面被柔毛，花冠筒弯曲，1.1 ~ 1.7cm，裂片长约 3.5mm；雄蕊着生于花冠筒基部。蒴果长圆形或椭圆形，长 5 ~ 6mm，无毛，

醉鱼草

被鳞片，花萼宿存。种子小，淡褐色，无翅。花期 4 ~ 10 月，果期 8 月至翌年 4 月。

| **生境分布** | 生于海拔 300 ~ 1270m 的山地路旁、河边灌丛中或林缘。分布于重庆黔江、忠县、彭水、璧山、秀山、酉阳、南川、武隆、北碚、丰都、石柱等地。

| **资源情况** | 野生资源较丰富。药材来源于野生。

| **采收加工** | 醉鱼草：夏、秋季采收，切碎，晒干或鲜用。
醉鱼草花：4 ~ 7 月采收，除去杂质，晒干。
醉鱼草根：8 ~ 9 月采挖，洗净，切片，晒干。

| **功能主治** | 醉鱼草：辛、苦，温；有毒。祛风解毒，驱虫，化骨鲠。用于疟腮，痈肿，瘰疬，蛔虫病，钩虫病，诸鱼骨鲠。
醉鱼草花：辛、苦，温；有毒。祛痰，截疟，解毒。用于痰饮喘促，疟疾，疳积，烫火伤。
醉鱼草根：辛、苦，温；有小毒。活血化瘀，消积解毒。用于经闭，癥瘕，血崩，小儿疳积，疟腮，哮喘，肺脓疡。

| **用法用量** | 醉鱼草：内服煎汤，10 ~ 15g，鲜品 15 ~ 30g；或捣汁。外用适量，捣敷。口服不宜过量，否则可产生头晕、呕吐、呼吸困难、四肢麻木和震颤等毒副反应。
醉鱼草花：内服煎汤，9 ~ 15g。外用适量，捣敷；或研末调敷。孕妇忌服。
醉鱼草根：内服煎汤，9 ~ 15g，鲜品 30 ~ 60g。孕妇忌服。

| **附　　注** | 大量研究表明，醉鱼草主要含有蒙花苷、芦丁、槲皮素、芹菜素等黄酮类化合物，具有抗菌消炎、免疫抑制、保护神经细胞、杀虫等多种生物活性作用，有较好的药用开发前景。研究发现，醉鱼草果实中同样含有丰富的黄酮类化合物，主要为芦丁、槲皮素、木犀草素等，与茎叶等相似，为醉鱼草地上部分资源的开发利用提供了一定的化学依据。

马钱科 Loganiaceae 醉鱼草属 Buddleja

酒药花醉鱼草 *Buddleja myriantha* Diels

酒药花醉鱼草

| 药 材 名 |

酒药花醉鱼草（药用部位：花）。

| 形态特征 |

灌木，高达 3m。幼枝 4 棱，密被绒毛，老渐无毛。叶对生，纸质，披针形，长 5 ~ 20cm，宽 1 ~ 6cm，先端渐尖，基部楔形或近圆形，下延至叶柄基部，幼叶具尖锯齿，老叶锯齿较圆，两面被星状绒毛，下面较密，侧脉 7 ~ 12 对；叶柄间具 1 ~ 2 枚宽心形或半圆形托叶，有时早落。总状或圆锥状聚伞花序长 6 ~ 27cm，直径 1 ~ 3cm；花萼钟状，长 3 ~ 4mm，被星状短绒毛，内面无毛，裂片长 1.5 ~ 2mm；花冠紫色，花冠筒长 5 ~ 6mm，外面被星状短绒毛及腺毛，内面上部被长柔毛，裂片长约 2mm，内面无毛；雄蕊着生于花冠筒喉部。蒴果长椭圆形，长 4 ~ 6mm，无毛，有时花萼宿存。种子纺锤形，长 2 ~ 2.5mm，两端具长翅。花期 4 ~ 10 月，果期 6 ~ 12 月。

| 生境分布 |

生于海拔 840 ~ 1800m 的山地疏林中或山坡、山谷灌丛中。分布于重庆彭水、奉节、酉阳、南川等地。

| **资源情况** | 野生资源稀少。药材主要来源于野生。

| **采收加工** | 4～7 月采收，除去杂质，晒干。

| **功能主治** | 清肝明目。

| **用法用量** | 内服煎汤，适量。

| 马钱科 | Loganiaceae | 醉鱼草属 | Buddleja |

密蒙花 *Buddleja officinalis* Maxim.

| **药 材 名** | 密蒙花（药用部位：花蕾、花序。别名：蒙花、蒙花珠、老蒙花）。

| **形态特征** | 灌木，高达 4m。小枝稍 4 棱，密被灰白色星状毛。叶对生，纸质，窄椭圆形、长卵形或卵状披针形，长 4 ~ 19cm，先端渐尖，基部楔形，常全缘，稀疏生锯齿，上面疏被星状毛，下面密被白色或褐黄色星状毛，侧脉 8 ~ 14 对，中脉及侧脉凸起；叶柄长 0.2 ~ 2cm，2 叶柄基部之间具托叶线。花密集成圆锥状聚伞花序，长 5 ~ 15（~ 30）cm，密被灰白色柔毛；小苞片披针形；花萼钟状，长 2.5 ~ 4.5mm，裂片长 0.6 ~ 1.2mm，花萼及花冠密被星状毛；花冠白色或淡紫色，喉部橘黄色，长 1 ~ 1.3cm，花冠筒长 0.8 ~ 1.1cm，裂片长 1.5 ~ 3mm；雄蕊着生于花冠筒中部；子房中部以上至花

密蒙花

柱基部被星状短柔毛。蒴果椭圆形，2 瓣裂，被星状毛，花被宿存。种子两端具翅。花期 3 ~ 4 月，果期 5 ~ 8 月。

| 生境分布 | 生于向阳山坡、河边、村旁的灌丛中或林缘。重庆各地均有分布。

| 资源情况 | 野生资源较丰富。药材主要来源于野生，亦有少量栽培。

| 采收加工 | 春季花未开放时采收，除去杂质，干燥。

| 药材性状 | 本品多为花蕾密聚的花序小分枝，呈不规则圆锥状，长 1.5 ~ 3cm。表面灰黄色或棕黄色，密被茸毛。花蕾呈短棒状，上端略大，长 0.3 ~ 1cm，直径 0.1 ~ 0.2cm；花萼钟状，先端 4 齿裂；花冠筒状，与萼等长或稍长，先端 4 裂，裂片卵形；雄蕊 4，着生在花冠管中部。质柔软。气微香，味微苦、辛。

| 功能主治 | 甘，微寒。归肝经。清热泻火，养肝明目，退翳。用于目赤肿痛，多泪羞明，目生翳膜，肝虚目暗，视物昏花。

| 用法用量 | 内服煎汤，3 ~ 9g。

| 附　　注 | 本种喜温暖湿润气候，25℃的温度适宜其生长，稍耐寒，忌积水。对土壤要求不严，一般土壤均可栽培，以土质肥沃、排水良好的砂壤土为最好。一般用种子繁殖。

马钱科 Loganiaceae 蓬莱葛属 Gardneria

蓬莱葛
Gardneria multiflora Makino

| 药 材 名 | 蓬莱葛（药用部位：根、种子。别名：红络石藤、大叶石塔藤、九里火）。

| 形态特征 | 木质藤本，长达 8m。枝条圆柱形，有明显的叶痕；除花萼裂片边缘有睫毛外，全株均无毛。叶片纸质至薄革质，椭圆形、长椭圆形或卵形，少数披针形，长 5 ～ 15cm，宽 2 ～ 6cm，先端渐尖或短渐尖，基部宽楔形、钝或圆，上面绿色而有光泽，下面浅绿色；侧脉每边 6 ～ 10，上面扁平，下面凸起；叶柄长 1 ～ 1.5cm，腹部具槽；叶柄间托叶线明显；叶腋内有钻状腺体。花很多而组成腋生的二至三歧聚伞花序，花序长 2 ～ 4cm；花序梗基部有 2 三角形苞片；花梗长约 5mm，基部具小苞片；花 5 基数；花萼裂片半圆形，长、宽约 1.5mm；花冠辐状，黄色或黄白色，花冠管短，花冠裂片椭圆状披针形至披针形，长约 5mm，厚肉质；雄蕊着生于花冠管内

蓬莱葛

壁近基部，花丝短，花药彼此分离，长圆形，长 2.5mm，基部 2 裂，4 室；子房卵形或近圆球形，2 室，每室有胚珠 1，花柱圆柱形，长 5 ~ 6mm，柱头椭圆形，先端浅 2 裂。浆果圆球形，直径约 7mm，有时先端有宿存的花柱，果实成熟时红色；种子圆球形，黑色。花期 3 ~ 7 月，果期 7 ~ 11 月。

| 生境分布 | 生于海拔 300 ~ 2100m 的密林下或山坡灌丛中。分布于重庆黔江、酉阳、南川等地。

| 资源情况 | 野生资源稀少。药材来源于野生。

| 采收加工 | 全年均可采收根，洗净，切片，晒干或鲜用。果实成熟时采收种子，鲜用。

| 功能主治 | 苦、辛，温。祛风通络，止血。用于风湿痹痛，创伤出血。

| 用法用量 | 根，内服煎汤，15 ~ 30g，鲜品 60 ~ 90g。种子，外用适量，鲜品捣敷。

龙胆科 Gentianaceae 龙胆属 *Gentiana*

红花龙胆 *Gentiana rhodantha* Franch. ex Hemsl.

红花龙胆

| 药 材 名 |

红花龙胆（药用部位：全草）。

| 形态特征 |

多年生草本，高 20 ～ 50cm。具短缩根茎。根细条形，黄色。茎直立，单生或数个丛生，常带紫色，具细条棱，微粗糙，上部多分枝。基生叶呈莲座状，椭圆形、倒卵形或卵形，长 2 ～ 4cm，宽 0.7 ～ 2cm，先端急尖，基部楔形，渐狭成长 0.5 ～ 1cm 的短柄，边缘膜质，浅波状；茎生叶宽卵形或卵状三角形，长 1 ～ 3cm，宽 0.5 ～ 2cm，先端渐尖或急尖，基部圆形或心形，边缘浅波状，叶脉 3 ～ 5，下面明显，有时疏被毛，无柄或下部的叶具极短而扁平的柄，长 1 ～ 2mm，外面密被短毛或无毛，基部联合成短筒抱茎。花单生茎顶，无花梗；花萼膜质，有时微带紫色，萼筒长 7 ～ 13mm，脉稍凸起，具狭翅，裂片线状披针形，长 5 ～ 10mm，边缘有时疏生睫毛，弯缺圆形；花冠淡红色，上部有紫色纵纹，筒状，上部稍开展，长 3 ～ 4.5cm，裂片卵形或卵状三角形，长 5 ～ 9mm，宽 4 ～ 5mm，先端钝或渐尖，褶宽三角形，比裂片稍短，宽 4 ～ 5mm，先端具细长流苏；雄蕊着生于冠筒下部，花丝丝状，长短不等，

长者长约 12mm，短者长约 5mm，花药椭圆形，长约 3mm；子房椭圆形，长约 10mm，柄短，长 4～5mm，花柱丝状，长约 6mm，柱头线形，2 裂。蒴果内藏或仅先端外露，淡褐色，长椭圆形，两端渐狭，长 2～2.5cm，宽约 4mm，果皮薄，果柄长约 2cm；种子淡褐色，近圆形，直径约 1mm，具翅。花果期 10 月至翌年 2 月。

| **生境分布** | 生于海拔 570～1750m 的高山灌丛、草地或林下。分布于重庆巫溪、忠县、酉阳、黔江、武隆、城口、巫山、奉节、万州、云阳、涪陵、南川、北碚等地。

| **资源情况** | 野生资源稀少。药材来源于野生。

| **采收加工** | 秋、冬季采挖，除去泥沙，晒干。

| **药材性状** | 本品根茎短，具数条细根；根直径 1～2mm，表面浅棕色或黄白色。茎具棱，直径 1～2mm；黄绿色或带紫色；质脆，断面中空。花单生于枝顶及上部叶腋，花萼筒状，5 裂；花冠喇叭状，长 2～3.5cm，淡紫色或淡黄棕色，先端 5 裂，裂片间褶流苏状。蒴果狭长，2 瓣裂。种子扁卵形，长约 1mm，具狭翅。气微清香，茎叶味微苦，根味极苦。

| **功能主治** | 苦，寒。归肝、胆经。清热除湿，解毒，止咳。用于湿热黄疸，小便不利，肺热咳嗽。

| **用法用量** | 内服煎汤，9～15g。

| **附　注** | 研究表明，红花龙胆不同性状之间存在较强的相关性。花朵数与一级分枝数、茎分枝数、基生叶大小、茎生叶大小呈极显著正相关；花冠筒长、花萼萼筒长与一级分枝数、茎分枝数基生叶大小、茎生叶大小、花朵数、花蕾长度呈极显著正相关。红花龙胆全草入药，分枝数越多，生物量越大。因此在筛选红花龙胆药用种质资源时，可以考虑一级分枝数、茎分枝数、基生叶及茎生叶几个形态指标。在筛选红花龙胆观赏种质资源时，可以考虑一级分枝数、茎分枝数、花朵数、花冠筒长、花萼萼筒长几个形态指标。

龙胆科 Gentianaceae 龙胆属 Gentiana

深红龙胆 *Gentiana rubicunda* Franch.

深红龙胆

药材名

小儿血参（药用部位：带根全草。别名：笔龙胆、路边红、爪米草）。

形态特征

一年生草本，高 8 ～ 15cm。茎直立，紫红色或草黄色，光滑，不分枝或中、上部有少数分枝。叶先端钝或钝圆，基部钝，边缘具乳突，上面具极细乳突，下面光滑；叶脉 1 ～ 3，细，在下面明显；叶柄背面具乳突，长 1 ～ 5mm；基生叶数枚或缺失，卵形或卵状椭圆形，长 10 ～ 25mm，宽 4 ～ 10mm；茎生叶疏离，常短于节间，稀长于节间，卵状椭圆形，矩圆形或倒卵形，长 4 ～ 22mm，宽 2 ～ 7mm。花数朵，单生于小枝先端；花梗紫红色或草黄色，光滑，长（3 ～）10 ～ 15mm，裸露；花萼倒锥形，长 8 ～ 14mm，萼筒外面常具细乳突，裂片丝状或钻形，长 3 ～ 6mm，边缘光滑，基部向萼筒下延成脊，弯缺截形；花冠紫红色，有时冠筒上具黑紫色短而细的条纹和斑点，倒锥形，长 2 ～ 3cm，裂片卵形，长 3.5 ～ 4mm，先端钝，褶卵形，长 2 ～ 3mm，先端钝，边缘啮蚀形或全缘；雄蕊着生于冠筒中部，整齐，花丝丝状，长 7 ～ 8mm，花药狭矩圆形，长 2.5 ～ 3mm；

子房椭圆形，长 5 ～ 6.5mm，两端渐狭，柄粗，长 7.5 ～ 8.5mm，花柱线形，长 1.5 ～ 2mm，柱头 2 裂，裂片外反，线形。蒴果外露，稀内藏，矩圆形，长 7.5 ～ 8mm，先端钝圆，具宽翅，两侧边缘具狭翅，基部钝，果柄粗，长至 35mm；种子褐色，有光泽，椭圆形，长 1 ～ 1.3mm，表面具细网纹。花果期 3 ～ 10 月。

| 生境分布 | 生于海拔 520 ～ 2000m 的荒地、路边、溪边、山坡草地、林下、岩边或山沟。分布于重庆丰都、奉节、巫山、城口、南川、巫溪、万州等地。

| 资源情况 | 野生资源稀少。药材来源于野生。

| 采收加工 | 夏、秋季采收，洗净，晒干或鲜用。

| 功能主治 | 苦，寒。活血止痛，健脾消食。用于跌打损伤，消化不良。

| 用法用量 | 内服煎汤，3 ～ 10g。外用适量，鲜品捣敷。

| 附　注 | 许春梅等经过研究认为，影响深红龙胆分布的重要环境因子是最冷季平均温度、最冷季降雨量等。而最热季平均温度、极端最高温度、最湿季降雨量等环境变量对深红龙胆的分布影响最小，这说明决定深红龙胆能否在某地生存主要决定于当地的冬季的气候，反之，夏季的气候条件对深红龙胆的影响较小。

龙胆科 Gentianaceae 龙胆属 Gentiana

水繁缕叶龙胆 *Gentiana samolifolia* Franch.

水繁缕叶龙胆

| 药 材 名 |

水繁缕叶龙胆（药用部位：全草）。

| 形态特征 |

一年生草本，高 3 ~ 13cm。茎直立，紫红色，具乳突，从基部起分枝。叶先端圆形或钝圆，具小尖头，边缘软骨质，狭窄，具极细乳突，两面光滑；叶脉 1 ~ 3，细，仅在下面明显；叶柄背面具乳突，联合成长 0.5 ~ 1mm 的筒；基生叶大，在花期枯萎，卵圆形或宽卵形，长 10 ~ 25mm，宽 7 ~ 13mm；茎生叶小，疏离，远短于节间，卵圆形、倒卵形至倒卵状矩圆形，长 5 ~ 20mm，宽 2 ~ 15mm，愈向茎上部叶变小。花多数，单生于小枝先端，常 2 ~ 6 小枝密集成伞形；花梗紫红色，具乳突，长 2 ~ 3.5mm，藏于上部叶中；花萼倒锥状筒形，长 5 ~ 6.5mm，裂片三角形或三角状披针形，长 1 ~ 2mm，先端急尖，具小尖头，边缘膜质，平滑，中脉在背面呈脊状突起，不下延，弯缺截形；花冠内面蓝色，外面黄绿色，筒形或筒状漏斗形，长 10 ~ 13mm，裂片卵形，长 1.5 ~ 2mm，先端钝，褶半圆形，长 0.7 ~ 1mm，先端圆形，边缘具不整齐细圆齿或全缘；雄蕊着生于冠筒中部，整齐，花丝锥形，长 2.5 ~ 3mm，

花药线状矩圆形，长 1.3 ~ 1.5mm；子房椭圆形，长 4 ~ 4.5mm，两端钝，花柱线形，长 1 ~ 1.5mm，柱头 2 裂，裂片外反，矩圆形。蒴果外露，稀内藏，矩圆状匙形或倒卵形，长 4.5 ~ 6mm，先端钝圆，有宽翅，两侧边缘有狭翅，基部渐狭，果柄粗壮，长至 18mm；种子褐色，有光泽，矩圆形或椭圆形，长 1 ~ 1.2mm，表面具细网纹。花果期 4 ~ 6 月。

| 生境分布 | 生于山坡草地、山谷沟边、潮湿草地、山坡路旁、灌丛中、林下或林缘。分布于重庆丰都、铜梁、开州、城口、奉节、石柱、南川等地。

| 资源情况 | 野生资源稀少。药材主要来源于野生，亦有少量栽培。

| 采收加工 | 夏、秋季采收，洗净，晒干或鲜用。

| 功能主治 | 用于黄疸，痢疾，小儿风热咳喘。

| 用法用量 | 内服煎汤，适量。

| 附　　注 | （1）在 FOC 中，本种被修订为小繁缕叶龙胆 *Gentiana rubicunda* Franch. var. *samolifolia* (Franchet) C. Marquand。

（2）本种喜冷凉气候，有较强的耐寒性；对温度要求不严格，但种子萌发时，必须有适宜的温度和一定的光照条件，苗期忌高温潮湿天气。本种在较为湿润的土壤中生长良好，忌干旱，耐旱能力较强。土壤水分过多会影响龙胆草的生长，而且会造成烂根。本种对养分有一定的要求，一般在较肥沃的黑壤土中生长发育良好，因此可以不追肥，但在苗期由于幼苗根比较细小、吸收肥料的能力差，可以施入一定量的基肥。

龙胆科 Gentianaceae 龙胆属 Gentiana

鳞叶龙胆
Gentiana squarrosa Ledeb.

| 药 材 名 | 鳞叶龙胆（药用部位：全草）。

| 形态特征 | 一年生草本，高 2 ~ 8cm。茎黄绿色或紫红色，密被黄绿色乳突，有时夹杂有紫色乳突，自基部起多分枝，枝铺散，斜升。叶先端钝圆或急尖，具短小尖头，基部渐狭，边缘厚软骨质，密生细乳突，两面光滑，中脉白色软骨质，在下面凸起，密生细乳突；叶柄白色膜质，边缘具短睫毛，背面具细乳突，仅联合成长 0.5 ~ 1mm 的短筒；基生叶大，在花期枯萎，宿存，卵形、卵圆形或卵状椭圆形，长 6 ~ 10mm，宽 5 ~ 9mm；茎生叶小，外反，密集或疏离，长于或短于节间，倒卵状匙形或匙形，长 4 ~ 7mm，宽 1.7 ~ 3mm。花多数，单生于小枝先端；花梗黄绿色或紫红色，密被黄绿色乳突，有时夹杂有紫色乳突，长 2 ~ 8mm，藏于或大部分藏于最上部叶中；

鳞叶龙胆

花萼倒锥状筒形，长 5 ~ 8mm，外面具细乳突，萼筒常具白色膜质和绿色叶质相间的宽条纹，裂片外反，绿色，叶状，整齐，卵圆形或卵形，长 1.5 ~ 2mm，先端钝圆或钝，具短小尖头，基部圆形，突然收缩成爪，边缘厚软骨质，密生细乳突，两面光滑，中脉白色厚软骨质，在下面凸起，并向萼筒下延成短脊或否，密生细乳突，弯缺宽，截形；花冠蓝色，筒状漏斗形，长 7 ~ 10mm，裂片卵状三角形，长 1.5 ~ 2mm，先端钝，无小尖头，褶卵形，长 1 ~ 1.2mm，先端钝，全缘或边缘有细齿；雄蕊着生于冠筒中部，整齐，花丝丝状，长 2 ~ 2.5mm，花药矩圆形，长 0.7 ~ 1mm；子房宽椭圆形，长 2 ~ 3.5mm，先端钝圆，基部渐狭成柄，柄粗，长 0.5 ~ 1mm，花柱柱状，连柱头长 1 ~ 1.5mm，柱头 2 裂，外反，半圆形或宽矩圆形。蒴果外露，倒卵状矩圆形，长 3.5 ~ 5.5mm，先端圆形，有宽翅，两侧边缘有狭翅，基部渐狭成柄，果柄粗壮，直立，长至 8mm；种子黑褐色，椭圆形或矩圆形，长 0.8 ~ 1mm，表面有白色光亮的细网纹。花果期 4 ~ 9 月。

| 生境分布 | 生于海拔 300 ~ 1800m 的向阳山坡干草原、河滩、路边灌丛或高山草甸。分布于重庆奉节、潼南、万州、忠县、梁平、荣昌、南川、北碚等地。

| 资源情况 | 野生资源一般。药材来源于野生。

| 采收加工 | 春、夏季采收，洗净，晒干。

| 功能主治 | 清热利湿，解毒消痈。用于咽喉肿痛，目赤肿痛，阑尾炎，尿血。外用于疮疡肿毒、淋巴结结核。

| 用法用量 | 内服煎汤，适量。外用鲜品适量，捣敷。

| 附　　注 | 本种分布区的土壤为微酸至酸性土壤。

龙胆科 Gentianaceae 花锚属 Halenia

椭圆叶花锚
Halenia elliptica D. Don

椭圆叶花锚

药材名

黑及草（药用部位：全草。别名：黑耳草、阿小根、龙胆）。

形态特征

一年生草本，高 15 ～ 60cm。根具分枝，黄褐色。茎直立，无毛，四棱形，上部具分枝。基生叶椭圆形，有时略呈圆形，先端圆形或急尖成钝头，基部渐狭，呈宽楔形，全缘，具宽扁的叶柄，叶脉 3；茎生叶卵形、椭圆形、长椭圆形或卵状披针形，先端圆钝或急尖，基部圆形或宽楔形，全缘，叶脉 5，无柄或茎下部叶具极短而宽扁的叶柄，抱茎。聚伞花序腋生和顶生；花梗长短不相等；花 4 基数；花萼裂片椭圆形或卵形，先端通常渐尖，常具小尖头，具 3 脉；花冠蓝色或紫色，花冠筒长约 2mm，裂片卵圆形或椭圆形，先端具小尖头，向外水平开展；雄蕊内藏，花药卵圆形；子房卵形，花柱极短，柱头 2 裂。蒴果宽卵形，上部渐狭，淡褐色；种子褐色，椭圆形或近圆形。花果期 7 ～ 9 月。

生境分布

生于海拔 700 ～ 1800m 的山坡草地、灌丛或山谷水沟边。分布于重庆巫溪、城口、开州、南川等地。

| **资源情况** | 野生资源稀少。药材主要来源于野生。

| **采收加工** | 6 ~ 8 月采收，除去杂质，晒干或鲜用。

| **药材性状** | 本品茎长 0.4 ~ 4.8cm，直径 1 ~ 3mm；表面绿色至黄绿色，具微翅，节上有对生残叶；断面中空。叶暗绿色，皱缩易碎，完整者展平后呈卵形、椭圆形或卵状披针形，长 2 ~ 3.5cm，宽 0.6 ~ 1.2cm，全缘，有 3 条明显的纵脉；无柄。聚伞花序，花皱缩，花梗细长，长 0.2 ~ 2cm；花萼绿色，4 深裂；花冠蓝色或浅黄棕色，4 深裂，基部有距。体轻，质软。气微，味苦、微涩。以茎色黄绿、叶色暗绿、味苦者为佳。

| **功能主治** | 苦，寒。归肺经。清热解毒，疏肝利胆，疏风止痛。用于急、慢性肝炎，胆囊炎，肠胃炎，流行性感冒，咽喉痛，牙痛，脉管炎，外伤感染发热，中暑腹痛，外伤出血等。

| **用法用量** | 内服煎汤，10 ~ 15g；或炖肉食。外用适量，捣敷。

龙胆科 Gentianaceae 花锚属 Halenia

大花花锚
Halenia elliptica D. Don var. *grandiflora* Hemsl.

| 药 材 名 | 大花花锚（药用部位：全草或根）。

| 形态特征 | 一年生草本，高 15 ～ 60cm。根具分枝，黄褐色。茎直立，无毛，四棱形，上部具分枝。基生叶椭圆形，有时略呈圆形，长 2 ～ 3cm，宽 5 ～ 15mm，先端圆形或急尖呈钝头，基部渐狭呈宽楔形，全缘，具宽扁的柄，柄长 1 ～ 1.5cm，叶脉 3；茎生叶卵形、椭圆形、长椭圆形或卵状披针形，长 1.5 ～ 7cm，宽 0.5 ～ 2（～ 3.5）cm，先端圆钝或急尖，基部圆形或宽楔形，全缘，叶脉 5，无柄或茎下部叶具极短而宽扁的柄，抱茎。聚伞花序腋生和顶生；花梗长短不相等，长 0.5 ～ 3.5cm；花基数 4，直径 1 ～ 1.5cm；花萼裂片椭圆形或卵形，长（3 ～）4 ～ 6mm，宽 2 ～ 3mm，先端通常渐尖，常具小尖头，具 3 脉；花冠蓝色或紫色，花冠筒长约 2mm，裂片卵圆形或椭圆形，

大花花锚

长约 6mm，宽 4 ~ 5mm，先端具小尖头，距长 5 ~ 6mm，向外水平开展；雄蕊内藏，花丝长 3 ~ 5mm，花药卵圆形，长约 1mm；子房卵形，长约 5mm，花柱极短，长约 1mm，柱头 2 裂。蒴果宽卵形，长约 10mm，直径 3 ~ 4mm，上部渐狭，淡褐色；种子褐色，椭圆形或近圆形，长约 2mm，宽约 1mm。花果期 7 ~ 9 月。

| **生境分布** | 生于海拔 1300m 左右的山坡草地、水沟边。分布于重庆城口、南川等地。

| **资源情况** | 野生资源稀少。药材来源于野生。

| **采收加工** | 夏、秋季采收，洗净，晒干或鲜用。

| **功能主治** | 清热祛湿，平肝利湿，疏风清暑，镇痛。

| **用法用量** | 内服煎汤，适量。

龙胆科 Gentianaceae 莕菜属 Nymphoides

莕菜 *Nymphoides peltatum* (Gmel.) O. Kuntze

| **药材名** | 莕菜（药用部位：全草。别名：莲叶莕菜、黄莲花、金莲儿）。

| **形态特征** | 多年生水生草本。流水茎细长，多分枝，节部生不定根；地下根茎横走，多分枝。叶飘浮，圆形或卵圆形，长 2 ~ 9cm，宽 2 ~ 7cm，基部心形，边缘微波状或近全缘，上面光滑，下面粗糙，有腺点；叶柄长 5 ~ 15cm，基部变宽成叶鞘状，抱茎。花黄色，直径达 1.8cm，有长梗，簇生于叶腋；花萼深裂，裂片披针形；花冠 5 深裂，裂片卵圆形或倒卵形，长 1.5 ~ 2.5cm，边缘具齿毛，喉部有长须毛；雄蕊 5；花枝瓣状 2 裂，子房基部有 5 蜜腺。蒴果长椭圆形，长 1.7 ~ 2.5cm，宽 1 ~ 1.2cm；种子多数半圆形，片状，边缘被白色纤毛。

| **生境分布** | 生于海拔 1800m 以下的池塘中或水不甚流动的河溪中。分布于重庆

莕菜

忠县、南川、巴南、九龙坡、北碚、潼南等地。

| 资源情况 | 野生资源丰富。药材来源于野生。

| 采收加工 | 夏、秋季采收，晒干。

| 药材性状 | 本品缠绕成团。茎长 1 ~ 2m，直径 2 ~ 4mm；表面褐绿色，常密布紫点，节处生叶和不定根。叶皱缩，卵圆形或近圆形，长 2 ~ 9cm，宽 3 ~ 6cm；表面深绿色或褐绿色，背面褐紫色，革质。花萼 5 深裂，有黑色细点；花冠黄色，5 深裂，喉部有长须毛。蒴果长椭圆形。气微，味淡。

| 功能主治 | 辛、甘，寒。利尿通淋，清热解毒。用于感冒发热无汗，麻疹透发不畅，水肿，小便不利，热淋，诸疮肿毒，毒蛇咬伤。

| 用法用量 | 内服煎汤，10 ~ 15g。外用适量，鲜品捣敷。

| 附 注 | 在 FOC 中，本种的拉丁学名被修订为 *Nymphoides peltata* (S. G. Gmelin) Kuntze。

龙胆科 Gentianaceae 獐牙菜属 Swertia

獐牙菜
Swertia bimaculata (Sieb. et Zucc.) Hook. f. et Thoms. ex C. B. Clarke

| **药 材 名** | 獐牙菜（药用部位：全草。别名：双斑獐牙菜、大车前、水红菜）。

| **形态特征** | 一年生草本，高 0.3 ~ 1.4（~ 2）m。根细，棕黄色。茎直立，圆形，中空，基部直径 2 ~ 6mm，中部以上分枝。基生叶在花期枯萎；茎生叶无柄或具短柄，叶片椭圆形至卵状披针形，长 3.5 ~ 9cm，宽 1 ~ 4cm，先端长渐尖，基部钝，叶脉 3 ~ 5，弧形，在背面明显凸起，最上部叶苞叶状。大型圆锥状复聚伞花序疏松，开展，长达 50cm，多花；花梗较粗，直立或斜伸，不等长，长 6 ~ 40mm；花 5 基数，直径达 2.5cm；花萼绿色，长为花冠的 1/4 ~ 1/2，裂片狭倒披针形或狭椭圆形，长 3 ~ 6mm，先端渐尖或急尖，基部狭缩，边缘具窄的白色膜质，常外卷，背面有细的、不明显的 3 ~ 5 脉；花冠黄色，上部具多数紫色小斑点，裂片椭圆形或长圆形，长 1 ~ 1.5cm，先

獐牙菜

端渐尖或急尖，基部狭缩，中部具 2 黄绿色、半圆形的大腺斑；花丝线形，长 5 ~ 6.5mm，花药长圆形，长约 2.5mm；子房无柄，披针形，长约 8mm，花柱短，柱头小，头状，2 裂。蒴果无柄，狭卵形，长至 2.3cm；种子褐色，圆形，表面具瘤状突起。花果期 6 ~ 11 月。

| **生境分布** | 生于河滩、山坡草地、林下、灌丛中、沼泽地。分布于重庆黔江、丰都、城口、忠县、酉阳、巫山、奉节、石柱、彭水、万州、云阳、南川、涪陵、武隆、开州、巫溪等地。

| **资源情况** | 野生资源丰富。药材主要来源于野生。

| **采收加工** | 秋、冬季采收，洗净，干燥。

| **药材性状** | 本品长 60 ~ 100cm。茎细，具分枝，近四方形。叶对生，多皱缩，完整者展平后呈椭圆形或长圆形，先端渐尖，基部渐狭下延，无柄。有时叶腋可见花或残留花萼。气微，味苦。

| **功能主治** | 苦，寒。归肝、胆、膀胱经。清热解毒，利湿，疏肝利胆。用于湿热黄疸，感冒发热，咽喉肿痛，牙龈肿痛，痢疾，火眼，小儿口疮。

| **用法用量** | 内服煎汤，10 ~ 15g；或研末冲服。外用适量，捣敷。

龙胆科 Gentianaceae 獐牙菜属 Swertia

西南獐牙菜 *Swertia cincta* Burk.

| 药 材 名 | 参见"獐牙菜"条。

| 形态特征 | 一年生草本，高 30 ~ 100（~ 150）cm。茎直立，中空，圆形，中上部有分枝，基部直径 3 ~ 5mm。基生叶在花期凋谢；茎生叶具极短的叶柄，叶片披针形或椭圆状披针形，长 2.5 ~ 7.5 cm，宽 0.5 ~ 2cm，先端渐狭，基部楔形，具明显的 3 脉，脉上和叶的边缘被短柔毛，其余光滑，叶柄被短毛。圆锥状复聚伞花序长达 57cm，多花，下部的花序分枝，长达 30cm；花梗具条棱，棱上有短毛，长 3 ~ 18mm，果时略伸长；花 5，下垂；花萼稍长于花冠，裂片略不等大，卵状披针形，长 9 ~ 15mm，宽 3 ~ 6mm，先端渐尖，具短尾尖，边缘具长睫毛，背面具 1 ~ 3 脉；花冠黄绿色，基部环绕着一圈紫晕，裂片卵状披针形，长 7 ~ 14mm，先端渐尖成尾状，边缘具短睫毛，

西南獐牙菜

基部具 1 马蹄形裸露腺窝，腺窝之上具 2 黑紫色斑点；花丝长 5 ~ 7mm，愈向下部逐渐加宽，至基部极度扩大并联合成短筒包围子房，外部具乳突状短毛，花药狭椭圆形，长约 2.5mm；子房卵状披针形，长 7 ~ 10mm，花柱长，柱头 2 裂，裂片长圆形。蒴果卵状披针形，长 1.2 ~ 2.3cm；种子矩圆形，黄色，长 0.9 ~ 1.1mm，表面具细网状突起。花果期 8 ~ 11 月。

| **生境分布** | 生于海拔 1100 ~ 1800m 的潮湿山坡、灌丛中、林下。分布于重庆南川、忠县等地。

| **资源情况** | 野生资源稀少。药材来源于野生。

| **采收加工** | 参见"獐牙菜"条。

| **药材性状** | 本品茎基部圆柱形或钝四棱形。叶无柄或有短柄，叶长 3 ~ 6cm，宽 0.5 ~ 2cm，部分叶缘有毛。花萼裂片与花冠裂片近等长。花冠长 1.1 ~ 1.3cm，裂片卵形，先端渐尖，近基部有 2 个暗棕色斑，其下方有隆起的膜质腺体；花丝往下渐宽，至近基部连成筒状而环绕子房。

| **功能主治** | 参见"獐牙菜"条。

| **用法用量** | 参见"獐牙菜"条。

川东獐牙菜 *Swertia davidii* Franch.

川东獐牙菜

|药材名|

鱼胆草（药用部位：全草。别名：金盆、青鱼胆草、水灵芝）。

|形态特征|

多年生草本，高 15 ~ 58cm。根颈粗，根黑褐色，主根明显。茎直立，细瘦，四棱形，棱上具窄翅，常从基部起多分枝，稀仅上部分枝，枝斜升。基生叶及茎下部叶具长柄，狭椭圆形，连柄长 1.3 ~ 7cm，宽 0.15 ~ 0.5cm，先端钝尖，全缘，基部渐狭成柄，叶脉 1 ~ 3，在下面凸起；茎中上部叶具短柄，线状椭圆形或线状披针形，长 1.5 ~ 3cm，宽 0.1 ~ 0.3cm。圆锥状复聚伞花序长达 36cm，稀为聚伞花序，具少数花；花梗细瘦，直立，长 0.5 ~ 3.5cm，花后期伸长；花 4 基数，直径达 1.5cm；花萼绿色，长为花冠的 1/2 ~ 3/4，裂片线状披针形，长 5 ~ 7mm，先端锐尖，背面有明显凸起的 1 ~ 3 脉；花冠淡蓝色，具蓝紫色脉纹，裂片卵形或卵状披针形，长 7 ~ 11mm，先端渐尖，基部有 2 腺窝，腺窝沟状，卵状矩圆形，边缘有长柔毛状流苏；花丝线形，长 5 ~ 6.5mm，花药椭圆形，长约 1mm；子房无柄，狭椭圆形，花柱粗短，不明显，柱头2裂。花期9～11月。

| **生境分布** | 生于海拔500～1200m的混交林下、河边、潮湿地、草地。分布于重庆巫山、云阳、黔江、彭水、酉阳、南岸、江北、合川等地。

| **资源情况** | 野生资源稀少。药材来源于野生。

| **采收加工** | 夏、秋季花开时采收，除去杂质，干燥。

| **药材性状** | 本品长5～58cm，根头部具密集的环节，下部分枝，黄棕色至黑褐色，直径1～3mm。茎近四棱形，有窄翅；表面黄绿色，节间长0.5～3cm。叶对生，叶片呈狭椭圆形或线状披针形，全缘，主脉于下表面凸起，长1～3cm，宽0.1～0.3cm。聚伞状圆锥花序，花梗纤细，花4基数，花瓣内侧基部有2腺体，腺体周围有长毛。蒴果椭圆形。种子多数。气微，味极苦。

| **功能主治** | 苦，凉。归肺、肝、胃、大肠经。清热解毒，利胆退黄，杀虫。用于急性结膜炎，急性咽喉炎，扁桃体炎，黄疸性肝炎，胆囊炎，胃肠炎，细菌性痢疾，尿路感染等。

| **用法用量** | 内服煎汤，3～9g；研末，0.5～1.5g。外用适量，研末撒。

| **附　　注** | 黄衡宇对本种的引种栽培进行了研究，发现其种子在具有不同休眠期的同时，也具有较强的抗逆性。野生条件下，植株一般每年的11～12月开花结籽，翌年1月种子成熟时开始散布。由于本种最适宜的生境是河谷的两岸，决定了其种子的最佳散布方式——水播。种子除少量散落在母株周围外，多数散布在河水中，水为媒介去开拓新的可利用的生境资源，这也决定了本种的生态习性。在本种的分布区内，当年12月至翌年的5月，均发现有新生的幼苗，说明其种子的萌发时间并不固定。当河水将种子带至合适的环境条件时，它就随即萌发生长；环境条件不适合时，它就以休眠的方式保持生活力直至条件适合为止。从种子的萌发试验中发现，如果播前用水浸泡24～48小时，种子的萌发时间将大大缩短，且萌发率提高。

龙胆科 Gentianaceae 獐牙菜属 Swertia

贵州獐牙菜
Swertia kouitchensis Franch.

| 药 材 名 | 贵州獐牙菜（药用部位：全草。别名：四棱草、龙胆草）。

| 形态特征 | 一年生草本，高 30 ～ 60cm。主根明显。茎直立，四棱形，棱上具窄翅，多分枝，枝斜伸，开展。叶无柄或有短柄，叶片披针形，长至 5cm，宽达 1.5cm，茎上部及枝上叶较小，两端渐狭；叶脉 1 ～ 3，于下面明显凸起。圆锥状复聚伞花序多花，开展；花梗直立，四棱形，在花时长 4 ～ 15mm，果时强烈伸长，长达 6.5cm；花多 4，仅枝上侧花有 5，直径达 1cm；花萼绿色，叶状，在花时与花冠等长，果时增长，长于花冠，裂片狭椭圆形，长 7 ～ 20mm，先端急尖，具短小尖头，背面中脉凸起；花冠黄白色、黄绿色，裂片椭圆形或卵状椭圆形，长 6 ～ 12mm，果时略增长，先端渐尖，具长尖头，基

贵州獐牙菜

部具2腺窝，腺窝狭椭圆形，沟状，边缘具柔毛状流苏；花丝线形，长达8mm，花药椭圆形，长约0.8mm；子房无柄，卵状披针形，花柱短，不明显，柱头2裂，裂片半圆形。蒴果无柄，卵形，长1~1.3cm；种子黄褐色，圆球形，长0.7~0.9mm，表面近平滑。花果期8~10月。

│ 生境分布 │

生于海拔750~2000m的河边、草坡、林下。分布于重庆酉阳、彭水、城口、忠县、涪陵、丰都、巫溪等地。

│ 资源情况 │

野生资源一般。药材来源于野生。

│ 采收加工 │

夏、秋季采收，洗净，晒干。

│ 功能主治 │

苦，凉。清热解毒，利湿。用于小儿发热，口苦潮热，湿热黄疸，咽喉肿痛，消化不良，胃炎，口疮，牙痛，火眼，毒蛇咬伤。

│ 用法用量 │

内服煎汤，5~10g。外用适量，捣敷。

龙胆科 Gentianaceae 双蝴蝶属 Tripterospermum

双蝴蝶
Tripterospermum chinense (Migo) H. Smith

| 药 材 名 | 肺形草（药用部位：全草。别名：花蝴蝶、铁板青、四脚喜）。

| 形态特征 | 多年生缠绕草本。具短根茎；根黄褐色或深褐色，细圆柱形。茎绿色或紫红色，近圆形，具细条棱，上部螺旋扭转，节间长 7 ~ 17cm。基生叶通常 2 对，着生于茎基部，紧贴地面，密集成双蝴蝶状，卵形、倒卵形或椭圆形，长 3 ~ 12cm，宽（1 ~ ）2 ~ 6cm，先端急尖或呈圆形，基部圆形，近无柄或具极短的叶柄，全缘，上面绿色，有白色或黄绿色斑纹或无，下面淡绿色或紫红色；茎生叶通常卵状披针形，少为卵形，向上部变小呈披针形，长 5 ~ 12cm，宽 2 ~ 5cm，先端渐尖或尾状，基部心形或近圆形，叶脉 3，全缘，叶柄扁平，长 4 ~ 10mm。具多花，2 ~ 4 成聚伞花序，少单花，腋生；花梗

双蝴蝶

短，通常不超过 1cm，具 1 ~ 3 对小苞片或无；花萼钟形，萼筒长 9 ~ 13mm，具狭翅或无翅，裂片线状披针形，长 6 ~ 9mm，通常短于萼筒或等长，弯缺截形；花冠蓝紫色或淡紫色，褶色较淡或呈乳白色，钟形，长 3.5 ~ 4.5cm，裂片卵状三角形，长 5 ~ 7mm，宽 4 ~ 5mm，褶半圆形，长 1 ~ 2mm，比裂片短约 5mm，宽约 3mm，先端浅波状；雄蕊着生于冠筒下部，不整齐，花丝线形，长 1.3 ~ 1.9cm，花药卵形，长约 1.5mm；子房长椭圆形，两端渐狭，长 1.3 ~ 1.7cm，柄长 8 ~ 12mm，柄基部具长约 1.5mm 的环状花盘，花柱线形，长 8 ~ 11mm，柱头线形，2 裂，反卷。蒴果内藏或先端外露，淡褐色，椭圆形，扁平，长 2 ~ 2.5cm，宽 0.7 ~ 0.8cm，果柄长 1 ~ 1.5cm，花柱宿存；种子淡褐色，近圆形，长、宽约相等，直径约 2mm，具盘状双翅。花果期 10 ~ 12 月。

| 生境分布 | 生于海拔 300 ~ 2500m 的山坡林下、林缘、灌丛或草丛中。分布于重庆黔江、綦江、酉阳、江津、南川、丰都、武隆、忠县、巫溪、北碚等地。

| 资源情况 | 野生资源较丰富。药材来源于野生。

| 采收加工 | 夏、秋季采收，晒干。

| 药材性状 | 本品根细小。匍匐茎纤细，黄棕色至黄褐色。叶对生，多卷曲成团；基生叶 4，2 大 2 小，无柄，展平后呈卵圆形，长 4 ~ 11cm，宽 2 ~ 6cm，全缘或微波状，上表面灰绿色至绿褐色，间有绿黑色网脉，下表面紫红色，三出脉明显；茎生叶对生，有短柄，展平后呈披针形至卵状披针形，长 3 ~ 4cm，全缘。花顶生或腋生，长达 5cm，黄棕色，花冠多破碎。气微香，味微辛。

| 功能主治 | 辛、甘，寒。清热解毒，去痰止咳。用于支气管炎，肺脓疡，肺结核，小儿高热。外用于疔疮疖肿。

| 用法用量 | 内服煎汤，9 ~ 15g。外用鲜品适量，捣敷患处。

龙胆科 Gentianaceae 双蝴蝶属 *Tripterospermum*

峨眉双蝴蝶 *Tripterospermum cordatum* (Marq.) H. Smith

| 药 材 名 | 青鱼胆草（药用部位：全草。别名：蔓龙胆、鱼胆草、对叶林）。

| 形态特征 | 多年生缠绕草本。具根茎；根细，黄褐色。茎圆形，通常黄绿色，稀为紫色或带紫纹，螺旋状扭转，下部粗壮，节间短，长 4 ~ 5cm，上部节间长 10 ~ 17cm。叶心形、卵形或卵状披针形，长（1.5 ~）3.5 ~ 12cm，宽（1 ~）2 ~ 5cm，先端渐尖或急尖，常具短尾，基部心形或圆形，边缘膜质，细波状；叶脉 3 ~ 5，叶柄长 1 ~ 3（~ 4.5）cm，叶片下面淡绿色或带紫色。花单生或成对着生于叶腋，有时 2 ~ 6 成聚伞花序；花梗较短，长 0.5 ~ 1.5cm，具 1 ~ 4 对披针形、长 2 ~ 10mm、宽约 1.5mm 的小苞片或无；花萼钟形，萼筒长 1 ~ 1.3（~ 5）cm，不开裂，稀一侧开裂，明显具翅，裂片线状披针形，长 0.7 ~ 1.6cm，直立或向外倾斜开展，基部下延成翅，弯缺

峨眉双蝴蝶

截形或圆形；花冠紫色，钟形，长 3.5 ～ 4cm，裂片卵形三角形，长 4 ～ 6mm，宽 3 ～ 4mm，褶宽三角形，长 1.5 ～ 2mm，宽 3 ～ 4mm，先端微波状；雄蕊着生于冠筒下部，不整齐，花丝线形，下部稍加宽，长 15 ～ 18mm，花药矩圆形，长 1 ～ 2mm；子房椭圆形，长约 1cm，通常近无柄或具长不超过 5mm 的短柄，基部具长 1 ～ 2mm、5 浅裂的环状花盘，花柱细长，长 1.5 ～ 2cm，柱头线形，2 裂。浆果紫红色，内藏，长椭圆形，两端急狭成圆形，长 2 ～ 3cm，宽 0.7 ～ 0.8cm，稍扁，近无柄或具长不超过 5mm 的短柄。种子暗紫色，椭圆形或卵形，三棱状，长 2 ～ 2.5mm，宽约 1.5mm，边缘具棱，无翅。花果期 8 ～ 12 月。

| **生境分布** | 生于海拔 700 ～ 2100m 的山坡林下、林缘、灌丛中或低山河谷。分布于重庆万州、丰都、巫溪、奉节、云阳、秀山、南川、合川、北碚等地。

| **资源情况** | 野生资源稀少。药材来源于野生。

| **采收加工** | 秋季采收，洗净，晒干或鲜用。

| **药材性状** | 本品多缠绕。茎细，近圆形；表面黄绿色或带有紫色，具细条棱，节间长 7 ～ 14cm。叶对生，多皱缩，完整者展平后呈卵状披针形或长卵圆形，长 4 ～ 8cm，宽 1 ～ 2cm，先端渐尖，基部心形或圆形，全缘，叶脉 3 出。有时可见叶腋具花或残留花萼。花淡紫色，萼筒有翅。气微，味微苦。

| **功能主治** | 疏风清热，健脾利湿，杀虫。用于风热咳嗽，黄疸，风湿痹痛，蛔虫病。

| **用法用量** | 内服煎汤，15 ～ 30g；或泡酒；或煮粥食。外用适量，煎汤熏洗。

龙胆科 Gentianaceae 双蝴蝶属 Tripterospermum

细茎双蝴蝶 *Tripterospermum filicaule* (Hemsl.) H. Smith

细茎双蝴蝶

| 药 材 名 |

细茎双蝴蝶（药用部位：全草）。

| 形态特征 |

多年生缠绕草本。具根茎；根细，土黄色，圆柱形，直径约2mm，有时具分枝。茎圆形，具细条棱，上部螺旋状扭转，节间长4～13cm。基生叶近簇生，紧密，不呈蝴蝶状贴生地面，卵形，长（2～）3～5cm，宽1～2cm，先端渐尖或急尖，基部宽楔形，边缘呈细波状，上面绿色，下面常呈紫色或淡绿色，叶柄宽扁，长约1cm；茎生叶卵形、卵状披针形或披针形，长（3～）4～11cm，宽1.5～3（～4.5）cm，先端渐尖，基部近圆形或平截，近心形，边缘膜质，呈细波状，叶脉3～5，下面3脉明显凸起，微粗糙，叶柄稍扁，长1～2（～5）cm，基部抱茎。单花腋生，或2～3朵成伞花序；花梗短，长短不等，长3～11mm，有1～4对披针形、线形小苞片或无；花萼钟形，萼筒长6～12mm，具狭翅，裂片线状披针形或线形，长5～12mm，基部向萼筒下延或翅，弯缺截形；花冠蓝色、紫色、粉红色，狭钟形，长4～5cm，裂片卵状三角形，长5～7mm，宽4～5mm，褶半圆形或近三角形，长约

2mm，宽约 3mm，先端微波状；雄蕊着生于冠筒下部，不整齐，花丝线形，长 16 ~ 22mm，花药矩圆形，长约 1.5mm；子房矩圆形，长约 1.5cm，花柱细长，长 1.2 ~ 1.5cm，柱头 2 裂，柄长 7 ~ 11mm，基部具长约 1mm、5 浅裂的花盘。浆果紫红色，矩圆形，稍扁，长 2 ~ 4cm，宽 5 ~ 10mm，果柄长 1 ~ 3.5cm，果实全部或大部伸出花冠之外，少内藏；种子暗紫色或近黑色，椭圆形或近卵形，呈三棱状，长约 2mm，宽约 1.5mm，边缘具棱，无翅。花果期 8 月至翌年 1 月。

| **生境分布** | 生于阔叶林、杂木林的密林中或林缘、山谷边的灌丛中。分布于重庆綦江、秀山、城口、石柱、云阳、涪陵、武隆、城口、巫溪、巫山、奉节、南川等地。

| **资源情况** | 野生资源一般。药材来源于野生。

| **采收加工** | 秋季采收，洗净，晒干或鲜用。

| **功能主治** | 辛，寒。清肺止咳，解毒消肿。用于肺热、肺痨咳嗽，肺痈，水肿，疮痈疖肿。

| **用法用量** | 内服煎汤，适量。

龙胆科 Gentianaceae 双蝴蝶属 Tripterospermum

毛萼双蝴蝶
Tripterospermum hirticalyx C. Y. Wu ex C. J. Wu

毛萼双蝴蝶

药材名

毛萼双蝴蝶（药用部位：全草）。

形态特征

多年生缠绕草本。茎圆形，具细条棱，沿棱粗糙，具簇生硬毛或无毛，节间长 4 ~ 10cm，下部节间短，有 6 ~ 7 对鳞片状叶。茎生叶卵状披针形，披针形或卵形，长 4 ~ 9cm，宽 1 ~ 2.5（~ 3）cm，先端渐尖，有时呈尾状，基部圆形或心形，边缘膜质，细波状，叶脉 3 ~ 5，下面被稀疏乳突或否，柄扁平，长 0.5 ~ 1.5（~ 2）cm，两边粗糙。单花腋生，或 2 ~ 6 朵呈聚伞花序；花梗极短，长 2 ~ 5mm，稀达 10mm，被簇生短硬毛，有几对披针形或卵形的小苞片，小苞片长 5 ~ 20mm，有时呈叶状；花萼筒形，萼筒长 1 ~ 1.4cm，不开裂，稀一侧浅裂，无翅或仅上部沿脉具狭翅，具细纵纹，沿纵纹有断续簇生的硬毛延伸至花梗，裂片披针形，长 3 ~ 5（~ 8）mm，向外倾斜，基部下延呈短狭翅，弯缺截形；花冠淡紫色或蓝色，钟形，长 4 ~ 5cm，裂片卵状三角形，长 5 ~ 6mm，宽 4 ~ 5mm，先端尾尖，褶半圆形，长 1.5 ~ 2mm，宽约 4mm，先端微波状；雄蕊着生于冠筒下部，不整齐，花

丝线形，长 18 ～ 20mm，花药白色，矩圆形，长 2 ～ 3mm；子房椭圆形，长约
1.3cm，两端渐狭，近无柄，或具长 1 ～ 3mm 的短柄，柄基部有长约 1.5mm，5
浅裂的花盘，花柱线形，细长，连柱头长约 2.2cm，柱头线形，2 裂。浆果紫红色，
近无柄，内藏，纺锤形，长 1.4 ～ 2cm，花萼宿存；种子椭圆形，三棱状，边缘
具棱，无翅。花果期 8 ～ 11 月。

| **生境分布** | 生于海拔 1400m 左右的林下、林缘灌丛中、山坡草地或路边。分布于重庆南川等地。

| **资源情况** | 野生资源稀少，无栽培资源。药材来源于野生。

| **采收加工** | 秋季采收，洗净，晒干或鲜用。

| **功能主治** | 利湿止痛，消炎。

| **用法用量** | 内服煎汤，适量。

夹竹桃科 Apocynaceae 链珠藤属 Alyxia

串珠子

Alyxia vulgaris Tsiang

| 药 材 名 | 串珠子（药用部位：根、茎）。

| 形态特征 | 蔓延藤状灌木。小枝具稠密的皮孔，老时枝条具稀瘤；节间长 1.5 ～ 4cm。叶对生或 3 叶轮生，厚坚纸质，椭圆形或长圆形至椭圆状披针形，长 3 ～ 7cm，宽 1.3cm（最大者达 7.7cm×4.1cm），先端急尖稀短渐尖，叶面深绿色，叶背浅绿色；叶面中脉和侧脉扁平，叶背中脉凸起，侧脉微隆起；叶柄长 0.3 ～ 1cm。花小，淡黄绿色，组成聚伞花序，腋生，长 0.5 ～ 1cm；小苞片多数，具白色柔毛；萼片外面具白色长柔毛，钝头，边缘具缘毛，长 2mm，宽 1mm；花冠高脚碟状，花冠筒圆筒形，外面无毛，内面被稠密短柔毛，长 1.5cm，花冠裂片卵圆形，钝头，长和宽约相等；雄蕊着生于花冠筒

串珠子

中部以上；子房被长柔毛，花柱丝状，柱头全缘，长圆形，被长柔毛。核果球状椭圆形，先端急尖，长 1.2cm，直径 0.8cm。花期 3 ～ 8 月，果期 6 月至翌年 2 月。

| 生境分布 | 生于海拔 270 ～ 1360m 的山谷、山腰、平地、路旁、溪边的疏林中。分布于重庆奉节、北碚、南川、合川等地。

| 资源情况 | 野生资源较少，无栽培资源。药材来源于野生。

| 采收加工 | 夏、秋季采根，洗净，切片晒干。

| 功能主治 | 祛风除湿。

| 用法用量 | 内服煎汤，适量。

| 附　注 | 在 FOC 中，本种被修订为海南链珠藤 *Alyxia odorata* Wallich ex G. Don。

夹竹桃科 Apocynaceae 长春花属 Catharanthus

长春花

Catharanthus roseus (L.) G. Don

长春花

| 药 材 名 |

长春花（药用部位：全草。别名：雁来红、日日新、四时春）。

| 形 态 特 征 |

半灌木，略有分枝，高达 60cm；有水液，全株无毛或仅被微毛。茎近方形，有条纹，灰绿色；节间长 1 ~ 3.5cm。叶膜质，倒卵状长圆形，长 3 ~ 4cm，宽 1.5 ~ 2.5cm，先端浑圆，有短尖头，基部广楔形至楔形，渐狭而成叶柄；叶脉在叶面扁平，在叶背略隆起，侧脉约 8 对。聚伞花序腋生或顶生，有花 2 ~ 3；花萼 5 深裂，内面无腺体或腺体不明显，萼片披针形或钻状渐尖，长约 3mm；花冠红色，高脚碟状，花冠筒圆筒状，长约 2.6cm，内面具疏柔毛，喉部紧缩，具刚毛；花冠裂片宽倒卵形，长和宽约 1.5cm；雄蕊着生于花冠筒的上半部，但花药隐藏于花喉之内，与柱头离生；子房和花盘与木属的特征相同。蓇葖果双生，直立，平行或略叉开，长约 2.5cm，直径 3mm；外果皮厚纸质，有条纹，被柔毛；种子黑色，长圆状圆筒形，两端截形，具有颗粒状小瘤。花果期几乎全年。

|生境分布|

生于空旷地,或栽培于庭院。重庆各地均有分布。

|资源情况|

野生资源稀少,栽培资源一般。药材来源于栽培。

|采收加工|

9 月下旬至 10 月上旬,选晴天采收,除去植株茎部木质化硬茎,切成长 6cm 的小段,晒干。

|药材性状|

本品长 30 ~ 50cm。主根圆锥形,略弯曲。茎枝绿色或红褐色,类圆柱形,有棱;折断面纤维性,髓部中空。叶对生,皱缩,展平后呈倒卵形或长圆形,长 3 ~ 4cm,宽 1.5 ~ 2.5cm,先端钝圆,具短尖,基部楔形,深绿色或绿褐色,羽状脉明显;叶柄甚短。枝端或叶腋有花,花冠高脚碟形,长约 2.6cm,淡红色或紫红色。气微,味微甘、苦。

|功能主治|

苦,寒;有毒。解毒抗癌,清热平肝。用于多种恶性肿瘤,高血压,痈肿疮毒,烫火伤。

|用法用量|

内服煎汤,5 ~ 10g。外用适量,捣敷;或研末调敷。

|附 注|

本种喜温暖和稍干燥的气候,能耐干旱,但怕涝和严寒。

夹竹桃科 Apocynaceae 狗牙花属 Ervatamia

单瓣狗牙花 *Ervatamia divaricata* (L.) Burk.

| 药 材 名 | 狗牙花（药用部位：根、叶。别名：豆腐花、狗癫木、狮子花）。

| 形态特征 | 灌木，通常高达 3m，除萼片有缘毛外，其余无毛；枝和小枝灰绿色，有皮孔，干时有纵裂条纹；节间长 1.5 ~ 8cm。腋内假托叶卵圆形，基部扩大而合生，长约 2mm。叶坚纸质，椭圆形或椭圆状长圆形，短渐尖，基部楔形，长 5.5 ~ 11.5cm，宽 1.5 ~ 3.5cm，叶面深绿色，背面淡绿色；侧脉 12 对，在叶面扁平，在背面略为凸起；叶柄长 0.5 ~ 1cm。聚伞花序腋生，通常双生，近小枝端部集成假二歧状，着花 6 ~ 10；总花梗长 2.5 ~ 6cm；花梗长 0.5 ~ 1cm；苞片和小苞片卵状披针形，长 2mm，宽 1mm；花蕾端部长圆状急尖；花萼基部内面有腺体，萼片长圆形，边缘有缘毛，长 3mm，宽 2mm；花冠白色，花冠筒长达 2cm；雄蕊着生于花冠筒中部之下；花柱长 11mm，柱

单瓣狗牙花

头倒卵球形。蓇葖果长 2.5 ~ 7cm，极叉开或外弯；种子 3 ~ 6，长圆形。花期 6 ~ 11 月，果期秋季。

| **生境分布** | 栽培于保存圃。分布于重庆南川等地。

| **资源情况** | 栽培资源稀少，无野生资源。药材来源于栽培。

| **采收加工** | 夏、秋季采根，洗净，切片，晒干；叶鲜用。

| **功能主治** | 酸，凉。清热降压，解毒消肿。用于高血压，咽喉肿痛，痈疽疮毒，跌打损伤等。

| **用法用量** | 内服煎汤，10 ~ 30g。外用适量，鲜品捣敷。

| **附　　注** | 在 FOC 中，本种被修订为狗牙花 *Tabernaemontana divaricata* (Linnaeus) R. Brown ex Roemer et Schultes。

夹竹桃科 Apocynaceae 山橙属 Melodinus

川山橙

Melodinus hemsleyanus Diels

| 药 材 名 | 川山橙根（药用部位：根。别名：蔷薇根）、川山橙果（药用部位：果实。别名：石柑子、牛奶子）。

| 形态特征 | 粗壮木质藤本，长约 6m，具乳汁。小枝、幼叶、叶柄、花序密被短绒毛；茎皮黄绿色。叶近革质，椭圆形或长圆形，稀椭圆状披针形，长 7 ~ 15cm，宽 4 ~ 5cm，先端渐尖，基部楔形或钝；叶面具光泽，被毛脱落，叶背中脉明显，被短柔毛；叶柄长约 5mm。聚伞花序生于侧枝先端；花蕾长圆形，先端具钝头；花白色；花萼长达 7mm，宽约 4mm，裂片椭圆状长圆形，具尖头，边缘通常较厚，外被密柔毛；花冠筒长约 1cm，外被微毛，花冠裂片长圆状披针形或长披针形，中部以下扩大，长约 8mm；副花冠小，鳞片状；雄蕊着生于花冠筒下部的膨大处，花丝长 1.5mm，花药与花丝等长，先端渐尖，子房

川山橙

2 室，花柱短，柱头扩大成圆柱状。浆果椭圆形，具尖头，长达 7.5cm，直径约 2.9cm，成熟时橙黄色或橘红色；种子多数，长椭圆形或两侧压扁，长 9mm，宽约 5mm。花期 5 ～ 8 月，果期 12 月。

| **生境分布** | 生于海拔 200 ～ 1100m 的山地疏林、山坡、路旁、岩石上。分布于重庆垫江、大足、长寿、丰都、忠县、云阳、彭水、巫溪、璧山、奉节、南川、北碚等地。

| **资源情况** | 野生资源丰富。药材来源于野生。

| **采收加工** | 川山橙根：夏、秋季采收，洗净，切片，晒干。
川山橙果：果期果实成熟时采收，晒干或鲜用。

| **功能主治** | 川山橙根：微苦，凉。健脾，补血，清热。用于脾胃虚弱，血虚乳少，口舌生疮。
川山橙果：甘、微苦，平。通经下乳，止血，解毒。用于月经不调，乳汁不通，肠痔下血，痈肿疮毒，蛇咬伤。

| **用法用量** | 川山橙根：内服煎汤，15 ～ 30g。
川山橙果：内服煎汤，10 ～ 15g。外用适量，鲜品捣成绒敷。

░▒▓ 夹竹桃科 ▓ Apocynaceae ▓ 夹竹桃属 ▓ *Nerium*

夹竹桃 *Nerium indicum* Mill.

| **药 材 名** | 夹竹桃（药用部位：叶。别名：红花夹竹桃、状元竹、柳竹桃）。

| **形态特征** | 常绿直立大灌木，高达 5m。枝条灰绿色，含水液；嫩枝条具棱，被微毛，老时毛脱落。叶 3 ~ 4 轮生，下枝为对生，窄披针形，先端急尖，基部楔形，叶缘反卷，长 11 ~ 15cm，宽 2 ~ 2.5cm，叶面深绿，无毛，叶背浅绿色，有多数洼点，幼时被疏微毛，老时毛渐脱落；中脉在叶面陷入，在叶背凸起，侧脉两面扁平，纤细，密生而平行，每边达 120，直达叶缘；叶柄扁平，基部稍宽，长 5 ~ 8mm，幼时被微毛，老时毛脱落；叶柄内具腺体。聚伞花序顶生，着花数朵；总花梗长约 3cm，被微毛；花梗长 7 ~ 10mm；苞片披针形，长 7mm，宽 1.5mm；花芳香；花萼 5 深裂，红色，披针形，长 3 ~ 4mm，宽 1.5 ~ 2mm，外面无毛，内面基部具腺体；花冠深红色或粉红色，

夹竹桃

栽培演变有白色或黄色，花冠为单瓣呈 5 裂时，其花冠为漏斗状，长和直径约 3cm，花冠筒圆筒形，上部扩大成钟形，长 1.6 ~ 2cm，花冠筒内面被长柔毛，花冠喉部具 5 宽鳞片状副花冠，每片先端撕裂，并伸出花冠喉部之外，花冠裂片倒卵形，先端圆形，长 1.5cm，宽 1cm；花冠为重瓣呈 15 ~ 18 时，裂片组成 3 轮，内轮为漏斗状，外面 2 轮为辐状，分裂至基部或每 2 ~ 3 基部联合，裂片长 2 ~ 3.5cm，宽 1 ~ 2cm，每花冠裂片基部具长圆形而先端撕裂的鳞片；雄蕊着生于花冠筒中部以上，花丝短，被长柔毛，花药箭头状，内藏，与柱头连生，基部具耳，先端渐尖，药隔延长呈丝状，被柔毛；无花盘；心皮 2，离生，被柔毛，花柱丝状，长 7 ~ 8mm，柱头近球圆形，先端凸尖；每心皮有胚珠多颗。蓇葖果 2，离生，平行或并连，长圆形，两端较窄，长 10 ~ 23cm，直径 6 ~ 10mm，绿色，无毛，具细纵条纹；种子长圆形，基部较窄，先端钝，褐色，种皮被锈色短柔毛，先端具黄褐色绢质种毛；种毛长约 1cm。花期几乎全年，夏、秋季为最盛；果期一般在冬、春季，栽培很少结果。

| **生境分布** | 栽培于庭院、公路旁等。重庆各地均有分布。

| **资源情况** | 野生资源较少，栽培资源丰富。药材主要来源于栽培。

| **采收加工** | 全年均可采收，除去枝梗及杂质，晒干。

| **药材性状** | 本品多皱缩卷曲，完整者展平后呈条状披针形，长 7 ~ 15cm，宽 2 ~ 2.5cm，先端渐尖，基部楔形，全缘。表面浅黄绿色；中脉于下面凸起，侧脉密而近平行，鲜品折断后自叶脉处有乳汁渗出。叶柄短。革质，质脆，易碎。气微，味苦。

| **功能主治** | 苦，寒；有毒。归心、肺、肝、肾经。化瘀，止痛。用于跌打损伤肿痛，斑秃。

| **用法用量** | 与其他药物配伍做制剂外用。本品有毒，不宜内服。孕妇忌服。

| **附　　注** | （1）在 FOC 中，本种的拉丁学名被修订为 *Nerium oleander* L.。
（2）本种喜温暖湿润的气候，耐寒力不强，不耐水湿，喜光好肥，也能适应较阴的环境，要求选择干燥和排水良好的地方栽植。

夹竹桃科 Apocynaceae 夹竹桃属 Nerium

白花夹竹桃 *Nerium indicum Mill. cv. Paihua*

白花夹竹桃

| 药 材 名 |

白花夹竹桃（药用部位：根皮）。

| 形态特征 |

本种与原种夹竹桃的区别在于花为白色，花期几乎全年。

| 生境分布 |

栽培于公园、风景区、道路旁或河旁、湖旁周围。重庆各地均有分布。

| 资源情况 |

野生资源较少，栽培资源丰富。药材主要来源于栽培。

| 采收加工 |

夏、秋季采根，洗净，切片晒干。

| 功能主治 |

有毒。强心，杀虫。用于心力衰竭，癫痫。外用于甲沟炎，斑秃。

| 用法用量 |

内服煎汤，适量。外用适量。

| **附　　注** | 在 FOC 中，本种的拉丁学名被修订为 *Nerium oleander* 'Paihua'。本种为夹竹桃的人工栽培变种。

夹竹桃科 Apocynaceae 鸡蛋花属 Plumeria

红鸡蛋花 *Plumeria rubra* L.

| 药 材 名 | 鸡蛋花（药用部位：花、茎皮。别名：蛋黄花、擂捶花、鸭脚木）。

| 形态特征 | 小乔木，高达 5m。枝条粗壮，带肉质，无毛，具丰富乳汁。叶厚纸质，长圆状倒披针形，先端急尖，基部狭楔形，长 14 ～ 30cm，宽 6 ～ 8cm，叶面深绿色；中脉凹陷，侧脉扁平，叶背浅绿色，中脉稍凸起，侧脉扁平，仅叶背中脉边缘被柔毛，侧脉每边 30 ～ 40，近水平横出，未达叶缘网结；叶柄长 4 ～ 7cm，被短柔毛。聚伞花序顶生，长 22 ～ 32cm，直径 10 ～ 15cm，总花梗三歧，长 13 ～ 28cm，肉质，被老时逐渐脱落的短柔毛；花梗被短柔毛或毛脱落，长约 2cm；花萼裂片小，阔卵形，先端圆，不张开而压紧花冠筒；花冠深红色，花冠筒圆筒形，长 1.5 ～ 1.7cm，直径约 3mm；花冠裂片狭倒卵圆形或椭圆形，比花冠筒长，长 3.5 ～ 4.5cm，宽 1.5 ～ 1.8cm；雄蕊

红鸡蛋花

着生于花冠筒基部，花丝短，花药内藏；心皮 2，离生；每心皮有胚珠多颗。蓇葖果双生，广歧，长圆形，先端急尖，长约 20cm，淡绿色；种子长圆形，扁平，长约 1.5cm，宽 7 ~ 9mm，浅棕色，先端具长圆形膜质的翅，翅的边缘具不规则的凹缺，翅长 2 ~ 2.8cm，宽约 8mm。花期 3 ~ 9 月，果期栽培极少结果，一般为 7 ~ 12 月。

| **生境分布** | 栽培于温室或室内。分布于重庆万州、涪陵、渝北、北碚等地。

| **资源情况** | 野生资源较少。药材来源于栽培。

| **采收加工** | 夏、秋季采收茎皮，花开时采花，晒干或鲜用。

| **药材性状** | 本品花多皱缩成条状或扁平三角状，淡棕黄色或黄褐色。湿润展平后，花萼较小。花冠裂片 5，倒卵形，长约 3cm，宽约 1.5cm，旋转排列；下部合生成细管，长约 1.5cm。雄蕊 5，花丝极短，有时可见卵状子房。气香，味微苦。

| **功能主治** | 甘、微苦，凉。归肺、大肠经。清热，利湿，解暑。用于感冒发热，肺热咳嗽，湿热黄疸，泄泻痢疾，尿路结石，中暑。

| **用法用量** | 内服煎汤，花 5 ~ 10g，茎皮 10 ~ 15g。外用适量，捣敷。凡暑湿兼寒、寒湿泄泻、肺寒咳嗽者皆应慎用。

夹竹桃科 Apocynaceae 萝芙木属 Rauvolfia

萝芙木
Rauvolfia verticillata (Lour.) Baill.

| 药 材 名 | 萝芙木（药用部位：根。别名：山辣椒、山马蹄、山胡椒）、萝芙木茎叶（药用部位：茎叶）。

| 形态特征 | 灌木，高达 3m。多枝，树皮灰白色；幼枝绿色，被稀疏的皮孔，直径约 5mm；节间长 1 ~ 5cm。叶膜质，干时淡绿色，3 ~ 4 叶轮生，稀为对生，椭圆形，长圆形或稀披针形，渐尖或急尖，基部楔形或渐尖，长 2.6 ~ 16cm，宽 0.3 ~ 3cm；叶面中脉扁平或微凹，叶背则凸起，侧脉弧曲上升，无皱纹；叶柄长 0.5 ~ 1cm。伞形式聚伞花序，生于上部的小枝的腋间；总花梗长 2 ~ 6cm；花小，白色；花萼 5 裂，裂片三角形；花冠高脚碟状，花冠筒圆筒状，中部膨大，长 10 ~ 18mm；雄蕊着生于冠筒内面的中部，花药背部着生，花丝短而柔弱；花盘环状，长约为子房之半；子房由 2 个离生心皮

萝芙木

所组成，一半埋藏于花盘内，花柱圆柱状，柱头棒状，基部有一环状薄膜。核果卵圆形或椭圆形，长约 1cm，直径 0.5cm，由绿色变暗红色，然后变成紫黑色，种子具皱纹；胚小，子叶叶状，胚根在上。花期 2 ~ 10 月，果期 4 月至翌年春季。

| **生境分布** | 生于林边、丘陵地带的林中或溪边较潮湿的灌丛中，或栽培于庭院。重庆各地均有分布。

| **资源情况** | 野生资源稀少，栽培资源一般。药材来源于野生和栽培。

| **采收加工** | 萝芙木：全年均可采收，除去枝、叶，干燥。
萝芙木茎叶：夏、秋季采收，切段，晒干或鲜用。

| **药材性状** | 萝芙木：本品根呈圆锥形，略弯曲，长 15 ~ 30cm，直径 1 ~ 3cm，常具 3 ~ 5 条支根；表面灰棕色至灰棕黄色，具浅纵沟，外皮易脱落，露出暗棕色皮部或黄色木部；切断面皮部很窄，灰棕色，木部占极大部分，淡黄色。茎圆柱形，下部直径 0.5 ~ 2cm，向上渐细；表面灰褐色或灰绿色，散生多数灰白色类圆形凸起的皮孔。质坚硬。气弱，味苦。

| **功能主治** | 萝芙木：苦，寒；有小毒。清风热，降肝火，消肿毒。用于感冒发热，咽喉肿痛，高血压型头痛眩晕，痧症腹痛吐泻，风痒疮疥，肝炎，肾炎腹水，跌打损伤，蛇伤。
萝芙木茎叶：苦，凉。清热解毒，活血消肿，降压。用于咽喉肿痛，跌打瘀肿，毒蛇咬伤，高血压，疮疖溃疡。

| **用法用量** | 萝芙木：15 ~ 30g。外用适量。
萝芙木茎叶：内服煎汤，15 ~ 30g。外用适量，捣敷；或煎汤洗。

| **附　注** | 本种喜温暖湿润环境，不耐寒。栽培土壤以肥沃、疏松、湿润的砂壤土或壤土较好。

夹竹桃科 Apocynaceae 黄花夹竹桃属 *Thevetia*

黄花夹竹桃 *Thevetia peruviana* (Pers.) K. Schum.

| 药 材 名 | 黄花夹竹桃（药用部位：果仁。别名：夹竹桃、番仔桃、铁石榴）、黄花夹竹桃叶（药用部位：叶）。

| 形态特征 | 乔木，高达 5m，全株无毛。树皮棕褐色，皮孔明显。多枝柔软，小枝下垂，全株具丰富乳汁。叶互生，近革质，无柄，线形或线状披针形，两端长尖，长 10 ~ 15cm，宽 5 ~ 12mm，光亮，全缘，边稍背卷；中脉在叶面下陷，在叶背凸起，侧脉两面不明显。花大，黄色，具香味，顶生聚伞花序，长 5 ~ 9cm；花梗长 2 ~ 4cm；花萼绿色，5裂，裂片三角形，长 5 ~ 9mm，宽 1.5 ~ 3mm；花冠漏斗状，花冠筒喉部具 5 被毛的鳞片，花冠裂片向左覆盖，比花冠筒长：雄蕊着生于花冠筒的喉部，花丝丝状；子房无毛，2 裂，胚珠每室 2，柱头圆形，端部 2 裂。核果扁三角状球形，直径 2.5 ~ 4cm；内果皮木质，

黄花夹竹桃

生时绿色而亮，干时黑色；种子 2 ~ 4。花期 5 ~ 12 月，果期 8 月至翌年春季。

| 生境分布 | 栽培于路边或庭院。分布于重庆南岸、南川、北碚、巴南、江北等地。

| 资源情况 | 野生资源较少。药材来源于野生和栽培。

| 采收加工 | 黄花夹竹桃：果实成熟后，取出种仁，晒干。
黄花夹竹桃叶：全年均可采收，晒干或鲜用。

| 药材性状 | 黄花夹竹桃：本品果实呈扁三角状球形，直径 2.5 ~ 4cm，表面皱缩，黑色，先端微凸起，基部有宿萼及果柄，外果皮稍厚，中果皮肉质，内果皮坚硬。破碎后内有种子 2 ~ 4，卵形，先端稍尖，两面凸起。一侧有圆形种脐，贴附于果壳内侧面。外种皮表面淡棕红色，内种皮乳白色，光滑，质脆，易破碎。颓废的胚乳呈白色丝绒状，贴附于子叶的外周。子叶 2，富油性。气微，味极苦。
黄花夹竹桃叶：本品向外卷曲呈筒状，完整者呈条形，长 10 ~ 15cm，展开宽 0.5 ~ 1cm，全缘，近无柄。上表面黄绿色，下表面浅黄绿色，两面光滑无毛；叶背面主脉突出，腹面呈槽形。质脆而易碎。气微，味苦。

| 功能主治 | 黄花夹竹桃：苦、辛，温；有大毒。归心经。强心，利尿消肿。用于各种心脏病引起的心力衰竭，阵发性室上性心动过速，阵发性心房纤颤等。
黄花夹竹桃叶：苦、辛，温；有毒。解毒消肿。用于蛇头疔、疮痈肿毒等。

| 用法用量 | 黄花夹竹桃：用提取物制成片剂口服；或制成注射液静脉注射。
黄花夹竹桃叶：外用适量，鲜品捣敷。不作内服。

夹竹桃科 Apocynaceae 络石属 Trachelospermum

紫花络石 *Trachelospermum axillare* Hook. f.

| 药 材 名 | 紫花络石（药用部位：茎藤、茎皮。别名：藤序络石、牛角藤、掰果）。

| 形态特征 | 粗壮木质藤本，无毛或幼时被微长毛。茎直径1cm，具多数皮孔。叶厚纸质，倒披针形或倒卵形或长椭圆形，长8~15cm，宽3~4.5cm，先端尖尾状，渐尖或锐尖，基部楔形或锐尖，稀圆形；侧脉多至15对，在叶背明显；叶柄长3~5mm。聚伞花序近伞形，腋生或有时近顶生，长1~3mm；花梗长3~8mm；花紫色；花蕾先端钝；花萼裂片紧贴于花冠筒上，卵圆形，钝尖，内有腺体约10；花冠高脚碟状，花冠筒长5mm，花冠裂片倒卵状长圆形，长5~7mm；雄蕊着生于花冠筒的基部，花药隐藏于其内；子房卵圆形，无毛，花柱线形，柱头近头状；花盘的裂片与子房等长。蓇葖果圆柱状长圆形，平行，黏生，无毛，向端部渐狭，略似镰刀状，通常端部合生，老时略展开，

紫花络石

长 10 ~ 15cm，直径 10 ~ 15mm；外果皮无毛，具细纵纹；种子暗紫色，倒卵状长圆形或宽卵圆形，端部具钝头，长约 15mm，宽 7mm；种毛细丝状，长约 5cm。花期 5 ~ 7 月，果期 8 ~ 10 月。

| 生境分布 | 生于山谷及疏林中或水沟边。分布于重庆忠县、云阳、酉阳、南川、奉节、开州、石柱、北碚等地。

| 资源情况 | 野生资源稀少。药材来源于野生。

| 采收加工 | 夏、秋季采收，洗净，切段，晒干。

| 药材性状 | 本品茎藤圆柱形；外表面灰褐色，皮孔横向凸起，并有微凸起的横纹；质硬，折断时皮部有稀疏的白色胶丝，无弹性；气微，味微苦。茎皮呈卷筒状或槽状；外表面灰褐色，内表面黄白色或黄棕色，具细纵裂纹；折断时有稀疏白色胶丝。

| 功能主治 | 辛、微苦，温；有毒。归肺、肝经。祛风解表，活络止痛。用于感冒头痛，咳嗽，风湿痹痛，跌打损伤。

| 用法用量 | 内服煎汤，9 ~ 15g；研末，3 ~ 5g；或浸酒。

夹竹桃科 Apocynaceae 络石属 *Trachelospermum*

乳儿绳 *Trachelospermum cathayanum* Schneid.

| **药 材 名** | 乳儿绳（药用部位：茎藤）。

| **形态特征** | 攀缘灌木，长达 8m。幼枝被黄褐色短柔毛，稀近无毛，老时无毛，变紫红色。叶纸质至厚纸质，长圆形至长圆状椭圆形，或倒卵状长圆形，长 4 ~ 10cm，宽 1.5 ~ 4cm，基部急尖，顶部渐尖，稀短尖，叶面无毛，叶背幼时被短柔毛，以后毛脱落；叶面中脉和侧脉扁平，叶背中脉凸起，侧脉幼时扁平，老时稍凸起，斜曲上升至叶缘前网结，每边约 12；叶柄长 3 ~ 7mm，无毛或被短柔毛，上面具槽。花序顶生或腋生，着花多朵，白色，芳香，组成圆锥状聚伞花序；总花梗长 2 ~ 6cm，无毛或被疏短柔毛；花梗长 5 ~ 15mm，基部苞片披针形，长 2 ~ 3mm；花蕾先端钝；花萼裂片长圆形或长圆状披针形，先端急尖，具缘毛，长 2 ~ 3mm，花萼内面基部有 10 具细齿的腺体；

乳儿绳

花冠筒近喉部膨大，长 7 ~ 10mm，雄蕊背后的筒壁上和喉部被柔毛，花冠裂片无毛；雄蕊着生于花冠筒的膨大处，花药隐藏在花喉内，先端到达顶口，但不伸出花喉外，花丝短，被短柔毛；子房由 2 离生心皮组成，每心皮胚珠多颗，无毛，花柱丝状，柱头卵圆形；花盘环状，5 裂，围绕子房基部。蓇葖果成双叉生，线状披针形，长 12 ~ 28cm，直径 3 ~ 5mm，无毛；种子线状长圆形，长 1.5 ~ 2cm，直径约 3mm，先端具白色绢质种毛；种毛长 1.5 ~ 2cm。花期 4 ~ 7 月，果期 8 ~ 12 月。

| **生境分布** | 生于山地路旁、山谷水沟旁、岩石上或林下。分布于重庆南川、开州、城口、北碚等地。

| **资源情况** | 野生资源稀少。药材来源于野生。

| **采收加工** | 夏、秋季采收，洗净，切段，晒干。

| **功能主治** | 用于肾虚泄泻，腰肌劳损，风湿性关节痛，风湿痹痛。

| **用法用量** | 内服煎汤，适量。

| **附　　注** | 在 FOC 中，本种被修订为贵州络石 *Trachelospermum bodinieri* (Lévl.) Woods. ex Rehd.。

夹竹桃科 Apocynaceae 络石属 Trachelospermum

石血

Trachelospermum jasminoides (Lindl.) Lem. var. *heterophyllum* Tsiang

| 药 材 名 | 石血（药用部位：带叶藤茎。别名：爬墙虎、鹿角草、石龙藤）。

| 形态特征 | 常绿木质藤本。茎皮褐色，嫩枝被黄色柔毛；茎和枝条以气根攀缘树木、岩石或墙壁上。叶对生，具短柄，异形叶，通常披针形，长 4 ~ 8cm，宽 0.5 ~ 3cm，叶面深绿色，叶背浅绿色，叶面无毛，叶背被疏短柔毛；侧脉两面扁平。花白色；萼片长圆形，外面被疏柔毛；花冠高脚碟状，花冠筒中部膨大，外面无毛，内面被柔毛；花药内藏；子房 2 心皮离生；花盘比子房短。蓇葖果双生，线状披针形，长达 17cm，宽 0.8cm；种子线状披针形，先端具白色绢质种毛；种毛长 4cm。花期夏季，果期秋季。

石血

| 生境分布 | 生于山野岩石上或攀伏在墙壁或树上。分布于重庆巫溪、巴南、万州等地。

| 资源情况 | 野生资源稀少。药材来源于野生。

| 采收加工 | 秋季采收，切段，晒干。

| 药材性状 | 本品茎枝圆柱形，长短不一，直径 1.5 ~ 5mm，多分枝，弯曲；表面赤褐色或棕褐色，有纵细纹，散生攀缘根或点状突起的根痕，以节部为多，茎节略膨大；质坚韧，折断面淡黄白色。叶片对生，多数已脱落，呈椭圆形或卵状披针形，有时稍卷折，淡绿色或暗绿色，厚纸质。气弱，味微苦。以茎条均匀、带叶者为佳。

| 功能主治 | 苦、微涩，温。祛风湿，强筋骨，补肾止泻。用于风湿久痹，腰膝酸痛，跌打损伤，肾虚腹泻。

| 用法用量 | 内服煎汤，6 ~ 15g，鲜品 12 ~ 24g。

| 附　　注 | 在 FOC 中，本种被修订为络石 *Trachelospermum jasminoides* (Lindl.) Lem.。

夹竹桃科 Apocynaceae 蔓长春花属 Vinca

蔓长春花 *Vinca major* L.

| 药 材 名 | 蔓长春花（药用部位：全草）。

| 形态特征 | 蔓性半灌木。茎偃卧，花茎直立；除叶缘、叶柄、花萼及花冠喉部有毛外，其余均无毛。叶椭圆形，长 2 ~ 6cm，宽 1.5 ~ 4cm，先端急尖，基部下延；侧脉约 4 对；叶柄长 1cm。花单朵腋生；花梗长4 ~ 5cm；花萼裂片狭披针形，长 9mm；花冠蓝色，花冠筒漏斗状，花冠裂片倒卵形，长 12mm，宽 7mm，先端圆形；雄蕊着生于花冠筒中部之下，花丝短而扁平，花药先端被毛；子房由 2 心皮组成。蓇葖果长约 5cm。花期 3 ~ 5 月。

| 生境分布 | 栽培于庭院。分布于重庆南川、巴南、南岸、渝中、江北、北碚等地。

蔓长春花

资源情况	野生资源稀少，栽培资源一般。药材来源于栽培。
功能主治	清热解毒，消肿止痛。
用法用量	内服煎汤，适量。

萝藦科 Asclepiadaceae　马利筋属 Asclepias

马利筋
Asclepias curassavica L.

| 药 材 名 | 莲生桂子花（药用部位：全草。别名：芳草花、金凤花、莲生桂子草）。

| 形态特征 | 多年生直立草本，灌木状，高达 80cm，全株有白色乳汁。茎淡灰色，无毛或被微毛。叶膜质，披针形至椭圆状披针形，长 6 ~ 14cm，宽 1 ~ 4cm，先端短渐尖或急尖，基部楔形而下延至叶柄，无毛或在脉上被微毛；侧脉每边约 8；叶柄长 0.5 ~ 1cm。聚伞花序顶生或腋生，有花 10 ~ 20；花萼裂片披针形，被柔毛；花冠紫红色，裂片长圆形，长 5mm，宽 3mm，反折；副花冠生于合蕊冠上，5 裂，黄色，匙形，有柄，内有舌状片；花粉块长圆形，下垂，着粉腺紫红色。蓇葖果披针形，长 6 ~ 10cm，直径 1 ~ 1.5cm，两端渐尖；种子卵圆形，长约 6mm，宽 3mm，先端具白色绢质种毛；种毛长 2.5cm。花期几乎全年，果期 8 ~ 12 月。

马利筋

| 生境分布 | 栽培于庭院。重庆各地均有分布。

| 资源情况 | 野生资源较少。药材来源于野生和栽培。

| 采收加工 | 全年均可采收，晒干或鲜用。

| 药材性状 | 本品茎直，较光滑。单叶对生，叶片披针形，先端急尖，基部楔形，全缘。有的可见伞形花序，花梗被毛，或披针形蓇葖果，内有许多具白色绢毛的种子。气特异，味微苦。

| 功能主治 | 苦，寒；有毒。清热解毒，活血止血，消肿止痛。用于咽喉肿痛，肺热咳嗽，热淋尿涩，月经不调，崩漏带下，痈疮肿毒，湿疹，顽癣，创伤出血等。

| 用法用量 | 内服煎汤，6 ~ 9g。外用适量，鲜品捣敷；或干品研末敷。宜慎服，体质虚弱者禁服。

| 附　　注 | 本种全株有毒，尤以乳汁毒性较强。内服慎用。中毒症状为：初起头痛、头晕、恶心、呕吐，继而腹痛、腹泻、烦躁、谵语，最后四肢冰冷、冷汗、面色苍白、脉搏不规则、瞳孔散大、对光不敏感、痉挛、昏迷、心跳停止而死亡。

萝藦科 Asclepiadaceae 鹅绒藤属 Cynanchum

白薇 *Cynanchum atratum* Bunge

| **药 材 名** | 白薇（药用部位：根、根茎。别名：白马尾、巴子根、金金甲根）。

| **形态特征** | 直立多年生草本，高达 50cm。根须状，有香气。叶卵形或卵状长圆形，长 5 ~ 8cm，宽 3 ~ 4cm，先端渐尖或急尖，基部圆形，两面均被有白色绒毛，特别以叶背及脉上为密；侧脉 6 ~ 7 对。伞形聚伞花序，无总花梗，生在茎的四周，有花 8 ~ 10；花深紫色，直径约 10mm；花萼外面有绒毛，内面基部有小腺体 5；花冠辐状，外面有短柔毛，并具缘毛；副花冠 5 裂，裂片盾状，圆形，与合蕊柱等长，花药先端具 1 圆形的膜片；花粉块每室 1，下垂，长圆状膨胀；柱头扁平。蓇葖果单生，向端部渐尖，基部钝形，中间膨大，长 9cm，直径 5 ~ 10mm；种子扁平；种毛白色，长约 3cm。花期 4 ~ 8月，果期 6 ~ 8 月。

白薇

| 生境分布 | 生于海拔 100 ~ 1800m 的河边、干荒地或草丛中、山沟、林下草地。分布于重庆云阳、开州、丰都、垫江、涪陵、武隆、秀山、南川、合川、城口、奉节、石柱等地。

| 资源情况 | 野生资源一般。药材来源于野生和栽培。

| 采收加工 | 春、秋季采挖，洗净，干燥。

| 药材性状 | 本品根茎粗短，有结节，多弯曲，上面有圆形的茎痕，下面及两侧簇生多数细长的根，根长 10 ~ 25cm，直径 0.1 ~ 0.2cm。表面棕黄色。质脆，易折断，断面皮部黄白色，木部黄色。气微，味微苦。

| 功能主治 | 苦、咸，寒。归胃、肝、肾经。清热凉血，利尿通淋，解毒疗疮。用于温邪伤营发热，阴虚发热，骨蒸劳热，产后血虚发热，热淋，血淋，痈疽肿毒。

| 用法用量 | 内服煎汤，5 ~ 10g。

萝藦科 Asclepiadaceae 鹅绒藤属 Cynanchum

牛皮消 *Cynanchum auriculatum* Royle ex Wight

| 药 材 名 | 牛皮消（药用部位：块根）。

| 形态特征 | 蔓性半灌木。宿根肥厚，呈块状。茎圆形，被微柔毛。叶对生，膜质，被微毛，宽卵形至卵状长圆形，长 4 ~ 12cm，宽 4 ~ 10cm，先端短渐尖，基部心形。聚伞花序伞房状，有花 30；花萼裂片卵状长圆形；花冠白色，辐状，裂片反折，内面被疏柔毛；副花冠浅杯状，裂片椭圆形，肉质，具钝头，在每裂片内面的中部有 1 三角形的舌状鳞片；花粉块每室 1，下垂；柱头圆锥状，先端 2 裂。蓇葖果双生，披针形，长 8cm，直径 1cm；种子卵状椭圆形；种毛白色绢质。花期 6 ~ 9 月，果期 7 ~ 11 月。

| 生境分布 | 生于山坡林缘及路旁灌丛中或河流、水沟边潮湿地。分布于重庆长

牛皮消

寿、忠县、涪陵、丰都、九龙坡、黔江、垫江、南川等地。

| **资源情况** | 野生资源一般。药材来源于野生。

| **采收加工** | 夏、秋季采挖，除去栓皮，洗净，晒干。

| **药材性状** | 本品呈长圆柱形、长纺锤形或结节状圆柱形，略弯曲，长短不等，有的长可至50cm，直径 0.8 ~ 4cm。表面黄褐色或淡黄棕色，有时残留棕色至棕黑色的栓皮，有明显的纵皱纹及横长皮孔。质坚硬而脆，易折断，断面较平坦，类白色或黄白色，粉性，可见众多呈放射状排列的黄色小孔。气微，味微甘而后苦。

| **功能主治** | 甘、苦，微温。归脾、胃、肺经。健胃导滞，解毒利湿。用于食积，腹痛，胃脘痛，急、慢性胁痛，腹水，腰腿疼痛。

| **用法用量** | 内服煎汤，9 ~ 15g。

萝藦科 Asclepiadaceae 鹅绒藤属 Cynanchum

竹灵消 *Cynanchum inamoenum* (Maxim.) Loes.

| 药 材 名 | 老君须（药用部位：根、地上部分。别名：正骨草、婆婆衣、绒针）。

| 形态特征 | 直立草本。基部分枝甚多。根须状。茎干后中空，被单列柔毛。叶薄膜质，广卵形，长 4 ~ 5cm，宽 1.5 ~ 4cm，先端急尖，基部近心形，在脉上近无毛或仅被微毛，有边毛；侧脉约 5 对。伞形聚伞花序，近顶部互生，有花 8 ~ 10；花黄色，长和直径约 3mm；花萼裂片披针形，急尖，近无毛；花冠辐状，无毛，裂片卵状长圆形，钝头；副花冠较厚，裂片三角形，短急尖；花药在先端具 1 圆形的膜片；花粉块每室 1，下垂，花粉块柄短，近平行，着粉腺近椭圆形；柱头扁平。蓇葖果双生，稀单生，狭披针形，向端部长渐尖，长 6cm，直径 5mm。花期 5 ~ 7 月，果期 7 ~ 10 月。

竹灵消

| **生境分布** | 生于山地疏林、灌丛中或山顶、山坡草地上。分布于重庆彭水、城口、丰都、南川、开州、巫溪、巫山、奉节、万州、涪陵等地。

| **资源情况** | 野生资源一般。药材来源于野生。

| **采收加工** | 夏、秋季采收，洗净，晒干。

| **药材性状** | 本品根茎粗短，多分枝，略呈块状，长 2 ~ 3cm，直径 5 ~ 10cm，上方有多数密集的茎痕或残存茎基，下方簇生多数细而长的根。根细圆柱形，多弯曲，长 10 ~ 15cm，直径 0.7 ~ 1.5mm；表面黄棕色，稍有皱纹；质脆，易折断，断面略平坦，黄白色，中央具细小的黄色木心；气微，味淡。茎圆柱形，长 17 ~ 39cm，直径 2 ~ 4mm；表面绿色或黄绿色，基部淡紫红色，有的被污褐色斑点，具细纵棱，有单列白色柔毛；质稍韧，易折断，断面中空。叶多皱缩破碎，完整者展平后呈广卵形、卵形或长卵形，长 3 ~ 5cm，浅绿色至黄绿色，主脉于下面明显凸起，两面脉上均有白色柔毛。蓇葖果长角状，长 3 ~ 6cm，直径 4 ~ 8mm，黄绿色或黄褐色，具纵皱纹及纵棱，先端长渐尖，中部膨大，基部有宿萼。种子卵形或阔卵形，黄棕色，扁而薄，长 7 ~ 8mm，宽约 5mm，边缘具翅，顶有 1 撮白色绢质毛，长约 1.6cm。气微清香，味微甘。

| **功能主治** | 苦、微辛，平。归肺经。清热凉血，利胆，解毒。用于阴虚发热，虚劳久嗽，咯血，胁肋胀痛，呕恶，泻痢，产后虚烦，瘰疬，无名肿毒，蛇虫、疯狗咬伤。

| **用法用量** | 内服煎汤，3 ~ 9g。外用适量，鲜品捣敷。

萝藦科 Asclepiadaceae 鹅绒藤属 Cynanchum

朱砂藤
Cynanchum officinale (Hemsl.) Tsiang et Zhang

| 药 材 名 | 朱砂藤（药用部位：根。别名：隔山消、托腰散）。

| 形态特征 | 藤状灌木。主根圆柱状，单生或自顶部起 2 分叉，干后暗褐色。嫩茎具单列毛。叶对生，薄纸质，无毛或背面被微毛，卵形或卵状长圆形，长 5 ~ 12cm，基部宽 3 ~ 7.5cm，向端部渐尖，基部耳形；叶柄长 2 ~ 6cm。聚伞花序腋生，长 3 ~ 8cm，有花约 10；花萼裂片外面被微毛，花萼内面基部具腺体 5；花冠淡绿色或白色；副花冠肉质，深 5 裂，裂片卵形，内面中部具 1 圆形的舌状片；花粉块每室 1，长圆形，下垂；子房无毛，柱头略为隆起，先端 2 裂。蓇葖果通常仅 1 发育，向端部渐尖，基部狭楔形，长达 11cm，直径 1cm；种子长圆状卵形，先端略呈截形；种毛白色绢质，长 2cm。花期 5 ~ 8 月，果期 7 ~ 10 月。

朱砂藤

| **生境分布** | 生于海拔 430 ～ 1750m 的山坡、路边或水边或灌丛中及疏林下。分布于重庆丰都、忠县、黔江、云阳、城口、石柱、万州、南川等地。 |

| **资源情况** | 野生资源一般。药材来源于野生。 |

| **采收加工** | 秋、冬季采挖，洗净，晒干。 |

| **功能主治** | 苦，温；有小毒。祛风除湿，理气止痛。用于风湿痹痛，腰痛，胃脘痛，跌打损伤。 |

| **用法用量** | 内服煎汤，3 ～ 6g。 |

萝摩科 Asclepiadaceae 鹅绒藤属 Cynanchum

徐长卿
Cynanchum paniculatum (Bunge) Kitagawa.

| 药 材 名 | 徐长卿（药用部位：根、根茎。别名：了刁竹、鬼督邮、瑶山竹）。

| 形态特征 | 多年生直立草本，高约 1m。根须状，多至 50 余。茎不分枝，稀从根部发生几条，无毛或被微生。叶对生，纸质，披针形至线形，长 5 ~ 13cm，宽 5 ~ 15mm，两端锐尖，两面无毛或叶面被疏柔毛，叶缘有边毛；侧脉不明显；叶柄长约 3mm。圆锥状聚伞花序生于先端的叶腋内，长达 7cm，有花 10 余；花萼内的腺体或有或无；花冠黄绿色，近辐状，裂片长达 4mm，宽 3mm；副花冠裂片 5，基部增厚，先端钝；花粉块每室 1，下垂；子房椭圆形；柱头 5 角形，先端略为凸起。蓇葖果单生，披针形，长 6cm，直径 6mm，向端部长渐尖；种子长圆形，长 3mm；种毛白色绢质，长 1cm。花期 5 ~ 7 月，果期 9 ~ 12 月。

徐长卿

| **生境分布** | 生于 1500m 以下的向阳山坡或草丛中。分布于重庆巫溪、武隆、黔江、酉阳、秀山、奉节、城口等地。 |

| **资源情况** | 野生资源一般。药材主要来源于野生，亦有少量栽培。 |

| **采收加工** | 秋、春季将徐长卿的地上部和地下部分别收获。收获后去净泥土、杂质，晒至半干后，扎成小把，再晒干或阴干。 |

| **药材性状** | 本品根茎呈不规则柱状，有盘节，长 0.5～3.5cm，直径 2～4mm。有的先端带有残茎，细圆柱形，长约 2cm，直径 1～2mm，断面中空；根茎节处周围着生多数根。根呈细长圆柱形，弯曲，长 10～16cm，直径 1～1.5mm；表面淡黄白色至淡棕黄色或棕色，具微细的纵皱纹，并有纤细的须根。质脆，易折断，断面粉性，皮部类白色或黄白色，形成层环淡棕色，木部细小。气香，味微辛、凉。 |

| **功能主治** | 辛，温。归肝、胃经。祛风，化湿，止痛，止痒。用于风湿痹痛，胃痛胀满，牙痛，腰痛，跌仆伤痛，风疹、湿疹。 |

| **用法用量** | 内服煎汤，3～12g；入丸剂；或酒浸。入汤剂不宜久煎。 |

| **附 注** | 本种适应性较强，喜温暖、湿润的环境，但忌积水，耐热、耐寒能力强，以腐殖质土或肥沃深厚、排水良好的砂壤土栽培为好。采用种子繁殖、育苗移栽的 2～3 年后收获，分株繁殖的方式 1～2 年后收获。 |

柳叶白前

Cynanchum stauntonii (Decne.) Schltr. ex Lévl.

药 材 名	柳叶白前（药用部位：根茎、根。别名：鹅管白前、竹叶白前、水杨柳）。
形态特征	直立半灌木，高约 1m；无毛，分枝或不分枝。须根纤细，节上丛生。叶对生，纸质，狭披针形，长 6 ~ 13cm，宽 3 ~ 5mm，两端渐尖；中脉在叶背显著，侧脉约 6 对；叶柄长约 5mm。伞形聚伞花序腋生；花序梗长达 1cm，小苞片众多；花萼 5 深裂，内面基部腺体不多；花冠紫红色，辐状，内面具长柔毛；副花冠裂片盾状，隆肿，较花药为短；花粉块每室 1，长圆形，下垂；柱头微凸，包在花药的薄膜内。蓇葖果单生，长披针形，长达 9cm，直径 6mm。花期 5 ~ 8 月，果期 9 ~ 10 月。
生境分布	生于低海拔的山谷湿地、水旁以至半浸在水中。分布于重庆酉阳、

柳叶白前

武隆、彭水、南川、丰都、涪陵、开州等地。

| 资源情况 |

野生资源一般。药材来源于野生。

| 采收加工 |

秋季采挖，洗净，晒干。

| 药材性状 |

本品根茎呈细长圆柱形，有分枝，稍弯曲，长4 ~ 15cm，直径 1.5 ~ 4mm；表面黄白色或黄棕色，节明显，节间长 1.5 ~ 4.5cm，先端有残茎；质脆，断面中空。节处簇生纤细弯曲的根，长可达 10cm，直径不及 1mm，有多次分枝呈毛须状，常盘曲成团。气微，味微甜。

| 功能主治 |

辛、苦，微温。归肺经。降气，消痰，止咳。用于肺气壅实，咳嗽痰多，胸满喘急。

| 用法用量 |

内服煎汤，3 ~ 10g。

萝藦科 Asclepiadaceae 鹅绒藤属 Cynanchum

隔山消 *Cynanchum wilfordii* (Maxim.) Hemsl.

| **药 材 名** | 隔山消（药用部位：块根。别名：隔山撬、隔山牛皮消、白首乌）。

| **形态特征** | 多年生草质藤本。肉质根近纺锤形，灰褐色，长约 10cm，直径 2cm。茎被单列毛。叶对生，薄纸质，卵形，长 5 ~ 6cm，宽 2 ~ 4cm，先端短渐尖，基部耳状心形，两面被微柔毛，干时叶面经常呈黑褐色，叶背淡绿色；基脉 3 ~ 4，放射状；侧脉 4 对。近伞房状聚伞花序半球形，有花 15 ~ 20；花序梗被单列毛，花长 2mm，直径 5mm；花萼外面被柔毛，裂片长圆形；花冠淡黄色，辐状，裂片长圆形，先端近钝形，外面无毛，内面被长柔毛；副花冠较合蕊柱为短，裂片近四方形，先端截形，基部紧狭；花粉块每室 1，长圆形，下垂；花柱细长，柱头略凸起。蓇葖果单生，披针形，向端部长渐尖，基部紧狭，长 12cm，直径 1cm；种子暗褐色，卵形，长 7mm；种毛

隔山消

白色绢质，长 2cm。花期 5 ～ 9 月，果期 7 ～ 10 月。

| 生境分布 | 生于海拔 200 ～ 1500m 的山坡、山谷、灌丛中或路边草地。分布于重庆彭水、潼南、巫山、奉节、秀山、城口、石柱、涪陵、开州、巫溪、大足、合川等地。

| 资源情况 | 野生资源丰富。药材来源于野生。

| 采收加工 | 秋、冬季采挖，洗净，切片，晒干。

| 药材性状 | 本品圆柱形或纺锤形，长 10 ～ 20cm，直径 1 ～ 4cm，微弯曲。表面白色或黄白色，具纵皱纹及横长皮孔，栓皮破裂处显黄白色木部。质坚硬，折断面不平坦，灰白色，微带粉状。气微，味苦、甘。

| 功能主治 | 甘、微苦，微温。归肝、肾、脾经。补肝肾，强筋骨，健脾胃，解毒。用于肝肾两虚，头昏眼花，失眠健忘，须发早白，阳痿，遗精，腰膝酸软，脾虚不运，脘腹胀满，食欲不振，泄泻，产后乳少，鱼口疮。

| 用法用量 | 内服煎汤，9 ～ 15g。外用适量，鲜品捣敷。

萝藦科 Asclepiadaceae 南山藤属 Dregea

苦绳
Dregea sinensis Hemsl.

| 药 材 名 | 苦绳（药用部位：全株或叶。别名：钻岩筋、岩浆藤、菅人香）。 |

| 形态特征 | 攀缘木质藤本。茎具皮孔，幼枝具褐色绒毛。叶纸质，卵状心形或近圆形，长 5 ~ 11cm，宽 4 ~ 6cm，叶面被短柔毛，老渐脱落，叶背被绒毛；侧脉每边约 5；叶柄长 1.5 ~ 4cm，被绒毛，先端具丛生小腺体。伞形聚伞花序腋生，有花多达 20；花萼裂片卵圆形至卵状长圆形，花萼内面基部有 5 腺体；花冠内面紫红色，外面白色，辐状，直径 1 ~ 1.6cm，裂片卵圆形，长 6 ~ 7cm，宽 4 ~ 6cm，先端钝而有微凹，被缘毛；副花冠裂片肉质，肿胀，端部内角锐尖；花药先端具膜片；花粉块长圆形，直立；子房无毛，心皮离生，柱头圆锥状，基部五角形，先端 2 裂。蓇葖果狭披针形，长 5 ~ 6cm，直径约 1cm，外果皮具波纹，被短柔毛；种子扁平， |

苦绳

卵状长圆形，长 9cm，宽 5cm，先端具白色绢质种毛；种毛长 2cm。花期 4 ～ 8
月，果期 7 ～ 10 月。

| 生境分布 | 生于海拔 600 ～ 2300m 的山地疏林中或灌丛中。分布于重庆垫江、南川、城口、
巫溪、巫山等地。

| 资源情况 | 野生资源稀少。药材来源于野生。

| 采收加工 | 阴天采摘，阴干或风干，忌暴晒。

| 功能主治 | 全株，微苦，平。祛风除湿，止咳化痰，解毒活血。用于风湿痹痛，咳嗽痰喘，
乳汁不通。叶，用于跌打骨折，痈疮疖肿。

| 用法用量 | 内服煎汤，9 ～ 15g。外用可敷。

萝摩科 Asclepiadaceae 南山藤属 Dregea

贯筋藤
Dregea sinensis Hemsl. var. *corrugata* (Schneid.) Tsiang et P. T. Li

| 药 材 名 | 贯筋藤（药用部位：全株。别名：刀疮药、刀口药、藤木通）。

| 形态特征 | 本种与原变种苦绳的区别在于蓇葖果外果皮具横凸起的皱褶片状；子房被柔毛。花期3～5月，果期7～12月。

| 生境分布 | 生于山地疏林中或灌丛中。分布于重庆石柱、丰都、南川、武隆、涪陵等地。

| 资源情况 | 野生资源一般。药材主要来源于野生。

| 采收加工 | 夏、秋季采收，切段，晒干或鲜用。

贯筋藤

| 功能主治 | 微苦，平。祛风利湿，通乳，活血解毒。用于风湿痹痛，黄疸，淋病，水肿，乳汁不下，痈肿疮疖，外伤骨折。

| 用法用量 | 内服煎汤，9 ~ 15g。外用适量，鲜品捣敷。

萝藦科 Asclepiadaceae 醉魂藤属 Heterostemma

醉魂藤 *Heterostemma alatum* Wight

| 药 材 名 | 醉魂藤（药用部位：根。别名：老鸦花、对叶羊角扭、野豇豆）。

| 形态特征 | 纤细攀缘木质藤本，长达 4m。茎有纵纹，被 2 列柔毛，老时渐落无毛。叶纸质，宽卵形或长卵圆形，长 8 ~ 15cm，宽 5 ~ 8cm，先端渐尖，基部圆形或阔楔形，很少近心形，幼嫩时两面均被微毛，尤以背面脉上为多，老渐光滑无毛；基出脉 3 ~ 5，初成翅形，后渐扁平，侧脉每边 3 ~ 4，纤细，先端弯曲；叶柄扁平，长 2 ~ 5cm，粗壮，被柔毛，先端具丛生小腺体。伞形状聚伞花序腋生，长 2 ~ 6cm，有花 10 ~ 15；花序梗粗壮，被微毛；花梗长 1 ~ 1.5cm，被微毛；苞片和小苞片卵形，长和宽约 5mm；花蕾卵圆形，先端钝；花直径 1cm；花萼裂片卵形，长和宽约 1mm，花萼内面基部有小腺体；花冠黄色、辐状，外面被微毛，内面无毛，花冠筒长 4 ~ 5mm，裂片

醉魂藤

在未开时先端彼此黏合，开后则呈镊合状排列，三角状卵圆形，长和宽 4 ~ 5mm；副花冠 5，星芒状，从合蕊冠伸出平展于花冠上，副花冠裂片呈长舌状，基部狭小，先端钝，可达花冠的弯缺处；花药方形，先端具透明膜片；花粉块近方形，直立，内角先端具三角形的薄膜边，花粉块柄短而粗，着粉腺紫色，菱形；子房长圆形，无毛，柱头平坦，基部 5 棱。蓇葖果双生，线状披针形，长 10 ~ 15cm，直径 5 ~ 10mm，外果皮灰色，无毛，具纵条纹；种子宽卵形，呈褶叠状，深褐色，长约 1.5cm，宽 1cm，先端具白色绢质种毛；种毛长 3cm。花期 4 ~ 9 月，果期 6 月至翌年 2 月。

| **生境分布** | 生于海拔 1200m 以下的山谷水旁、林中阴湿处。分布于重庆彭水、武隆、北碚等地。

| **资源情况** | 野生资源稀少。药材来源于野生。

| **采收加工** | 秋季采挖，洗净，晒干或鲜用。

| **功能主治** | 辛，平。祛风湿，解胎毒。用于脚气麻木酸痛无力，胎毒疮疹，疟疾。

| **用法用量** | 内服煎汤，3 ~ 6g。外用适量，煎汤洗；或油煎涂搽患处。

| **附　注** | 在 FOC 中，本种被修订为台湾醉魂藤 *Heterostemma brownii* Hayata。

萝藦科 Asclepiadaceae 牛奶菜属 Marsdenia

牛奶菜 *Marsdenia sinensis* Hemsl.

| 药 材 名 | 牛奶菜（药用部位：全株或根）。

| 形态特征 | 粗壮木质藤本，全株被绒毛。叶卵圆状心形，长 8 ～ 12cm，宽 5 ～ 7.5cm，先端短渐尖，基部心形，叶面被稀疏微毛，叶背被黄色绒毛；侧脉 5 ～ 6 对，弧形上升，到边缘网结；叶柄长约 2cm，被黄色绒毛。伞形状聚伞花序腋生，长 1 ～ 3cm，有花 10 ～ 20；花序梗、花梗和花萼均被黄色绒毛；花萼内面基部有腺体 10 余；花冠白色或淡黄色，长约 5mm，内面被绒毛；副花冠短，高仅达雄蕊之半；花药先端具卵圆形膜片；花粉块每室 1，直立，肾形；柱头基部圆锥状，先端 2 裂。蓇葖果纺锤状，向两端渐尖，长约 10cm，直径 2.5cm，外果皮被黄色绒毛；种子卵圆形，扁平，长约 5mm；种毛长约 4cm。花期夏季，果期秋季。

牛奶菜

生境分布	生于海拔 300 ～ 800m 的山谷疏林中。分布于重庆梁平、万州、忠县、涪陵等地。
资源情况	野生资源稀少。药材来源于野生。
采收加工	全年均可采收，鲜用或晒干。
功能主治	祛风湿，强筋骨，解蛇毒。用于风湿性关节炎，跌打扭伤，毒蛇咬伤。
用法用量	内服煎汤，适量。

萝藦科 Asclepiadaceae 萝藦属 Metaplexis

华萝藦
Metaplexis hemsleyana Oliv.

华萝藦

药材名

华萝藦（药用部位：全草或根茎、根。别名：奶浆藤、奶浆草、倒插花）。

形态特征

多年生草质藤本，长 5m。具乳汁；枝条具单列短柔毛，节上更密，直径 3mm。叶膜质，卵状心形，长 5 ~ 11cm，宽 2.5 ~ 10cm，先端急尖，基部心形，叶耳圆形，长 1 ~ 3cm，展开，两面无毛，或叶背中脉上被微毛，老时脱落，叶面深绿色，叶背粉绿色；侧脉每边约 5，斜曲上升，叶缘前网结；具长叶柄，长 4.5 ~ 5cm，先端具丛生小腺体。总状式聚伞花序腋生，一至三歧，着花 6 ~ 16；总花梗长 4 ~ 6cm，被疏柔毛；花梗长 5 ~ 10mm，被疏柔毛；花白色，芳香，长 5mm，直径 9 ~ 12mm；花蕾阔卵状，先端钝形或圆形；花萼裂片卵状披针形至长圆状披针形，急尖，与花冠等长；花冠近辐状，花冠筒短，裂片宽长圆形，长约 5mm，先端钝形，两面无毛；副花冠环状，着生于合蕊冠基部，5 深裂，裂片兜状；花药近方形，先端具圆形膜片；花粉块长圆形，下垂，花粉块柄短，基部膨大，着粉腺卵珠状；心皮离生，胚珠每心皮多个；柱头延伸成 1 长喙，高出花药先端膜片之上，先端 2 裂。蓇葖叉生，长圆形，长 7 ~ 8cm，直径 2cm，外果皮粗糙被微毛；种子宽长圆形，长 6mm，宽 4mm，有膜质边缘，先端具白色绢质种毛；种毛长 3cm。花期 7 ~ 9 月，果期 9 ~ 12 月。

| **生境分布** | 生于山地林谷、路旁或山脚湿润地灌丛中。分布于重庆巫溪、石柱、武隆、黔江、彭水、酉阳、秀山、南川、巴南、璧山、江津等地。

| **资源情况** | 野生和栽培资源均稀少。药材主要来源于野生。

| **采收加工** | 夏、秋季采挖根茎及根，除去泥土，或采收全草，晒干。

| **药材性状** | 本品根茎呈不规则块状，直径 2 ~ 4cm，具疙瘩状突起，先端有圆盘状茎痕或茎基，下方着生数条根。根呈长圆柱形，略弯曲，长短不等，直径 4 ~ 20mm；表面灰棕色或灰褐色，有深纵皱纹和明显色浅的横长凸起皮孔。质硬，断面类白色，粉性。气微，味微苦。

| **功能主治** | 甘、涩，微温。温肾益精。用于肾阳不足，畏寒肢冷，腰膝酸软，遗精阳痿，乳汁不足，宫冷不孕。

| **用法用量** | 内服煎汤，15 ~ 30g。

萝藦科 Asclepiadaceae 萝藦属 Metaplexis

萝藦

Metaplexis japonica (Thunb.) Makino

| 药材名 | 萝藦藤（药用部位：地上部分。别名：婆婆针袋儿、羊婆奶、婆婆针线包）、萝藦子（药用部位：果实。别名：斫合子）、天浆壳（药用部位：果皮。别名：天将壳、萝摩荚、哈喇瓢）。

| 形态特征 | 多年生草质藤本，长达 8m，具乳汁。茎圆柱状，下部木质化，上部较柔韧，表面淡绿色，有纵条纹，幼时密被短柔毛，老时毛渐脱落。叶膜质，卵状心形，长 5 ～ 12cm，宽 4 ～ 7cm，先端短渐尖，基部心形，叶耳圆，长 1 ～ 2cm，两叶耳展开或紧接，叶面绿色，叶背粉绿色，两面无毛，或幼时被微毛，老时被毛脱落；侧脉每边 10 ～ 12，在叶背略明显；叶柄长，长 3 ～ 6cm，先端具丛生腺体。总状聚伞花序腋生或生于腋外，具长总花梗；总花梗长 6 ～ 12cm，被短柔毛；花梗长 8mm，被短柔毛，通常有花 13 ～ 15；小苞片膜质，

萝藦

披针形, 长 3mm, 先端渐尖; 花蕾圆锥状, 先端尖; 花萼裂片披针形, 长 5 ~ 7mm, 宽 2mm, 外面被微毛; 花冠白色, 有淡紫红色斑纹, 近辐状, 花冠筒短, 花冠裂片披针形, 张开, 先端反折, 基部向左覆盖, 内面被柔毛; 副花冠环状, 着生于合蕊冠上, 短 5 裂, 裂片兜状; 雄蕊连生成圆锥状, 并包围雌蕊在其中, 花药先端具白色膜片; 花粉块卵圆形, 下垂; 子房无毛, 柱头延伸成 1 长喙, 先端 2 裂。蓇葖果叉生, 纺锤形, 平滑无毛, 长 8 ~ 9cm, 直径 2cm, 先端急尖, 基部膨大; 种子扁平, 卵圆形, 长 5mm, 宽 3mm, 有膜质边缘, 褐色, 先端具白色绢质种毛; 种毛长 1.5cm。花期 7 ~ 8 月, 果期 9 ~ 12 月。

| **生境分布** | 生于林边荒地、山脚、河边、路旁灌丛中。分布于重庆巫山、秀山、黔江、酉阳、丰都、北碚、璧山、涪陵、沙坪坝等地。 |

| **资源情况** | 野生资源丰富。药材来源于野生。 |

| **采收加工** | 萝藦藤：10 月采割，除去杂质，晒干。
萝藦子：秋季采收，晒干。
天浆壳：秋季采收成熟果实，沿裂缝剥开，除去种子，晒干。 |

| **药材性状** | 萝藦藤：本品常单一或数股绞扭成束状，长短不一。茎呈长圆柱形，老茎略偏，稍扭曲，具分枝，直径达 1.5cm；表面灰白色或浅黄绿色，有纵纹及节；质柔韧或稍脆，折断面皮部强纤维性，老茎木部明显，常呈新月形至半月形，可见众多管孔，髓部中空。叶对生，多皱缩，展平后呈卵状心形至长卵形，长 4～10cm，宽 3～7cm；先端渐尖，基部心形，全缘或微波状；上面枯黄色或浅黄绿色，下面色较浅或呈粉黄色，具长柄。总状花序被灰白色短柔毛。蓇葖果长卵形或卵状披针形。种子先端具 1 簇白色长绢毛。气微，味淡。
天浆壳：本品对开分瓣，呈舟状，有的为压扁状，长 6～11cm，宽 3～5cm，厚约 1mm，先端尖而反卷，基部钝圆，微凹，有圆形的果梗或果梗痕。外表面黄绿色，具细密纹理及疣状突起；内表面淡黄色或黄褐色，平滑而带光泽。质较软而韧，不易折断，断面外果皮强纤维性，中果皮浅褐色，疏松，内果皮脆而易碎。气微，味微咸。 |

| **功能主治** | 萝藦藤：甘，温。补肾强壮。用于肾亏遗精，乳汁不足，劳伤。

萝藦子：甘、微辛，温。补益精气，生肌止血。用于虚劳，阳痿，遗精，金疮出血。

天浆壳：辛、甘，温。宣肺化痰，止咳平喘，透疹。用于咳嗽痰多，气喘，麻疹透发不畅。

| **用法用量** | 萝藦藤：内服煎汤，15 ~ 30g。

萝藦子：内服煎汤，9 ~ 18g；或研末。外用适量，捣敷。

天浆壳：内服煎汤，6 ~ 10g。孕妇慎服。

萝摩科 Asclepiadaceae 杠柳属 Periploca

青蛇藤

Periploca calophylla (Wight) Falc.

| 药 材 名 | 青蛇藤（药用部位：茎、叶）。

| 形态特征 | 藤状灌木，具乳汁。幼枝灰白色，干时具纵条纹，老枝黄褐色，密被皮孔。除花外，全株无毛。叶近革质，椭圆状披针形，长 4.5 ~ 6cm，宽 1.5cm，先端渐尖，基部楔形，叶面深绿色，叶背淡绿色；中脉在叶面微凹，在叶背凸起，侧脉纤细，密生，两面扁平，叶缘具 1 边脉；叶柄长 1 ~ 2mm。聚伞花序腋生，长 2cm，有花达 10；苞片卵圆形，被缘毛，长 1mm；花蕾卵圆形，先端钝；花萼裂片卵圆形，长 1.5mm，宽 1mm，被缘毛，花萼内面基部有 5 小腺体；花冠深紫色，辐状，直径约 8mm，外面无毛，内面被白色柔毛，花冠筒短，裂片长圆形，中间不加厚，不反折；副花冠环状，着生于花冠的基部，5 ~ 10 裂，其中 5 裂延伸为丝状，被长柔毛；雄蕊着生于花冠的基部，

青蛇藤

花丝离生，背部与副花冠合生，花药卵圆形，渐尖，背部被长柔毛，花药彼此相连并贴生在柱头上；花粉器匙形，四合花粉藏在载粉器内，基部粘盘卵圆形，粘生柱头上；子房无毛，心皮离生，胚珠多个，花柱短，柱头短圆锥状，先端2裂。蓇葖果双生，长箸状，长12cm，直径5mm；种子长圆形，长1.5cm，宽3mm，黑褐色，先端具白色绢质种毛；种毛长3～4cm。花期4～5月，果期8～9月。

| **生境分布** | 生于海拔580～2200m的山谷杂木林中。分布于重庆黔江、垫江、云阳、南川、巫溪、巫山、永川、城口、奉节、江津、北碚等地。

| **资源情况** | 野生资源一般。药材来源于野生。

| **采收加工** | 全年均可采收，除去杂质，干燥。

| **药材性状** | 本品茎呈圆柱形，直径0.5～3cm；表皮粗糙，黑褐色，皮孔众多，常叉状裂开；质坚硬，断面皮部棕褐色，有白色丝状纤维，木部黄白色，有小细孔。叶椭圆状披针形，长4.5～6cm，宽1.5cm，先端渐尖，基部楔形，叶面深绿色，叶背淡绿色，革质。气微香，味苦。

| **功能主治** | 微辛、苦，温；有小毒。归肝、脾、肾经。舒筋活络，散寒除湿。用于寒湿痹痛，四肢麻木，跌打损伤。

| **用法用量** | 内服煎汤，5～15g。外用适量。

萝藦科 Asclepiadaceae 杠柳属 Periploca

黑龙骨
Periploca forrestii Schltr.

| 药 材 名 | 黑骨藤（药用部位：全株或根。别名：青色丹、黑骨藤、青风藤）。

| 形态特征 | 藤状灌木，长达10m，具乳汁；多分枝；全株无毛。叶革质，披针形，长3.5～7.5cm，宽5～10mm，先端渐尖，基部楔形；中脉两面略凸起，侧脉纤细，密生，几平行，两面扁平，在叶缘前连结成1边脉；叶柄长1～2mm。聚伞花序腋生，较叶为短，有花1～3；花序梗和花梗柔细；花小，直径约5mm，黄绿色；花萼裂片卵圆形或近圆形，长1.5mm，无毛；花冠近辐状，花冠筒短，裂片长圆形，长2.5mm，两面无毛，中间不加厚，不反折；副花冠丝状，被微毛；花粉器匙形，四合花粉藏在载粉器内；雄蕊着生于花冠基部，花丝背部与副花冠裂片合生，花药彼此粘生，包围并粘在柱头上；子房无毛，心皮离生，胚珠多个，柱头圆锥状，基部具5棱。蓇葖果双生，长圆柱形，长

黑龙骨

达 11cm，直径 5mm；种子长圆形，扁平，先端具白色绢质种毛；种毛长 3cm。
花期 3 ~ 4 月，果期 6 ~ 7 月。

| 生境分布 | 生于海拔 750 ~ 2000m 的山地疏林向阳处或阴湿的杂木林下。分布于重庆石柱、南川、酉阳、城口、丰都、开州、巫溪、巫山、奉节等地。

| 资源情况 | 野生资源一般。药材来源于野生。

| 采收加工 | 秋、冬季采挖，洗净，切段，晒干。

| 药材性状 | 本品根呈长圆柱形，直径 0.3 ~ 2cm，常呈不规则弯曲或旋钮状，具分枝，有的先端粗大；表面黑褐色或浅棕色，有皮孔及支根痕；栓皮成鳞片状剥离；内皮白色，粉质；木部发达，淡黄色，具旋钮状纹；质坚硬，易折断，断面黄白色，不整齐。茎枝呈长圆柱形，长短不一；表面黑褐色，粗糙，有横裂纹及棕色皮孔；质坚韧，折断面不平坦，皮部较薄，露出白色纤维，木部淡黄色，中央有髓。叶对生，革质，完整者展平后呈狭披针形，长 4 ~ 6cm，宽 0.5 ~ 1cm，先端渐尖，基部楔形，侧脉细密。气微香，味苦。

| 功能主治 | 苦、辛，凉；有小毒。通经，活血，解毒，祛风。用于风湿关节痛，跌打损伤，月经不调。

| 用法用量 | 内服煎汤，6 ~ 9g；或浸酒。不宜过量服用。

萝藦科 Asclepiadaceae 杠柳属 Periploca

杠柳
Periploca sepium Bge.

杠柳

| 药 材 名 |

香加皮（药用部位：根皮。别名：北五加皮、羊奶藤、羊桃梢）。

| 形态特征 |

落叶蔓性灌木，长可达 1.5m。主根圆柱状，外皮灰棕色，内皮浅黄色。具乳汁，除花外，全株无毛。茎皮灰褐色。小枝通常对生，有细条纹，具皮孔。叶卵状长圆形，长 5 ~ 9cm，宽 1.5 ~ 2.5cm，先端渐尖，基部楔形，叶面深绿色，叶背淡绿色；中脉在叶面扁平，在叶背微凸起，侧脉纤细，两面扁平，每边 20 ~ 25；叶柄长约 3mm。聚伞花序腋生，有花数朵；花序梗和花梗柔弱；花萼裂片卵圆形，长 3mm，宽 2mm，先端钝，花萼内面基部有 10 小腺体；花冠紫红色，辐状，张开直径 1.5cm，花冠筒短，约长 3mm，裂片长圆状披针形，长 8mm，宽 4mm，中间加厚成纺锤形，反折，内面被长柔毛，外面无毛；副花冠环状，10 裂，其中 5 裂延伸丝状被短柔毛，先端向内弯；雄蕊着生于副花冠内面，并与其合生，花药彼此粘连并包围着柱头，背面被长柔毛；心皮离生，无毛，每心皮有胚珠多个，柱头盘状突起；花粉器匙形，四合花粉藏在载粉器内，粘盘粘连在柱头上。蓇葖果 2，圆柱状，长 7 ～ 12cm，直径约 5mm，无毛，具有纵条纹；种子长圆形，长约 7mm，宽约 1mm，黑褐色，先端具白色绢质种毛；种毛长 3cm。花期 5 ～ 6 月，果期 7 ～ 9 月。

| 生境分布 | 生于海拔 2000m 以下的山地疏林向阳处、阴湿的杂木林下或灌丛中。分布于重庆长寿、万州、酉阳、南川、江津等地。

| 资源情况 | 野生资源一般。药材主要来源于野生，亦有少量栽培。

| 采收加工 | 春、秋季采挖根，剥取根皮，晒干。

| 药材性状 | 本品呈卷筒状或槽状，少数呈不规则块片状，长 3 ～ 10cm，直径 1 ～ 2cm，厚 0.2 ～ 0.4cm。外表面灰棕色或黄棕色，栓皮松软，常呈鳞片状，易剥落；内表面淡黄色或淡黄棕色，较平滑，有细纵纹。体轻，质脆，易折断，断面不整齐，黄白色。有特异香气，味苦。

| 功能主治 | 辛、苦，温；有毒。归肝、肾、心经。利水消肿，祛风湿，强筋骨。用于风寒湿痹，腰膝酸软，心悸气短，下肢浮肿。

| 用法用量 | 内服煎汤，3 ～ 6g。不宜过量服用。

| 附   注 | 本种喜光，耐寒，耐旱，耐瘠薄，耐阴。对土壤适应性强，具有较强的抗风蚀、抗沙埋的能力。

水团花
Adina pilulifera (Lam.) Franch. ex Drake

| **药 材 名** | 水团花（药用部位：地上部分。别名：水黄凿、青龙珠、穿鱼柳）、水团花根（药用部位：根、根皮）。

| **形态特征** | 常绿灌木至小乔木，高达5m。顶芽不明显，由开展的托叶疏松包裹。叶对生，厚纸质，椭圆形至椭圆状披针形，或有时倒卵状长圆形至倒卵状披针形，长4~12cm，宽1.5~3cm，先端短尖至渐尖而具钝头，基部钝或楔形，有时渐狭窄，上面无毛，下面无毛或有时被稀疏短柔毛；侧脉6~12对，脉腋凹陷，被稀疏的毛；叶柄长2~6mm，无毛或被短柔毛；托叶2裂，早落。头状花序明显腋生，极稀顶生，直径（不计花冠）4~6mm，花序轴单生，不分枝；小苞片线形至线状棒形，无毛；总花梗长3~4.5cm，中部以下有轮生小苞片5；花萼管基部有毛，上部被疏散的毛，花萼裂片线状

水团花

长圆形或匙形；花冠白色，窄漏斗状，花冠管被微柔毛，花冠裂片卵状长圆形；雄蕊 5，花丝短，着生于花冠喉部；子房 2 室，每室有胚珠多数，花柱伸出，柱头小，球形或卵圆球形。果序直径 8 ～ 10mm；小蒴果楔形，长 2 ～ 5mm；种子长圆形，两端有狭翅。花期 6 ～ 7 月。

| **生境分布** | 生于海拔 200 ～ 350m 的山谷疏林下或旷野路旁、溪边水畔。分布于重庆涪陵、巫山等地。

| **资源情况** | 野生资源较少。药材来源于野生，自采自用。

| **采收加工** | 水团花：随时采收，鲜用或晒干。
水团花根：全年均可采挖，鲜用或晒干。

| **药材性状** | 水团花：本品为干燥带叶、果的茎枝。茎圆柱形，具灰黄色皮孔。叶对生，叶质薄，倒披针形或长圆状椭圆形，长 4 ～ 12cm，宽 1.5 ～ 3cm，两面无毛，侧脉 8 ～ 10 条，叶柄长 3 ～ 10mm。头状花序，单生于叶腋，绒球形，直径 0.5 ～ 2cm；总花梗长 2.5 ～ 4.5cm；萼片 5，线状长圆形；花冠白色，长漏斗状；气微。

| **功能主治** | 水团花：微苦，凉。清热利湿，疏风行气，消肿解毒。用于骨折肿痛，创伤出血，烫火伤，疔疮痈肿。
水团花根：苦、涩，凉。清热利湿，解毒消肿。用于感冒发热，肺热咳嗽，腮腺炎，肝炎，风湿关节痛。

| **用法用量** | 水团花：内服煎汤，9 ～ 15g。
水团花根：内服煎汤，15 ～ 30g，鲜品 30 ～ 60g。外用适量，捣敷。

茜草科 Rubiaceae 水团花属 Adina

细叶水团花

Adina rubella Hance

| 药 材 名 | 水杨梅（药用部位：带花果序）、水杨梅根（药用部位：根）。

| 形态特征 | 落叶小灌木，高 1 ～ 3m。小枝延长，被赤褐色微毛，后无毛。顶芽不明显，被开展的托叶包裹。叶对生，近无柄，薄革质，卵状披针形或卵状椭圆形，全缘，长 2.5 ～ 4cm，宽 8 ～ 12mm，先端渐尖或短尖，基部阔楔形或近圆形；侧脉 5 ～ 7 对，被稀疏或稠密短柔毛；托叶小，早落。头状花序直径（不计花冠）4 ～ 5mm，单生、顶生或兼有腋生，总花梗略被柔毛；小苞片线形或线状棒形；花萼管疏被短柔毛，花萼裂片匙形或匙状棒形；花冠管长 2 ～ 3mm，5 裂，花冠裂片三角状，紫红色。果序直径 8 ～ 12mm；小蒴果长卵状楔形，长 3mm。花果期 5 ～ 12 月。

细叶水团花

| 生境分布 | 生于海拔 260 ~ 700m 的丘陵、山坡、山谷溪边的灌丛或林中。分布于重庆云阳、酉阳、巫溪、秀山、开州等地。

| 资源情况 | 野生资源稀少。药材来源于野生。

| 采收加工 | 水杨梅：9 ~ 11 月果实未完全成熟时采摘，除去枝叶及杂质，干燥。
水杨梅根：全年均可采挖，洗净，干燥。

| 药材性状 | 水杨梅：本品由多数小花果密集而成，呈球形，形似杨梅，直径 0.3 ~ 1cm。表面棕黄色至棕褐色，粗糙，细刺状。轻搓小蒴果即脱落，露出球形坚硬的果序轴。小蒴果楔形，长 0.3cm，淡黄色，先端有棕色的花萼，5 裂，裂片突出成刺状，内有种子数粒。气微，味微苦、涩。

水杨梅根：本品呈圆柱形，完整者略弯曲，长 10 ~ 45cm，直径 0.5 ~ 6cm。表面土黄色或黄褐色，粗糙，有不规则纵皱纹、细根痕及凸起的横长皮孔。外皮薄，剥去外皮处显砖红色或绿褐色。质坚硬，难折断，断面纤维性，皮部深黄色，木部黄色。气微香，味微苦、酸。

| 功能主治 | 水杨梅：苦、涩，凉。归胃、大肠经。清热解毒。用于菌痢，肝炎，阴道滴虫。

水杨梅根：苦、涩，凉。清热解毒，散瘀止痛。用于感冒发热，咽喉肿痛，疟腮，跌打损伤，肠炎。

| 用法用量 | 水杨梅：内服煎汤，9 ~ 15g。
水杨梅根：内服煎汤，15 ~ 30g。

茜草科 Rubiaceae 虎刺属 Damnacanthus

虎刺
Damnacanthus indicus Gaertn. f.

| 药 材 名 |　虎刺（药用部位：全株。别名：伏牛花、绣花针、黄脚鸡）。

| 形态特征 |　具刺灌木，高 0.3 ~ 1m。具肉质链珠状根。茎下部少分枝，上部密集多回二叉分枝，幼嫩枝密被短粗毛，有时具 4 棱，节上托叶腋常生 1 针状刺；刺长 0.4 ~ 2cm。叶常大小叶对相间，大叶长 1 ~ 3cm，宽 1 ~ 1.5cm，小叶长可小于 0.4cm，卵形、心形或圆形，先端锐尖，全缘，基部常歪斜、钝、圆、截平或心形；中脉上面隆起，下面凸出，侧脉极细，每边 3 ~ 4，上面光亮，无毛，下面仅脉处被疏短毛；叶柄长约 1mm，被短柔毛；托叶生于叶柄间，初时呈 2 ~ 4 浅至深裂，后合生成三角形或戟形，易脱落。花两性，1 ~ 2 生于叶腋，2 者花柄基部常合生，有时在顶部叶腋可 6 朵排成具短总梗的聚伞花序；花梗长 1 ~ 8mm，基部两侧各具苞片 1；苞片小，披针形或线

虎刺

形；花萼钟状，长约 3mm，绿色或具紫红色斑纹，几无毛，裂片 4，常大小不一，三角形或钻形，长约 1mm，宿存；花冠白色，管状漏斗形，长 0.9 ~ 1cm，外面无毛，内面自喉部至冠管上部密被毛，檐部 4 裂，裂片椭圆形，长 3 ~ 5mm；雄蕊 4，着生于冠管上部，花丝短，花药紫红色，内藏或稍外露；子房 4 室，每室具胚珠 1，花柱外露或有时内藏，顶部 3 ~ 5 裂。核果红色，近球形，直径 4 ~ 6 mm，具分核（1 ~）2 ~ 4。花期 3 ~ 5 月，果熟期冬季至翌年春季。

| 生境分布 | 生于山地、丘陵的疏、密林下或石岩灌丛中。分布于重庆南川、巴南、南岸、大足等地。

| 资源情况 | 野生资源稀少。药材来源于野生。

| 采收加工 | 全年均可采收，洗净，切碎，晒干。

| 药材性状 | 本品根近圆柱形，有的呈连珠状，暗棕色。茎圆柱形，直径可达 1cm；表面灰褐色，有纵皱纹；质硬，不易折断，断面不整齐，皮部薄，木部灰白色，有髓。小枝着生多数成对的细针刺，刺长 1 ~ 1.5cm。叶对生，有短柄；叶片卵圆形，长 1 ~ 1.5cm，宽 0.5 ~ 1cm，先端短尖，基部圆形，全缘，侧脉 3 ~ 4 对；革质。气微，味微苦、甘。

| 功能主治 | 甘、苦，平。祛风湿，活络，止痛。用于风湿痹痛，腰痛。

| 用法用量 | 内服煎汤，9 ~ 15g。

| 附　　注 | 本种喜温暖湿润、半荫蔽的环境。

茜草科 Rubiaceae 狗骨柴属 Diplospora

狗骨柴 *Diplospora dubia* (Lindl.) Masam.

| **药 材 名** | 狗骨柴（药用部位：根。别名：狗骨子、白鸡金、白秋铜盘）。

| **形态特征** | 灌木或乔木，高 1 ～ 12m。叶革质，少为厚纸质，卵状长圆形、长圆形、椭圆形或披针形，长 4 ～ 19.5cm，宽 1.5 ～ 8cm，先端短渐尖、骤然渐尖或短尖，尖端常钝，基部楔形或短尖，全缘而常稍背卷，有时两侧稍偏斜，两面无毛，干时常呈黄绿色而稍有光泽；侧脉纤细，5 ～ 11 对，在两面稍明显或稀在下面稍凸起；叶柄长 4 ～ 15mm；托叶长 5 ～ 8mm，下部合生，先端钻形，内面被白色柔毛。花腋生，密集成束或组成具总花梗、稠密的聚伞花序；总花梗短，被短柔毛；花梗长约 3mm，被短柔毛；萼管长约 1mm，萼檐稍扩大，顶部 4 裂，有短柔毛；花冠白色或黄色，冠管长约 3mm，花冠裂片长圆形，约与冠管等长，向外反卷；雄蕊 4，花丝长 2 ～ 4mm，与花药近等长；

狗骨柴

花柱长约 3mm，柱头 2 分枝，线形，长约 1mm。浆果近球形，直径 4 ~ 9mm，被疏短柔毛或无毛，成熟时红色，顶部有萼檐残迹；果柄纤细，被短柔毛，长 3 ~ 8mm；种子 4 ~ 8，近卵形，暗红色，直径 3 ~ 4mm，长 5 ~ 6mm。花期 4 ~ 8 月，果期 5 月至翌年 2 月。

| **生境分布** | 生于海拔 200 ~ 1500m 的山坡、山谷沟边、丘陵、旷野的林中或灌丛中。分布于重庆南川、丰都、长寿、江津等地。

| **资源情况** | 野生资源一般。药材来源于野生。

| **采收加工** | 夏、秋季采挖，洗净，切片，晒干或鲜用。

| **功能主治** | 苦，凉。清热解毒，消肿散结。用于瘰疬，背痛，头疖，跌打肿痛。

| **用法用量** | 内服煎汤，30 ~ 60g。外用适量，鲜品捣敷。

茜草科 Rubiaceae 狗骨柴属 Diplospora

毛狗骨柴 *Diplospora fruticosa* Hemsl.

毛狗骨柴

药材名

毛狗骨柴（药用部位：根）。

形态特征

灌木或乔木，高 1 ~ 8（~ 15）m。嫩枝被短柔毛。叶纸质或薄革质，长圆形、长圆状披针形或狭椭圆形，长 5.5 ~ 22cm，宽 2.5 ~ 8cm，先端短渐尖或尾状渐尖，基部短尖或楔形，少为钝圆，有时两侧稍偏斜，全缘，叶脉上和脉腋内常被疏短柔毛，其余部分无毛或散生短柔毛；侧脉 7 ~ 13 对，在下面凸起，在上面扁平或稍凹陷，网脉在下面明显；叶柄长 4 ~ 13mm，常被短刚毛；托叶基部合生，披针形，长 8 ~ 10mm，被柔毛。伞房状的聚伞花序腋生，多花，总花梗很短；花有短花梗；花萼被短柔毛，长约 3mm，萼管陀螺形，萼檐浅 4 裂，裂片三角形，长 0.5 ~ 0.8mm；花冠白色，少黄色，长 6 ~ 7mm，冠喉部被柔毛，裂片长圆形，比冠管长，外反；雄蕊伸出；花柱长 2.5 ~ 3.5mm，柱头 2 裂，长约 1.5mm，伸出。果实近球形，被短柔毛或无毛，直径 5 ~ 7mm，成熟时红色；果柄长 0.3 ~ 1cm，纤细。花期 3 ~ 5 月，果期 6 月至翌年 2 月。

| **生境分布** | 生于海拔 660 ～ 1200m 的山谷溪边的林中或灌丛中。分布于重庆黔江、南川、丰都、云阳等地。 |

| **资源情况** | 野生资源稀少。药材来源于野生。 |

| **采收加工** | 夏、秋季采挖，洗净，切片晒干或鲜用。 |

| **功能主治** | 甘、微苦，平。益气养血，收敛止血。用于血崩，肠风下血，血虚，关节痛。 |

| **用法用量** | 内服煎汤，适量。外用适量，鲜品捣敷。 |

茜草科 Rubiaceae 香果树属 Emmenopterys

香果树 *Emmenopterys henryi* Oliv.

香果树

| 药 材 名 |

香果树（药用部位：根、树皮。别名：大猫舌、紫油厚朴、叶上花）。

| 形态特征 |

落叶大乔木，高达 30m，胸径达 1m。树皮灰褐色，鳞片状。小枝被皮孔，粗壮，扩展。叶纸质或革质，阔椭圆形、阔卵形或卵状椭圆形，长 6 ~ 30cm，宽 3.5 ~ 14.5cm，先端短尖或骤然渐尖，稀钝，基部短尖或阔楔形，全缘，上面无毛或疏被糙伏毛，下面较苍白，被柔毛或仅沿脉上被柔毛，或无毛而脉腋内常被簇毛；侧脉 5 ~ 9 对，在下面凸起；叶柄长 2 ~ 8cm，无毛或有柔毛；托叶大，三角状卵形，早落。圆锥状聚伞花序顶生；花芳香，花梗长约 4mm；萼管长约 4mm，裂片近圆形，具缘毛，脱落，变态的叶状萼裂片白色、淡红色或淡黄色，纸质或革质，匙状卵形或广椭圆形，长 1.5 ~ 8cm，宽 1 ~ 6cm，有纵平行脉数条，有长 1 ~ 3cm 的柄；花冠漏斗形，白色或黄色，长 2 ~ 3cm，被黄白色绒毛，裂片近圆形，长约 7mm，宽约 6mm；花丝被绒毛。蒴果长圆状卵形或近纺锤形，长 3 ~ 5cm，直径 1 ~ 1.5cm，无毛或被短柔毛，有纵细棱；种子多数，小而有阔翅。花期 6 ~ 8 月, 果期 8 ~ 11 月。

| 生境分布 |

生于海拔 700 ~ 2000m 的杂木林中。分布于重庆城口、奉节、巫溪、巫山、万州、武隆、南川、綦江、江津、北碚、酉阳等地。

| 资源情况 |

野生资源一般。药材主要来源于野生。

| 采收加工 |

全年均可采收, 切片, 晒干。

| 功能主治 |

辛、甘, 微温。温中和胃, 降逆止呕。用于反胃, 呕吐, 呃逆。

| 用法用量 |

内服煎汤, 6 ~ 15g。

| 附   注 |

本种喜湿润而肥沃的土壤, 在年平均气温 18 ~ 22℃、年平均降水量为 1000 ~ 2000mm、相对湿度为 70% ~ 85% 的地区生长良好。通常散生在以壳斗科为主的常绿阔叶林中, 或生长于常绿、落叶阔叶混交林内。

茜草科 Rubiaceae 拉拉藤属 Galium

拉拉藤 *Galium aparine* L. Sp. Pl. var. *echinospermum* (Wallr.) Cuf.

| 药 材 名 | 猪殃殃（药用部位：全草。别名：爬拉殃、八仙草）。

| 形态特征 | 多枝、蔓生或攀缘状草本，通常高 30 ～ 90cm。茎有 4 棱角；棱上、叶缘、叶脉上均被倒生的小刺毛。叶纸质或近膜质，6 ～ 8 轮生，稀为 4 ～ 5，带状倒披针形或长圆状倒披针形，两面常有紧贴的刺状毛，常萎软状，干时常卷缩，1 脉，近无柄。聚伞花序腋生或顶生，少至多花，花小，4 基数，有纤细的花梗；花萼被钩毛，萼檐近截平；花冠黄绿色或白色，辐状，裂片长圆形，镊合状排列；子房被毛，花柱 2 裂至中部，柱头头状。果实干燥，有 1 或 2 近球状的分果爿，肿胀，密被钩毛；果柄直，较粗，每 1 爿有 1 平凸的种子。花期 3 ～ 7 月，果期 4 ～ 11 月。

拉拉藤

| 生境分布 | 生于海拔 200 ～ 2700m 的山坡、旷野、沟边、河滩、田中、林缘、草地。重庆各地均有分布。 |

| 资源情况 | 野生资源一般。药材主要来源于野生。 |

| 采收加工 | 夏、秋季采集带花、果实的全草，除去杂质，晒干。 |

| 药材性状 | 本品茎多分枝，方柱形，直径约 1mm，具 4 棱，棱上有倒生小刺，触之粗糙，灰绿色；质脆，易折断，断面中空。叶 6 ～ 8，轮生，无柄，多卷缩破碎，完整者披针形、线形或倒卵状长圆形，长 1 ～ 2cm，宽 0.2 ～ 0.4cm，边缘及叶背中脉有倒生小刺。疏散聚散花序腋生，花小，花冠易脱落。果实先端微凹，成 2 半球形，长 2 ～ 3mm，绿褐色，密生白色钩毛。气微，味淡。 |

| 功能主治 | 辛，微寒。清热，消炎，利胆。用于胆病，伤口化脓，骨病，遗精等。 |

| 用法用量 | 内服煎汤，2 ～ 3g。 |

| 附　注 | 在 FOC 中，本种的拉丁学名被修订为 *Galium spurium* L.。 |

茜草科 Rubiaceae 拉拉藤属 Galium

猪殃殃 *Galium aparine* L. Sp. Pl. var. *tenerum* (Gren. et Godr.) Rchb.

| 药 材 名 | 猪殃殃（药用部位：全草。别名：拉拉藤、锯锯藤、细叶茜草）。

| 形态特征 | 多枝、蔓生或攀缘状草本，矮小，柔弱。茎有4棱角；棱上、叶缘、叶脉上均被倒生的小刺毛。叶纸质或近膜质，6～8轮生，稀为4～5，带状倒披针形或长圆状倒披针形，长1～5.5cm，宽1～7mm，先端有针状凸花尖头，基部渐狭，两面常有紧贴的刺状毛，常萎软状，干时常卷缩，1脉，近无柄。聚伞花序常单花，有纤细的花梗；花萼被钩毛，萼檐近截平；花冠黄绿色或白色，辐状，裂片长圆形，长不及1mm，镊合状排列；子房被毛，花柱2裂至中部，柱头头状。果实干燥，有1或2近球状的分果爿，直径达5.5mm，肿胀，密被钩毛；果柄直，长可达2.5cm，较粗，每1爿有1平凸的种子。花期3～7月，果期4～9月。

猪殃殃

| 生境分布 | 生于海拔 350 ～ 2700m 的山坡、旷野、沟边、林缘。重庆各地均有分布。

| 资源情况 | 野生资源较丰富。药材主要来源于野生。

| 采收加工 | 夏、秋季采集带花、果实的全草，除去杂质，晒干。

| 药材性状 | 本品纤细、卷曲，易破碎，表面灰绿色或绿褐色，具倒生的细刺毛，触之粗糙。茎有 4 棱角，易折断，断面中空。叶片纸质或近膜质，常卷缩，完整者线状倒披针形至椭圆状披针形，先端有刺尖，两面常有刺状毛，基部渐狭，无柄。聚伞花序顶生或腋生，花小，黄绿色，常退化至单花。果实球形，稍肉质，成熟后不开裂，表面密生白色钩毛。气微，味淡。

| 功能主治 | 辛，微寒。清热，消炎，利胆。用于胆病，伤口化脓，骨病，遗精等。

| 用法用量 | 内服煎汤，15 ～ 30g。外用适量，鲜品捣敷或绞汁涂患处。

| 附　注 | 在 FOC 中，本种的拉丁学名被修订为 *Galium spurium* L.。

茜草科 Rubiaceae 拉拉藤属 Galium

六叶葎

Galium asperuloides Edgew. subsp. *hoffmeisteri* (Klotzsch) Hara

六叶葎

| 药 材 名 |

六叶葎（药用部位：全草。别名：猪殃殃、小锯锯藤）。

| 形 态 特 征 |

一年生草本，常直立，有时披散状，高10～60cm。近基部分枝，有红色丝状的根。茎直立，柔弱，具4棱角，被疏短毛或无毛。叶片薄，纸质或膜质，生于茎中部以上的常6轮生，生于茎下部的常4～5轮生，长圆状倒卵形、倒披针形、卵形或椭圆形，长1～3.2cm，宽4～13mm，先端钝圆而具凸尖，稀短尖，基部渐狭或楔形，上面散生糙伏毛，常在近边缘处较密，下面有时亦散生糙伏毛，中脉上有或无倒向的刺，边缘有时有刺状毛，具1中脉，近无柄或有短柄。聚伞花序顶生和生于上部叶腋，少花，2～3次分枝，常广歧式叉开，总花梗长可达6cm，无毛；苞片常成对，小，披针形；花小；花梗长0.5～1.5mm；花冠白色或黄绿色，裂片卵形，长约1.3mm，宽约1mm；雄蕊伸出；花柱顶部2裂，长约0.7mm。果爿近球形，单生或双生，密被钩毛；果柄长达1cm。花期4～8月，果期5～9月。

| 生境分布 |

生于海拔 1000 ~ 2620m 的山坡林下、路边、沟边或草丛中。分布于重庆城口、巫溪、巫山、奉节、万州、石柱、黔江、酉阳、秀山、涪陵、武隆、南川、丰都、大足、忠县、铜梁、云阳、开州、璧山、梁平等地。

| 资源情况 |

野生资源一般。药材主要来源于野生。

| 采收加工 |

夏、秋季采集带花、果实的全草，除去杂质，晒干。

| 功能主治 |

甘、涩，寒。清热解毒，消肿止痛，止血。用于感冒，急性阑尾炎，白血病，乳癌，下颌腺癌，甲状腺癌，子宫颈癌，便血，尿血，白口疮，痈疖疔毒，跌打损伤。

| 用法用量 |

内服煎汤，2 ~ 3g。

| 附　注 |

在 FOC 中，本种被修订为六叶律 *Galium hoffmeisteri* (Klotzsch) Ehrendorfer et Schonbeck-Temesy ex R. R. Mill。小叶葎 *Galium asperifolium* Wall. ex Roxb. var. *sikkimense* (Gand.) Cuf. 在部分地区也作为六叶律使用。

茜草科 Rubiaceae 拉拉藤属 *Galium*

北方拉拉藤 *Galium boreale* L.

北方拉拉藤

药材名

砧草（药用部位：全草。别名：砧草拉拉藤、砧草猪殃殃、北方提捡藤）。

形态特征

多年生直立草本，高 20 ~ 65cm。茎有四棱角，无毛或被极短的毛。叶纸质或薄革质，4 轮生，狭披针形或线状披针形，长 1 ~ 3cm，宽 1 ~ 4mm，先端钝或稍尖，基部楔形或近圆形，边缘常稍反卷，两面无毛，边缘有微毛；基出脉 3，在下面常凸起，在上面常凹陷；无柄或具极短的柄。聚伞花序顶生和生于上部叶腋，常在枝顶结成圆锥花序式，密花；花小；花梗长 0.5 ~ 1.5mm；花萼被毛；花冠白色或淡黄色，直径 3 ~ 4mm，辐状，花冠裂片卵状披针形，长 1.5 ~ 2mm；花丝长约 1.4mm，花柱 2 裂至近基部。果实小，直径 1 ~ 2mm，果爿单生或双生，密被白色稍弯的糙硬毛；果柄长 1.5 ~ 3.5mm。花期 5 ~ 8 月，果期 6 ~ 10 月。

生境分布

生于海拔 750 ~ 1680m 的山坡、沟旁、草地的草丛、灌丛或林下。分布于重庆丰都等地。

| **资源情况** | 野生资源稀少。药材来源于野生。 |

| **采收加工** | 秋季采收，切段，晒干。 |

| **功能主治** | 苦，寒。清热解毒，祛风活血。用于肺炎咳嗽，肾炎水肿，腰腿疼痛，妇女经闭，痛经，带下，疮癣。 |

| **用法用量** | 内服煎汤，15 ～ 30g。外用适量，捣敷；或煎汤洗。 |

茜草科 Rubiaceae 拉拉藤属 Galium

四叶葎

Galium bungei Steud.

| 药 材 名 | 四叶草（药用部位：全草。别名：米拉拉藤、冷水丹、风车草）。

| 形态特征 | 多年生丛生直立草本，高5～50cm。有红色丝状根。茎有4棱，不分枝或稍分枝，常无毛或节上有微毛。叶纸质，4轮生，叶形变化较大，常在同一株内上部与下部的叶形均不同，卵状长圆形、卵状披针形、披针状长圆形或线状披针形，长0.6～3.4cm，宽2～6mm，先端尖或稍钝，基部楔形，中脉和边缘常被刺状硬毛，有时两面亦被糙伏毛，1脉，近无柄或有短柄。聚伞花序顶生和腋生，稠密或稍疏散，总花梗纤细，常三歧分枝，再形成圆锥状花序；花小；花梗纤细，长1～7mm；花冠黄绿色或白色，辐状，直径1.4～2mm，无毛，花冠裂片卵形或长圆形，长0.6～1mm。果爿近球状，直径1～2mm，

四叶葎

通常双生，有小疣点、小鳞片或短钩毛，稀无毛；果柄纤细，常比果实长，长可达 9mm。花期 4 ～ 9 月，果期 5 月至翌年 1 月。

| 生境分布 | 生于海拔 200 ～ 2000m 的山地、丘陵、旷野、田间、沟边的林中、灌丛或草地。重庆各地均有分布。

| 资源情况 | 野生资源丰富。药材主要来源于野生。

| 采收加工 | 夏、秋季采集，鲜用或晒干。

| 功能主治 | 甘、苦，平。清热，利尿，解毒，消肿。用于尿路感染，恶性肿瘤，赤白带下，痢疾，痈肿，跌打损伤，咯血，妇女赤白带下，小儿疳积，痈肿疔毒，毒蛇咬伤。

| 用法用量 | 内服煎汤，15 ～ 30g。外用适量，鲜品捣敷。

茜草科 Rubiaceae 拉拉藤属 Galium

蓬子菜
Galium verum L.

| **药 材 名** | 蓬子菜（药用部位：全草。别名：黄牛衣、铁尺草、月经草）。 |

| **形态特征** | 多年生近直立草本，基部稍木质，高 25 ~ 45cm。茎有 4 角棱，被短柔毛或秕糠状毛。叶纸质，6 ~ 10 轮生，线形，通常长 1.5 ~ 3cm，宽 1 ~ 1.5mm，先端短尖，边缘极反卷，常卷成管状，上面无毛，稍有光泽，下面被短柔毛，稍苍白，干时常变黑色，具 1 脉，无柄。聚伞花序顶生和腋生，较大，多花，通常在枝顶结成带叶的长可达 15cm、宽可达 12cm 的圆锥花序状；总花梗密被短柔毛；花小，稠密；花梗被疏短柔毛或无毛，长 1 ~ 2.5mm；花萼管无毛；花冠黄色，辐状，无毛，直径约 3mm，花冠裂片卵形或长圆形，先端稍钝，长约 1.5mm；花药黄色，花丝长约 0.6mm；花柱长约 0.7mm，顶部 2 裂。果实小，果爿双生，近球状，直径约 2mm，无毛。花期 4 ~ 8 月， |

蓬子菜

果期 5 ~ 10 月。

| **生境分布** | 生于海拔 440 ~ 1400m 的山坡草丛中、路旁林缘、灌丛或草地。分布于重庆南川等地。

| **资源情况** | 野生资源较少。药材来源于野生。

| **采收加工** | 夏、秋季采收，鲜用或晒干。

| **药材性状** | 本品根呈圆柱形，弯曲，主根不明显，支根多条丛生于根茎，长约 15cm，直径 0.2 ~ 0.5cm。表面灰褐色或浅棕褐色，有细皱纹，外皮剥落处显出橙黄色木部。质稍硬，断面类白色或灰黄色，用放大镜观察可见多数小孔，并有同心排列的橙黄色环纹。气微，味淡。

| **功能主治** | 微辛、苦，寒。清热解毒，活血通经，祛风止痒。用于肝炎，腹水，咽喉肿痛，疮疖肿毒，跌打损伤，妇女经闭，带下，毒蛇咬伤，荨麻疹，稻田皮炎。

| **用法用量** | 内服煎汤，10 ~ 15g。外用适量，捣敷；或熬膏涂。

茜草科 Rubiaceae 栀子属 *Gardenia*

栀子
Gardenia jasminoides Ellis

| 药 材 名 | 栀子（药用部位：果实。别名：黄栀子、黄果树、山栀子）、栀子根（药用部位：根、根茎。别名：山里黄根）、栀子花（药用部位：花。别名：野桂花、白蟾花、雀舌花）、栀子叶（药用部位：叶。别名：黄枝叶）。

| 形态特征 | 灌木，高 0.3 ~ 3m。嫩枝常被短毛，枝圆柱形，灰色。叶对生，革质，稀为纸质，少为 3 轮生，叶形多样，通常为长圆状披针形、倒卵状长圆形、倒卵形或椭圆形，长 3 ~ 25cm，宽 1.5 ~ 8cm，先端渐尖、骤然长渐尖或短尖而钝，基部楔形或短尖，两面常无毛，上面亮绿，下面色较暗；侧脉 8 ~ 15 对，在下面凸起，在上面平；叶柄长 0.2 ~ 1cm；托叶膜质。花芳香，通常单朵生于枝顶，花梗长 3 ~ 5mm；花萼管倒圆锥形或卵形，长 8 ~ 25mm，有纵棱，萼檐管形，膨大，顶部 5 ~ 8 裂，通常 6 裂，裂片披针形或线状披针形，

栀子

长 10 ~ 30mm，宽 1 ~ 4mm，结果时增长，宿存；花冠白色或乳黄色，高脚碟状，喉部被疏柔毛，花冠管狭圆筒形，长 3 ~ 5cm，宽 4 ~ 6mm，顶部 5 ~ 8 裂，通常 6 裂，裂片广展，倒卵形或倒卵状长圆形，长 1.5 ~ 4cm，宽 0.6 ~ 2.8cm；花丝极短，花药线形，长 1.5 ~ 2.2cm，伸出；花柱粗厚，长约 4.5cm，柱头纺锤形，伸出，长 1 ~ 1.5cm，宽 3 ~ 7mm，子房直径约 3mm，黄色，平滑。果实卵形、近球形、椭圆形或长圆形，黄色或橙红色，长 1.5 ~ 7cm，直径 1.2 ~ 2cm，有翅状纵棱 5 ~ 9，顶部的宿存萼片长达 4cm，宽达 6mm；种子多数，扁，近圆形而稍有棱角，长约 3.5mm，宽约 3mm。花期 3 ~ 7 月，果期 5 月至翌年 2 月。

| 生境分布 | 生于海拔 100 ~ 1500m 处的旷野、丘陵、山谷、山坡、溪边的灌丛或林中。分布于重庆北碚、南岸、忠县、大足、涪陵、巫山、江津、沙坪坝、潼南、长寿、

永川、合川、梁平、万州、綦江、丰都、云阳、黔江、璧山、铜梁、垫江、酉阳、南川、九龙坡、秀山、武隆、开州、石柱、巫溪、巴南、荣昌等地。

| **资源情况** | 野生资源丰富。药材主要来源于栽培。

| **采收加工** | 栀子：9～11月果实成熟呈红黄色时采收，除去果柄和杂质，蒸至上气或置沸水中略烫，取出，干燥。

栀子根：全年均可采收，洗净，鲜用或切片晒干。

栀子花：6～7月采摘，鲜用或晾干。

栀子叶：春、夏季采收，晒干。

| **药材性状** | 栀子：本品呈长卵圆形或椭圆形，长1.5～3.5cm，直径1～1.5cm。表面红黄色或棕红色，具6条翅状纵棱，棱间常有1条明显的纵脉纹，并有分枝。先端残存萼片，基部稍尖，有残留果梗。果皮薄而脆，略有光泽；内表面色较浅，有光泽，具2～3条隆起的假隔膜。种子多数，扁卵圆形，集结成团，深红色或红黄色，表面密具细小疣状突起。气微，味微酸而苦。

栀子根：本品呈圆柱形，有分枝，多已切成短段，长2～5cm。表面灰黄色或灰褐色，具有瘤状突起的须根痕。质坚硬，断面白色或灰白色，具放射状纹理。气微，味淡。

栀子花：本品为不规则团块或类三角锥形；表面淡棕色或棕色。萼筒卵形或倒卵形，先端5～7裂，裂片线状披针形。花冠旋卷，花冠下部连成筒状，裂片多数，倒卵形至倒披针形。雄蕊6，花丝极短。体轻，质脆，易碎。气芳香，味淡。

| **功能主治** | 栀子：苦，寒。归心、肺、三焦经。清热解毒，泻火，凉血止血，利尿，散瘀。用于热病高热，心烦不眠，实火牙痛，口舌生疮，鼻衄，吐血，目赤红肿，疮疡肿毒，黄疸，痢疾，流行性脑脊髓膜炎，肾炎水肿，尿血。外用于外伤出血，扭挫伤。

栀子根：甘、苦，寒。归肝、胆、胃经。清热利湿，凉血止血。用于黄疸性肝炎，痢疾，胆囊炎，感冒高热，吐血，衄血，尿路感染，肾炎水肿，乳腺炎，风火牙痛，疮痈肿毒，跌打损伤。

栀子花：苦，平。归肺、肝经。清肺止咳，凉血止血。用于肺热咳嗽，鼻衄。

栀子叶：苦、涩，寒。活血消肿，清热解毒。用于跌打损伤，疔毒，痔疮，下疳。

| **用法用量** | 栀子：内服煎汤，6～10g。外用适量，研末调敷。

栀子根：内服煎汤，15～30g。外用适量，捣敷。

栀子花：内服煎汤，6～10g；或焙研吹鼻。

栀子叶：内服煎汤，3～9g。外用适量，捣敷；或煎汤洗。

| **附　注** | 本种喜温暖湿润气候，好阳光但又不能经受强烈阳光照射，适宜生长在疏松、肥沃、排水良好、轻黏性酸性土壤中，抗有害气体能力强，萌芽力强，耐修剪。

茜草科 Rubiaceae 耳草属 Hedyotis

耳草

Hedyotis auricularia L.

耳草

药材名

耳草（药用部位：全草。别名：较剪草、鲫鱼胆草、山过路蜈蚣）。

形态特征

多年生、近直立或平卧的粗壮草本，高30 ~ 100cm。小枝被短硬毛，罕无毛，幼时近方柱形，老时呈圆柱形，通常节上生根。叶对生，近革质，披针形或椭圆形，长3 ~ 8cm，宽1 ~ 2.5cm，先端短尖或渐尖，基部楔形或微下延，上面平滑或粗糙，下面常被粉末状短毛；侧脉每边4 ~ 6，与中脉成锐角斜向上伸；叶柄长2 ~ 7mm或更短；托叶膜质，被毛，合生成1短鞘，顶部5 ~ 7裂，裂片线形或刚毛状。聚伞花序腋生，密集成头状，无总花梗；苞片披针形，微小；花无梗或具长1mm的花梗；花萼管长约1mm，通常被毛，萼檐裂片4，披针形，长1 ~ 1.2mm，被毛；花冠白色，花冠管长1 ~ 1.5mm，外面无毛，里面仅喉部被毛，花冠裂片4，长1.5 ~ 2mm，广展；雄蕊生于冠管喉部，花丝极短，花药突出，长圆形，比花丝稍短；花柱长1mm，被毛，柱头2裂，裂片棒状，被毛。果实球形，直径1.2 ~ 1.5mm，疏被短硬毛或近无毛，成熟时不开裂，宿存萼檐裂片长 0.5 ～ 1mm；种子每室 2 ～ 6，种皮干后黑色，有小窝孔。花期 3 ～ 8 月。

| **生境分布** | 生于林缘或灌丛中，有时亦见于草地上。分布于重庆武隆等地。

| **资源情况** | 野生资源稀少。药材主要来源于野生。

| **采收加工** | 夏季采收，鲜用或晒干。

| **药材性状** | 本品长 25 ～ 50（～ 100）cm。根粗壮，坚硬。茎圆柱形，直径约 3mm，小枝稍具 4 棱，密被短毛，节稍膨大，有须根。叶对生，黄绿色，薄革质，微向内卷，展平后呈卵形或椭圆状披针形，长 3 ～ 6cm，宽约 1.5cm，先端渐尖，基部楔形，全缘，上面稍粗糙，下面被柔毛，脉凸出，侧脉 3 ～ 6 条；托叶 2，合生成 1 短鞘，先端裂成 5 ～ 7 条刚毛状刺，膜质，被柔毛。叶腋间常残留聚伞花序或小果。气微，味极苦。以叶多、色黄绿、具花果者为佳。

| **功能主治** | 苦，凉。清热解毒，凉血消肿。用于感冒发热，肺热咳嗽，咽喉肿痛，便血，痢疾，小儿疳积，小儿惊风，湿疹，皮肤瘙痒，痈疮肿毒，蛇咬伤，跌打损伤。

| **用法用量** | 内服煎汤，10 ～ 15g。外用适量，捣敷；或煎汤洗。

金毛耳草
Hedyotis chrysotricha (Palib.) Merr.

药 材 名	金毛耳草（药用部位：全草。别名：助锁、蜈蚣草、上山旗）。
形态特征	多年生披散草本，高约 30cm。基部木质，被金黄色硬毛。叶对生，具短柄，薄纸质，阔披针形、椭圆形或卵形，长 20～28mm，宽 10～12mm，先端短尖或凸尖，基部楔形或阔楔形，上面疏被短硬毛，下面被浓密黄色绒毛，脉上被毛更密；侧脉每边 2～3，极纤细，仅在下面明显；叶柄长 1～3mm；托叶短合生，上部长渐尖，边缘具疏小齿，被疏柔毛。聚伞花序腋生，有花 1～3，被金黄色疏柔毛，近无梗；花萼被柔毛，花萼管近球形，长约 13mm，萼檐裂片披针形，比管长；花冠白色或紫色，漏斗形，长 5～6mm，外面被疏柔毛或近无毛，里面有髯毛，上部深裂，裂片线状长圆形，先端渐尖，与花冠管等长或略短；雄蕊内藏，花丝极短或缺；花柱中部

金毛耳草

有髯毛，柱头棒形，2裂。果实近球形，直径约2mm，被扩展硬毛，宿存萼檐裂片长1～1.5mm，成熟时不开裂，内有种子数粒。花期几乎全年。

| **生境分布** | 生于山谷杂木林下或山坡灌丛中。分布于重庆彭水等地。

| **资源情况** | 野生资源一般。药材来源于野生。

| **采收加工** | 除去杂质，洗净，切段，干燥。

| **功能主治** | 微苦，平。清热除湿，消肿解毒，舒筋活血。用于湿热黄疸，水肿，乳糜尿，痢疾，腹泻，跌打损伤，无名肿毒，乳腺炎。

| **用法用量** | 内服煎汤，50～160g。外用适量。

茜草科 Rubiaceae 耳草属 Hedyotis

白花蛇舌草
Hedyotis diffusa Willd.

| 药 材 名 | 白花蛇舌草（药用部位：全草。别名：令灵俄、蛇舌草、羊须草）。

| 形态特征 | 一年生无毛纤细披散草本，高 20 ~ 50cm。茎稍扁，从基部开始分枝。叶对生，无柄，膜质，线形，长 1 ~ 3cm，宽 1 ~ 3mm，先端短尖，边缘干后常背卷，上面光滑，下面有时粗糙；中脉在上面下陷，侧脉不明显；托叶长 1 ~ 2mm，基部合生，顶部芒尖。花 4 基数，单生或双生于叶腋；花梗略粗壮，长 2 ~ 5mm，罕无梗或偶有长达 10mm 的花梗；花萼管球形，长 1.5mm，萼檐裂片长圆状披针形，长 1.5 ~ 2mm，顶部渐尖，具缘毛；花冠白色，管形，长 3.5 ~ 4mm，花冠管长 1.5 ~ 2mm，喉部无毛，花冠裂片卵状长圆形，长约 2mm，先端钝；雄蕊生于花冠管喉部，花丝长 0.8 ~ 1mm，花药突出，长圆形，与花丝等长或略长；花柱长 2 ~ 3mm，柱头 2 裂，

白花蛇舌草

裂片广展，有乳头状凸点。蒴果膜质，扁球形，直径 2 ~ 2.5mm，宿存萼檐裂片长 1.5 ~ 2mm，成熟时顶部室背开裂；种子每室约 10，具棱，干后深褐色，有深而粗的窝孔。花期春季。

| **生境分布** | 生于水田、田埂或湿润的旷地。分布于重庆南川、荣昌、万州、秀山、江津、奉节等地。

| **资源情况** | 野生资源一般。药材主要来源于栽培。

| **采收加工** | 夏、秋季采收，除去杂质，晒干。

| **药材性状** | 本品常缠结成团，灰绿色或灰褐色。主根单一，须根多。茎纤细，有分枝，圆柱形或类方形，具纵棱；质脆，易折断，断面中部有白色髓。叶对生，无柄，多卷缩，完整者展平后呈条形或线状披针形，先端渐尖，边缘略反卷；托叶长 1 ~ 2mm。花偶见，细小，单生或对生于叶腋，具短柄。蒴果扁球形，两侧均有 1 条纵沟，花萼宿存，先端 4 齿裂。气微，味微苦。

| **功能主治** | 甘、淡，寒。归肝、肾、大肠经。清热解毒，利湿，消痈，抗癌。用于恶性肿瘤，肠痈，风湿病，关节炎，阑尾炎，咽喉肿痛，湿热黄疸，小便不利。

| **用法用量** | 内服煎汤，15 ~ 60g。外用适量，捣敷患处。

茜草科 Rubiaceae 耳草属 Hedyotis

纤花耳草
Hedyotis tenelliflora Blume

| 药 材 名 | 纤花耳草（药用部位：全草。别名：白花蛇觅、鸡口舌、虾子草）。

| 形态特征 | 柔弱披散多分枝草本，高 15 ~ 40cm，全株无毛。枝的上部方柱形，有 4 锐棱，下部圆柱形。叶对生，无柄，薄革质，线形或线状披针形，长 2 ~ 5cm，宽 2 ~ 4mm，先端短尖或渐尖，基部楔形，微下延，边缘干后反卷，上面变黑色，密被圆形、透明的小鳞片，下面光滑，颜色较淡；中脉在上面压入，侧脉不明显；托叶长 3 ~ 6mm，基部合生，略被毛，顶部撕裂，裂片刚毛状。花无梗，1 ~ 3 簇生于叶腋内，有针形、长约 1mm、边缘有小齿的苞片；花萼管倒卵状，长约 1mm，萼檐裂片 4，线状披针形，长约 1.8mm，具缘毛；花冠白色，漏斗形，长 3 ~ 3.5mm，花冠管长约 2mm，裂片长圆形，长 1 ~ 1.5mm，先端钝；雄蕊着生于花冠管喉部，花丝长约 1.5mm，花药伸出，长

纤花耳草

圆形，两端钝，比花丝略短；花柱长约 4mm，柱头 2 裂，裂片极短。蒴果卵形或近球形，长 2 ~ 2.5mm，直径 1.5 ~ 2mm，宿存萼檐裂片仅长 1mm，成熟时仅顶部开裂；种子每室多数，微小。花期 4 ~ 11 月。

| **生境分布** | 生于山谷两旁坡地或田埂上。分布于重庆巫山、奉节、南川、黔江、璧山、云阳、武隆、北碚、开州、南岸、九龙坡等地。

| **资源情况** | 野生资源稀少。药材主要来源于野生。

| **采收加工** | 夏、秋季采集，洗净，晒干或鲜用。

| **药材性状** | 本品多缠绕成团状，黑褐色。茎多分枝，上部锐四棱形。叶对生，条形至条状披针形，长 2 ~ 4cm，先端渐尖，上表面黑褐色，下表面色较淡；托叶顶部分裂成数条刚毛状刺。花 4 基数，无花梗，1 ~ 3 朵簇生于叶腋，有苞片 2，萼筒倒卵形；花冠白色，漏斗状，裂片长圆形；雄蕊着生于花冠管喉部。蒴果卵形，长 2 ~ 2.5mm，先端开裂，具宿萼。气微，味淡。

| **功能主治** | 清热解毒，消肿止痛，行气活血。用于恶性肿瘤，慢性肝炎，肺痨咳嗽，肝硬化腹水，肠痛，痢疾，小儿疝气，经闭，风湿关节痛，风火牙痛，跌打损伤，毒蛇咬伤，刀伤出血。

| **用法用量** | 内服煎汤，15 ~ 30g。外用适量，捣敷。

茜草科 Rubiaceae 粗叶木属 Lasianthus

日本粗叶木
Lasianthus japonicus Miq.

| 药 材 名 | 日本粗叶木（药用部位：根）。

| 形态特征 | 灌木。枝和小枝无毛或嫩部被柔毛。叶近革质或纸质，长圆形或披针状长圆形，长 9 ~ 15cm，宽 2 ~ 3.5cm，先端骤尖或骤然渐尖，基部短尖，上面无毛或近无毛，下面脉上被贴伏的硬毛；侧脉每边 5 ~ 6，小脉网状，罕近平行；叶柄长 7 ~ 10mm，被柔毛或近无毛；托叶小，被硬毛。花无梗，常 2 ~ 3 簇生在 1 腋生、很短的总梗上，有时无总梗；苞片小；花萼钟状，长 2 ~ 3mm，被柔毛，萼齿三角形，短于花萼管；花冠白色，管状漏斗形，长 8 ~ 10mm，外面无毛，里面被长柔毛，裂片 5，近卵形。核果球形，直径约 5mm，内含 5 分核。

日本粗叶木

| 生境分布 | 生于海拔 200 ～ 1850m 的山地林下。分布于重庆南川、江津、奉节、巴南、北碚等地。 |

| 资源情况 | 野生资源较少。药材主要来源于野生。 |

| 采收加工 | 夏、秋季采根，洗净，切片晒干。 |

| 功能主治 | 辛、微甘，温。祛风除湿，活血止痛。用于风湿关节痛，腰肌劳损，跌打损伤。 |

| 用法用量 | 内服煎汤，适量。 |

云广粗叶木 *Lasianthus longicaudus* Hook. f.

| **药 材 名** | 云广粗叶木（药用部位：根皮。别名：长尾鸡屎树）。

| **形态特征** | 灌木，高 1 ~ 2m，有时可达 3m。小枝纤细，圆柱状，干时微有光泽，无毛。叶薄纸质或纸质，线状披针形至披针形，长 5 ~ 12cm，宽 1 ~ 2.5cm，很少达 3cm，先端长渐尖，尖头纤长，可占叶长的 1/4 ~ 1/3，基部短尖或钝，两面无毛，干时上面黄绿色或绿灰色，稍有光泽；中脉在下面凸起，侧脉每边 5 ~ 8（~ 10），通常很纤细，与横行小脉几不能区分，常成直角叉分，很少略成弧状；叶柄长 0.5 ~ 1cm，通常被疏毛；托叶很小，近三角形，长不及 1mm，早落。花具短梗或近无梗，常数朵簇生于 1 腋生、粗短的总梗上；苞片微小，被硬毛；花萼倒圆锥状或上部明显扩大呈杯状，花萼管长 2.5 ~ 3mm，上部疏被多细胞长硬毛，裂片 4，阔三角形，长约

云广粗叶木

1mm，宽约 1.8mm，疏被长硬毛；花冠白色（或带紫色），管状漏斗形，外面无毛或芽时顶部疏被硬毛，花冠管长 9 ~ 10mm，里面被长柔毛，裂片阔卵形，长 3 ~ 3.5mm，密被白色缘毛；雄蕊 4，生于花冠管喉部，花丝极短，花药披针状线形，长约 2.5mm，稍露出；子房 4 室，花柱长约 8mm，疏被短硬毛，柱头 4，长约 0.5mm。核果卵球形，长 6 ~ 7mm，除宿萼外无毛，成熟时蓝色，顶部冠以宿存杯状萼檐及 4 裂片，含 4 分核。花期春、夏季之间，果期秋、冬季之间。

| **生境分布** | 生于海拔 1000 ~ 2000m 的密林中。分布于重庆秀山、武隆、南川等地。

| **资源情况** | 野生资源稀少。药材主要来源于野生。

| **采收加工** | 夏、秋季采根，洗净，鲜用或切片晒干。

| **功能主治** | 清热解毒，消炎止痒。用于肝炎，水肿。外用于皮肤瘙痒，湿疹。

| **用法用量** | 内服煎汤，适量。外用适量，捣敷，或煎汤洗。

| **附　　注** | 在 FOC 中，本种的拉丁学名被修订为 *Lasianthus japonicus* subsp. *longicaudus* (J. D. Hooker) C. Y. Wu et H. Zhu。

茜草科 Rubiaceae 巴戟天属 Morinda

羊角藤

Morinda umbellata L. subsp. *obovata* Y. Z. Ruan

| 药 材 名 | 羊角藤（药用部位：根皮、根。别名：巴戟、白面麻、三角藤）、羊角藤叶（药用部位：叶）。

| 形态特征 | 藤本，攀缘或缠绕，有时呈披散灌木状。嫩枝无毛，绿色，老枝具细棱，蓝黑色。叶纸质或革质，倒卵形、倒卵状披针形或倒卵状长圆形，长6～9cm，宽2～3.5cm，先端急尖或短渐尖，基部楔形，侧脉每边4～5，斜升；叶柄长4～6mm；托叶膜质，长2～5mm。花序顶生，伞形花序式排列，通常由6小头状花序组成，每个小头状花序直径6～8mm，有花6～12；总花梗长5～12mm；花萼筒半球形，长0.8～1mm，先端平截或不明显齿裂；花冠白色，4裂，几达基部，裂片狭长圆形，长3～3.2mm，先端稍钝而内弯；雄蕊4。果实近球形或扁球形，直径7～12mm，熟时红色，有槽纹。花期6～7

羊角藤

月，果熟期 10 ~ 11 月。

| **生境分布** | 生于海拔 300 ~ 1200m 的山地林下、溪旁、路旁等疏阴或密阴的灌木中。分布于重庆丰都、垫江、巫山、奉节、涪陵、南川、綦江、江津等地。

| **资源情况** | 野生资源稀少。药材主要来源于野生。

| **采收加工** | 羊角藤：全年均可采收，洗净，切片或段，干燥。
羊角藤叶：夏、秋季采摘，鲜用。

| **药材性状** | 羊角藤：本品根皮呈不规则片状、槽状或卷筒状；外表面灰褐色或灰棕色，具不规则皱纹或较粗的纵皱纹，具少数横缢纹，有的皮部断裂而露出粗糙木部，形成长短不等的节。根多呈圆柱形，长短不等，直径 0.8 ~ 2cm；质坚硬，柴性，易折断，断面呈颗粒状，皮部较薄，内表面浅灰紫色，木部粗而脆，直径 0.5 ~ 1.4cm，占根部直径的 60% ~ 70%。无臭，味淡、微甜。

| **功能主治** | 羊角藤：甘，凉。祛风除湿，散瘀止痛，补肾壮阳。用于风湿痹痛，跌打损伤，腰肌劳损，阳痿早泄。
羊角藤叶：甘，凉。解毒，止血。用于蛇咬伤，创伤出血。

| **用法用量** | 羊角藤：内服煎汤，15 ~ 30g。外用适量，煎汤洗。
羊角藤叶：外用适量，鲜品捣敷。

| **附　　注** | 本种药材为巴戟天 *Morinda officinalis* How 的常见混伪品，两者在显微鉴别、化学成分、功能主治等方面均有很大的差别，因此，本种药材不能作正品巴戟天用。

茜草科 Rubiaceae 玉叶金花属 *Mussaenda*

展枝玉叶金花 *Mussaenda divaricata* Hutchins.

| 药 材 名 | 白常山（药用部位：根）、山甘草（药用部位：茎叶。别名：白蝴蝶、白茶、凉藤）。

| 形态特征 | 直立攀缘灌木。小枝被稀疏的短柔毛，后近无毛。叶对生，薄纸质或近膜质，椭圆形或卵状椭圆形，长 7～12cm，宽 5～7cm，先端骤渐尖，基部楔形或短尖，上面淡绿色，下面浅灰色，两面被极稀疏的短柔毛，脉上毛较密；侧脉 9～11 对，向上弧曲，两面均明显，细脉稠密，近平行；叶柄长 0.5～1cm，被粗毛；托叶三角状，深 2 裂，长 7mm，裂片钻形，渐尖，被稀疏的硬毛。聚伞花序具疏花；花萼管陀螺形，疏被硬毛，长 2.5～3mm，花萼裂片钻形，短尖，长 4.5～5mm，被短柔毛；花叶广椭圆形或卵圆形，长 4～6cm，宽 3～5cm，先端短渐尖，基部楔形，两面仅在脉上被微柔毛，通

展枝玉叶金花

常有纵脉 7，柄长 2.5cm；花冠黄色，外面被较密的短柔毛，内面的上部密被黄色棒状毛，花冠管长 2 ~ 2.5cm，向上部膨大，花冠裂片卵形，短尖，长 3.5mm，内面有密生的黄色小疣突；花药长 5mm，内藏；花柱极短，长 3mm，无毛，柱头 2 裂。浆果椭圆形，外面被稀疏的毛，有细纵条纹，长 1 ~ 1.2cm，直径 4 ~ 6mm；果柄长 6mm，密被毛。花期 6 ~ 9 月。

| 生境分布 | 生于沿河灌丛及田野中。分布于重庆綦江、大足、彭水、潼南、奉节、秀山、永川、黔江、璧山、丰都、北碚、南川、合川等地。

| 资源情况 | 野生资源一般。药材主要来源于野生。

| 采收加工 | 白常山：8 ~ 10 月采挖，晒干。
山甘草：夏季采收，晒干。

| 药材性状 | 白常山：本品主根多粗直而长，或作不规则弯曲，直径 6 ~ 20mm；侧根多数，并有无数细根。表面灰棕色，具不规则纵横裂纹。质坚硬，不易折断，断面黄白色或淡黄色，皮部厚，鲜时易剥离，内面光滑，富有黏质。外形极似常山，但断面为白心，故称"白常山"。气微，味淡。

山甘草：本品茎圆柱形，直径 3 ~ 7mm。表面棕色或棕褐色，具细纵皱纹、点状皮孔及叶痕。质坚硬，不易折断，断面黄白色或淡黄绿色，髓部明显，白色。气微，味淡。

| 功能主治 | 白常山：寒，苦；有毒。解热抗疟。用于疟疾。

山甘草：甘、微苦，凉。清热利湿，解毒消肿。用于感冒，中暑发热，咳嗽，咽喉肿痛，泄泻，痢疾，肾炎水肿，小便不利，疮疡脓肿，毒蛇咬伤。

| 用法用量 | 白常山：内服煎汤，6 ~ 10g。
山甘草：内服煎汤，10 ~ 30g，鲜品 30 ~ 60g；或捣汁。外用适量，捣敷。

茜草科 Rubiaceae 玉叶金花属 Mussaenda

黐花 *Mussaenda esquirolii* Lévl.

| **药 材 名** | 大叶白纸扇（药用部位：茎叶、根。别名：黐花、大叶靛青、山膏药）。

| **形态特征** | 直立或攀缘灌木，高 1 ~ 3m。嫩枝密被短柔毛。叶对生，薄纸质，广卵形或广椭圆形，长 10 ~ 20cm，宽 5 ~ 10cm，先端骤渐尖或短尖，基部楔形或圆形，上面淡绿色，下面浅灰色，幼嫩时两面被稀疏贴伏毛，脉上毛较稠密，老时两面均无毛；侧脉 9 对，向上拱曲；叶柄长 1.5 ~ 3.5cm，被毛；托叶卵状披针形，常 2 深裂或浅裂，短尖，长 8 ~ 10mm，外面疏被贴伏短柔毛。聚伞花序顶生，有花序梗，花疏散；苞片托叶状，较小，小苞片线状披针形，渐尖，长 5 ~ 10mm，被短柔毛；花梗长约 2mm；花萼管陀螺形，长约 4mm，被贴伏的短柔毛，花萼裂片近叶状，白色，披针形，长渐尖或短尖，长达

黐花

1cm，宽 2 ~ 2.5mm，外面被短柔毛；花叶倒卵形，短渐尖，长 3 ~ 4cm，近无毛，柄长 5mm；花冠黄色，花冠管长 1.4cm，上部略膨大，外面密被贴伏短柔毛，膨大部内面密被棒状毛，花冠裂片卵形，有短尖头，长 2mm，基部宽 3mm，外面被短柔毛，内面密被黄色小疣突；雄蕊着生于花冠管中部，花药内藏；花柱无毛，柱头 2 裂，略伸出花冠外。浆果近球形，直径约 1cm。花期 5 ~ 7 月，果期 7 ~ 10 月。

| **生境分布** | 生于海拔约 400m 的山地疏林下或路边。分布于重庆巫山、奉节、云阳、秀山、黔江、南川、綦江、江津等地。

| **资源情况** | 野生资源一般。药材主要来源于野生。

| **采收加工** | 夏季采集茎叶，全年均可采挖根，切碎，晒干或鲜用。

| **功能主治** | 苦、微甘，凉。清热解毒，解暑利湿。用于感冒，中暑高热，咽喉肿痛，痢疾，泄泻，小便不利，无名肿痛，毒蛇咬伤。

| **用法用量** | 内服煎汤，10 ~ 30g。外用适量，捣敷。

| **附　　注** | 在 FOC 中，本种被修订为大叶白纸扇 *Mussaenda shikokiana* Makino。

茜草科 Rubiaceae 玉叶金花属 Mussaenda

玉叶金花 *Mussaenda pubescens* Ait. f. Hort. Kew. ed.

| 药 材 名 | 玉叶金花（药用部位：茎、根。别名：白蝴蝶、白茶、凉藤）。

| 形态特征 | 攀缘灌木。嫩枝被贴伏短柔毛。叶对生或轮生，膜质或薄纸质，卵状长圆形或卵状披针形，长 5 ~ 8cm，宽 2 ~ 2.5cm，先端渐尖，基部楔形，上面近无毛或疏被毛，下面密被短柔毛；叶柄长 3 ~ 8mm，被柔毛；托叶三角形，长 5 ~ 7mm，深 2 裂，裂片钻形，长 4 ~ 6mm。聚伞花序顶生，密花；苞片线形，被硬毛，长约 4mm；花梗极短或无梗；花萼管陀螺形，长 3 ~ 4mm，被柔毛，花萼裂片线形，通常比花萼管长 2 倍以上，基部密被柔毛，向上毛渐稀疏；花叶阔椭圆形，长 2.5 ~ 5cm，宽 2 ~ 3.5cm，有纵脉 5 ~ 7，先端钝或短尖，基部狭窄，柄长 1 ~ 2.8cm，两面被柔毛；花冠黄色，花冠管长约 2cm，外面被贴伏短柔毛，内面喉部密被棒形毛，花冠裂片长圆状

玉叶金花

披针形，长约 4mm，渐尖，内面密生金黄色小疣突；花柱短，内藏。浆果近球形，长 8～10mm，直径 6～7.5mm，疏被柔毛，顶部有萼檐脱落后的环状疤痕，干时黑色，果柄长 4～5mm，疏被毛。花期 6～7 月。

| 生境分布 | 生于灌丛、溪谷、山坡或村旁。分布于重庆江津、长寿、云阳、酉阳、涪陵、璧山、巫溪、忠县、黔江、武隆、垫江、铜梁等地。

| 资源情况 | 野生资源一般。药材主要来源于野生。

| 采收加工 | 全年均可采收，洗净，切段，晒干。

| 药材性状 | 本品根呈圆柱形，直径 6～20mm；表面红棕色或淡绿色；具细侧根，长 3～12cm，直径 1～3mm；质坚硬，不易折断，断面黄白色或淡黄色。茎呈圆柱形，直径 3～10mm；表面棕色或棕褐色，具细纵皱纹、点状皮孔及叶柄痕；质坚硬，不易折断，断面黄白色或淡黄绿色，髓部明显，白色。气微，味淡。

| 功能主治 | 甘、微苦，凉。归肝、脾经。清热解毒，利湿消肿。用于感冒，中暑，肠炎，肾炎水肿，咽喉肿痛，支气管炎。

| 用法用量 | 内服煎汤，15～30g。外用适量。

| 附　注 | 本种适应性强，耐阴，生长速度快，萌芽力强，极耐修剪，在较贫瘠的土壤及阳光充足或半阴湿环境中都能生长。

密脉木 *Myrioneuron fabri* Hemsl.

| 药 材 名 | 密脉木（药用部位：全草）。

| 形态特征 | 高大草本或灌木状，高20～100cm。老茎粗壮，有松软、灰白色的树皮，嫩部干时黑色，被柔毛。叶常聚于小枝上部，纸质，倒卵形或长圆状倒卵形，长通常10～15cm，很少达20cm，宽5～7cm，有时达8.5cm，先端骤尖或短尖，基部楔形或钝，全缘或边缘微波状，干时灰绿色，下面较苍白，上面无毛，下面脉上被极短的柔毛；中脉下面凸起，侧脉每边9～13，侧脉间常有1～2较短的次要侧脉，均纤细，下面凸起；叶柄长通常1cm左右，很少达2cm，被柔毛；托叶披针状长圆形，很少近卵形，长8～12mm，有时达15mm，无毛或被柔毛，有很密的直出脉状条纹。花序顶生，密集成球状，总梗长1cm或稍短；苞片叶状，卵形或披针形，长1～2cm，渐尖，全缘或边缘有少数粗齿，

密脉木

有条纹状脉纹，被柔毛；花萼管球状至倒圆锥状，长 1.8 ~ 2mm，裂片钻形，长 8 ~ 9mm，锐尖；花冠黄色，管状，长约 1.3cm，外面近无毛，内面被长柔毛，裂片近三角形，长 1.8 ~ 2mm，反折；雄蕊 5，长柱花的着生于冠管近基部，内藏，短柱花的着生于喉部，稍伸出；花柱深 2 裂，长柱花的稍伸出，短柱花的内藏。果实近球形，直径约 3.5mm，成熟时由黄绿色变白色，无毛，宿存萼片 5（偶有 4），狭披针形，长达 10mm。花期夏季。

| 生境分布 | 生于海拔 660 ~ 920m 的林中、沟边阴湿处。分布于重庆彭水、北碚、涪陵、武隆、黔江、酉阳、南川、巴南、綦江、大足、江津、铜梁、开州等地。

| 资源情况 | 野生资源较丰富。药材主要来源于野生。

| 采收加工 | 秋季采收，切段晒干。

| 功能主治 | 祛风除湿，解毒消肿。

| 用法用量 | 内服煎汤，适量。

茜草科 Rubiaceae 新耳草属 Neanotis

薄叶新耳草
Neanotis hirsuta (L. f.) Lewis

| 药 材 名 | 薄叶新耳草（药用部位：全草）。

| 形态特征 | 匍匐草本。下部常生不定根。茎柔弱，具纵棱。叶卵形或椭圆形，长 2 ~ 4cm，宽 1 ~ 1.5cm，先端短尖，基部下延至叶柄，两面被毛或近无毛；叶柄长 4 ~ 5mm；托叶膜质，基部合生，宽而短，顶部分裂成刺毛状。花序腋生或顶生，有花 1 至数朵，常聚集成头状，有长 5 ~ 10mm、纤细、不分枝的总花梗；花白色或浅紫色，近无梗或具极短的花梗；花萼管管状，萼檐裂片线状披针形，先端外反，比花萼管略长；花冠漏斗形，长 4 ~ 5mm，裂片阔披针形，先端短尖，比花冠管短；花柱略伸出，柱头 2 浅裂。蒴果扁球形，直径 2 ~ 2.5mm，顶部平，宿存萼檐裂片长约 1.2mm；种子微小，平凸，有小窝孔。花果期 7 ~ 10 月。

薄叶新耳草

| **生境分布** | 生于林下或溪旁湿地上。分布于重庆石柱、南川、江津、北碚等地。

| **资源情况** | 野生资源稀少。药材主要来源于野生。

| **采收加工** | 夏、秋季采挖，洗净，切片晒干或鲜用。

| **功能主治** | 辛，凉。清肝泻火，解毒。用于目赤红肿，无名肿毒，毒蛇咬伤。

| **用法用量** | 内服煎汤，适量。

茜草科 Rubiaceae 蛇根草属 Ophiorrhiza

日本蛇根草 *Ophiorrhiza japonica* Bl.

| **药 材 名** | 蛇根草（药用部位：全草。别名：散血草、岩泽兰、天青地红）。

| **形态特征** | 草本，高20～40cm或更高。茎下部匍地生根，上部直立，近圆柱状，上部干时稍压扁，有2列柔毛。叶片纸质，卵形，椭圆状卵形或披针形，有时狭披针形，长通常4～8cm，有时可达10cm或稍过之，宽1～3cm，先端渐尖或短渐尖，基部楔形或近圆钝，干时上面淡绿色，下面变红色，有时两面变红色，亦有两面变绿黄色，通常两面光滑无毛，有时上面散生短糙毛，下面中脉和侧脉上被柔毛；中脉在上面近平坦，下面压扁，侧脉每边6～8，纤细，弧状上升，末端近叶缘分枝消失，上面不很明显，下面微凸起；叶柄压扁，长通常1～2cm，有时可达3cm或过之，无毛或被柔毛；托叶脱落，未见。花序顶生，有花多朵，总梗长通常1～2cm，多少被柔毛，分枝通常短，螺状；

日本蛇根草

花二型，花柱异长。长柱花花梗长 1 ～ 2mm，常被短柔毛；小苞片披针状线形或线形，长 4 ～ 6mm，渐尖，近无毛或被稀疏缘毛；花萼近无毛或被短柔毛，花萼管近陀螺状，长约 1.3mm，宽约 1.4mm，有 5 棱，裂片三角形或近披针形，长 0.7 ～ 1.2mm；花冠白色或粉红色，近漏斗形，外面无毛，花冠管长 1 ～ 1.3cm，喉部扩大，里面被短柔毛，裂片 5，三角状卵形，长 2.5 ～ 3mm，先端内弯，喙状，里面被鳞片状毛，背面有翅，翅的顶部向上延伸成新月形；雄蕊 5，着生于冠管中部之下，花丝无毛，长 2 ～ 2.5mm，花药线形，长 2.5 ～ 3mm；花柱长 9 ～ 11mm，被疏柔毛，柱头 2 裂，裂片近圆形或阔卵形，长约 1mm，不伸出。短柱花花萼和花冠同长柱花；雄蕊生喉部下方，花丝长 2 ～ 2.5mm，花药长 2.5mm，不伸出；花柱长约 3mm，柱头裂片披针形，长约 3mm。蒴果近僧帽状，长 3 ～ 4mm，宽 7 ～ 9mm，近无毛。花期冬、春季，果期春、夏季。

| **生境分布** | 生于常绿阔叶林下的沟谷。分布于重庆涪陵、江津、城口、丰都、北碚、开州、巫山、奉节、南川、綦江等地。

| **资源情况** | 野生资源一般。药材主要来源于野生。

| **采收加工** | 夏、秋季采收，晒干或鲜用。

| **药材性状** | 本品皱缩成团，呈紫绿色至紫红色。茎下部圆柱形，嫩茎具棱，茎下部节上有不定根。叶对生，多皱缩破碎，完整者展平后呈椭圆形或圆形，先端急尖，基部广楔形，全缘；叶柄长 1 ～ 3cm。聚伞花序着生于茎梢。气微，味淡。

| **功能主治** | 淡，平。止咳祛痰，活血调经。用于气血不足，肺痨咯血，劳伤吐血，咳嗽痰喘，气管炎，大便下血，月经不调。外用于扭挫伤。

| **用法用量** | 内服煎汤，15 ～ 30g；外用适量，捣敷患处。

茜草科 Rubiaceae 鸡矢藤属 Paederia

鸡矢藤 *Paederia scandens* (Lour.) Merr.

| 药 材 名 | 鸡矢藤（药用部位：地上部分。别名：鸡屎藤、牛皮冻、解暑藤）、鸡屎藤果（药用部位：果实）。

| 形态特征 | 藤本。茎长 3 ~ 5m，无毛或近无毛。叶对生，纸质或近革质，形状变化很大，卵形、卵状长圆形至披针形，长 5 ~ 9（~ 15）cm，宽 1 ~ 4（~ 6）cm，先端急尖或渐尖，基部楔形或近圆形或截平，有时浅心形，两面无毛或近无毛，有时下面脉腋内有束毛；侧脉每边 4 ~ 6，纤细；叶柄长 1.5 ~ 7cm；托叶长 3 ~ 5mm，无毛。圆锥花序式的聚伞花序腋生和顶生，扩展，分枝对生，末次分枝上着生的花常呈蝎尾状排列；小苞片披针形，长约 2mm；花具短梗或无；花萼管陀螺形，长 1 ~ 1.2mm，萼檐裂片 5，裂片三角形，长 0.8 ~ 1mm；花冠浅紫色，花冠管长 7 ~ 10mm，外面被粉末状柔毛，里面被绒毛，顶部 5 裂，

鸡矢藤

裂片长 1 ~ 2mm，先端急尖而直，花药背着，花丝长短不齐。果实球形，成熟时近黄色，有光泽，平滑，直径 5 ~ 7mm，顶冠有宿存的萼檐裂片和花盘；小坚果无翅，浅黑色。花期 5 ~ 7 月。

| **生境分布** | 生于海拔 200 ~ 2000m 的山坡、林中、林缘、沟谷边灌丛中或缠绕在灌木上。重庆各地均有分布。

| **资源情况** | 野生资源丰富。药材主要来源于野生。

| **采收加工** | 鸡矢藤：夏、秋季采割，阴干。
鸡矢藤果：9 ~ 10 月采摘，鲜用或晒干。

| **药材性状** | 鸡矢藤：本品茎呈扁圆柱形，直径 2 ~ 5mm；老茎灰白色，无毛，有纵皱纹或横裂纹，嫩茎黑褐色，被柔毛；质韧，不易折断，断面纤维性，灰白色或浅绿色。叶多卷缩或破碎，两面无毛或仅下面疏被短毛，主脉明显。气特异，味甘、涩。

| **功能主治** | 鸡矢藤：甘，涩，平。归脾、胃、肝、肺经。除湿，消食，止痛，解毒。用于消化不良，胆绞痛，脘腹疼痛。外用于湿疹，疮疡肿毒。
鸡矢藤果：解毒生肌。用于毒虫蜇伤，冻疮。

| **用法用量** | 鸡矢藤：内服煎汤，30 ~ 60g；外用适量。
鸡矢藤果：外用适量，捣敷。

| **附 注** | 在 FOC 中，本种的拉丁学名被修订为 *Paederia foetida* L.。

茜草科 Rubiaceae **鸡矢藤属** *Paederia*

狭叶鸡矢藤 *Paederia stenophylla* Merr.

狭叶鸡矢藤

| 药 材 名 |

狭叶鸡矢藤（药用部位：全草或根）。

| 形态特征 |

藤状灌木，无毛。茎圆柱形，鲜时微带紫色，直径约 2mm。叶纸质，狭披针形，长8 ~ 12cm，宽 7 ~ 13mm，两侧近相等，先端柔弱渐尖，基部楔尖，干后两面灰白色；侧脉每边 4，上举远离，在叶片上面下陷，在下面隆起；叶柄长 1cm；托叶阔三角状卵形。圆锥花序腋生，长约 4cm，无毛或被疏柔毛，第 1 次分枝少，略扩展，长约 2cm。果实球形，有光泽，直径 5 ~ 6mm。花未见。果期 11 ~ 12 月。

| 生境分布 |

生于海拔 450 ~ 1300m 的石砾山坡上。分布于重庆巫山、酉阳、南川、涪陵、丰都、武隆、垫江、巫溪、北碚、万州等地。

| 资源情况 |

野生资源稀少。药材来源于野生。

| 采收加工 |

夏、秋季采集全草，晒干。秋季挖根，洗净，晒干或鲜用。

| 功能主治 | 祛风利湿，消食化积，止咳止痛。

| 附　　注 | 在 FOC 中，本种的拉丁学名被修订为 *Paederia foetida* L.。

茜草科 Rubiaceae 鸡矢藤属 *Paederia*

云南鸡矢藤 *Paederia yunnanensis* (Lévl.) Rehd.

药 材 名	毛叶黄药（药用部位：根。别名：狗屁藤、臭屁藤、白鸡屎藤）。
形态特征	藤状灌木，长 3 ~ 7m，中部直径 2 ~ 3mm。枝圆柱形，鲜时灰黄色或深褐色，被绒毛或短粗毛。叶对生，近膜质，卵状心形，长 6 ~ 10cm，宽 3.5 ~ 6cm，先端短尖或尾尖，基部心形，上面被柔毛，下面密被绒毛，罕有两面均被微柔毛；侧脉每边 6 ~ 8，柔弱，在叶两面均凸起，小脉不明显；叶柄长 2.5 ~ 5cm，纤细，被绒毛；托叶膜质，披针状三角形，长 7 ~ 10mm，被微柔毛。圆锥花序腋生或生于顶部的侧枝上，狭窄，延伸，柔弱，长 6 ~ 12cm，被柔毛，无叶或罕有叶；苞片托叶状；花蕾长圆形，长 2 ~ 3mm，密被短柔毛，花具短梗，常密集生于花序分枝上形成头状，宽约 2cm；花萼管倒卵形，被粗毛，萼檐裂片 5，长圆状披针形，长约 1mm，被粗毛，

云南鸡矢藤

扩展；花冠管管状，长约 7mm，外面被粗毛，裂片阔三角形，长 1 ~ 2.5mm，宽 1.1 ~ 2.4mm，边缘波浪形。果实卵形，压扁，长 7 ~ 9mm，宽比长略宽，无毛，褐色，有宿存被毛的萼檐裂片；小坚果压扁，有乳头状的毛，围以约 1mm 宽的翅，顶部钝，基部略作心形。花期 6 ~ 10 月。

生境分布

生于海拔 700 ~ 1700m 的山坡灌丛、草丛中、山谷林缘。分布于重庆綦江、九龙坡、武隆、酉阳、南川等地。

资源情况

野生资源稀少。药材来源于野生。

采收加工

秋季采挖，洗净，晒干或鲜用。

功能主治

甘、微苦，凉。清热利湿，活血止痛，接骨。用于黄疸性肝炎，消化不良，急性结膜炎，骨折，跌打损伤。

用法用量

内服煎汤，6 ~ 15g。外用适量，捣敷。

茜草科 Rubiaceae 茜草属 Rubia

茜草 *Rubia cordifolia* L.

| **药 材 名** | 茜草（药用部位：根、根茎。别名：锯锯藤、拉拉秧、活血草）。 |

| **形态特征** | 草质攀缘藤木，长通常 1.5 ～ 3.5m。根茎和其节上的须根均为红色；茎数至多条，从根茎的节上发出，细长，方柱形，有 4 棱，棱上倒生皮刺，中部以上多分枝。叶通常 4 轮生，纸质，披针形或长圆状披针形，长 0.7 ～ 3.5cm，先端渐尖，有时钝尖，基部心形，边缘有齿状皮刺，两面粗糙，脉上有微小皮刺；基出脉 3，极少外侧有 1 对很小的基出脉；叶柄长通常 1 ～ 2.5cm，有倒生皮刺。聚伞花序腋生、顶生，多回分枝，有花 10 余至数十朵，花序和分枝均细瘦，有微小皮刺；花冠淡黄色，干时淡褐色，盛开时花冠檐部直径 3 ～ 3.5mm，花冠裂片近卵形，微伸展，长约 1.5mm，外面无毛。果实球形，直径通常 4 ～ 5mm，成熟时橘黄色。花期 8 ～ 9 月，果期 10 ～ 11 月。 |

茜草

| 生境分布 |

生于疏林、林缘、灌丛或草地上。分布于重庆
黔江、綦江、丰都、万州、垫江、忠县、秀山、
彭水、潼南、石柱、长寿、城口、永川、酉阳、
巫山、合川、涪陵、奉节、铜梁、南川、九龙坡、
璧山、巫溪、武隆、云阳、开州、北碚、梁平、
大足、巴南、沙坪坝等地。

| 资源情况 |

野生资源丰富。药材来源于野生。

| 采收加工 |

春、秋季采挖，除去泥沙，干燥。

| 药材性状 |

本品根茎呈结节状，丛生粗细不等的根。根呈
圆柱形，略弯曲，长 10 ~ 25cm，直径 0.2 ~
1cm；表面红棕色或暗棕色，具细纵皱纹及少
数细根痕，皮部脱落处呈黄红色；质脆，易
折断，断面平坦，皮部狭，紫红色，木部宽
广，浅黄红色，导管孔多数。气微，味微苦，
久嚼刺舌。

| 功能主治 |

苦，寒。归肝经。凉血，止血，祛瘀，通经。
用于吐血，衄血，崩漏，外伤出血，经闭瘀阻，
关节痹痛，跌打肿痛。

| 用法用量 |

内服煎汤，6 ~ 10g。

茜草科 Rubiaceae 茜草属 Rubia

长叶茜草

Rubia dolichophylla Schrenk

长叶茜草

药 材 名

茜草（药用部位：全草）。

形态特征

草本，高达 1m，全株无毛。茎、枝、叶缘、叶背中脉和花序轴上均有小皮刺。茎具 4 棱，不分枝或少分枝，干时黄灰色，微有光泽。叶 4 轮生，无柄或近无柄，叶片纸质，线形或披针状线形，长 5 ~ 12cm，宽 0.5 ~ 1.4cm 或稍过之，先端渐尖，基部楔尖，边缘反卷；中脉在上面平坦，在下面高凸，侧脉纤细，在下面明显，6 ~ 10 对，与中脉呈30° ~ 45° 角叉分。花序腋生，单生或有时双生，与叶近等长或稍短，由多个小聚伞花序组成，总梗和分枝均纤细，第 1 对分枝处的苞片叶状，长达 2cm，其余的线形，小，长 0.2 ~ 0.5cm；花梗纤细而长，4 ~ 6mm，无小苞片；花萼干时黑色，近球形，直径1 ~ 1.2mm；花冠淡黄色，辐状，花冠管长约 0.6mm，裂片 5 或有时 4，伸展，卵形，长约 2mm，先端骤然收缩成喙状，内弯，边缘有极小的乳突，中脉和边脉明显，网脉稀疏；雄蕊 5 或有时 4，生于冠管之中部之上，花丝短，花药稍弯曲，与花丝近等长；花柱 2，粗壮，长 0.2 ~ 0.3mm，柱头头状。成熟果实未见。

| 生境分布 |

生于海拔1500m以下的山坡林缘、灌丛中、路边。分布于重庆綦江、垫江、江津、忠县、长寿、丰都、黔江、云阳、南川、涪陵、沙坪坝等地。

| 资源情况 |

野生资源一般。药材来源于野生。

| 采收加工 |

春、秋季采挖，除去泥沙，干燥。

| 药材性状 |

本品根茎呈结节状，丛生多条细根。根长圆柱形，略弯曲，长 10 ~ 30cm，直径 0.2 ~ 1cm；表面红棕色或暗棕色，具细纵皱纹及少数细根痕；皮部脱落处呈黄红色；质脆，易折断，断面平坦，皮部狭，紫红色，木部宽广，浅黄红色，可见多数小孔。气微，味微苦，久嚼刺舌。

| 功能主治 |

凉血，止血，祛瘀，通经。用于吐血，衄血，崩漏，经闭，跌打损伤。

| 用法用量 |

内服煎汤，6 ~ 9g。

茜草科 Rubiaceae 茜草属 Rubia

卵叶茜草
Rubia ovatifolia Z. Y. Zhang

| 药 材 名 | 小茜草（药用部位：根、根茎）。

| 形态特征 | 攀缘草本，长 1 ~ 2m。茎、枝稍纤细，有 4 棱，无毛，有或无短皮刺。叶 4 轮生，叶片薄纸质，卵状心形至圆心形，侧枝上的有时为卵形，长通常 4 ~ 8cm，很少达 13cm 或仅 2cm 左右，宽通常 2 ~ 5cm，很少达 6.5cm 或不及 1cm，先端尾状渐尖，基部深心形，后裂片通常圆形，边缘有或无皮刺状缘毛，干时上面苍白绿色，下面粉绿色或苍白色，两面近无毛或粗糙，有时下面基出脉上有小皮刺；基出脉 5 ~ 7，纤细，在下面稍凸起，小脉两面均不明显；叶柄细而长，通常长 2.5 ~ 6cm，有时可达 9 ~ 13cm，无毛，有时覆有小皮刺。聚伞花序排成疏花圆锥花序式，腋生和顶生，通常比叶短，花序轴和分枝均纤细，有直线棱，无毛，有时有稀疏小皮刺；小苞片线形

卵叶茜草

或披针状线形，长 2 ～ 3.5mm，渐尖，近无毛；花萼管近扁球形，微 2 裂，宽约 1mm，近无毛；花冠淡黄色或绿黄色，质稍薄，花冠管长 0.8 ～ 1mm，裂片 5，明显反折，卵形，长约 1.4mm，先端长尾尖，外面无毛或被稀疏硬毛，里面覆有许多微小颗粒；雄蕊 5，生于冠管口部，花丝和花药均长约 0.4mm。浆果球形，直径 6 ～ 8mm，有时双球形，成熟时黑色。花期 7 月，果期 10 ～ 11 月。

| **生境分布** | 生于海拔 1700 ～ 2200m 的山地疏林或灌丛中。分布于重庆潼南、石柱、城口、开州、巫溪、巫山、合川、荣昌等地。

| **资源情况** | 野生资源一般。药材来源于野生。

| **采收加工** | 春、秋季采挖，除去地上部分，洗净泥沙，晒干。

| **药材性状** | 本品根茎呈结节状，主根不明显，丛生多数须根。根直径 0.5 ～ 2mm，表面红棕色，木部约占横断面的 1/2。余同茜草。

| **功能主治** | 苦，寒。归肝经。凉血，止血，祛瘀，通经。用于吐血，衄血，崩漏下血，外伤出血，经闭瘀阻，关节痹痛，跌打肿痛。

| **用法用量** | 内服煎汤，6 ～ 9g。外用适量。

茜草科 Rubiaceae 茜草属 Rubia

大叶茜草
Rubia schumanniana Pritzel

| 药 材 名 |　大叶茜草（药用部位：根茎）。

| 形态特征 |　草本，通常近直立，高 1m 左右，很少攀缘状。茎和分枝均有 4 直棱和直槽，有时在棱上亦可见直槽，近无毛，平滑或有微小倒刺。叶 4 轮生，厚纸质至革质，披针形、长圆状卵形或卵形，有时阔卵形，长通常 4 ~ 10cm，宽 2 ~ 4cm，先端渐尖或近短尖，基部阔楔形，近钝圆，乃至浅心形，边稍反卷而粗糙，通常仅上面脉上被钩状短硬毛，有时上面或两面均被短硬毛，粗糙；基出脉 3，如为 5 则靠近叶缘的一对纤细而不明显，通常在上面凹陷，在下面凸起，网脉两面均不明显；叶柄近等长或 2 长 2 短，0.5 ~ 1.5cm，有时可达 3cm。聚伞花序多具分枝，排成圆锥花序式，顶生和腋生，腋生的通常比叶稍短，顶生的较长，总花梗长可达 3 ~ 4cm，有直棱，

大叶茜草

通常无毛；小苞片披针形，长 3 ～ 4mm，有缘毛；花小，直径 3.5 ～ 4mm；花冠白色或绿黄色，干后常变褐色，裂片通常为 5，很少为 4 或 6，近卵形，渐尖或短尾尖，先端收缩，常内弯。浆果小，球状，直径 5 ～ 7mm，黑色。

| 生境分布 | 生于海拔 600 ～ 1800m 的林中。分布于重庆城口、丰都、巫溪、石柱、南川等地。

| 资源情况 | 野生资源稀少。药材来源于野生。

| 采收加工 | 春、秋季采挖，除去泥沙，干燥。

| 药材性状 | 本品呈细长圆柱形，弯曲，结节状，长 10 ～ 30cm，直径 1 ～ 3mm；节上有时残存细小须根。表面红褐色或紫红色，有纵沟。质脆，易折断，断面平坦，红色，皮部薄，木部较宽，淡红色或黄色，具髓。气微，味微甘。

| 功能主治 | 苦，寒。归肝经。凉血，止血，祛瘀，通经。用于吐血，衄血，崩漏出血，外伤出血，经闭瘀阻，关节痹痛，跌打肿痛。炒炭后增加止血功效。

| 用法用量 | 内服煎汤，6 ～ 9g。

六月雪 *Serissa japonica* (Thunb.) Thunb. Nov. Gen.

| **药 材 名** | 六月雪（药用部位：全草。别名：白马骨、满天星、路边姜）。

| **形态特征** | 小灌木，高60～90cm，有臭气。叶革质，卵形至倒披针形，长6～22mm，宽3～6mm，先端短尖至长尖，全缘，无毛；叶柄短。花单生或数朵丛生于小枝顶部或腋生，有被毛、边缘浅波状的苞片；萼檐裂片细小，锥形，被毛；花冠淡红色或白色，长6～12mm，裂片扩展，先端3裂；雄蕊突出花冠管喉部外；花柱长突出，柱头2，直，略分开。花期5～7月。

| **生境分布** | 生于河溪边或丘陵的杂木林内，或栽培于公园、庭院等。重庆各地均有分布。

| **资源情况** | 野生资源稀少，栽培资源丰富。药材主要来源于栽培。

六月雪

| **采收加工** | 全年均可采挖，除去泥沙，晒干。

| **药材性状** | 本品长 30 ～ 100cm。根细长，表面灰白色，可见支根痕，栓皮易脱落；质坚硬，折断面类白色，靠近栓皮层为灰绿色。茎圆柱形，多分枝，直径 0.1 ～ 0.5cm；表面深灰色，有纵皱纹或纵裂隙，外皮易剥离，嫩枝灰白色，被微茸毛；质坚硬，折断面皮部灰棕色，木部绿褐色。叶对生，在茎枝上部通常聚生，叶片略皱缩稍反卷，展平后呈长圆状卵形、卵形至披针形，长 0.6 ～ 2.2cm，宽 0.3 ～ 0.6cm，上表面墨绿色或绿黄色，下表面色较浅，全缘。托叶基部宽，先端分裂成刺毛状。小花无梗，花萼裂片刺毛状。核果近球形。气微，味淡。

| **功能主治** | 淡、微辛，凉。归肺、肝、胃、大肠经。祛风利湿，清热解毒。用于感冒，黄疸性肝炎，肾炎水肿，咳嗽，喉痛，角膜炎，肠炎，痢疾，腰腿疼痛，咯血，尿血，妇女闭经，带下，小儿疳积，惊风，风火牙痛，痈疽肿痛，跌打损伤。

| **用法用量** | 内服煎汤，10 ～ 15g。外用适量。

茜草科 Rubiaceae 白马骨属 Serissa

白马骨
Serissa serissoides (DC.) Druce

| 药 材 名 | 白马骨（药用部位：全株。别名：六月寒、米带花、路边金）。

| 形态特征 | 小灌木，通常高达 1m。枝粗壮，灰色，被短毛，后毛脱落变无毛，嫩枝被微柔毛。叶通常丛生，薄纸质，倒卵形或倒披针形，长 1.5 ~ 4cm，宽 0.7 ~ 1.3cm，先端短尖或近短尖，基部收狭成 1 短柄，除下面被疏毛外，其余无毛；侧脉每边 2 ~ 3，上举，在叶片两面均凸起，小脉疏散不明显；托叶具锥形裂片，长 2mm，基部阔，膜质，被疏毛。花无梗，生于小枝顶部，有苞片；苞片膜质，斜方状椭圆形，长渐尖，长约 6mm，具疏散小缘毛；花托无毛；萼檐裂片 5，坚挺，延伸成披针状锥形，极尖锐，长 4mm，具缘毛；花冠管长 4mm，外面无毛，喉部被毛，裂片 5，长圆状披针形，长 2.5mm；花药内藏，长 1.3mm；花柱柔弱，长约 7mm，2 裂，裂片长 1.5mm。花期 4 ~ 6 月。

白马骨

| **生境分布** | 生于海拔 300 ~ 1300m 的山坡灌丛中。分布于重庆北碚、秀山、忠县、巫溪、奉节、酉阳、黔江、万州、武隆、南川等地。

| **资源情况** | 野生资源一般。药材主要来源于野生，亦有栽培。

| **采收加工** | 栽后 1 ~ 2 年，于 4 ~ 6 月采收茎叶（能连续收获 4 ~ 5 年），秋季挖根，洗净，切段，鲜用或晒干。

| **药材性状** | 本品根细长圆柱形，有分枝，长短不一，直径 0.3 ~ 0.8cm；表面深灰色、灰白色或黄褐色，有纵裂隙，栓皮易剥落。粗枝深灰色，表面有纵裂纹，栓皮易剥落；嫩枝浅灰色，微被毛，质坚硬，断面纤维性。叶对生或簇生，薄革质，黄绿色，卷缩或脱落，完整者展平后呈卵形或长圆状卵形，长 1.5 ~ 3cm，宽 0.5 ~ 1.2cm，先端短尖或钝，基部渐狭成短柄，全缘，两面羽状网脉突出。枝端叶间有时可见黄白色花，花萼裂片几与冠筒等长。偶见近球形的核果。气微，味淡。

| **功能主治** | 苦、微辛，凉。清热解毒，祛风利湿。用于感冒，小儿疳积，肠炎，风湿腰腿疼痛。

| **用法用量** | 内服煎汤，10 ~ 15g。外用适量。

| **附　注** | 本种喜温暖、阴湿，不耐严寒，要求肥沃的砂壤土，适应性较强。

茜草科 Rubiaceae 鸡仔木属 Sinoadina

鸡仔木

Sinoadina racemosa (Sieb. et Zucc.) Ridsd.

| **药 材 名** | 鸡仔木（药用部位：全株）。

| **形态特征** | 半常绿或落叶乔木，高 4 ～ 12m。未成熟的顶芽金字塔形或圆锥形；树皮灰色，粗糙；小枝无毛。叶对生，薄革质，宽卵形、卵状长圆形或椭圆形，长 9 ～ 15cm，宽 5 ～ 10cm，先端短尖至渐尖，基部心形或钝，有时偏斜，上面无毛，间或被稀疏的毛，下面无毛或被白色短柔毛；侧脉 6 ～ 12 对，无毛或被稀疏的毛，脉腋窝陷无毛或被稠密的毛；叶柄长 3 ～ 6cm，无毛或被短柔毛；托叶 2 裂，裂片近圆形，跨褶，早落。头状花序不计花冠直径 4 ～ 7mm，常约 10 排成聚伞状圆锥花序式；花具小苞片；花萼管密被苍白色长柔毛，花萼裂片密被长柔毛；花冠淡黄色，长 7mm，外面密被苍白色微柔毛，花冠裂片三角状，外面密被细绵毛状微柔毛。果序直径

鸡仔木

11 ～ 15mm；小蒴果倒卵状楔形，长 5mm，被稀疏的毛。花果期 5 ～ 12 月。

| **生境分布** | 生于海拔 330 ～ 1500m 的林中或水边岩石旁。分布于重庆彭水、酉阳、长寿、云阳、巫溪、南川、北碚等地。

| **资源情况** | 野生资源稀少。药材主要来源于野生。

| **采收加工** | 夏季采收茎叶，秋季挖根，洗净，切段，鲜用或晒干。

| **功能主治** | 清热解毒，活血散瘀。用于感冒发热，肺热咳嗽，胃肠炎，痢疾，风火牙痛。痈疽肿毒，湿疹，跌打损伤，外伤出血。

| **用法用量** | 内服煎汤，适量。

钩藤
Uncaria rhynchophylla (Miq.) Miq. ex Havil.

| 药 材 名 | 钩藤（药用部位：带钩茎枝。别名：双钩藤、鹰爪风、吊风根）。

| 形态特征 | 藤本。嫩枝较纤细，方柱形或略有 4 棱角，无毛。叶纸质，椭圆形或椭圆状长圆形，长 5 ~ 12cm，宽 3 ~ 7cm，两面均无毛，干时褐色或红褐色，下面有时被白粉，先端短尖或骤尖，基部楔形至截形，有时稍下延；侧脉 4 ~ 8 对，脉腋窝陷有黏液毛；叶柄长 5 ~ 15mm，无毛；托叶狭三角形，深 2 裂达全长 2/3，外面无毛，里面无毛或基部具黏液毛，裂片线形至三角状披针形。头状花序不计花冠直径 5 ~ 8mm，单生叶腋，总花梗具 1 节，苞片微小，或成单聚伞状排列，总花梗腋生，长 5cm；小苞片线形或线状匙形；花近无梗；花萼管疏被毛，花萼裂片近三角形，长 0.5mm，疏被短柔毛，先端锐尖；花冠管外面无毛，或具疏散的毛，花冠裂片卵圆形，外面无

钩藤

毛或略被粉状短柔毛，边缘有时有纤毛；花柱伸出冠喉外，柱头棒形。果序直径 10 ~ 12mm；小蒴果长 5 ~ 6mm，被短柔毛，宿存花萼裂片近三角形，长 1mm，星状辐射。花果期 5 ~ 12 月。

| 生境分布 | 生于山谷溪边的疏林或灌丛中。分布于重庆垫江、合川、璧山、荣昌、綦江、长寿、黔江、大足、彭水、江津、丰都、秀山、忠县、万州、云阳、铜梁、南川、酉阳、涪陵、巫溪、北碚、武隆、开州等地。

| 资源情况 | 野生资源丰富。药材主要来源于野生，亦有少量栽培。

| 采收加工 | 秋、冬季采收，除去叶，切段，晒干。

| 药材性状 | 本品呈圆柱形或类方柱形，长 2 ~ 3cm，直径 0.2 ~ 0.5cm。表面红棕色至紫红色者具细纵纹，光滑，无毛；黄绿色至灰褐色者有时可见白色点状皮孔，被黄褐色柔毛。多数枝节上对生 2 个向下弯曲的钩（不育花序梗），或仅一侧有钩，另一侧为凸起的疤痕。钩略扁或稍圆，先端细尖，基部较阔；钩基部的枝上可见叶柄脱落后的窝点状痕迹和环状的托叶痕。质坚韧，断面黄棕色，皮部纤维性，髓部黄白色或中空。气微，味淡。

| 功能主治 | 甘，凉。归肝、心包经。息风定惊，清热平肝。用于肝风内动，惊痫抽搐，高热惊厥，感冒夹惊，小儿惊啼，妊娠子痫，头痛眩晕。

| 用法用量 | 内服煎汤，3 ~ 12g，入煎剂宜后下。

| 附　　注 | 本种喜温暖、湿润、光照充足的环境，适应性强，对土壤要求不严，在一般土壤中能正常生长，在土层深厚、肥沃疏松、排水良好的土壤中生长良好。

茜草科 Rubiaceae 钩藤属 Uncaria

华钩藤 *Uncaria sinensis* (Oliv.) Havil.

| 药 材 名 | 钩藤（药用部位：带钩茎枝。别名：吊藤、钓钩藤、嫩钩钩）。

| 形态特征 | 藤本。嫩枝较纤细，方柱形或有4棱角，无毛。叶薄纸质，椭圆形，长9～14cm，宽5～8cm，先端渐尖，基部圆或钝，两面均无毛；侧脉6～8对，脉腋窝陷有黏液毛；叶柄长6～10mm，无毛；托叶阔三角形至半圆形，有时先端微缺，外面无毛，内面基部有腺毛。头状花序单生叶腋，总花梗具1节，节上苞片微小，或成单聚伞状排列，总花梗腋生，长3～6cm；头状花序不计花冠直径10～15mm，花序轴被稠密短柔毛；小苞片线形或近匙形；花近无梗，花萼管长2mm，外面被苍白色毛，花萼裂片线状长圆形，长约1.5mm，被短柔毛；花冠管长7～8mm，无毛或被稀少微柔毛，花冠裂片外面被短柔毛；花柱伸出冠喉外，柱头棒状。果序直径20～30mm；

华钩藤

小蒴果长 8 ~ 10mm，被短柔毛。花果期 6 ~ 10 月。

| **生境分布** | 生于中等海拔的山地疏林中或湿润次生林下。分布于重庆丰都、酉阳、南川、綦江、江津、黔江、彭水、城口、巫溪、武隆、巫山等地。

| **资源情况** | 野生资源较丰富。药材主要来源于野生，亦有少量栽培。

| **采收加工** | 参见"钩藤"条。

| **药材性状** | 参见"钩藤"条。

| **功能主治** | 参见"钩藤"条。

| **用法用量** | 参见"钩藤"条。

旋花科 Convolvulaceae 打碗花属 Calystegia

打碗花 *Calystegia hederacea* Wall.

| 药 材 名 | 面根藤（药用部位：全草。别名：走丝牡丹、钩耳藤、喇叭花）。

| 形态特征 | 一年生草本。全体不被毛，植株通常矮小，高 8 ~ 30（~ 40）cm，常自基部分枝。具细长白色的根。茎细，平卧，有细棱。基部叶片长圆形，长 2 ~ 3（~ 5.5）cm，宽 1 ~ 2.5cm，先端圆，基部戟形，上部叶片 3 裂，中裂片长圆形或长圆状披针形，侧裂片近三角形，全缘或 2 ~ 3 裂，叶片基部心形或戟形；叶柄长 1 ~ 5cm。花腋生，1，花梗长于叶柄，有细棱；苞片宽卵形，长 0.8 ~ 1.6cm，先端钝或锐尖至渐尖；萼片长圆形，长 0.6 ~ 1cm，先端钝，具小短尖头，内萼片稍短；花冠淡紫色或淡红色，钟状，长 2 ~ 4cm，冠檐近截形或微裂；雄蕊近等长，花丝基部扩大，贴生于花冠管基部，被小鳞毛；子房无毛，柱头 2 裂，裂片长圆形，扁平。蒴果卵球形，长

打碗花

约 1cm，宿存萼片与之近等长或稍短；种子黑褐色，长 4 ～ 5mm，表面有小疣。

| 生境分布 | 生于农田、荒地、路旁。分布于重庆北碚、垫江、彭水、奉节、涪陵、石柱、潼南、綦江、万州、巫溪、南川、九龙坡、永川、丰都、长寿、忠县、云阳、璧山、铜梁、大足、梁平、沙坪坝等地。

| 资源情况 | 野生资源丰富。药材来源于野生。

| 采收加工 | 夏、秋季采收，洗净，鲜用或晒干。

| 药材性状 | 本品根茎细长，直径约 1mm；表面灰黄色，有细纵皱纹。茎细长，常盘曲扭卷；表面灰棕色或灰褐色，有纵向棱线而扭曲；质脆，易折断。叶互生，有长柄，叶片淡绿色，多皱缩破碎，完整者展平后呈戟形。气微，味淡。

| 功能主治 | 甘、微苦，平。健脾，利湿，调经。用于脾胃虚弱，消化不良，小儿吐乳，疳积，五淋，带下，月经不调。

| 用法用量 | 内服煎汤，10 ～ 30g。

| 附　注 | 本种喜冷凉湿润的环境，耐热、耐寒、耐瘠薄，适应性强，对土壤要求不严，以排水良好、向阳、湿润而肥沃疏松的砂壤土栽培为最好。土壤过于干燥，容易造成根茎纤维化；土壤湿度过大，则易使根茎腐烂。

旋花科 Convolvulaceae 打碗花属 Calystegia

旋花

Calystegia sepium (L.) R. Br.

| **药 材 名** | 旋花（药用部位：花。别名：筋根花、鼓子花、打碗花）、旋花苗（药用部位：茎叶）、旋花根（药用部位：根。别名：旋葍草根、篱天剑根）。

| **形态特征** | 多年生草本，全体不被毛。茎缠绕，伸长，有细棱。叶形多变，三角状卵形或宽卵形，长 4 ~ 10 (~ 15) cm 以上，宽 2 ~ 6 (~ 10) cm 或更宽，先端渐尖或锐尖，基部戟形或心形，全缘或基部稍伸展为具 2 ~ 3 大齿缺的裂片；叶柄常短于叶片或两者近等长。花腋生，1；花梗通常稍长于叶柄，长达 10cm，有细棱或有时具狭翅；苞片宽卵形，长 1.5 ~ 2.3cm，先端锐尖；萼片卵形，长 1.2 ~ 1.6cm，先端渐尖或有时锐尖；花冠通常白色，或有时淡红色或紫色，漏斗状，长 5 ~ 6 (~ 7) cm，冠檐微裂；雄蕊花丝基部扩大，被小鳞毛；子房无毛，柱头 2 裂，裂片卵形，扁平。蒴果卵形，长约 1cm，为

旋花

增大宿存的苞片和萼片所包被；种子黑褐色，长 4mm，表面有小疣。

| 生境分布 | 生于路旁、溪边草丛、农田边、山坡林缘。重庆各地均有分布。

| 资源情况 | 野生资源丰富。药材来源于野生。

| 采收加工 | 旋花：6 ～ 7 月开花时采收，晾干。
旋花苗：夏季采收，洗净，鲜用或晒干。
旋花根：3 月或 9 月采挖，洗净，晒干或鲜用。

| 功能主治 | 旋花：甘，温。益气，养颜，涩精。用于面野，遗精，遗尿。
旋花苗：甘、微苦，平。清热解毒。用于丹毒。
旋花根：甘、微苦，温。益气补虚，续筋接骨，解毒，杀虫。用于丹毒，劳损，金疮，蛔虫病。

| 用法用量 | 旋花：内服煎汤，6 ～ 10g；或入丸剂。
旋花苗：内服煎汤，10 ～ 15g；或捣汁。
旋花根：内服煎汤，10 ～ 15g；或绞汁。外用捣敷。

旋花科 Convolvulaceae 打碗花属 Calystegia

长裂旋花 *Calystegia sepium* (L.) R. Br. var. *japonica* (Choisy) Makino

长裂旋花

| 药 材 名 |

长裂旋花（药用部位：全草）。

| 形态特征 |

多年生草本，全体不被毛。茎缠绕，伸长，有细棱。叶强烈地 3 裂，具伸展的侧裂片和长圆形先端渐尖的中裂片；叶柄常短于叶片或两者近等长。花腋生，1。花梗通常稍长于叶柄，长达 10cm，有细棱或有时具狭翅；苞片宽卵形，长 1.5 ~ 2.3cm，先端锐尖；萼片卵形，长 1.2 ~ 1.6cm，先端渐尖或有时锐尖；花冠通常白色或有时淡红色或紫色，漏斗状，长 5 ~ 6（~ 7）cm，冠檐微裂；雄蕊花丝基部扩大，被小鳞毛；子房无毛，柱头 2 裂，裂片卵形，扁平。蒴果卵形，长约 1cm，为增大宿存的苞片和萼片所包被；种子黑褐色，长 4mm，表面有小疣。

| 生境分布 |

生于海拔 140 ~ 1000m 的路旁、溪边草丛、农田边或山坡林缘。分布于重庆大足、南岸、永川、荣昌等地。

| 资源情况 |

野生资源较少。药材来源于野生。

| **采收加工** | 春季采收，洗净，晒干。

| **功能主治** | 清热，利尿。用于带下，白浊，疝气，疖疮等。

| **用法用量** | 内服煎汤，适量。

| **附　　注** | 在 FOC 中，本种被修订为柔毛打碗花 *Calystegia pubescens* Lindley。

旋花科 Convolvulaceae 旋花属 Convolvulus

田旋花

Convolvulus arvensis L.

| 药 材 名 | 田旋花（药用部位：全草或花。别名：拉拉菀、野牵牛、车子蔓）。

| 形态特征 | 多年生草本。根茎横走；茎平卧或缠绕，有条纹及棱角，无毛或上部被疏柔毛。叶卵状长圆形至披针形，长 1.5 ~ 5cm，宽 1 ~ 3cm，先端钝或具小短尖头，基部大多戟形，或箭形及心形，全缘或 3 裂，侧裂片展开，微尖，中裂片卵状椭圆形、狭三角形或披针状长圆形，微尖或近圆；叶柄较叶片短，长 1 ~ 2cm；叶脉羽状，基部掌状。花序腋生，总梗长 3 ~ 8cm，1 或有时 2 ~ 3 至多花，花柄比花萼长得多；苞片 2，线形，长约 3mm；萼片有毛，长 3.5 ~ 5mm，稍不等，2 外萼片稍短，长圆状椭圆形，钝，具短缘毛，内萼片近圆形，钝或稍凹，或多或少具小短尖头，边缘膜质；花冠宽漏斗形，长 15 ~ 26mm，白色或粉红色，或白色具粉红或红色的瓣中带，或

田旋花

粉红色具红色或白色的瓣中带，5 浅裂；雄蕊 5，稍不等长，较花冠短 1/2，花丝基部扩大，具小鳞毛；雌蕊较雄蕊稍长，子房有毛，2 室，每室 2 胚珠，柱头 2，线形。蒴果卵状球形，或圆锥形，无毛，长 5 ~ 8mm；种子 4，卵圆形，无毛，长 3 ~ 4mm，暗褐色或黑色。

| **生境分布** | 生于耕地或荒坡草地上。分布于重庆梁平等地。

| **资源情况** | 野生资源稀少。药材来源于野生。

| **采收加工** | 夏、秋季采收全草，洗净，鲜用或切段晒干。6 ~ 8 月开花时摘取花，鲜用或晾干。

| **药材性状** | 本品全草多皱缩卷曲成团状，根茎细长，具须根。茎细圆柱形，具棱角及条纹，上部被疏毛。叶互生，多卷曲或脱落，完整者展平后呈三角状卵形、卵状长圆形或狭披针形，长 2.8 ~ 5cm，宽 0.4 ~ 3cm，先端钝圆，具小尖头，基部戟形、心形或箭形，全缘；叶柄长 1 ~ 2cm。花序腋生，花 1 ~ 3；花冠宽漏斗状，白色或粉红色，花梗细弱，长 3 ~ 8cm。蒴果类球形。种子 4，黑褐色。气微，味咸。

| **功能主治** | 辛，温；有毒。止痒，止痛，祛风。用于神经性皮炎，风湿痹痛，牙痛。

| **用法用量** | 内服煎汤，6 ~ 10g。外用适量，酒浸涂患处。

旋花科 Convolvulaceae 菟丝子属 Cuscuta

菟丝子
Cuscuta chinensis Lam.

| **药材名** | 菟丝子（药用部位：种子。别名：菟丝实、吐丝子、无娘藤米米）。

| **形态特征** | 一年生寄生草本。茎缠绕，黄色，纤细，直径约1mm，无叶。花序侧生，少花或多花簇生成小伞形或小团伞花序，近于无总花序梗；苞片及小苞片小，鳞片状；花梗稍粗壮，长仅1mm许；花萼杯状，中部以下联合，裂片三角状，长约1.5mm，先端钝；花冠白色，壶形，长约3mm，裂片三角状卵形，先端锐尖或钝，向外反折，宿存；雄蕊着生于花冠裂片弯缺微下处；鳞片长圆形，边缘长流苏状；子房近球形，花柱2，等长或不等长，柱头球形。蒴果球形，直径约3mm，几乎全为宿存的花冠所包围，成熟时整齐的周裂；种子2～4，淡褐色，卵形，长约1mm，表面粗糙。

菟丝子

| **生境分布** | 生于田边、路边、荒地、灌丛、山坡向阳处，通常寄生于豆科、菊科、蒺藜科等多种植物上。分布于重庆城口、巫溪、武隆、酉阳、南川、铜梁、綦江、黔江、涪陵、潼南、巫山、丰都、忠县、长寿、秀山、江津、开州、璧山、合川等地。 |

| **资源情况** | 野生资源丰富。药材主要来源于野生。 |

| **采收加工** | 秋季果实成熟时采收植株，晒干，打下种子，除去杂质。 |

| **药材性状** | 本品呈类球形，直径约 1mm。表面灰棕色至棕褐色，粗糙，种脐线形或扁圆形。质坚实，不易以指甲压碎。气微，味淡。 |

| **功能主治** | 辛、甘，平。归肝、肾、脾经。补益肝肾，固精缩尿，安胎，明目，止泻，消风祛斑。用于肝肾不足，腰膝酸软，阳痿遗精，遗尿尿频，肾虚胎漏，胎动不安，目昏耳鸣，脾肾虚泻。外用于白癜风。 |

| **用法用量** | 内服煎汤，6 ~ 12g。外用适量。 |

| **附　注** | （1）2005 年及以前出版的《中国药典》中菟丝子项下均仅收载菟丝子一种，2010 年出版的《中国药典》开始增加了南方菟丝子。二者的化学成分和功效相近，因此，菟丝子和南方菟丝子均为正品。
（2）本种喜高温湿润气候，对土壤的要求不严。 |

旋花科 Convolvulaceae 菟丝子属 Cuscuta

金灯藤 *Cuscuta japonica Choisy*

金灯藤

| 药 材 名 |

大菟丝子（药用部位：种子。别名：菟丝子、吐丝子、无娘藤米米）。

| 形态特征 |

一年生寄生缠绕草本。茎较粗壮，肉质，直径 1 ~ 2mm，黄色，常带紫红色瘤状斑点，无毛，多分枝，无叶。花无柄或几无柄，形成穗状花序，长达 3cm，基部常多分枝；苞片及小苞片鳞片状，卵圆形，长约 2mm，先端尖，全缘，沿背部增厚；花萼碗状，肉质，长约 2mm，5 裂几达基部，裂片卵圆形或近圆形，相等或不相等，先端尖，背面常有紫红色瘤状突起；花冠钟状，淡红色或绿白色，长 3 ~ 5mm，先端 5 浅裂，裂片卵状三角形，钝，直立或稍反折，短于花冠筒 2 ~ 2.5 倍；雄蕊 5，着生于花冠喉部裂片之间，花药卵圆形，黄色，花丝无或几无；鳞片 5，长圆形，边缘流苏状，着生于花冠筒基部，伸长至花冠筒中部或中部以上；子房球状，平滑，无毛，2 室，花柱细长，合生为 1，与子房等长或稍长，柱头 2 裂。蒴果卵圆形，长约 5mm，近基部周裂；种子 1 ~ 2，光滑，长 2 ~ 2.5mm，褐色。花期 8 月，果期 9 月。

| 生境分布 | 寄生于草本或灌木上。分布于重庆巫溪、巫山、丰都、彭水、秀山、南川、巴南、南岸、合川、永川、荣昌、綦江、城口、忠县、云阳、石柱、涪陵、丰都、长寿、九龙坡等地。

| 资源情况 | 野生资源较丰富。药材来源于野生。

| 采收加工 | 秋季果实成熟时采收植株，晒干，打下种子，除去杂质。

| 药材性状 | 本品呈类圆球形或三棱形，直径 2～2.5mm。表面黄棕色、棕褐色或淡黄色，微凹陷，种脐圆形，色稍淡。质坚硬，不易以指甲压碎。气微，味微涩，嚼之微有黏滑感。

| 功能主治 | 甘，温。归肝、肾、脾经。补肝益肾，固精缩尿，安胎，明目，止泻。用于阳痿遗精，尿有余沥，夜尿频数或遗尿，腰膝酸软，目昏耳鸣，肾虚胎漏，胎动不安，脾肾虚泻。外用于白癜风。

| 用法用量 | 内服煎汤，6～12g。外用适量。

| 附　　注 | 本种喜高温湿润气候，对土壤要求不严，适应性较强。

旋花科 Convolvulaceae 马蹄金属 Dichondra

马蹄金 *Dichondra repens* Forst.

| 药 材 名 | 马蹄金（药用部位：全草。别名：黄胆草、小金钱草、螺丕草）。

| 形态特征 | 多年生匍匐小草本。茎细长，被灰色短柔毛，节上生根。叶肾形至圆形，直径 4 ～ 25mm，先端宽圆形或微缺，基部阔心形，叶面微被毛，背面被贴生短柔毛，全缘；具长的叶柄，叶柄长（1.5 ～）3 ～ 5（～ 6）cm。花单生叶腋，花柄短于叶柄，丝状；萼片倒卵状长圆形至匙形，钝，长 2 ～ 3mm，背面及边缘被毛；花冠钟状，较短至稍长于花萼，黄色，深 5 裂，裂片长圆状披针形，无毛；雄蕊 5，着生于花冠 2 裂片间弯缺处，花丝短，等长；子房被疏柔毛，2 室，具 4 胚珠，花柱 2，柱头头状。蒴果近球形，小，短于花萼，直径约 1.5mm，膜质；种子 1 ～ 2，黄色至褐色，无毛。

马蹄金

| **生境分布** | 生于海拔 280 ~ 1850m 的路边、沟边草丛中、墙下、花坛等半阴湿处，亦有栽培。重庆各地均有分布。

| **资源情况** | 野生和栽培资源均丰富。药材主要来源于野生。

| **采收加工** | 全年均可采收，洗净，晒干或鲜用。

| **药材性状** | 本品多缠结成团。茎纤细，黄绿色至灰棕色，光滑或略有柔毛，节处多有须根。叶多皱缩，绿色，展开后呈肾形或类圆形，直径 0.5 ~ 0.7cm，全缘，叶背具白色柔毛；叶柄长 1 ~ 1.5cm。蒴果球形，生于叶腋，有宿萼，被毛，果柄远较叶柄为短；种子 2，棕褐色，近球形，被毛茸。气微，味辛。

| **功能主治** | 辛，温。祛风利湿，清热解毒。用于黄疸，痢疾，石淋，水肿，疔疮肿毒。

| **用法用量** | 内服煎汤，15 ~ 30g。

| **附　注** | 在 FOC 中，本种的拉丁学名被修订为 *Dichondra micrantha* Urban。

旋花科 Convolvulaceae 番薯属 Ipomoea

蕹菜
Ipomoea aquatica Forsk.

| 药材名 | 蕹菜（药用部位：茎叶。别名：空心菜、空筒菜、藤藤菜）、蕹菜根（药用部位：根。别名：瓮菜根）。 |

| 形态特征 | 一年生草本，蔓生或漂浮于水。茎圆柱形，有节，节间中空，节上生根，无毛。叶片形状、大小有变化，卵形、长卵形、长卵状披针形或披针形，长 3.5 ～ 17cm，宽 0.9 ～ 8.5cm，先端锐尖或渐尖，具小短尖头，基部心形、戟形或箭形，偶尔截形，全缘或边缘波状，或有时基部有少数粗齿，两面近无毛或偶被稀疏柔毛；叶柄长 3 ～ 14cm，无毛。聚伞花序腋生，花序梗长 1.5 ～ 9cm，基部被柔毛，向上无毛，具 1 ～ 3（～ 5）花；苞片小鳞片状，长 1.5 ～ 2mm；花梗长 1.5 ～ 5cm，无毛；萼片近于等长，卵形，长 7 ～ 8mm，先端钝，具小短尖头，外面无毛；花冠白色、淡红色或紫红色，漏斗状，长 3.5 ～ 5cm；雄蕊不等长， |

蕹菜

花丝基部被毛；子房圆锥状，无毛。蒴果卵球形至球形，直径约 1cm，无毛；种子密被短柔毛或有时无毛。

| 生境分布 | 栽培于菜地。重庆各地均有分布。

| 资源情况 | 野生资源稀少，栽培资源丰富。药材主要来源于栽培。

| 采收加工 | 蕹菜：夏、秋季采收，鲜用或晒干。
蕹菜根：秋季采收，洗净，鲜用或晒干。

| 药材性状 | 蕹菜：本品常缠绕成把。茎扁柱形，皱缩，有纵沟，具节；表面浅青黄色至淡棕色，节上或有分枝，节处色较深，近下端节处多带有少许淡棕色小须根；质韧，不易折断，断面中空。叶片皱缩，灰青色，展平后呈卵形、三角形或披针形；具长柄。气微，味淡。以茎叶粗大、色灰青者为佳。

| 功能主治 | 蕹菜：甘，寒。凉血清热，利湿解毒。用于鼻衄，便秘，淋浊，便血，尿血，痔疮，痈肿，折伤，蛇虫咬伤等。
蕹菜根：淡，平。健脾利湿。用于妇女带下，虚淋。

| 用法用量 | 蕹菜：内服煎汤，60 ~ 120g；或捣汁。外用适量，煎汤洗或捣敷。
蕹菜根：内服煎汤，120 ~ 250g。

| 附 注 | 本种喜温暖湿润、土壤肥沃的地方，不耐寒，遇霜冻茎、叶枯死。

旋花科 Convolvulaceae 番薯属 Ipomoea

番薯 *Ipomoea batatas* (L.) Lam.

| 药 材 名 | 番薯（药用部位：块根。别名：朱薯、山芋、甘薯）、番薯藤（药用部位：地上部分）。

| 形态特征 | 一年生草本。地下部分具圆形、椭圆形或纺锤形的块根，块根的形状、皮色和肉色因品种或土壤不同而异。茎平卧或上升，偶有缠绕，多分枝，圆柱形或具棱，绿色或紫色，被疏柔毛或无毛，茎节易生不定根。叶片形状、颜色常因品种不同而异，也有时在同一植株上具有不同叶形，通常为宽卵形，长 4 ~ 13cm，宽 3 ~ 13cm，全缘或 3 ~ 5（~ 7）裂，裂片宽卵形、三角状卵形或线状披针形，叶片基部心形或近于平截，先端渐尖，两面被疏柔毛或近于无毛，叶色有浓绿色、黄绿色、紫绿色等，顶叶的颜色为品种的特征之一；叶柄长短不一，长 2.5 ~ 20cm，被疏柔毛或无毛。聚伞花序腋生，

番薯

有 1～3（～7）花聚集成伞形，花序梗长 2～10.5cm，稍粗壮，无毛或有时被疏柔毛；苞片小，披针形，长 2～4mm，先端芒尖或骤尖，早落；花梗长 2～10mm；萼片长圆形或椭圆形，不等长，外萼片长 7～10mm，内萼片长 8～11mm，先端骤然成芒尖状，无毛或疏被缘毛；花冠粉红色、白色、淡紫色或紫色，钟状或漏斗状，长 3～4cm，外面无毛；雄蕊及花柱内藏，花丝基部被毛；子房 2～4 室，被毛或有时无毛。开花习性随品种和生长条件而不同，有的品种容易开花，有的品种在气候干旱时会开花，在气温高、日照短的地区常见开花，温度较低的地区很少开花。蒴果卵形或扁圆形，有假隔膜分为 4 室；种子 1～4，通常 2，无毛。由于本种属于异花授粉，自花授粉常不结果实，所以有时只见开花不见结果。

| **生境分布** | 栽培于山地。重庆各地均有分布。

| **资源情况** | 野生资源稀少，栽培资源丰富。药材来源于栽培。

| **采收加工** | 番薯：秋、冬季采挖，洗净。
番薯藤：秋、冬季茎叶茂盛时采割，除去泥沙，干燥。

| **药材性状** | 番薯：本品呈纺锤形、长圆形或不规则块状，长 8 ~ 30cm，直径 4 ~ 20cm。表面淡紫红色、黄白色，有须根痕。质坚脆，断面黄白色或淡粉红色。气微，味甘。
番薯藤：本品茎呈扁圆柱形或圆柱形，略扭曲，有的有分枝，长 20 ~ 150cm，直径 0.3 ~ 0.5cm；表面淡棕色至棕褐色，有纵纹；质硬，易折断，断面髓部多中空。叶互生，多皱缩，完整者展开后呈宽卵形或心状卵形，长 5 ~ 11cm，宽 5 ~ 10cm，全缘或分裂，先端渐尖，基部截形至心形；上表面灰绿色或棕褐色，下表面色较浅，主脉明显；叶柄长 5 ~ 15cm。有的带花，花紫红色或白色。蒴果少见。气微，味甘、微涩。

| **功能主治** | 番薯：甘，平。归脾、肾经。补中和血，益气生津。用于宽肠胃，通便秘。
番薯藤：甘、涩，微凉。清热解毒，消肿止痛，止血。用于各种毒蛇咬伤，痈疮，吐泻，便血，崩漏，乳汁不通。

| **用法用量** | 番薯：生食或煮食。外用捣敷。
| | 番薯藤：内服煎汤，15 ～ 24g。外用适量。

| **附　　注** | 本种喜温、怕冷、不耐寒。宜选择土层深厚、土壤疏松、土质良好、灌排能力强、
| | pH4.2 ～ 8.3 的地块栽种。本种耐旱，土壤持水量宜控制在 60% ～ 70%，适宜的
| | 水分条件可以满足其不同生长期的需求。

旋花科 Convolvulaceae 牵牛属 Pharbitis

牵牛

Pharbitis nil (L.) Choisy

牵牛

| 药 材 名 |

牵牛子（药用部位：种子。别名：喇叭花子、牵牛、黑丑）。

| 形态特征 |

一年生缠绕草本。茎上被倒向的短柔毛，杂有倒向或开展的长硬毛。叶宽卵形或近圆形，深或浅 3 裂，偶 5 裂，长 4 ~ 15cm，宽 4.5 ~ 14cm，基部圆，心形，中裂片长圆形或卵圆形，渐尖或骤尖，侧裂片较短，三角形，裂口锐或圆，叶面或疏或密被微硬的柔毛；叶柄长 2 ~ 15cm，毛被同茎。花腋生，单一或通常 2 着生于花序梗顶，花序梗长短不一，长 1.5 ~ 18.5cm，通常短于叶柄，有时较长，毛被同茎；苞片线形或叶状，被开展的微硬毛；花梗长 2 ~ 7mm；小苞片线形；萼片近等长，长 2 ~ 2.5cm，披针状线形，内面 2 稍狭，外面被开展的刚毛，基部更密，有时也杂有短柔毛；花冠漏斗状，长 5 ~ 8（~ 10）cm，蓝紫色或紫红色，花冠管色淡；雄蕊及花柱内藏；雄蕊不等长；花丝基部被柔毛；子房无毛，柱头头状。蒴果近球形，直径 0.8 ~ 1.3cm，3 瓣裂；种子卵状三棱形，长约 6mm，黑褐色或米黄色，被褐色短绒毛。

| **生境分布** | 生于海拔 100 ～ 1600m 的山坡灌丛、干燥河谷路边、园边宅旁、山地路边。分布于重庆奉节、万州、丰都、忠县、黔江、涪陵、九龙坡、大足等地。 |

| **资源情况** | 野生资源和栽培资源均一般。药材主要来源于栽培。 |

| **采收加工** | 秋末果实成熟、果壳未开裂时采割植株，晒干，打下种子，除去杂质。 |

| **药材性状** | 本品呈橘瓣状，长 4 ～ 8mm，宽 3 ～ 5mm。表面灰黑色或淡黄白色，背面有 1 条浅纵沟，腹面棱线的下端有 1 点状种脐，微凹。质硬，横切面可见淡黄色或黄绿色皱缩折叠的子叶，微显油性。无臭，味辛、苦，有麻感。 |

| **功能主治** | 苦，寒；有毒。归肺、肾、大肠经。泄水通便，消痰涤饮，杀虫攻积。用于水肿胀满，二便不通，痰饮积聚，气逆喘咳，虫积腹痛。 |

| **用法用量** | 内服煎汤，3 ～ 6g；入丸、散服，每次 1.5 ～ 3g。孕妇禁用；不宜与巴豆、巴豆霜同用。 |

旋花科 Convolvulaceae 牵牛属 Pharbitis

圆叶牵牛 *Pharbitis purpurea* (L.) Voisgt

圆叶牵牛

|药材名|

牵牛子（药用部位：种子。别名：牵牛、黑丑、白丑）。

|形态特征|

一年生缠绕草本。茎上被倒向的短柔毛，杂有倒向或开展的长硬毛。叶圆心形或宽卵状心形，长 4 ~ 18cm，宽 3.5 ~ 16.5cm，基部圆，心形，先端锐尖、骤尖或渐尖，通常全缘，偶有 3 裂，两面疏或密被刚伏毛；叶柄长 2 ~ 12cm，毛被与茎同。花腋生，单一或 2 ~ 5 着生于花序梗先端成伞形聚伞花序，花序梗比叶柄短或近等长，长 4 ~ 12cm，毛被与茎相同；苞片线形，长 6 ~ 7mm，被开展的长硬毛；花梗长 1.2 ~ 1.5cm，被倒向短柔毛及长硬毛；萼片近等长，长 1.1 ~ 1.6cm，外面 3 长椭圆形，渐尖，内面 2 线状披针形，外面均被开展的硬毛，基部更密；花冠漏斗状，长 4 ~ 6cm，紫红色、红色或白色，花冠管通常白色，瓣中带内面色深，外面色淡；雄蕊与花柱内藏；雄蕊不等长，花丝基部被柔毛；子房无毛，3 室，每室 2 胚珠，柱头头状；花盘环状。蒴果近球形，直径 9 ~ 10mm，3 瓣裂；种子卵状三棱形，长约 5mm，黑褐色或米黄色，被极短的糠秕状毛。

| **生境分布** | 生于或栽培于田野或路旁。重庆各地均有分布。

| **资源情况** | 野生资源稀少。药材来源于栽培和野生。

| **采收加工** | 参见"牵牛"条。

| **药材性状** | 参见"牵牛"条。

| **功能主治** | 参见"牵牛"条。

| **用法用量** | 参见"牵牛"条。

| **附　　注** | （1）在 FOC 中，本种的拉丁学名被修订为 *Ipomoea purpurea* Lam.，属名被修订为虎掌藤属 *Ipomoea*。

（2）本种喜温暖、湿润、阳光充足的环境。对土壤无严格要求，在微酸性至微碱性土壤中都可生长。

旋花科 Convolvulaceae 飞蛾藤属 Porana

飞蛾藤 *Porana racemosa* Roxb.

| **药材名** | 打米花（药用部位：全草或根。别名：马郎花、白花藤、小元宝）。

| **形态特征** | 攀缘灌木，茎缠绕，草质，圆柱形，高达 10m，幼时或多或少被黄色硬毛，后来具小瘤，或无毛。叶卵形，长 6 ～ 11cm，宽 5 ～ 10cm，先端渐尖或尾状，具钝或锐尖的尖头，基部深心形；两面极疏被紧贴疏柔毛，背面稍密，稀被短柔毛至绒毛；掌状脉基出，7 ～ 9；叶柄短于或与叶片等长，被疏柔毛至无毛。圆锥花序腋生，或多或少宽阔地分枝，少花或多花，苞片叶状，无柄或具短柄，抱茎，无毛或被疏柔毛，小苞片钻形；花柄较萼片长，长 3 ～ 6mm，无毛或被疏柔毛；萼片相等，线状披针形，长 1.5 ～ 2.5mm，通常被柔毛，果时全部增大，长圆状匙形，钝或先端具短尖头，基部渐狭，长达 12 ～ 15（～ 18）mm，或较短，宽 3 ～ 4mm，具 3 条坚硬的纵向脉，

飞蛾藤

被疏柔毛，尤其基部；花冠漏斗形，长约 1cm，白色，管部带黄色，无毛，5 裂至中部，裂片开展，长圆形；雄蕊内藏；花丝短于花药，着生于管内不同水平面；子房无毛，花柱 1，全缘，长于子房，柱头棒状，2 裂。蒴果卵形，长 7 ~ 8mm，具小短尖头，无毛；种子 1，卵形，长约 6mm，暗褐色或黑色，平滑。

| **生境分布** | 生于石灰岩山地灌丛中。分布于重庆城口、南川等地。

| **资源情况** | 野生资源稀少。药材主要来源于野生。

| **采收加工** | 夏、秋季采收，除去杂质，切碎，鲜用或晒干。

| **药材性状** | 本品全草多缠绕成团。茎细长圆柱形，黄绿色，被疏柔毛；质脆，易碎。叶枯绿色，互生，多皱缩，完整者展平后呈卵形或宽卵形，长 3 ~ 9cm，先端渐尖，基部心形，全缘，两面被柔毛；质脆，易碎。有时可见圆锥花序，花条状，淡黄白色，湿润后展开呈漏斗状，先端 5 裂，裂片椭圆形。气微，味淡。

| **功能主治** | 辛，温。解表，行气，活血，解毒。用于感冒风寒，食滞腹胀，无名肿毒。

| **用法用量** | 内服煎汤，9 ~ 15g。外用适量，捣敷。

| **附　　注** | 在 FOC 中，本种的拉丁学名被修订为 *Dinetus racemosus* (Wallich) Sweet，属的拉丁学名被修订为 *Dinetus*。

旋花科 Convolvulaceae 飞蛾藤属 Porana

近无毛飞蛾藤

Porana sinensis Hemsl. var. *delavayi* (Gagn. et Courch.) Rehd.

近无毛飞蛾藤

药 材 名

近无毛飞蛾藤（药用部位：全株）。

形态特征

木质藤本。幼枝被短柔毛，老枝圆柱形，暗褐色，近无毛；茎近无毛。叶宽卵形，纸质，长 5 ~ 10cm，宽 4 ~ 6.5cm，先端锐尖或骤尖，基部心形，叶近无毛，掌状脉基出，5，在叶面稍凸出，在背面凸出，侧脉 1 ~ 2 对；叶柄腹面具槽，稍扁，长 2 ~ 2.5cm。花淡蓝色或紫色，2 ~ 3 沿序轴簇生组成腋生单一的总状花序，有时长达 30cm，无苞片，花柄较花短，长 5 ~ 6mm，密被污黄色绒毛，先端具 2 ~ 3 小苞片，卵形，锐尖，长 3mm；萼片被污黄色绒毛，极不相等，外面 2 个较大，长圆形，钝，内面 3 较短，卵状，渐尖；花冠宽漏斗形，长 1.5 ~ 2cm，张开时宽达 2.5cm，花冠管短，长约 8mm，冠檐浅裂，外面被短柔毛；雄蕊近等长，无毛，较花冠短，着生于花冠管中部以下，花丝丝状，花药箭形；子房中部以上被疏长柔毛，1 室，4 胚珠，花柱下半部被疏柔毛，柱头头状，2 浅裂。蒴果球形，成熟时 2 外萼片极增大，长圆形，长 6.5 ~ 7cm，宽 1.2 ~ 1.5cm，先端圆形，基部稍缢缩，两面疏被短柔毛，具 5 明显平行纵贯的脉，3 较小的内萼片近等长，几不增大，先端近锐尖，被短疏柔毛，微具小齿；种子 1，黄褐色，压扁，不规则近圆形。

| 生境分布 | 生于海拔 600 ~ 1800m 的石灰岩灌丛或林缘。分布于重庆城口、巫山、奉节、酉阳、黔江、彭水、秀山等地。

| 资源情况 | 野生资源稀少。药材来源于野生。

| 采收加工 | 夏、秋季采收，洗净，切碎，鲜用或晒干。

| 功能主治 | 用于水肿，肝硬化腹水。

| 用法用量 | 内服煎汤，适量。

| 附　　注 | 在 FOC 中，本种被修订为近无毛三翅藤 *Tridynamia sinensis* (Hemsley) Staples var. *delavayi* (Gagnepain et Courchet) Staples，属名被修订为三翅藤属 *Tridynamia*。

旋花科 Convolvulaceae 茑萝属 Quamoclit

茑萝松 *Quamoclit pennata* (Desr.) Boj.

茑萝松

| 药 材 名 |

茑萝松（药用部位：全草或根。别名：金凤毛、翠翎草、女罗）。

| 形态特征 |

一年生柔弱缠绕草本，无毛。叶卵形或长圆形，长 2 ~ 10cm，宽 1 ~ 6cm，羽状深裂至中脉，具 10 ~ 18 对线形至丝状的平展的细裂片，裂片先端锐尖；叶柄长8 ~ 40mm，基部常具假托叶。花序腋生，由少数花组成聚伞花序；总花梗大多超过叶，长 1.5 ~ 10cm，花直立，花柄较花萼长，长 9 ~ 20mm，在果时增厚成棒状；萼片绿色，稍不等长，椭圆形至长圆状匙形，外面1 稍短，长约 5mm，先端钝而具小凸尖；花冠高脚碟状，长约 2.5cm 以上，深红色，无毛，花冠管柔弱，上部稍膨大，冠檐开展，直径 1.7 ~ 2cm，5 浅裂；雄蕊及花柱伸出；花丝基部具毛；子房无毛。蒴果卵形，长7 ~ 8mm，4 室，4 瓣裂，隔膜宿存，透明；种子 4，卵状长圆形，长 5 ~ 6mm，黑褐色。

| 生境分布 |

栽培于庭院。重庆各地均有分布。

| 资源情况 | 野生资源稀少，栽培资源丰富。药材主要来源于栽培。

| 采收加工 | 夏、秋季采收，晒干；鲜用多随采随用。

| 药材性状 | 本品全草多缠绕成团。茎纤细，黄绿色，光滑无毛。叶枯绿色，互生，多皱缩，完整者展平后长3～6cm，羽状细裂，裂片条状，有的基部再2裂，质脆，易碎。有的可见聚伞花序，花条形，湿润后花冠筒较长，外表面淡红色，先端膨大，5浅裂，呈五角星状，深红色。气微，味淡。

| 功效主治 | 甘，寒。清热解毒，凉血止血。用于耳疔，痔漏，蛇虫咬伤。

| 用法用量 | 内服煎汤，6～9g。外用鲜品适量，捣敷或煎汤洗。

| 附　　注 | 本种喜温暖和阳光充足的环境,不耐寒,怕霜冻。对土壤要求不严,但以土层深厚、肥沃、排水良好的土壤栽培为好。

紫草科 Boraginaceae 斑种草属 Bothriospermum

多苞斑种草
Bothriospermum secundum Maxim.

多苞斑种草

| 药 材 名 |

野山蚂蟥（药用部位：全草。别名：山蚂蟥、
毛萝菜）。

| 形态特征 |

一年生或二年生草本，高 25 ～ 40cm，具直
伸的根。茎单一或数条丛生，由基部分枝，
分枝通常细弱，稀粗壮，开展或向上直伸，
被向上开展的硬毛及伏毛。基生叶具柄，倒
卵状长圆形，长 2 ～ 5cm，先端钝，基部渐
狭为叶柄；茎生叶长圆形或卵状披针形，长
2 ～ 4cm，宽 0.5 ～ 1cm，无柄，两面均被
基部具基盘的硬毛及短硬毛。花序生茎顶及
腋生枝条先端，长 10 ～ 20cm，花与苞片依
次排列，而各偏于一侧；苞片长圆形或卵状
披针形，长 0.5 ～ 1.5cm，宽 0.3 ～ 0.5mm，
被硬毛及短伏毛；花梗长 2 ～ 3mm，果期
不增长或稍增长，下垂；花萼长 2.5 ～ 3mm，
外面密生硬毛，裂片披针形，裂至基部；花
冠蓝色至淡蓝色，长 3 ～ 4mm，檐部直径
约 5mm，裂片圆形，喉部附属物梯形，高
约 0.8mm，先端微凹；花药长圆形，长与
附属物略等，花丝极短，着生花冠筒基部以
上 1mm 处；花柱圆柱形，极短，约为花萼
1/3，柱头头状。小坚果卵状椭圆形，长约

2mm，密生疣状突起，腹面有纵椭圆形的环状凹陷。花期 5 ～ 7 月。

| 生境分布 | 生于海拔 250 ～ 1600m 的山坡、道旁、河床、农田路边或山坡林缘灌木林下、山谷溪边阴湿处。分布于重庆巫溪、开州、城口、南川、垫江、涪陵、丰都、九龙坡等地。

| 资源情况 | 野生资源稀少。药材主要来源于野生。

| 采收加工 | 春、夏季采收，拣净，鲜用或晒干。

| 功能主治 | 苦，凉。祛风，利水，解疮毒。用于水肿，疮毒。

| 用法用量 | 内服煎汤，3 ～ 9g。外用煎汤洗。

柔弱斑种草
Bothriospermum tenellum (Hornem.) Fisch. et Mey.

| 药 材 名 | 鬼点灯（药用部位：全草。别名：小马耳朵、细叠子草、雀灵草）。

| 形态特征 | 一年生草本，高 15 ~ 30cm。茎细弱，丛生，直立或平卧，多分枝，被向上贴伏的糙伏毛。叶椭圆形或狭椭圆形，长 1 ~ 2.5cm，宽 0.5 ~ 1cm，先端钝，具小尖，基部宽楔形，上下两面被向上贴伏的糙伏毛或短硬毛。花序柔弱，细长，长 10 ~ 20cm；苞片椭圆形或狭卵形，长 0.5 ~ 1cm，宽 3 ~ 8mm，被伏毛或硬毛；花梗短，长 1 ~ 2mm，果期不增长或稍增长；花萼长 1 ~ 1.5mm，果期增大，长约 3mm，外面密生向上的伏毛，内面无毛或中部以上散生伏毛，裂片披针形或卵状披针形，裂至近基部；花冠蓝色或淡蓝色，长 1.5 ~ 1.8mm，基部直径 1mm，檐部直径 2.5 ~ 3mm，裂片圆形，长、宽约 1mm，喉部有 5 梯形的附属物，附属物高约 0.2mm；花柱

柔弱斑种草

圆柱形，极短，长约 0.5mm，约为花萼的 1/3 或不及。小坚果肾形，长 1 ~ 1.2mm，腹面具纵椭圆形的环状凹陷。花果期 2 ~ 10 月。

| **生境分布** | 生于海拔 300 ~ 1900m 的山坡路边、田间荒地或溪边阴湿处。分布于重庆武隆、南川、大足、垫江、奉节、涪陵、长寿、璧山、南岸、合川、九龙坡、荣昌等地。

| **资源情况** | 野生资源较丰富。药材来源于野生。

| **采收加工** | 夏、秋季采收，拣净，晒干。

| **功能主治** | 微苦、涩，平；有小毒。止咳，止血。用于咳嗽，吐血。

| **用法用量** | 内服煎汤，9 ~ 12g。止血炒焦用。

| **附　　注** | 在 FOC 中，本种的拉丁学名被修订为 *Bothriospermum zeylanicum* (J. Jacquin) Druce。

紫草科 Boraginaceae 琉璃草属 Cynoglossum

倒提壶
Cynoglossum amabile Stapf et Drumm.

| **药 材 名** | 狗屎花（药用部位：地上部分。别名：狗舌花、龙须草、七星箭）、狗屎花根（药用部位：根。别名：蓝狗屎花根、鸡爪参、接骨草根）。

| **形态特征** | 多年生草本，高 15 ~ 60cm。茎单一或数条丛生，密被贴伏短柔毛。基生叶具长柄，长圆状披针形或披针形，长 5 ~ 20cm（包括叶柄），宽 1.5 ~ 4cm，稀 5cm，两面密生短柔毛；茎生叶长圆形或披针形，无柄，长 2 ~ 7cm，侧脉极明显。花序锐角分枝，分枝紧密，向上直伸，集为圆锥状，无苞片；花梗长 2 ~ 3mm，果期稍增长；花萼长 2.5 ~ 3.5mm，外面密生柔毛，裂片卵形或长圆形，先端尖；花冠通常蓝色，稀白色，长 5 ~ 6mm，檐部直径 8 ~ 10mm，裂片圆形，长约 2.5mm，有明显的网脉，喉部具 5 梯形附属物，附属物长约 1mm；花丝长约 0.5mm，着生于花冠筒中部，花药长圆形，长约

倒提壶

1mm；花柱线状圆柱形，与花萼近等长或较短。小坚果卵形，长 3 ～ 4mm，背面微凹，密生锚状刺，边缘锚状刺基部联合，成狭或宽的翅状边，腹面中部以上有三角形着生面。花果期 5 ～ 9 月。

| **生境分布** | 生于海拔 500 ～ 1900m 的山坡、路旁、草地、干旱的林缘、灌木林中。分布于重庆彭水、酉阳、南川、涪陵、丰都、云阳、武隆、黔江、巫溪、北碚、巫山等地。

| **资源情况** | 野生资源一般。药材来源于野生。

| **采收加工** | 狗屎花：夏、秋季采收，洗净，鲜用或晒干。
狗屎花根：秋季采挖，洗净，鲜用或切片晒干。

| **功能主治** | 狗屎花：苦，凉。清肺化痰，散瘀止血，清热利湿。用于咳嗽，吐血，肝炎，痢疾，尿痛，带下，瘰疬，刀伤，骨折。
狗屎花根：苦，平。归肝、肾经。清热，补虚，利湿。用于肝炎，痢疾，疟疾，虚劳咳喘，盗汗，疝气，水肿，崩漏，带下。

| **用法用量** | 狗屎花：内服煎汤，30 ～ 60g。外用适量，鲜品捣敷；或干品研末撒。
狗屎花根：内服煎汤，15 ～ 30g。外用适量，捣敷；或研末撒。

紫草科 Boraginaceae 琉璃草属 Cynoglossum

小花琉璃草 *Cynoglossum lanceolatum* Forsk.

小花琉璃草

药材名

琉璃草（药用部位：全草。别名：拦路虎、粘娘娘、猪尾巴）。

形态特征

多年生草本，高 20 ~ 90cm。茎直立，由中部或下部分枝，分枝开展，密被基部具基盘的硬毛。基生叶及茎下部叶具叶柄，长圆状披针形，长 8 ~ 14cm，宽约 3cm，先端尖，基部渐狭，上面被具基盘的硬毛及稠密的伏毛，下面密被短柔毛；茎中部叶无柄或具短柄，披针形，长 4 ~ 7cm，宽约 1cm，茎上部叶极小。花序顶生及腋生，分枝钝角叉状分开，无苞片，果期延长成总状；花梗长 1 ~ 1.5mm，果期几不增长；花萼长 1 ~ 1.5mm，裂片卵形，先端钝，外面密生短伏毛，内面无毛，果期稍增大；花冠淡蓝色，钟状，长 1.5 ~ 2.5mm，檐部直径 2 ~ 2.5mm，喉部有 5 半月形附属物；花药卵圆形，长 0.5mm；花柱肥厚，四棱形，果期长约 1mm，较花萼为短。小坚果卵球形，长 2 ~ 2.5mm，背面凸，密生长短不等的锚状刺，边缘锚状刺基部不联合。花果期 4 ~ 9 月。

| 生境分布 |

生于丘陵、山坡草地及路边。分布于重庆城口、云阳、巫溪、巫山、奉节、南川等地。

| 资源情况 |

生于丘陵、山坡草地及路边。

| 采收加工 |

春、夏季采收，晒干。

| 药材性状 |

本品根呈长圆锥形，不分枝，长 5 ~ 10cm，直径 0.2 ~ 0.4cm；表面暗褐色，有纵纹；质硬，易折断。根头部具较多基生叶残基。茎中空，外表面暗褐色，密被向上舒展的粗毛。单叶互生，叶片展平后呈披针形，长 5 ~ 7cm，宽约1cm，无柄，两面具毛，上表面贴伏粗硬毛，其基部明显可见增大钟乳体，下表面毛柔软且向叶片先端方向贴伏。气微，味微苦。

| 功能主治 |

苦，寒。归肝经。清热解毒，活血散瘀，利湿。用于急性肾炎，牙龈脓肿，急性淋巴结炎，疮疖肿痛，水肿，月经不调等。

| 用法用量 |

内服煎汤，10 ~ 15g。外用适量，捣敷患处。

| 附 注 |

紫草科植物小花琉璃草 *Cynoglossum lanceolatum* Forssk. 和琉璃草 *Cynoglossum zeylanicum* (Vahl) Thunb. 现均作琉璃草供药用。

紫草科 Boraginaceae 琉璃草属 Cynoglossum

琉璃草

Cynoglossum zeylanicum (Vahl) Thunb.

| 药 材 名 | 琉璃草（药用部位：全草。别名：拦路虎、粘娘娘、猪尾巴）。

| 形态特征 | 直立草本，高 40 ~ 60cm，稀达 80cm。茎单一或数条丛生，密被黄褐色糙伏毛。基生叶及茎下部叶具叶柄，长圆形或长圆状披针形，长 12 ~ 20cm（包括叶柄），宽 3 ~ 5cm，先端钝，基部渐狭，上下两面密生贴伏的伏毛。花梗长 1 ~ 2mm，果期较花萼短，密被贴伏的糙伏毛；花萼长 1.5 ~ 2mm，果期稍增大，长约 3mm，裂片卵形或卵状长圆形，外面密伏短糙毛；花冠蓝色，漏斗状，长 3.5 ~ 4.5mm；花药长圆形，长约 1mm，宽 0.5mm，花丝基部扩张，着生于花冠筒上 1/3 处；花柱肥厚，略四棱形，长约 1mm，果期长达 2.5mm，较花萼稍短。小坚果卵球形，长 2 ~ 3mm，直径 1.5 ~ 2.5mm，背面突，密生锚状刺，边缘无翅边或稀中部以下具翅边。花果期 5 ~ 10 月。

琉璃草

| **生境分布** | 生于林间草地、向阳山坡或路边。分布于重庆城口、巫山、奉节、丰都、云阳、南川、武隆、开州、巫溪、石柱等地。

| **资源情况** | 野生资源一般。药材来源于野生。

| **采收加工** | 参见"小花琉璃草"条。

| **药材性状** | 本品茎多向下舒展的粗毛。叶面密被贴伏硬毛，毛基部略增粗，无钟乳体，叶背被向叶柄方向舒展的柔毛。

| **功能主治** | 参见"小花琉璃草"条。

| **用法用量** | 参见"小花琉璃草"条。

| **附　　注** | 在 FOC 中，本种的拉丁学名被修订为 *Cynoglossum furcatum* Wallich。

紫草科 Boraginaceae 厚壳树属 Ehretia

粗糠树 *Ehretia macrophylla* Wall.

| 药 材 名 | 粗糠树皮（药用部位：树皮）。

| 形态特征 | 落叶乔木，高约 15m，胸径 20cm。树皮灰褐色，纵裂。枝条褐色，小枝淡褐色，均被柔毛。叶宽椭圆形、椭圆形、卵形或倒卵形，长 8 ~ 25cm，宽 5 ~ 15cm，先端尖，基部宽楔形或近圆形，边缘具开展的锯齿，上面密生具基盘的短硬毛，极粗糙，下面密生短柔毛；叶柄长 1 ~ 4cm，被柔毛。聚伞花序顶生，呈伞房状或圆锥状，宽 6 ~ 9cm，具苞片或无；花无梗或近无梗；苞片线形，长约 5mm，被柔毛；花萼长 3.5 ~ 4.5mm，裂至近中部，裂片卵形或长圆形，具柔毛；花冠筒状钟形，白色至淡黄色，芳香，长 8 ~ 10mm，基部直径 2mm，喉部直径 6 ~ 7mm，裂片长圆形，长 3 ~ 4mm，比筒部短；雄蕊伸出花冠外，花药长 1.5 ~ 2mm，花丝长 3 ~ 4.5mm，

粗糠树

着生于花冠筒基部以上 3.5 ～ 5.5mm 处；花柱长 6 ～ 9mm，无毛或稀被伏毛，分枝长 1 ～ 1.5mm。核果黄色，近球形，直径 10 ～ 15mm，内果皮成熟时分裂为 2 具 2 种子的分核。花期 3 ～ 5 月，果期 6 ～ 7 月。

| **生境分布** | 生于海拔 125 ～ 1700m 的溪边或山坡疏林中。分布于重庆巫山、万州、石柱、忠县、南川、彭水、丰都、城口、云阳、垫江、涪陵、长寿、九龙坡、武隆、合川等地。

| **资源情况** | 栽培资源丰富。药材来源于栽培。

| **采收加工** | 全年均可采收，洗净，鲜用。

| **功能主治** | 微苦、辛，凉。散瘀消肿。用于跌打损伤。

| **用法用量** | 外用适量，捣敷。

| **附　　注** | 在 FOC 中，本种的拉丁学名被修订为 *Ehretia dicksonii* Hance。

紫草科 Boraginaceae 厚壳树属 *Ehretia*

厚壳树
Ehretia thyrsiflora (Sieb. et Zucc.) Nakai

| 药 材 名 | 大岗茶（药用部位：心材。别名：大红茶、走马树）、大岗茶树皮（药用部位：树皮、枝）、大岗茶叶（药用部位：叶）。

| 形态特征 | 落叶乔木，高达 15m。具条裂的黑灰色树皮。枝淡褐色，平滑，小枝褐色，无毛，有明显的皮孔。腋芽椭圆形，扁平，通常单一。叶椭圆形、倒卵形或长圆状倒卵形，长 5 ~ 13cm，宽 4 ~ 5cm，先端尖，基部宽楔形，稀圆形，边缘有整齐的锯齿，齿端向上而内弯，无毛或被稀疏柔毛；叶柄长 1.5 ~ 2.5cm，无毛。聚伞花序圆锥状，长 8 ~ 15cm，宽 5 ~ 8cm，被短毛或近无毛；花多数，密集，小形，芳香；花萼长 1.5 ~ 2mm，裂片卵形，具缘毛；花冠钟状，白色，长 3 ~ 4mm，裂片长圆形，开展，长 2 ~ 2.5mm，较筒部长；雄蕊伸出花冠外，花药卵形，长约 1mm，花丝长 2 ~ 3mm，着生于花

厚壳树

冠筒基部以上 0.5 ～ 1mm 处；花柱长 1.5 ～ 2.5mm，分枝长约 0.5mm。核果黄色或橘黄色，直径 3 ～ 4mm；核具皱折，成熟时分裂为 2 具 2 种子的分核。

| **生境分布** | 生于海拔 200 ～ 1700m 的丘陵、平原疏林、山坡灌丛或山谷密林。分布于重庆江津、南川、城口、巫溪等地。

| **资源情况** | 野生资源稀少。药材来源于野生。

| **采收加工** | 大岗茶：全年均可采收，除去皮部，锯成小段，劈成小块，晒干。
大岗茶树皮：全年均可采收，切片，晒干。
大岗茶叶：夏、秋季采摘，晒干。

| **药材性状** | 大岗茶：本品茎较细，1 至数条，圆柱形，长 10 ～ 30cm，表面枯绿色，具灰白色糙毛，质脆易折断，断面白色。基生叶丛生，皱缩卷曲，湿润展开后，匙形，具柄，长 3.5 ～ 13cm，宽 1 ～ 5cm，枯绿色或深绿色，两面均具灰白色粗毛，茎生叶较小，无柄。叶片稍厚。有时可见蓝或紫色小花。或有两层碗状突起的小坚果，基顶部外层有直立的齿轮，内层紧贴边缘。气微，味微苦。

| **功能主治** | 大岗茶：甘、咸，平。散瘀，消肿，止痛。用于跌打损伤，骨折，痈疮红肿。
大岗茶树皮：苦、涩，平。收敛止泻。用于慢性肠炎。
大岗茶叶：清热解暑。用于外感暑热。

| **用法用量** | 大岗茶：外用适量，捣敷；或研末调酒敷。
大岗茶树皮：内服煎汤，9 ～ 15g。
大岗茶叶：内服煎汤，10 ～ 15g。

| **附　注** | 在 FOC 中，本种的拉丁学名被修订为 *Ehretia acuminata* R. Brown。

紫草科 Boraginaceae 紫草属 Lithospermum

紫草

Lithospermum erythrorhizon Sieb. et Zucc.

| 药 材 名 | 紫草子（药用部位：果实）、紫草（药用部位：根。别名：紫丹、紫根、红紫草）。

| 形态特征 | 多年生草本。根富含紫色物质。茎通常1～3，直立，高40～90cm，被贴伏和开展的短糙伏毛，上部有分枝，枝斜升并常稍弯曲。叶无柄，卵状披针形至宽披针形，长3～8cm，宽7～17mm，先端渐尖，基部渐狭，两面均有短糙伏毛，脉在叶下面凸起，沿脉被较密的糙伏毛。花序生于茎和枝上部，长2～6cm，果期延长；苞片与叶同形而较小；花萼裂片线形，长约4mm，果期可达9mm，背面有短糙伏毛；花冠白色，长7～9mm，外面稍有毛，筒部长约4mm，檐部与筒部近等长，裂片宽卵形，长2.5～3mm，开展，全缘或微波状，先端有时微凹，喉部附属物半球形，无毛；雄蕊着生

紫草

于花冠筒中部稍上,花丝长约 0.4mm,花药长 1 ~ 1.2mm;花柱长 2.2 ~ 2.5mm,柱头头状。小坚果卵球形,乳白色或带淡黄褐色,长约 3.5mm,平滑,有光泽,腹面中线凹陷呈纵沟。花果期 6 ~ 9 月。

| **生境分布** | 生于山坡草地。分布于重庆巫溪、云阳、武隆、酉阳、南川、万州、巫山等地。

| **资源情况** | 野生资源一般。药材主要来源于野生。

| **采收加工** | 紫草子:秋季采摘,清水漂净杂物和瘪粒,晾干。
紫草:春、秋季采挖,除去泥沙,晒干。

| **药材性状** | 紫草子:本品呈卵圆形,长约 2.5mm,直径约 2mm。表面灰白色或淡褐色,平滑,有光泽。上端尖而偏斜,基部钝,稍平截,具褐色圆形果柄痕,一侧有钝棱,可见纵直缝线与果实等长。切面果皮白色,质硬脆。种皮黑褐色,较薄;胚乳淡黄白色,富油性。气弱,味淡。
紫草:本品呈圆锥形,扭曲,有分枝,长 7 ~ 14cm,直径 1 ~ 2cm。表面紫红色或紫黑色,粗糙,有纵纹,皮部薄,易剥落。质硬而脆,易折断,断面皮部深紫色,木部较大,灰黄色。气特异,味酸、甘。

| **功能主治** | 紫草子:甘,平。归心、肝、大肠经。活血化瘀,润肠。用于高脂血症。
紫草:苦,寒。归心、肝经。凉血活血,解毒透疹。用于斑疹,麻疹,吐血,衄血,尿血,紫癜,黄疸,痈疽,烫火伤。

| **用法用量** | 紫草子:制剂用油。
紫草:内服煎汤,3 ~ 9g;或入散剂。外用适量,熬膏或制油涂。

紫草科 Boraginaceae 紫草属 Lithospermum

梓木草 *Lithospermum zollingeri DC.*

| **药 材 名** | 地仙桃（药用部位：果实。别名：接骨仙桃草、马非）。

| **形态特征** | 多年生匍匐草本。根褐色，稍含紫色物质。匍匐茎长可达 30cm，有开展的糙伏毛；茎直立，高 5 ~ 25cm。基生叶有短柄，叶片倒披针形或匙形，长 3 ~ 6cm，宽 8 ~ 18mm，两面都被短糙伏毛但下面毛较密；茎生叶与基生叶同形而较小，先端急尖或钝，基部渐狭，近无柄。花序长 2 ~ 5cm，有花 1 至数朵，苞片叶状；花有短花梗；花萼长约 6.5mm，裂片线状披针形，两面都被毛；花冠蓝色或蓝紫色，长 1.5 ~ 1.8cm，外面稍被毛，筒部与檐部无明显界限，檐部直径约 1cm，裂片宽倒卵形，近等大，长 5 ~ 6mm，全缘，无脉，喉部有 5 向筒部延伸的纵褶，纵褶长约 4mm，稍肥厚并有乳头；雄蕊着生

梓木草

于纵褶之下，花药长 1.5 ~ 2mm；花柱长约 4mm，柱头头状。小坚果斜卵球形，长 3 ~ 3.5mm，乳白色而稍带淡黄褐色，平滑，有光泽，腹面中线凹陷成纵沟。花果期 5 ~ 8 月。

| **生境分布** | 生于丘陵或低山草坡，或灌丛下。分布于重庆南川、奉节、巫山、城口、酉阳等地。

| **资源情况** | 野生资源稀少。药材来源于野生。

| **采收加工** | 7 ~ 9 月果实成熟时采收，晒干。

| **药材性状** | 本品椭圆形或斜卵球形，长 3 ~ 3.5mm，腹面中线凹陷成纵沟。表面乳白色，光滑、润泽。质坚硬，破碎后可见种子，种皮与果壳愈合，棕黑色，种仁灰白色而稍黄。富油脂。

| **功能主治** | 甘、辛，温。温中散寒，消肿止痛。用于胃脘冷痛作胀，泛酸，跌打肿痛，骨折。

| **用法用量** | 内服煎汤，3 ~ 6g；或研末。外用适量，捣敷。

车前紫草 *Sinojohnstonia plantaginea* Hu

| 药 材 名 | 车前紫草（药用部位：带根全草）。

| 形态特征 | 根茎横走，直径约 6mm。茎数条，高 15 ～ 20cm，有短伏毛。基生叶数个，叶片心状卵形，长 6 ～ 13cm，宽 3 ～ 10cm，先端短渐尖，两面疏生短伏毛；叶柄长 7 ～ 20cm，茎生叶生于茎上部，较小，长 1.5 ～ 3.5cm。花序长达 5cm，含多数花，无苞片，密生短伏毛；花萼长约 3.5mm，5 裂至基部的 1/4 处，裂片卵状披针形，背面被密短伏毛；花冠钟状，白色，稍长于花萼（长约 4mm），筒部长约 2.2mm，檐部全裂，裂片狭三角形，比花冠筒稍短，喉部附属物高约 4mm；雄蕊 5，着生于附属物之间，伸出花冠外，花丝丝形，长约 4mm，花药长圆形，钝，长约 0.8mm；子房 4 裂，花柱长约

车前紫草

6mm，外伸，柱头微小，头状。小坚果长约 2.5mm，无毛，有光泽，碗状突起淡黄褐色，高约 1mm。花果期 3 ~ 9 月。

| 生境分布 | 生于林下、沟边等处。分布于重庆丰都、长寿、南川、巫溪、巫山等地。

| 资源情况 | 野生资源稀少。药材来源于野生。

| 采收加工 | 夏季采收，晒干。

| 功能主治 | 清热利湿，散瘀止血。

| 用法用量 | 内服煎汤，适量。

紫草科 Boraginaceae 聚合草属 Symphytum

聚合草 *Symphytum officinale* L.

| 药 材 名 | 聚合草（药用部位：根）。

| 形态特征 | 丛生型多年生草本，高 30 ～ 90cm，全株被向下稍弧曲的硬毛和短伏毛。根发达，主根粗壮，淡紫褐色。茎数条，直立或斜升，有分枝。基生叶通常 50 ～ 80，最多可达 200，具长柄，叶片带状披针形、卵状披针形至卵形，长 30 ～ 60cm，宽 10 ～ 20cm，稍肉质，先端渐尖；茎中部和上部叶较小，无柄，基部下延。花序含多数花；花萼裂至近基部，裂片披针形，先端渐尖；花冠长 14 ～ 15mm，淡紫色、紫红色至黄白色，裂片三角形，先端外卷，喉部附属物披针形，长约 4mm，不伸出花冠檐；花药长约 3.5mm，先端有稍突出的药隔，花丝长约 3mm，下部与花药近等宽；子房通常不育，偶尔个别花内成熟 1 小坚果。小坚果歪卵形，长 3 ～ 4mm，黑色，平滑，有光泽。

聚合草

花期 5 ～ 10 月。

| **生境分布** | 栽培于山地、庭院。分布于重庆綦江、奉节、巫山、丰都、忠县、城口、云阳、
开州、垫江、巫溪等地。

| **资源情况** | 栽培资源丰富。药材来源于栽培。

| **采收加工** | 全年均可采收，洗净，切片，晒干。

| **功能主治** | 止泻，止血。

| **用法用量** | 内服煎汤，适量。

| **附　　注** | 本种适宜地域较广，既耐寒又抗高温，不受地域限制；对土壤也无严格要求，
除盐碱地、瘠薄地以及排水不良的低洼地外，一般土地均可种植。

紫草科 Boraginaceae 盾果草属 Thyrocarpus

盾果草
Thyrocarpus sampsonii Hance

盾果草

药 材 名

盾果草（药用部位：全草。别名：盾形草、野生地、猫条干）。

形态特征

一年生草本。茎1至数条，直立或斜升，高20～45cm，常自下部分枝，被开展的长硬毛和短糙毛。基生叶丛生，有短柄，匙形，长3.5～19cm，宽1～5cm，全缘或有疏细锯齿，两面都被具基盘的长硬毛和短糙毛；茎生叶较小，无柄，狭长圆形或倒披针形。花序长7～20cm；苞片狭卵形至披针形，花生于苞腋或腋外；花梗长1.5～3mm；花萼长约3mm，裂片狭椭圆形，背面和边缘被开展的长硬毛，腹面稍被短伏毛；花冠淡蓝色或白色，显著比花萼长，筒部比檐部短2.5倍，檐部直径5～6mm，裂片近圆形，开展，喉部附属物线形，长约0.7mm，肥厚，有乳头凸起，先端微缺；雄蕊5，着生于花冠筒中部，花丝长约0.3mm，花药卵状长圆形，长约0.5mm。小坚果4，长约2mm，黑褐色，碗状突起的外层边缘色较淡，齿长约为碗高的一半，伸直，先端不膨大，内层碗状突起不向里收缩。花果期5～7月。

| **生境分布** | 生于山坡草丛或灌丛下。分布于重庆城口、巫溪、巫山、奉节、武隆、南川、綦江、巴南、北碚、铜梁等地。

| **资源情况** | 野生资源稀少。药材来源于野生。

| **采收加工** | 4～6月采收，鲜用或晒干。

| **药材性状** | 本品茎较细，1至数条，圆柱形，长 10～30cm；表面枯绿色，具灰白色糙毛；质脆，易折断，断面白色。基生叶丛生，皱缩卷曲，湿润展开后匙形，具柄，长 3.5～19cm，宽 1～5cm，枯绿色或深绿色，两面均具灰白色粗毛，茎生叶较小，无柄，叶片稍厚。有时可见蓝色或紫色小花。或有2层碗状突起的小坚果，其顶部外层有直立的齿轮，内层紧贴边缘。气微，味微苦。

| **功能主治** | 苦，凉。清热解毒，消肿。用于痈疖，疔疮，痢疾，泄泻，咽喉痛。

| **用法用量** | 内服煎汤，9～15g，鲜品 30g。外用适量，鲜品捣敷。

紫草科 Boraginaceae 附地菜属 Trigonotis

大叶附地菜
Trigonotis macrophylla Vaniot

| 药 材 名 | 大叶附地菜（药用部位：全草。别名：附地菜）。

| 形态特征 | 多年生草本。茎高35cm，细弱，斜升，疏被短伏毛或近无毛。叶宽卵形，长3.5～9cm，宽2.5～6.5cm，先端具短尖，基部圆或楔形，两面疏被糙伏毛；叶柄长达5cm；茎上部叶较小，具短柄。花序自茎上方叶腋抽出，多分枝，无苞片，被糙伏毛，果期长达19cm；花疏生，具细花梗；花梗果期长达4mm，斜升；花萼裂片披针形，长约2.5mm，直立，果期比花梗短约2倍；花冠小，蓝色或淡蓝色。小坚果4，直立，半球状四面体形，成熟后黑色，有光泽，背面极凸，长约1mm，边缘具软骨质浅色钝棱，腹面的2侧面近等大，基底面小，向下方凸起，无柄。

大叶附地菜

| **生境分布** | 生于海拔 1000 ～ 2000m 的山地、溪边阴湿林缘或路旁草丛中。分布于重庆南川、綦江等地。 |

| **资源情况** | 野生资源较少。药材来源于野生。 |

| **采收加工** | 夏、秋季采收，鲜用或晒干。 |

| **功能主治** | 苦、辛，平。祛风除湿，温经散寒。用于风湿性关节炎，疝气。 |

| **用法用量** | 内服煎汤，3 ～ 9g。 |

紫草科 Boraginaceae 附地菜属 Trigonotis

西南附地菜 Trigonotis cavaleriei (Lévl.) Hand.-Mazz.

| 药 材 名 |　西南附地菜（药用部位：全草）。

| 形态特征 |　多年生草本。根茎长而粗；有多数细长的纤维状根；茎基被残存深褐色叶柄包围。茎高 20 ～ 50cm，通常不分枝，稍呈"之"字形弯曲，被开展的长硬毛。基生叶数个，有长柄，花后枯萎，叶片宽卵形或椭圆形，长 3 ～ 10cm，宽 2 ～ 5.5cm，先端急尖，基部圆形或微心形，上面密被糙伏毛，下面毛较稀疏，毛基部有膨大基盘，叶缘被短毛，中脉在叶下面显著凸起，侧脉不明显；叶柄长 3 ～ 10cm，密被长硬毛，基部扩展成鞘状；茎上部叶较小，通常狭卵形，具短柄。花序无苞片，顶生或从茎上部叶腋抽出，果期长达 23cm，有长总梗，通常二叉式分枝，被短伏毛；花梗长 3 ～ 4mm，直立；花萼 5 浅裂，裂片宽卵形，长约 2mm，先端钝，下半部密被短伏毛，上半部无毛，边缘有

西南附地菜

细缘毛，果期 5 纵肋明显隆起；花冠蓝色或白色，筒部短，长约 2mm，檐部直径约 6mm，裂片近圆形，直径约 3mm，喉部附属物 5，高约 1mm，有短毛，先端凹缺；花药长圆形，长约 1mm，伸达喉部。小坚果 4，倒三棱锥状四面体形，长约 1mm，成熟后深褐色，平滑无毛，具光泽，背面平坦，具 3 锐棱，腹面 3 面近等大，无柄。花果期 5 ~ 8 月。

| 生境分布 | 生于海拔 700 ~ 2000m 的山地林下或林缘、溪谷湿地或路旁。分布于重庆开州、武隆、酉阳、南川、江津等地。

| 资源情况 | 野生资源稀少。药材来源于野生。

| 采收加工 | 夏季采收，晒干。

| 功能主治 | 清热解毒，凉血。

| 用法用量 | 内服煎汤，适量。

紫草科 Boraginaceae 附地菜属 Trigonotis

窄叶西南附地菜 Trigonotis cavaleriei (Lévl.) Hand.-Mazz. var. angustifolia C. J. Wang

| 药 材 名 | 窄叶西南附地菜（药用部位：全草）。

| 形态特征 | 多本种与原变种西南附地菜的区别在于叶片狭窄，呈披针形，长 4.5 ~ 8cm，宽 1.5 ~ 3cm，先端渐尖，基部渐狭呈狭楔形。

| 生境分布 | 生于海拔 1900m 以下的山地林下、林缘或沟边阴湿处。分布于重庆 南川、开州等地。

| 资源情况 | 野生资源较少。药材主要来源于野生。

| 采收加工 | 夏、秋季采收，鲜用或晒干。

窄叶西南附地菜

| **功能主治** | 温中健脾，消肿止痛。用于风湿性关节炎，疝气。

| **用法用量** | 内服煎汤，3 ~ 9g。

紫草科 Boraginaceae 附地菜属 Trigonotis

狭叶附地菜
Trigonotis compressa Johnst.

| 药 材 名 | 狭叶附地菜（药用部位：全草）。

| 形态特征 | 多年生草本。根茎斜升，深褐色；生多数纤维状根，根颈部被残留的叶柄所包围。茎直立，高 20 ~ 35cm，疏被糙伏毛；基生叶花期枯萎；茎生叶披针形，长 3 ~ 8cm，宽 1.5 ~ 3cm，先端渐尖，基部圆形或楔形，两面密被糙伏毛，下面微带紫色；叶柄长 0.5 ~ 5cm。花序细弱，单生或孪生，具短梗（长 1 ~ 4cm），无苞片，果期长可达 13cm，密被糙伏毛；花梗细，果期长达 5mm；花萼裂片狭长圆形，长 2.5mm，先端渐尖；花冠淡蓝紫色，直径约 4mm，筒部长 1.8mm，裂片宽倒卵形，长 2mm，喉部附属物 5；花药长圆形，长 0.5mm，先端钝，花丝长 0.2mm。小坚果 4，半球状四面体形，长约 1.2mm，暗褐色，散生小瘤状突起，背面极凸，呈卵形，具灰白色软骨质钝

狭叶附地菜

棱，腹面的基底面较小，并向下方隆起，其余的 2 侧面近等大，中央具 1 纵棱。花期 5 ~ 6 月，果期 6 ~ 7 月。

| **生境分布** | 生于海拔 1100 ~ 2000m 的山地灌丛、林下或路旁。分布于重庆忠县、南川等地。

| **资源情况** | 野生资源稀少。药材来源于野生。

| **采收加工** | 夏季采收，晒干。

| **功能主治** | 清热解毒，活血。

| **用法用量** | 内服煎汤，适量。

紫草科 Boraginaceae 附地菜属 Trigonotis

南川附地菜 *Trigonotis laxa* Johnst.

| **药 材 名** | 南川附地菜（药用部位：全草）。

| **形态特征** | 多年生草本。根茎细。茎直立或斜升，高达 45cm，不分枝或少分枝，疏被短伏毛或近无毛。叶椭圆形或卵状椭圆形或宽披针形，长 2.5 ~ 5cm，宽 1 ~ 2.5cm，先端圆钝具短尖头，基部圆，下延成狭翅，上面近顶部疏被短伏毛，下部无毛，下面散被短伏毛，且有显著隆起的中肋，侧脉不明显；叶柄长 0.3 ~ 2.5cm。花序无苞片，顶生或由茎上部叶腋抽出，不分枝或在长 3 ~ 5cm 的花序梗上呈二叉式分枝，果期长达 10cm，密被短伏毛；花梗细，长 3 ~ 4mm；花萼裂片倒卵形，长约 2mm，先端钝，被短伏毛，果期略增大；花冠淡蓝色，筒部短，长约 1.5mm，先端稍扩展，直径约 2mm，檐部直径 4 ~ 5mm，裂片近圆形，宽约 2mm，喉部附属物 5，稍厚，高约 0.5mm，先端

南川附地菜

微凹；雄蕊着生于花冠筒中部，花药长约 0.4mm。小坚果 4，倒三棱锥状四面体形，长约 1mm，集成尖塔状，成熟时褐色，平滑，有光泽，背面三角状宽卵形，具 3 狭棱翅，先端尖，腹面 3 面近等大，无柄。花期 5 ~ 6 月，果期 6 ~ 7 月。

| **生境分布** | 生于海拔 1500 ~ 2200m 的山地灌丛、林缘、溪谷潮湿地。分布于重庆南川、武隆等地。

| **资源情况** | 野生资源稀少。药材来源于野生。

| **采收加工** | 夏季采收，晒干。

| **功能主治** | 清热解毒，活血。

| **用法用量** | 内服煎汤，适量。

■ 紫草科 ■ Boraginaceae ■ 附地菜属 ■ *Trigonotis*

附地菜 *Trigonotis peduncularis* (Trev.) Benth. ex Baker et Moore

| 药 材 名 | 附地菜（药用部位：全草。别名：豆瓣子棵、伏地菜、伏地草）。

| 形态特征 | 一年生或二年生草本。茎通常多条丛生，稀单一，密集，铺散，高5～30cm，基部多分枝，被短糙伏毛。基生叶呈莲座状，有叶柄，叶片匙形，长2～5cm，先端圆钝，基部楔形或渐狭，两面被糙伏毛；茎上部叶长圆形或椭圆形，无叶柄或具短柄。花序生于茎顶，幼时卷曲，后渐次伸长，长5～20cm，通常占全茎的1/2～4/5，只在基部具2～3叶状苞片，其余部分无苞片；花梗短，花后伸长，长3～5mm，先端与花萼连接部分变粗呈棒状；花萼裂片卵形，长1～3mm，先端急尖；花冠淡蓝色或粉色，筒部甚短，檐部直径1.5～2.5mm，裂片平展，倒卵形，先端圆钝，喉部附属5，白色或带黄色；花药卵形，长0.3mm，先端具短尖。小坚果4，斜三棱锥

附地菜

状四面体形，长 0.8 ~ 1mm，被短毛或平滑无毛，背面三角状卵形，具 3 锐棱，腹面的 2 侧面近等大而基底面略小，凸起，具短柄，柄长约 1mm，向一侧弯曲。早春开花，花期甚长。

| **生境分布** | 生于平原、丘陵草地、林缘、田间或荒地。分布于重庆垫江、綦江、潼南、合川、丰都、万州、永川、铜梁、涪陵、长寿、武隆、忠县、璧山、巫山、开州、南岸、梁平、九龙坡等地。

| **资源情况** | 野生资源丰富。药材来源于野生。

| **采收加工** | 初夏采收，鲜用或晒干。

| **药材性状** | 本品皱缩成团。湿润展开后，根呈细长圆锥形。茎 1 至数条，纤细，多分枝，基部淡紫棕色，上部枯绿色，有短糙毛。基生叶有长柄，椭圆状卵形，长可达 2cm，两面有糙毛，茎生叶几无柄，叶片稍小。总状花序细长，可达 20cm，可见类白色或蓝色小花，有时具四面体形的小坚果。有青草气，味微苦、涩。

| **功能主治** | 辛、苦，平。行气止痛，解毒消肿。用于胃痛吐酸，痢疾，热毒痈肿，手脚麻木。

| **用法用量** | 内服煎汤，15 ~ 30g；或研末服。外用适量，捣敷或研末擦。

马鞭草科 Verbenaceae 紫珠属 Callicarpa

紫珠 *Callicarpa bodinieri* Lévl.

| **药 材 名** | 紫珠（药用部位：地上部分）。

| **形态特征** | 灌木，高约 2m。小枝、叶柄和花序均被粗糠状星状毛。叶片卵状长椭圆形至椭圆形，长 7 ~ 18cm，宽 4 ~ 7cm，先端长渐尖至短尖，基部楔形，边缘有细锯齿，表面干后暗棕褐色，被短柔毛，背面灰棕色，密被星状柔毛，两面密生暗红色或红色细粒状腺点；叶柄长 0.5 ~ 1cm。聚伞花序宽 3 ~ 4.5cm，4 ~ 5 次分歧，花序梗长不超过 1cm；苞片细小，线形；花柄长约 1mm；花萼长约 1mm，外被星状毛和暗红色腺点，萼齿钝三角形；花冠紫色，长约 3mm，被星状柔毛和暗红色腺点；雄蕊长约 6mm，花药椭圆形，细小，长约 1mm，药隔有暗红色腺点，药室纵裂；子房被毛。果实球形，熟时紫色，无毛，直径约 2mm。花期 6 ~ 7 月，果期 8 ~ 11 月。

紫珠

| **生境分布** | 生于海拔 220 ～ 1400m 的林中、林缘或灌丛中。分布于重庆黔江、大足、南岸、彭水、酉阳、北碚、江津、忠县、云阳、垫江、南川、涪陵、璧山、永川、长寿、城口、武隆、丰都、巫溪、开州、巴南、合川、荣昌等地。

| **资源情况** | 野生资源丰富。药材来源于野生。

| **采收加工** | 春、夏、秋季割取，洗净，干燥。

| **药材性状** | 本品叶片皱缩，有的破碎，完整者展开后呈卵状长椭圆形至椭圆形；先端渐尖，基部楔形，上面有细毛，背面密被星状柔毛；两面有暗红色细粒状腺点；叶柄长 0.5 ～ 1cm。

| **功能主治** | 苦、涩，平。归肺、胃经。止血散瘀，除热解毒。用于衄血，咯血，胃肠出血，子宫出血，上呼吸道感染，扁桃体炎，肺炎。外用于外伤出血，烧伤。

| **用法用量** | 内服煎汤，3 ～ 10g。外用适量，研末敷患处。

马鞭草科 Verbenaceae 紫珠属 Callicarpa

南川紫珠
Callicarpa bodinieri Lévl. var. *rosthornii* (Diels) Rehd.

药材名	南川紫珠（药用部位：根、叶）。
形态特征	本种与原变种紫珠的区别在于叶膜质，两面具密集的腺点，下面被灰色星状毛，叶片倒披针形或倒卵状长圆形，基部下延成狭楔形，先端渐尖，上半部有锯齿。
生境分布	生于山坡或溪谷杂木林中。分布于重庆武隆、南川等地。
资源情况	野生资源较少，无栽培资源。药材主要来源于野生。
采收加工	全年均可采挖根，洗净，切片，晒干。夏、秋季采收叶，鲜用或晒干。

南川紫珠

| **功能主治** | 通经活血，解毒祛寒。

| **用法用量** | 内服煎汤，适量。

马鞭草科 Verbenaceae 紫珠属 Callicarpa

华紫珠

Callicarpa cathayana H. T. Chang

| 药 材 名 | 紫珠叶（药用部位：叶、带叶嫩枝）、紫珠果（药用部位：成熟果实）。

| 形态特征 | 灌木，高 1.5 ～ 3m。小枝纤细，幼嫩时稍被星状毛，老后脱落。叶片椭圆形或卵形，长 4 ～ 8cm，宽 1.5 ～ 3cm，先端渐尖，基部楔形，两面近于无毛，而有显著的红色腺点，侧脉 5 ～ 7 对，在两面均稍隆起，细脉和网脉下陷，边缘密生细锯齿；叶柄长 4 ～ 8mm。聚伞花序细弱，宽约 1.5cm，3 ～ 4 次分歧，略被星状毛，花序梗长 4 ～ 7mm，苞片细小；花萼杯状，被星状毛和红色腺点，萼齿不明显或钝三角形；花冠紫色，疏被星状毛，有红色腺点，花丝等长于或稍长于花冠，花药长圆形，长约 1.2mm，药室孔裂；子房无毛，花柱略长于雄蕊。果实球形，紫色，直径约 2mm。花期 5 ～ 7 月，果期 8 ～ 11 月。

华紫珠

| **生境分布** | 生于海拔1200m以下的山坡、谷地的丛林中。分布于重庆巫溪、丰都、石柱、黔江、南川、璧山、大足、铜梁、荣昌、酉阳、秀山、彭水、涪陵、武隆等地。

| **资源情况** | 野生资源稀少。药材来源于野生。

| **采收加工** | 紫珠叶：夏、秋季采收，晒干。
紫珠果：秋季果实成熟后采收，晒干。

| **药材性状** | 紫珠叶：本品多皱缩破碎，完整者展平后呈椭圆形或卵形，长4～8cm，宽1.5～3cm；先端渐尖，基部楔形，边缘密生细锯齿，两面近于无毛，有显著的红棕色腺点，侧脉5～7对，在两面均稍隆起，细脉和网脉下陷；叶柄长0.4～0.8cm。质较脆。气微，味微苦、涩。

紫珠果：本品呈类圆形，直径约2mm；表面棕黄色或紫褐色，光滑，有的可见皱缩的凹窝；基部有残存果柄或果梗痕；质硬而脆。种子椭圆形，略扁；淡黄棕色，表面光滑；质硬，略显油性。气微，味微涩。

| **功能主治** | 紫珠叶：苦、涩，凉。收敛止血，清热解毒，止痛。用于吐血，咯血，衄血，尿血，便血，外伤出血，跌打肿痛。
紫珠果：淡、涩，凉。归肝经。清热利湿，解毒。用于湿热黄疸，胁痛不适。

| **用法用量** | 紫珠叶：内服煎汤，15～30g。外用适量，研末撒或调敷。
紫珠果：内服煎汤，3～9g。

马鞭草科 Verbenaceae 紫珠属 Callicarpa

老鸦糊
Callicarpa giraldii Hesse ex Rehd.

| **药 材 名** | 老鸦糊（药用部位：全株）。

| **形态特征** | 灌木，高1～3(～5)m。小枝圆柱形，灰黄色，被星状毛。叶片纸质，宽椭圆形至披针状长圆形，长5～15cm，宽2～7cm，先端渐尖，基部楔形或下延成狭楔形，边缘有锯齿，表面黄绿色，稍被微毛，背面淡绿色，疏被星状毛和细小黄色腺点，侧脉8～10对，主脉、侧脉和细脉在叶背隆起，细脉近平行；叶柄长1～2cm。聚伞花序宽2～3cm，4～5次分歧，被毛与小枝同；花萼钟状，疏被星状毛，老后常脱落，具黄色腺点，长约1.5mm，萼齿钝三角形；花冠紫色，稍被毛，具黄色腺点，长约3mm；雄蕊长约6mm，花药卵圆形，药室纵裂，药隔具黄色腺点；子房被毛。果实球形，初时疏被星状毛，熟时无毛，紫色，直径2.5～4mm。花期5～6月，果期7～11月。

老鸦糊

| **生境分布** | 生于疏林、灌丛中或山地旷野间。分布于重庆合川、丰都、城口、云阳、长寿、南川、忠县、石柱、北碚、荣昌等地。 |

| **资源情况** | 野生资源较丰富。药材来源于野生。 |

| **采收加工** | 5 ~ 10 月采收，鲜用或晒干。 |

| **功能主治** | 苦、辛，凉。祛风除湿，散瘀解毒。用于风湿关节痛，跌打损伤，外伤出血，尿血。 |

| **用法用量** | 内服煎汤，1.5 ~ 3g，或研末。外用适量，捣敷或煎汤熏洗。 |

马鞭草科 Verbenaceae 紫珠属 Callicarpa

毛叶老鸦糊

Callicarpa giraldii Hesse ex Rehd. var. *lyi* (Lév.) C. Y. Wu

| 药 材 名 | 毛叶老鸦糊（药用部位：叶、花）。

| 形态特征 | 本种与原变种老鸦糊的区别在于叶片宽卵形至椭圆形，长10 ~ 17cm，宽4 ~ 10cm；小枝、叶背面及花的各部分均密被灰白色星状柔毛；果实直径约2mm。花期5 ~ 6月，果期7 ~ 10月。

| 生境分布 | 生于海拔900 ~ 1650m的林下或林边。分布于重庆綦江、云阳、丰都、南川、开州等地。

| 资源情况 | 野生资源稀少。药材来源于野生。

| 采收加工 | 7 ~ 9月采收叶，晒干。5 ~ 6月采收花，鲜用或晒干。

毛叶老鸦糊

| **功能主治** | 叶，用于内伤出血。花，用于外伤出血。 |

| **用法用量** | 内服煎汤，适量。外用适量，捣敷或煎汤熏洗。 |

| **附　　注** | 在 FOC 中，本种的拉丁学名被修订为 *Callicarpa giraldii* Hesse ex Rehd. var. *subcanescens* Rehder。 |

马鞭草科 Verbenaceae 紫珠属 Callicarpa

白毛长叶紫珠

Callicarpa longifolia Lamk. var. *floccosa* Schauer

| 药 材 名 | 白毛长叶紫珠（药用部位：叶）。

| 形态特征 | 灌木，高 2 ~ 3（~ 5）m。小枝稍四棱形，小枝、花序、叶的背面及花的各部分均密被粉屑状灰白色星状毛。叶片长椭圆形，稍狭，长 12 ~ 16cm，宽 3 ~ 5cm，先端尖或尾状尖，基部楔形或下延成狭楔形，边缘有针齿，表面无毛，背面有黄褐色星状毛和细小鳞片状黄色腺点，侧脉 10 ~ 12 对，主脉和侧脉在背面明显隆起，细脉近平行；叶柄长 1 ~ 2cm。聚伞花序宽 2 ~ 3cm，4 ~ 5 次分歧，花序梗纤细，长 0.5 ~ 1.5cm；花萼杯状，长约 1mm，被灰白色细毛，萼齿不明显或近截形；花冠紫色，长约 2mm，稍被细毛；雄蕊长为花冠的 2 ~ 3 倍，花药卵形，长约 1mm，药室纵裂；子房被细毛。果实球形，直径约 1.5mm，被毛。花期 8 月，果期 9 ~ 11 月。

白毛长叶紫珠

| 生境分布 | 生于海拔 1000m 的山坡灌丛中。分布于重庆巫溪、武隆、南川、彭水等地。

| 资源情况 | 野生资源丰富，无栽培资源。药材主要来源于野生。

| 采收加工 | 夏季采收，晒干。

| 功能主治 | 用于风湿性关节炎，头晕。外用于中耳炎。

| 用法用量 | 内服煎汤，适量。外用适量，捣敷。

马鞭草科 Verbenaceae 紫珠属 Callicarpa

红紫珠

Callicarpa rubella Lindl.

| **药 材 名** | 红紫珠（药用部位：全株。别名：野蓝靛、漆大伯、空壳树）。

| **形态特征** | 灌木，高约2m。小枝被黄褐色星状毛并杂有多细胞的腺毛。叶片倒卵形或倒卵状椭圆形，长10～14（～21）cm，宽4～8（～10）cm，先端尾尖或渐尖，基部心形，有时偏斜，边缘具细锯齿或不整齐的粗齿，表面稍被多细胞的单毛，背面被星状毛并杂有单毛和腺毛，有黄色腺点，侧脉6～10对，主脉、侧脉和细脉在两面稍隆起；叶柄极短或近于无柄。聚伞花序宽2～4cm，被毛与小枝同；花序梗长1.5～3cm，苞片细小；花萼被星状毛或腺毛，具黄色腺点，萼齿钝三角形或不明显；花冠紫红色、黄绿色或白色，长约3mm，外被细毛和黄色腺点；雄蕊长为花冠的2倍，药室纵裂；子房有毛。果实紫红色，直径约2mm。花期5～7月，果期7～11月。

红紫珠

| 生境分布 | 生于海波 300 ～ 1900m 的山坡、河谷、林中或灌丛中。分布于重庆永川、大足、武隆、秀山、丰都、石柱、铜梁、巴南、北碚、綦江、璧山、涪陵、南川、垫江等地。

| 资源情况 | 野生资源一般。药材来源于野生。

| 采收加工 | 夏、秋季枝叶繁盛时采挖，洗净，干燥。

| 药材性状 | 本品根呈圆锥形，直径可达 2.5cm，根头部呈疙瘩状，向下渐细；表面灰棕色至黄棕色，具不规则皱纹及凹陷的须根痕；质坚硬，不易折断，断面淡黄白色至淡棕黄色，皮部薄，木部宽广，约占断面的 4/5。茎圆柱形，直径 0.5 ～ 1.5cm；表面灰绿色至灰褐色，有细纵皱纹及点状皮孔；质坚硬，断面黄白色至淡黄色，木部宽广，约占断面的 2/3，中央有髓。嫩枝表面具短毛。叶多破碎，完整者展平后呈倒卵形、倒卵状椭圆形，长 3 ～ 10cm，宽 2 ～ 6cm，先端渐尖，基部心形，两面具毛，下面有黄色腺点。气微，味淡。

| 功能主治 | 辛、苦，平。散瘀止血，凉血解毒，祛风除湿。用于衄血，咯血，吐血，便血，尿血，紫癜，崩漏，创伤出血，外感风热，疮疡肿毒。

| 用法用量 | 内服煎汤，10 ～ 30g。外用适量。

马鞭草科 Verbenaceae 莸属 Caryopteris

兰香草

Caryopteris incana (Thunb.) Miq.

兰香草

| 药 材 名 |

兰香草（药用部位：全草。别名：婆绒花、石母草、九层楼）。

| 形态特征 |

小灌木，高 26 ~ 60cm。嫩枝圆柱形，略带紫色，被灰白色柔毛，老枝毛渐脱落。叶片厚纸质，披针形、卵形或长圆形，长 1.5 ~ 9cm，宽 0.8 ~ 4cm，先端钝或尖，基部楔形或近圆形至截平，边缘有粗齿，很少近全缘，被短柔毛，表面色较淡，两面有黄色腺点，背脉明显；叶柄被柔毛，长 0.3 ~ 1.7cm。聚伞花序紧密，腋生和顶生，无苞片和小苞片；花萼杯状，开花时长约 2mm，果萼长 4 ~ 5mm，外面密被短柔毛；花冠淡紫色或淡蓝色，二唇形，外面被短柔毛，花冠管长约 3.5mm，喉部有毛环，花冠 5 裂，下唇中裂片较大，边缘流苏状；雄蕊 4，开花时与花柱均伸出花冠管外；子房先端被短毛，柱头 2 裂。蒴果倒卵状球形，被粗毛，直径约 2.5mm，果瓣有宽翅。花果期 6 ~ 10 月。

| 生境分布 |

生于较干旱的山坡、路旁或林边。分布于

重庆巫溪、开州、南川、垫江等地。

| **资源情况** | 野生资源稀少。药材来源于野生。

| **采收加工** | 夏、秋季采收,除去杂质,阴干。

| **药材性状** | 本品根较粗壮,疏生细根。茎呈圆柱形,长 20 ~ 30cm,多分枝,对生,节处近四棱形;表面暗棕色或暗褐色,有细小纵纹,嫩枝略带紫色,被灰白色柔毛;质坚硬,折断面粗糙,黄绿色或黄白色,有髓。叶对生,具短柄;叶多皱缩卷曲,展平后呈卵形或卵状披针形,长 2 ~ 5cm,宽 1.5 ~ 2.5cm;先端钝,基部宽楔形或近圆形,边缘有粗锯齿;上表面暗绿色,下表面灰色,两面被毛,被毛更密。聚伞花序轮状排列于枝梢叶腋。蒴果球形,外被粗毛。气微,叶搓揉后有花椒样特异香气,味微苦、辛。

| **功能主治** | 辛,温。疏风解表,祛痰止咳,散瘀止痛。用于上呼吸道感染,百日咳,支气管炎,风湿关节痛,胃肠炎,跌打肿痛,产后瘀血,腹痛,毒蛇咬伤,皮肤瘙痒。

| **用法用量** | 内服煎汤,15 ~ 30g。外用适量。

马鞭草科 Verbenaceae 莸属 Caryopteris

三花莸

Caryopteris terniflora Maxim.

三花莸

| 药材名 |

六月寒（药用部位：全草。别名：野芝麻、蜂子草、山卷莲）。

| 形态特征 |

直立亚灌木，常自基部即分枝，高15 ~ 60cm。茎方形，密被灰白色向下弯曲柔毛。叶片纸质，卵圆形至长卵形，长1.5 ~ 4cm，宽1 ~ 3cm，先端尖，基部阔楔形至圆形，两面具柔毛和腺点，以背面较密，边缘具规则钝齿，侧脉3 ~ 6对；叶柄长0.2 ~ 1.5cm，被柔毛。聚伞花序腋生，花序梗长1 ~ 3cm，通常3花，偶有1或5花，花柄长3 ~ 6mm；苞片细小，锥形。花萼钟状，长8 ~ 9mm，两面被柔毛和腺点，5裂，裂片披针形；花冠紫红色或淡红色，长1.1 ~ 1.8cm，外面疏被柔毛和腺点，先端5裂，二唇形，裂片全缘，下唇中裂片较大，圆形；雄蕊4，与花柱均伸出花冠管外；子房先端被柔毛，花柱长过雄蕊。蒴果成熟后4瓣裂，果瓣倒卵状舟形，无翅，表面明显凹凸成网纹，密被糙毛。花果期6 ~ 9月。

| 生境分布 |

生于海拔550 ~ 2600m的山坡、平地或河边。

分布于重庆云阳、忠县、涪陵、长寿、武隆、城口、奉节等地。

| **资源情况** | 野生资源一般。药材来源于野生。

| **采收加工** | 夏季采收，洗净，晒干或鲜用。

| **功能主治** | 辛、微苦，平。疏风解表，宣肺止咳。用于感冒，咳嗽，百日咳，外障目翳，烫火伤。

| **用法用量** | 内服煎汤，10 ~ 15g。外用适量，捣敷；或研末调敷。

马鞭草科 Verbenaceae 大青属 Clerodendrum

臭牡丹

Clerodendrum bungei Steud.

| 药 材 名 | 臭牡丹（药用部位：地上部分。别名：大红袍、臭八宝、矮童子）。

| 形态特征 | 灌木，高 1 ～ 2m，植株有臭味。花序轴、叶柄密被褐色、黄褐色或紫色脱落性的柔毛。小枝近圆形，皮孔显著。叶对生，叶片纸质，宽卵形或卵形，长 8 ～ 20cm，宽 5 ～ 15cm，先端尖或渐尖，基部宽楔形、截形或心形，边缘具粗或细锯齿，侧脉 4 ～ 6 对，表面散生短柔毛，背面疏生短柔毛和散生腺点或无毛，基部脉腋有数个盘状腺体；叶柄长 4 ～ 17cm。房状聚伞花序顶生，密集；苞片叶状，披针形或卵状披针形，长约 3cm，早落或花时不落，早落后在花序梗上残留凸起的痕迹，小苞片披针形，长约 1.8cm；花萼钟状，长 2 ～ 6mm，被短柔毛及少数盘状腺体，萼齿三角形或狭三角形，长 1 ～ 3mm；花冠淡红色、红色或紫红色，花冠管长 2 ～ 3cm，裂片倒卵形，长

臭牡丹

5 ～ 8mm；雄蕊及花柱均突出花冠外；花柱短于、等于或稍长于雄蕊；柱头 2 裂，子房 4 室。核果近球形，直径 0.6 ～ 1.2cm，成熟时蓝黑色。花果期 5 ～ 11 月。

| **生境分布** | 生于海拔 250 ～ 2600m 的山坡、林缘、沟谷、路旁、灌丛湿润处。分布于重庆垫江、綦江、大足、秀山、黔江、彭水、潼南、万州、石柱、合川、奉节、丰都、江津、城口、云阳、铜梁、璧山、酉阳、涪陵、永川、南川、巫溪、武隆、开州、梁平、荣昌、沙坪坝等地。

| **资源情况** | 野生资源丰富。药材来源于野生，亦有少量栽培。

| **采收加工** | 夏季采集，晒干。

| **药材性状** | 本品茎呈圆柱形，长 1 ～ 1.5m，直径 0.3 ～ 1.2cm；表面灰棕色至灰褐色，皮孔点状或稍成纵向延长，节处叶痕呈凹点状；质硬，不易折断，断面皮部棕色，菲薄，木部灰黄色，髓部白色。叶多皱缩破碎，完整者展平后呈宽卵形，长 7 ～ 20cm，宽 6 ～ 15cm，先端渐尖，基部截形或心形，边缘有细锯齿；上表面棕褐色至棕黑色，疏被短柔毛；下表面色稍淡，无毛或仅脉上有毛，基部脉腋处可见黑色疤痕状的腺体；叶柄黑褐色，长 3 ～ 6cm。气臭，味微苦、辛。

| **功能主治** | 辛、苦，平。归心、胃、大肠经。解毒消肿，祛风除湿，平肝潜阳。用于眩晕，痈疽，疔疮，乳痈，痔疮，湿疹，丹毒，风湿痹痛。

| **用法用量** | 内服煎汤，10 ～ 15g，鲜品 30 ～ 60g。外用适量，煎汤熏洗；或捣敷；或研末调敷。

| **附　　注** | 本种喜温和湿润环境，对土壤要求不严。

马鞭草科 Verbenaceae 大青属 Clerodendrum

大萼臭牡丹

Clerodendrum bungei Steud. var. *megocalyx* C. Y. Wu ex S. L. Chen

| **药 材 名** | 大萼臭牡丹（药用部位：根、茎叶）。

| **形态特征** | 本种与原变种臭牡丹的区别在于花序稍疏展，花萼特大，长约1cm，萼齿三角形，长约3mm。

| **生境分布** | 生于海拔1050m以下的山坡林缘。分布于重庆开州、武隆、南岸、渝北、南川、綦江、垫江、丰都、黔江、云阳、江津、九龙坡等地。

| **资源情况** | 野生资源较少，栽培资源稀少。药材主要来源于野生，亦有少量栽培。

| **采收加工** | 夏、秋季采挖根，洗净，切片，晒干。夏、秋季采收茎叶，鲜用或切段晒干。

大萼臭牡丹

| 功能主治 | 根，行气健脾，祛风除湿，解毒消肿，降血压。用于食滞腹胀，头昏，虚咳，淋浊带下，风湿痛，痈疽肿毒，高血压。茎叶，用于疔疮发背，乳痈，痔疮，湿疹，丹毒。

| 用法用量 | 根，内服煎汤，适量。外用适量，煎汤熏洗。茎叶，内服煎汤，适量，或捣汁，或入丸剂。外用适量，煎汤熏洗，或捣敷，或研末敷。

| 附　　注 | 本种喜温和湿润环境，对土壤要求不严。采用根繁殖。

马鞭草科 Verbenaceae 大青属 Clerodendrum

灰毛大青 *Clerodendrum canescens* Wall.

| **药 材 名** | 大叶白花灯笼（药用部位：全株。别名：毛赪桐、山茉莉、白蜻蜓）。

| **形态特征** | 灌木，高 1 ~ 3.5m。小枝略四棱形，具不明显的纵沟，全体密被平展或倒向灰褐色长柔毛，髓疏松，干后不中空。叶片心形或宽卵形，少为卵形，长 6 ~ 18cm，宽 4 ~ 15cm，先端渐尖，基部心形至近截形，两面都被柔毛，脉上密被灰褐色平展柔毛，背面尤显著；叶柄长 1.5 ~ 12cm。聚伞花序密集成头状，通常 2 ~ 5 生于枝顶，花序梗较粗壮，长 1.5 ~ 11cm；苞片叶状，卵形或椭圆形，具短柄或近无柄，长 0.5 ~ 2.4cm；花萼由绿色变红色，钟状，有 5 棱角，长约 1.3cm，有少数腺点，5 深裂至花萼的中部，裂片卵形或宽卵形，渐尖；花冠白色或淡红色，外被腺毛或柔毛，花冠管长约 2cm，纤细，裂片向外平展，倒卵状长圆形，长 5 ~ 6mm；雄蕊 4，与花柱均伸

灰毛大青

出花冠外。核果近球形，直径约 7mm，绿色，成熟时深蓝色或黑色，藏于红色增大的宿萼内。花果期 4 ~ 10 月。

| **生境分布** | 生于海拔 220 ~ 880m 的山坡路边或疏林中。分布于重庆綦江、南川等地。

| **资源情况** | 野生资源稀少。药材来源于野生。

| **采收加工** | 夏、秋季采收，洗净，切段，晒干。

| **功能主治** | 甘、淡，凉。清热解毒，凉血止血。用于感冒发热，赤白痢，肺痨咯血，疮疡。

| **用法用量** | 内服煎汤，15 ~ 30g。

马鞭草科 Verbenaceae 大青属 Clerodendrum

大青

Clerodendrum cyrtophyllum Turcz.

| 药 材 名 | 大青根（药用部位：根。别名：山漆、地骨皮、假青根）。

| 形态特征 | 灌木或小乔木，高 1 ~ 10m。幼枝被短柔毛，枝黄褐色，髓坚实。冬芽圆锥状，芽鳞褐色，被毛。叶片纸质，椭圆形、卵状椭圆形、长圆形或长圆状披针形，长 6 ~ 20cm，宽 3 ~ 9cm，先端渐尖或急尖，基部圆形或宽楔形，通常全缘，两面无毛或沿脉疏被短柔毛，背面常有腺点，侧脉 6 ~ 10 对；叶柄长 1 ~ 8cm。伞房状聚伞花序，生于枝顶或叶腋，长 10 ~ 16cm，宽 20 ~ 25cm；苞片线形，长 3 ~ 7mm；花小，有橘香味；花萼杯状，外面被黄褐色短绒毛和不明显的腺点，长 3 ~ 4mm，先端 5 裂，裂片三角状卵形，长约 1mm；花冠白色，外面疏被细毛和腺点，花冠管细长，长约 1cm，先端 5 裂，裂片卵形，长约 5mm；雄蕊 4，花丝长约 1.6cm，与花柱同伸出花冠外；子房 4 室，

大青

每室 1 胚珠，常不完全发育；柱头 2 浅裂。果实球形或倒卵形，直径 5 ～ 10mm，绿色，成熟时蓝紫色，为红色的宿萼所托。花果期 6 月至翌年 2 月。

| **生境分布** | 生于海拔 1700m 以下的平原、丘陵、山地林下或溪谷旁。分布于重庆开州、长寿、南川、武隆、北碚等地。

| **资源情况** | 野生资源稀少。药材来源于野生。

| **采收加工** | 全年均可采收，除去茎、须根及泥沙，干燥。

| **药材性状** | 本品呈圆柱形，弯曲，有的有分枝，长 22 ～ 30cm，直径 0.3 ～ 4cm。表面淡棕色至暗棕色，具纵皱纹、纵沟、须根或须根痕；外皮脱落处显棕褐色；皮部窄，脱落后露出类白色木部。质坚硬，不易折断，折断面不整齐，类白色；横切面可见木部特别发达，约占直径的 9/10；细根中心无髓，较粗的根中心有小髓，有的中空，髓部略呈偏心性。气微，味淡。

| **功能主治** | 苦，寒。归胃、心经。清热解毒，凉血止血。用于高热头痛，黄疸，齿痛，鼻衄，咽喉肿痛，肠炎，痢疾，乙型脑膜炎，流行性脑脊髓膜炎，衄血，血淋，外伤出血。

| **用法用量** | 内服煎汤，10 ～ 15g。外用适量，捣敷或煎汤洗。

| 马鞭草科 | Verbenaceae | 大青属 | Clerodendrum

赪桐
Clerodendrum japonicum (Thunb.) Sweet

| **药 材 名** | 赪桐叶（药用部位：叶。别名：红蜻蜓叶）、荷苞花（药用部位：花。别名：赪桐花、合包花、抽须红）。

| **形态特征** | 灌木，高 1 ~ 4m。小枝四棱形，干后有较深的沟槽；老枝近于无毛或被短柔毛，同对叶柄之间密被长柔毛，枝干后不中空。叶片圆心形，长 8 ~ 35cm，宽 6 ~ 27cm，先端尖或渐尖，基部心形，边缘有疏短尖齿，表面疏被伏毛，脉基被较密的锈褐色短柔毛，背面密具锈黄色盾形腺体，脉上被疏短柔毛；叶柄长 0.5 ~ 15cm，少可达27cm，被较密的黄褐色短柔毛。二歧聚伞花序组成顶生、大而开展的圆锥花序，长 15 ~ 34cm，宽 13 ~ 35cm，花序的最后侧枝呈总状花序，长可达 16cm，苞片宽卵形、卵状披针形、倒卵状披针形、线状披针形，有柄或无柄，小苞片线形；花萼红色，外面疏被短柔

赪桐

毛，散生盾形腺体，长 1 ~ 1.5cm，深 5 裂，裂片卵形或卵状披针形，渐尖，长 0.7 ~ 1.3cm，开展，外面有 1 ~ 3 细脉，脉上被短柔毛，内面无毛，有疏珠状腺点；花冠红色，稀白色，花冠管长 1.7 ~ 2.2cm，外面被微毛，里面无毛，先端 5 裂，裂片长圆形，开展，长 1 ~ 1.5cm；雄蕊长约达花冠管的 3 倍；子房无毛，4 室，柱头 2 浅裂，与雄蕊均长凸出于花冠外。果实椭圆状球形，绿色或蓝黑色，直径 7 ~ 10mm，常分裂成 2 ~ 4 分核，宿萼增大，初包被果实，后向外反折呈星状。花果期 5 ~ 11 月。

| **生境分布** | 生于平原、山谷、溪边或疏林中，或栽培于庭园。分布于重庆南川、巴南、南岸、大足、潼南、忠县、涪陵等地。

| **资源情况** | 野生资源较丰富。药材来源于野生。

| **采收加工** | 赪桐叶：全年均可采收，洗净，切碎，鲜用或晒干。
荷苞花：夏季花开时采收，晒干。

| **药材性状** | 赪桐叶：本品皱缩，灰绿色至灰黄色，被灰白色茸毛，展开后呈广卵圆形，先端渐尖，基部心形，边缘有锯齿。气微，味淡。

| **功能主治** | 赪桐叶：甘，平。安神，止血。用于心悸失眠，痔疮出血。
荷苞花：辛、甘，平。归肝、脾经。祛风，散瘀，解毒消肿。用于偏头痛，跌打瘀肿，痈肿疮毒。

| **用法用量** | 赪桐叶：外用适量，鲜品捣敷患处。
荷苞花：内服煎汤，15 ~ 30g。外用适量，捣汁涂。

| **附　　注** | 本种喜高温、湿润、半荫蔽的气候环境，喜土层深厚的酸性土壤，耐荫蔽，耐瘠薄，忌干旱，忌涝，畏寒冷，生长适温为 23 ~ 30℃。

马鞭草科 Verbenaceae 大青属 Clerodendrum

海通

Clerodendrum mandarinorum Diels

海通

| 药 材 名 |

海通（药用部位：枝叶。别名：白灯笼、木常山）。

| 形态特征 |

灌木或乔木，高 2 ~ 20m。幼枝略呈四棱形，密被黄褐色绒毛，髓具明显的黄色薄片状横隔。叶片近革质，卵状椭圆形、卵形、宽卵形至心形，长 10 ~ 27cm，宽 6 ~ 20cm，先端渐尖，基部截形、近心形或稍偏斜，表面绿色，被短柔毛，背面密被灰白色绒毛。伞房状聚伞花序顶生，分枝多，疏散，花序梗至花柄都密被黄褐色绒毛；苞片长 4 ~ 5mm，易脱落，小苞片线形，长约 3mm；花萼小，钟状，长 3 ~ 4mm，密被短柔毛和少数盘状腺体，萼齿尖细，钻形，长 1.5 ~ 2.5mm；花冠白色或偶为淡紫色，有香气，外被短柔毛，花冠管纤细，长 7 ~ 10mm，裂片长圆形，长约 3.5mm；雄蕊及花柱伸出花冠外。核果近球形，幼时绿色，成熟后蓝黑色，干后果皮常皱成网状，宿萼增大，红色，包被果实一半以上。花果期 7 ~ 12 月。

| 生境分布 |

生于海拔 700 ~ 1350m 的溪边、路旁或丛林中。分布于重庆开州、武隆、秀山、綦江、云阳、南川、巫溪、巫山、奉节、北碚等地。

| **资源情况** | 野生资源稀少。药材来源于野生。

| **采收加工** | 夏、秋季采收，切段，晒干或鲜用。

| **功能主治** | 苦、辛，平。祛风通络。用于半身不遂，小儿麻痹后遗症。

| **用法用量** | 内服煎汤，15 ~ 30g，鲜品加倍。

马鞭草科 Verbenaceae 大青属 Clerodendrum

海州常山 *Clerodendrum trichotomum* Thunb.

| 药 材 名 | 臭梧桐（药用部位：嫩枝、叶）、臭梧桐花（药用部位：花）。

| 形态特征 | 灌木或小乔木，高 1.5 ～ 10m。幼枝、叶柄、花序轴等多少被黄褐色柔毛或近于无毛，老枝灰白色，具皮孔，髓白色，有淡黄色薄片状横隔。叶片纸质，卵形、卵状椭圆形或三角状卵形，长 5 ～ 16cm，宽 2 ～ 13cm，先端渐尖，基部宽楔形至截形，偶有心形，表面深绿色，背面淡绿色，两面幼时被白色短柔毛，老时表面光滑无毛，背面仍被短柔毛或无毛，或沿脉毛较密；侧脉 3 ～ 5 对，全缘或有时边缘具波状齿；叶柄长 2 ～ 8cm。伞房状聚伞花序顶生或腋生，通常二歧分枝，疏散，末次分枝着花 3，花序长 8 ～ 18cm，花序梗长 3 ～ 6cm，多少被黄褐色柔毛或无毛；苞片叶状，椭圆形，早落；花萼蕾时绿白色，后紫红色，基部合生，中部略膨大，有 5 棱脊，

海州常山

先端 5 深裂，裂片三角状披针形或卵形，先端尖；花香，花冠白色或带粉红色，花冠管细，长约 2cm，先端 5 裂，裂片长椭圆形，长 5 ~ 10mm，宽 3 ~ 5mm；雄蕊 4，花丝与花柱同伸出花冠外；花柱较雄蕊短，柱头 2 裂。核果近球形，直径 6 ~ 8mm，包藏于增大的宿萼内，成熟时外果皮蓝紫色。花果期 6 ~ 11 月。

| 生境分布 | 生于海拔 650 ~ 2500m 的山坡灌丛中。分布于重庆丰都、忠县、黔江、石柱、涪陵、城口、奉节、巫溪、巫山等地。

| 资源情况 | 野生资源稀少，栽培资源较丰富。药材来源于栽培。

| 采收加工 | 臭梧桐：夏、秋季结果前采摘，晒干。
臭梧桐花：秋季花盛开时采收，晒干。

| 药材性状 | 臭梧桐：本品干燥小枝呈类圆形或近方形，棕褐色，密被短柔毛。叶多皱缩，卷曲或破碎；上表面黄绿色至浅黄棕色，下表面色较浅，具短柔毛。枝叶质脆，易断，小枝断面黄白色，中央具白色的髓，髓中有淡黄色分隔。有特异臭气，味苦、涩。
臭梧桐花：本品花黄棕色至黄褐色，基部有短梗。花萼筒状，下部合生，中部膨大，上部 5 深裂，裂片卵形或卵状长椭圆形。花冠皱缩，多已脱落，完整者 5 深裂。雄蕊 4，伸出花冠外。幼小核果棕褐色，种子 4，多开裂。具特异臭气，味微苦、涩。

| 功能主治 | 臭梧桐：苦、甘，平。归胃、大肠经。祛风除湿，平肝潜阳，止痛截疟。用于风湿痹痛，半身不遂，眩晕，疟疾。外用于痈疽疮疥。
臭梧桐花：苦、辛，平。归肝、大肠经。息风，止痛，止泻。用于头风，痢疾，疝气。

| 用法用量 | 臭梧桐：内服煎汤，9 ~ 15g。外用适量，煎汤洗；或鲜品捣敷。
臭梧桐花：内服煎汤，6 ~ 9g；或浸酒服。

马鞭草科 Verbenaceae 马缨丹属 Lantana

马缨丹 *Lantana camara* L.

| 药 材 名 | 五色梅（药用部位：花。别名：五雷箭、穿墙风、野眼菜）、五色梅叶（药用部位：叶、嫩枝叶。别名：臭金凤叶、毛神花叶、五色花叶）、五色梅根（药用部位：根）。

| 形态特征 | 直立或蔓性的灌木，高1～2m；有时藤状，长达4m。茎枝均呈四方形，被短柔毛，通常有短而倒钩状刺。单叶对生，揉烂后有强烈的气味，叶片卵形至卵状长圆形，长3～8.5cm，宽1.5～5cm，先端急尖或渐尖，基部心形或楔形，边缘有钝齿，表面有粗糙的皱纹和短柔毛，背面有小刚毛，侧脉约5对；叶柄长约1cm。花序直径1.5～2.5cm；花序梗粗壮，长于叶柄；苞片披针形，长为花萼的1～3倍，外部被粗毛；花萼管状，膜质，长约1.5mm，先端有极短的齿；花冠黄色或橙黄色，开花后不久转为深红色，花冠管

马缨丹

长约 1cm，两面被细短毛，直径 4 ~ 6mm；子房无毛。果实圆球形，直径约 4mm，成熟时紫黑色。全年开花。

| **生境分布** | 生于海拔 100 ~ 1500m 的河边、沙滩、路边或空旷地，或栽培于庭院。重庆各地均有分布。

| **资源情况** | 野生资源稀少，栽培资源较丰富。药材来源于栽培。

| **采收加工** | 五色梅：全年均可采收，鲜用或晒干。

五色梅叶：春、夏季采收，鲜用或晒干。

五色梅根：全年均可采收，鲜用或晒干。

| **功能主治** | 五色梅：苦、微甘，凉；有毒。清热，止血。用于肺痨咯血，腹痛吐泻，湿疹，阴痒。

五色梅叶：辛、苦，凉；有毒。清热解毒，祛风止痒。用于痈肿毒疮，湿疹，疥癣，皮炎，跌打损伤。

五色梅根：苦，寒。清热泻火，解毒散结。用于感冒发热，伤暑头痛，胃火牙痛，咽喉炎，疟腮，风湿痹痛，瘰疬痰核。

| **用法用量** | 五色梅：内服煎汤，5 ~ 10g；研末，3 ~ 5g。

五色梅叶：内服煎汤，15 ~ 30g；或捣汁冲酒。外用适量，煎汤洗；或捣敷；或绞汁涂。内服不宜过量。孕妇及体弱者禁服。

五色梅根：内服煎汤，15 ~ 30g，鲜品加倍。外用适量，煎汤含漱。

| **附　注** | 本种喜温暖、湿润、向阳之地，耐干旱，稍耐阴，不耐寒。对土质要求不严，以肥沃、疏松的砂壤土为佳。生性强健，在热带地区周年可生长，冬季不休眠。

马鞭草科 Verbenaceae 过江藤属 *Phyla*

过江藤 *Phyla nodiflora* (L.) Greene

| 药 材 名 | 过江藤（药用部位：全草）。

| 形态特征 | 多年生草本，全体被紧贴丁字状短毛。有木质宿根，多分枝。叶近无柄，匙形、倒卵形至倒披针形，长 1 ~ 3cm，宽 0.5 ~ 1.5cm，先端钝或近圆形，基部狭楔形，中部以上的边缘有锐锯齿。穗状花序腋生，卵形或圆柱形，长 0.5 ~ 3cm，宽约 0.6cm，有长 1 ~ 7cm 的花序梗；苞片宽倒卵形，宽约 3mm；花萼膜质，长约 2mm；花冠白色、粉红色至紫红色，内外无毛；雄蕊短小，不伸出花冠外；子房无毛。果实淡黄色，长约 1.5mm，内藏于膜质的花萼内。花果期 6 ~ 10 月。

| 生境分布 | 生于海拔 300 ~ 1800m 的山坡平地或河滩等湿润处。分布于重庆巫山、南川、合川、永川、大足、石柱、荣昌、潼南、忠县、云阳、万州、

过江藤

丰都、长寿、北碚等地。

| **资源情况** | 野生资源稀少。药材主要来源于野生，亦有少量栽培。

| **采收加工** | 夏、秋季采收，鲜用或晒干。

| **功能主治** | 微苦、辛，平。清热解毒，散瘀消肿。用于痢疾，乳蛾，跌打损伤。外用于痈疽疔毒，缠腰火丹，慢性湿疹。

| **用法用量** | 内服煎汤，1.5 ~ 3g。外用适量，鲜品捣敷。

| **附　　注** | （1）马鞭草科过江藤属植物全世界约有 10 种，我国仅有 1 种，名为过江藤 *Phyla nodiflora* (L.) Greene。另外，*Lippia nodiflora* 也指过江藤 *Phyla nodiflora* (L.) Greene 植物，两名互用，但实际上 *Lippia* 与 *Phyla* 为不同的属，两属植物有明显的区别。
（2）本种喜温暖湿润和向阳的环境。以肥沃、疏松的砂壤土栽培为好。

马鞭草科 Verbenaceae 豆腐柴属 Premna

臭黄荆
Premna ligustroides Hemsl.

| 药 材 名 | 臭黄荆（药用部位：种子。别名：斑鹊子）、臭黄荆叶（药用部位：叶）、臭黄荆根（药用部位：根）。

| 形态特征 | 灌木，高 1 ~ 3m。多分枝，枝条细弱，幼枝被短柔毛。叶片卵状披针形至披针形，长 1.5 ~ 8cm，宽 1 ~ 3cm，全缘或中部有 3 ~ 5 钝齿，先端渐尖或急尖，基部楔形，两面疏生有毛，背面有紫红色腺点；有短柄或近无柄。聚伞花序组成顶生圆锥花序，被柔毛，长 3.5 ~ 6cm，宽 2 ~ 3cm，最下分枝长 0.5 ~ 1cm；花萼杯状，长约 2mm，外面被毛和腺点，内面疏生腺点，先端稍不规则 5 裂，裂片圆形或钝三角形，长不逾 1mm；花冠黄色，长 3 ~ 5mm，两面被茸毛和黄色腺点，先端 4 裂，略呈二唇形，上唇 1 裂片宽，先端截平或微凹，下唇 3 裂片稍不相等，中间 1 裂片较长；雄蕊 4，2 稍长；子房无毛，上部

臭黄荆

有黄色腺点；花柱长约 4mm。核果倒卵球形，长 2.5 ～ 5mm，宽 2.5 ～ 4mm，先端有黄色腺点。花果期 5 ～ 7 月。

| **生境分布** | 生于海拔 300 ～ 1100m 的山坡林中或林缘。分布于重庆綦江、忠县、酉阳、垫江、武隆、丰都、铜梁、奉节、长寿、涪陵、南川、北碚等地。

| **资源情况** | 野生资源一般。药材来源于野生。

| **采收加工** | 臭黄荆：秋季果实成熟时采收，晒干。
臭黄荆叶：4 ～ 7 月采收，鲜用或晒干。
臭黄荆根：秋后采收，洗净，切片，晒干。

| **功能主治** | 臭黄荆：辛、微苦，凉。祛风止痛、止痒。用于风热头痛，风疹瘙痒。
臭黄荆叶：苦，凉。解毒消肿。用于痈肿疔毒。
臭黄荆根：苦，凉。清热，利湿。用于痢疾，痔疮，脱肛，牙痛，水肿。

| **用法用量** | 臭黄荆：内服煎汤，10 ～ 15g。外用适量，煎汤洗。
臭黄荆叶：外用适量，捣敷；或煎汤浸洗。
臭黄荆根：内服煎汤，30 ～ 60g。

豆腐柴 *Premna microphylla* Turcz.

药 材 名	腐婢（药用部位：茎、叶。别名：臭娘子、臭常山、凉粉叶）。
形态特征	直立灌木。幼枝被柔毛，老枝变无毛。叶揉之有臭味，卵状披针形、椭圆形、卵形或倒卵形，长 3 ~ 13cm，宽 1.5 ~ 6cm，先端急尖至长渐尖，基部渐狭窄下延至叶柄两侧，全缘至有不规则粗齿，无毛至被短柔毛；叶柄长 0.5 ~ 2cm。聚伞花序组成顶生塔形的圆锥花序；花萼杯状，绿色，有时带紫色，密被毛至几无毛，但边缘常被睫毛，近整齐的 5 浅裂；花冠淡黄色，外被柔毛和腺点，花冠内部被柔毛，以喉部较密。核果紫色，球形至倒卵形。花果期 5 ~ 10 月。
生境分布	生于山坡林下或林缘。分布于重庆丰都、涪陵、武隆、江津、九龙坡、城口、巫山、巫溪、奉节、彭水、万州、云阳、长寿、南川等地。

豆腐柴

| **资源情况** | 野生资源一般。药材来源于野生。

| **采收加工** | 夏季采收,除去杂质,晒干。

| **药材性状** | 本品茎枝圆柱形,淡棕色,具纵沟,嫩枝被黄色短柔毛。叶对生,皱缩,完整者展平后呈卵状披针形,长 2 ~ 7cm 或更长,宽 1.5 ~ 4cm,先端尾状急尖或近急尖,基部渐狭,下延;边缘中部以上具不规则粗锯齿,淡棕黄色,两面均有短柔毛;叶柄长约 1cm。偶见残留黑色圆形小果。气臭,味苦。

| **功能主治** | 苦、微辛,寒。归肝、脾、大肠经。清热解毒,消肿止痛,收敛止血。用于腹痛泄泻,痈肿,疔疮,丹毒,蛇虫咬伤,创伤出血。

| **用法用量** | 内服煎汤,10 ~ 15g;或研末服。外用适量;捣敷;或研末调敷;或煎汤洗。

| **附　注** | 本种与狐臭柴 *Premna puberula* Pamp. 很相似,但后者叶片基部不明显下延,而为阔楔形至近圆形,叶背面有很清晰的细脉等主要特征,可以区别。本种由被毛至不太被毛以至光滑,均连接而不可分割,故不再分出变种。

马鞭草科 Verbenaceae 豆腐柴属 Premna

狐臭柴
Premna puberula Pamp.

狐臭柴

| 药 材 名 |

斑鸠占（药用部位：根、茎。别名：神仙豆腐柴、跌打王）、斑鸠占叶（药用部位：叶。别名：战骨）。

| 形态特征 |

直立或攀缘灌木至小乔木，高 1 ~ 3.5m。小枝近直角伸出，幼枝绿色，常疏被柔毛，老枝变无毛，黄褐色至紫褐色。叶片纸质至坚纸质，卵状椭圆形、卵形或长圆状椭圆形，通常全缘或上半部有波状深齿、锯齿或深裂，长 2.5 ~ 11cm，宽 1.5 ~ 5.5cm，先端急尖至尾状尖，基部楔形、阔楔形或近圆形，很少微呈心形，绿色，干时带褐色，两面近无毛至疏被短柔毛，无腺点；侧脉在叶背面较表面显著隆起，细脉极细，在叶表面有时下陷，微显现，在叶背面极清晰可见；叶柄腹平背凸，长（0.5 ~）1 ~ 2（~ 3.5）cm，通常无毛。聚伞花序组成塔形圆锥花序，生于小枝先端，长 4 ~ 14cm，宽 2 ~ 9cm，无毛至疏被柔毛；苞片披针形或线形；花有长 1 ~ 1.2（~ 3）mm 的柄；花萼杯状，长 1.5 ~ 2.5mm，外被短柔毛和黄色腺点，先端 5 浅裂，裂齿三角形，齿缘被纤毛；花冠淡黄色，有紫色或褐色条纹，长 5 ~ 7mm，

4 裂成二唇形，下唇 3 裂，上唇圆形，先端微缺，外面密被腺点，喉部有数行较长的毛，花冠管长约 4mm；雄蕊二强，着生于花冠管中部以下，伸出花冠外，花丝无毛；子房圆形，无毛，先端有腺点，花柱短于雄蕊，无毛，柱头 2 浅裂。核果紫色转黑色，倒卵形，有瘤突，果萼长为核果的 1/3。花果期 5 ～ 8 月。

| 生境分布 | 生于海拔 700 ～ 1760m 的石灰岩山麓灌丛中。分布于重庆綦江、合川、彭水、永川、巫溪、丰都、万州、南川、忠县、云阳、奉节、城口、开州、北碚、梁平、荣昌等地。

| 资源情况 | 野生资源丰富。药材来源于野生。

| 采收加工 | 斑鸠占：夏、秋季采收，切片，晒干。
斑鸠占叶：春、夏季采收，鲜用或晒干。

| 药材性状 | 斑鸠占：本品茎呈圆柱形，长短不一，直径 1 ～ 2.5cm。表面灰黄色，有细小的不规则纵皱纹，外皮常成片状剥落，剥落处显红棕色。质硬，断面皮部红棕色，木部黄白色，可见导管呈细孔状，射线呈放射状排列，髓部白色。气微，味微涩。

| 功能主治 | 斑鸠占：辛、微甘，微温。祛风湿，壮肾阳。用于风湿痹痛，肥大性脊椎炎，肩周炎，肾虚阳痿，月经延期。
斑鸠占叶：辛、微甘，平。清湿热，解毒，续筋接骨。用于水肿，毒疮，烫火伤，筋伤骨折。

| 用法用量 | 斑鸠占：内服煎汤，10 ～ 30g；或浸酒。
斑鸠占叶：内服煎汤，30 ～ 60g。外用适量，捣敷或研末调敷。

马鞭草科 Verbenaceae 假马鞭属 Stachytarpheta

假马鞭 Stachytarpheta jamaicensis (L.) Vahl

| **药 材 名** | 玉龙鞭（药用部位：全草或根。别名：玉郎鞭、大兰草、万能草）。

| **形态特征** | 多年生粗壮草本或亚灌木，高 0.6 ~ 2m。幼枝近四方形，疏被短毛。叶片厚纸质，椭圆形至卵状椭圆形，长 2.4 ~ 8cm，先端短锐尖，基部楔形，边缘有粗锯齿，两面均散生短毛，侧脉 3 ~ 5，在背面凸起；叶柄长 1 ~ 3cm。穗状花序顶生，长 11 ~ 29cm；花单生于苞腋内，一半嵌生于花序轴的凹穴中，螺旋状着生；苞片边缘膜质，被纤毛，先端有芒尖；花萼管状，膜质，透明，无毛，长约 6mm；花冠深蓝紫色，长 0.7 ~ 1.2cm，内面上部被毛，先端 5 裂，裂片平展；雄蕊 2，花丝短，花药 2 裂；花柱伸出，柱头头状；子房无毛。果实内藏于膜质的花萼内，成熟后 2 瓣裂，每瓣有 1 种子。花期 8 月，果期 9 ~ 12 月。

假马鞭

| **生境分布** | 生于海拔 300 ～ 600m 的山谷阴湿处草丛中，或栽培于庭院。分布于重庆南川、南岸、北碚等地。 |

| **资源情况** | 野生和栽培资源均稀少。药材主要来源于栽培。 |

| **采收加工** | 全年均可采收，鲜用，或全草切段、根切片，晒干。 |

| **药材性状** | 本品全草长 50 ～ 100（～ 200）cm。根粗，灰白色。茎圆柱形，稍扁，基部木质化；表面淡棕色至棕褐色，有细密纵沟纹。叶对生，皱缩，易破碎，完整者展平后呈椭圆形或卵状椭圆形，长 2 ～ 8cm，宽 3 ～ 4cm，先端短尖或稍钝，基部楔形，边缘齿状，暗绿色或暗褐色；叶柄长约 2cm。茎端每有穗状花序，长 4 ～ 20cm，呈鞭状，小花脱落后留有坑形凹穴。气微，味甘、苦。 |

| **功能主治** | 甘、微苦，寒。清热利湿，解毒消肿。用于热淋，石淋，白浊，带下，风湿骨痛，急性结膜炎，咽喉炎，牙龈炎，胆囊炎，痈疖，痔疮，跌打肿痛。 |

| **用法用量** | 内服煎汤，15 ～ 30g，鲜品加倍。外用适量，捣敷。 |

马鞭草科 Verbenaceae 马鞭草属 Verbena

马鞭草
Verbena officinalis L.

| **药 材 名** | 马鞭草（药用部位：地上部分。别名：燕尾草、马鞭梢、蜻蜓草）。

| **形态特征** | 多年生草本，高 30 ~ 120cm。茎四方形，近基部可为圆形，节和棱上被硬毛。叶片卵圆形至倒卵形或长圆状披针形，长 2 ~ 8cm，宽 1 ~ 5cm，基生叶的边缘通常有粗锯齿和缺刻，茎生叶多数 3 深裂，裂片边缘有不整齐锯齿，两面均被硬毛，背面脉上尤多。穗状花序顶生和腋生，细弱，结果时长达 25cm；花小，无柄，最初密集，结果时疏离；苞片稍短于花萼，具硬毛；花萼长约 2mm，有硬毛，有 5 脉，脉间凹穴处质薄而色淡；花冠淡紫色至蓝色，长 4 ~ 8mm，外面有微毛，裂片 5；雄蕊 4，着生于花冠管的中部，花丝短；子房无毛。果实长圆形，长约 2mm，外果皮薄，成熟时 4 瓣裂。花期 6 ~ 8 月，果期 7 ~ 10 月。

马鞭草

| 生境分布 | 生于山坡、路边、溪旁或林边。重庆各地均有分布。

| 资源情况 | 野生资源丰富。药材主要来源于野生。

| 采收加工 | 6 ~ 8 月花开时采割，除去杂质，晒干。

| 药材性状 | 本品茎呈方柱形，多分枝，四面有纵沟，长 0.5 ~ 1m；表面绿褐色，粗糙；质硬而脆，断面有髓或中空。叶对生，皱缩，多破碎，绿褐色，完整者展平后 3 深裂，边缘有锯齿。穗状花序细长，有小花多数。无臭，味苦。

| 功能主治 | 苦，凉。归肝、脾经。清热解毒，活血通经，利水消肿，截疟。用于感冒发热，咽喉肿痛，牙龈肿痛，黄疸，痢疾，血瘀经闭，痛经，癥瘕，水肿，小便不利，疟疾，痈疮肿毒，跌打损伤。

| 用法用量 | 内服煎汤，15 ~ 30g，鲜品 30 ~ 60g；或入丸、散。外用适量，捣敷；或煎汤洗。

| 附　　注 | 本种栽培宜选择向阳和干旱地，低洼和盐碱土地不宜种植。

馬鞭草科 Verbenaceae 牡荆属 *Vitex*

灰毛牡荆
Vitex canescens Kurz

| **药 材 名** | 灰毛牡荆（药用部位：根、果实。别名：灰毛荆、灰布荆）。 |

| **形态特征** | 乔木，高 3 ~ 15（~ 20）m。树皮黑褐色，小枝四棱形，密被灰黄色细柔毛。掌状复叶，叶柄长 2.5 ~ 7cm，小叶 3 ~ 5；小叶片卵形，椭圆形或椭圆状披针形，长 6 ~ 18cm，宽 2.5 ~ 9cm，先端渐尖或骤尖，基部宽楔形或近圆形，侧生的小叶基部常不对称，全缘，表面被短柔毛，背面密被灰黄色柔毛和黄色腺点，侧脉 8 ~ 19 对，在背面明显隆起，小叶柄长 0.5 ~ 3cm。圆锥花序顶生，长 10 ~ 30cm，花序梗密被灰黄色细柔毛；苞片早落；花萼先端有 5 小齿，外面密被柔毛和腺点，内面疏被细毛；花冠黄白色，外面密被细柔毛和腺点；雄蕊 4，二强，着生于花冠管的喉部，花丝基部有毛；子房先端有腺点。核果近球形或长圆状倒卵形，表面淡黄色或紫黑色，有光泽；宿萼 |

灰毛牡荆

外被毛。花期 4 ~ 5 月，果期 5 ~ 6 月。

| **生境分布** | 生于海拔 1200 ~ 1550m 的混交林中。分布于重庆南川、忠县、涪陵、江津、大足、合川等地。

| **资源情况** | 野生资源一般。药材主要来源于野生。

| **采收加工** | 全年均可采挖根，洗净，晒干。5 ~ 6 月采收果实，除去杂质。

| **功能主治** | 果实，祛风，除痰，行气，止痛。用于感冒，咳嗽，哮喘，风痹，疟疾，胃痛，疝气，痔漏。根，用于外感风寒，疟疾，蛲虫病。

| **用法用量** | 内服煎汤，3 ~ 6g。

马鞭草科 Verbenaceae 牡荆属 Vitex

黄荆
Vitex negundo L.

黄荆

药材名

黄荆子（药用部位：果实。别名：黄金子、布荆子）、黄荆叶（药用部位：叶。别名：蚊枝叶、白背叶、姜荆叶）、黄荆枝（药用部位：枝。别名：黄金条）、黄荆根（药用部位：根）。

形态特征

灌木或小乔木。小枝四棱形，密被灰白色绒毛。掌状复叶，小叶 5，少有 3；小叶片长圆状披针形至披针形，先端渐尖，基部楔形，全缘或每边有少数粗锯齿，表面绿色，背面密被灰白色绒毛；中间小叶长 4 ~ 13cm，宽 1 ~ 4cm，两侧小叶依次递小，若具 5 小叶时，中间 3 小叶有柄，最外侧的 2 小叶无柄或近于无柄。聚伞花序排成圆锥花序式，顶生，长 10 ~ 27cm，花序梗密被灰白色绒毛；花萼钟状，先端有 5 裂齿，外被灰白色绒毛；花冠淡紫色，外被微柔毛，先端 5 裂，二唇形；雄蕊伸出花冠管外；子房近无毛。核果近球形，直径约 2mm；宿萼接近果实的长度。花期 4 ~ 6 月，果期 7 ~ 10 月。

生境分布

生于山坡路旁或灌丛中。重庆各地均有分布。

| **资源情况** | 野生资源丰富。药材主要来源于野生。

| **采收加工** | 黄荆子：9 ~ 10 月采收，晒干。

黄荆叶：夏初未开花时采集，堆叠踏实，使其"发汗"，倒出晒至半干，再堆叠踏实，待绿色变黑润，再晒至足干。

黄荆枝：春、夏、秋采收，切段，晒干。

黄荆根：2 月或 8 月采收，洗净，鲜用或切片晒干。

| **药材性状** | 黄荆子：本品连同宿萼及短果柄呈倒卵状或近梨形，长 3 ~ 5.5mm，直径 1.5 ~ 2mm。表面灰棕色或灰褐色，宿萼灰褐色，密被黄色或灰白色绒毛，包被整个果实的 2/3 或更多，萼筒先端 5 齿裂，外面具 5 ~ 10 条脉纹。果实近球形，上端稍大，略平圆，有花柱脱落的凹痕，基部稍狭尖，棕褐色。质坚硬，不易破碎，断面黄棕色，4 室，每室有黄白色或黄棕色种子 1 或无。气香，味微苦、涩。

黄荆叶：本品皱缩，灰黑色或绿褐色，背面色较暗淡，被短毛；掌状复叶，小叶 5，间或 3，长卵圆形至披针形，先端长尖，基部楔形；叶柄方形，被毛。质脆，易碎。有香气。

| **功能主治** | 黄荆子：苦，温。养肝除风，行气止痛。用于伤寒呃逆，咳喘，食滞，小肠疝气及痔漏。

黄荆叶：辛、苦，凉。解表散热，化湿和中，杀虫止痒。用于感冒发热，伤暑吐泻，痧气腹痛，肠炎，痢疾，疟疾，湿疹，癣疥，蛇虫咬伤。

黄荆枝：辛、微苦，平。祛风解表，消肿止痛。用于感冒发热，咳嗽，喉痹肿痛，风湿骨痛，牙痛，烫火伤。

黄荆根：辛、微苦，温。解表，止咳，祛风除湿，理气止痛。用于感冒，慢性气管炎，风湿痹痛，胃痛，痧气，腹痛。

| **用法用量** | 黄荆子：内服煎汤，9 ~ 15g。

黄荆叶：内服煎汤，15 ~ 30g，鲜品 30 ~ 60g。外用适量，煎汤洗；或捣敷；或绞汁涂。

黄荆枝：内服煎汤，10 ~ 15g，鲜品加倍。外用适量，捣敷。

黄荆根：内服煎汤，15 ~ 30g，根皮用量酌减。

马鞭草科 Verbenaceae 牡荆属 Vitex

牡荆

Vitex negundo L. var. *cannabifolia* (Sieb. et Zucc.) Hand.-Mazz.

| 药 材 名 | 牡荆子（药用部位：果实。别名：小荆实、牡荆实、黄荆子）、牡荆叶（药用部位：叶）、牡荆根（药用部位：根）。

| 形态特征 | 落叶灌木或小乔木。小枝四棱形。叶对生，掌状复叶，小叶 5，少有 3；小叶片披针形或椭圆状披针形，先端渐尖，基部楔形，边缘有粗锯齿，表面绿色，背面淡绿色，通常被柔毛。圆锥花序顶生，长 10 ~ 20cm；花冠淡紫色。果实近球形，黑色。花期 6 ~ 7 月，果期 8 ~ 11 月。

| 生境分布 | 生于山坡路边灌丛中。分布于重庆綦江、垫江、黔江、忠县、酉阳、潼南、江津、云阳、涪陵、长寿、丰都、南川、武隆、巴南、九龙坡、沙坪坝、合川等地。

牡荆

| **资源情况** | 野生资源丰富。药材主要来源于野生。

| **采收加工** | 牡荆子：9 ~ 10 月果实成熟时采收，用手搓下，扬净，晒干。

牡荆叶：夏、秋季叶茂盛时采收，除去茎枝。

牡荆根：全年均可采挖，洗净，切厚片，晒干。

| **药材性状** | 牡荆子：本品呈梨形或卵形，长 3 ~ 4mm，直径 2 ~ 3mm，基部呈短尖状，先端截形，有花柱脱落的凹痕。表面棕色，光滑，或有不明显的纵纹。多被有宿萼，萼筒先端 5 齿裂，外面有 5 条明显的肋纹，并密被灰白色短绒毛。果壳坚硬，内有黄白色种子数枚。气微弱，味淡。

牡荆叶：本品为掌状复叶，小叶 3 或 5，披针形或椭圆状披针形，中间小叶长 5 ~ 10cm，宽 2 ~ 4cm，两侧小叶依次渐小，先端渐尖，基部楔形，边缘具粗锯齿；上表面绿色，下表面淡绿色，两面沿叶脉有短绒毛，嫩叶下表面毛较密；总叶柄长 2 ~ 6cm，有 1 浅沟槽，密被灰白色绒毛。气芳香，味辛、微苦。

| **功能主治** | 牡荆子：苦、辛，温。归肺，大肠经。化湿祛痰，止咳平喘，理气止痛。用于咳嗽气喘，中暑发痧，胃痛，疝气，带下。

牡荆叶：辛、微苦，平。归肺经。祛痰，止咳，平喘。用于咳嗽痰多。

牡荆根：辛、苦，平，归肺，大肠经。祛风利湿。用于感冒头痛，关节风湿痛等。

| **用法用量** | 牡荆子：内服煎汤，6 ~ 9g；研末或浸酒。

牡荆叶：内服煎汤，9 ~ 15g，鲜者可用至 30 ~ 60g，或捣汁饮。

牡荆根：内服煎汤，9 ~ 15g。

马鞭草科 Verbenaceae 牡荆属 Vitex

荆条 *Vitex negundo* L. var. *heterophylla* (Franch.) Rehd.

| **药 材 名** | 荆条果（药用部位：果实、叶。别名：黄荆柴、黄金子、秧青）。

| **形态特征** | 本种与原变种黄荆的区别在于小叶片边缘有缺刻状锯齿，浅裂以至深裂，背面密被灰白色绒毛。

| **生境分布** | 生于山坡路旁。分布于重庆涪陵、忠县、垫江、巫溪、巫山、彭水、南川等地。

| **资源情况** | 野生资源稀少。

| **采收加工** | 9 ~ 10 月采摘果实，扬净，晒干。随时采收叶，鲜用或晒干。

| **功能主治** | 果实，祛风，除痰，行气，止痛，止咳，平喘。用于感冒，咳嗽，哮喘，风痹，疟疾，胃痛，疝气，痔漏，消化不良，肠炎，痢疾。叶，

荆条

清热解表。外敷用于蛇虫咬伤，灭蚊。

| **用法用量** | 果实，内服煎汤，6 ~ 9g。

| **附　　注** | 本种抗旱耐寒，为中旱生灌丛的优势种。

马鞭草科 Verbenaceae 牡荆属 Vitex

山牡荆
Vitex quinata (Lour.) Will.

| 药 材 名 | 布荆（药用部位：根、茎。别名：五指疳、五指风、山紫荆）。

| 形态特征 | 常绿乔木，高 4 ~ 12m。树皮灰褐色至深褐色；小枝四棱形，被微柔毛和腺点，老枝逐渐转为圆柱形。掌状复叶，对生，叶柄长 2.5 ~ 6cm，有 3 ~ 5 小叶，小叶片倒卵形至倒卵状椭圆形，先端渐尖至短尾状，基部楔形至阔楔形，通常全缘，两面除中脉被微柔毛外，其余均无毛，表面通常有灰白色小窝点，背面有金黄色腺点；中间小叶片长 5 ~ 9cm，宽 2 ~ 4cm，小叶柄长 0.5 ~ 2cm，两侧的小叶较小。聚伞花序对生于主轴上，排成顶生圆锥花序式，长 9 ~ 18cm，密被棕黄色微柔毛，苞片线形，早落；花萼钟状，长 2 ~ 3mm，先端有 5 钝齿，外面密被棕黄色细柔毛和腺点，内面上部稍被毛，花冠淡黄色，长 6 ~ 8mm，先端 5 裂，二唇形，下唇中间裂片较大，

山牡荆

外面被柔毛和腺点；雄蕊 4，伸出花冠外，花丝基部变宽而无毛，子房先端有腺点。核果球形或倒卵形，幼时绿色，成熟后呈黑色；宿萼呈圆盘状，先端近截形。花期 5 ～ 7 月，果期 8 ～ 9 月。

| **生境分布** | 生于海拔 180 ～ 1200m 的山坡林中。分布于重庆南川、江津、綦江、涪陵等地。

| **资源情况** | 野生资源稀少。药材主要来源于野生。

| **采收加工** | 全年均可采收，除去杂质，切段，晒干。

| **药材性状** | 本品根呈类圆柱形，偶有分枝，大小不一，直径 3 ～ 5cm；表面灰白色，具纵皱纹，偶有须根；质坚硬，不易折断，老根断面皮层厚，棕色，易脱落，木部棕黄色，可见细密的圆孔，年轮明显。茎呈圆柱形，大小不一，直径 1 ～ 7cm；表面灰褐色至深褐色。嫩枝呈四棱形，有微柔毛和腺点；老茎呈圆柱形，可见灰青色地衣斑，断面皮层薄，木栓层常形成落皮层脱落；木部黄白色，年轮明显。气微，味淡。

| **功能主治** | 淡，平。归肺、胃、肝经。止咳定喘，镇静退热。用于急、慢性支气管炎，支气管炎，喘咳，气促，小儿发热，烦躁不安。

| **用法用量** | 内服煎汤，6 ～ 9g。外用适量。

唇形科 Labiatae 藿香属 Agastache

藿香
Agastache rugosa (Fisch. et Mey.) O. Ktze.

藿香

| 药 材 名 |

藿香（药用部位：地上部分。别名：叶藿香、苏藿香、大薄荷）。

| 形 态 特 征 |

多年生草本。茎直立，高 0.5 ~ 1.5m，四棱形，直径达 7 ~ 8mm，上部被极短的细毛，下部无毛，在上部具能育的分枝。叶心状卵形至长圆状披针形，长 4.5 ~ 11cm，宽 3 ~ 6.5cm，向上渐小，先端尾状长渐尖，基部心形，稀截形，边缘具粗齿，纸质，上面橄榄绿色，近无毛，下面略淡，被微柔毛及点状腺体；叶柄长 1.5 ~ 3.5cm。轮伞花序多花，在主茎或侧枝上组成顶生密集的圆筒形穗状花序，穗状花序长 2.5 ~ 12cm，直径 1.8 ~ 2.5cm；花序基部的苞叶长不超过 5mm，宽 1 ~ 2mm，披针状线形，长渐尖，苞片形状与之相似，较小，长 2 ~ 3mm；轮伞花序具短梗，总梗长约 3mm，被腺微柔毛；花萼管状倒圆锥形，长约 6mm，宽约 2mm，被腺微柔毛及黄色小腺体，多少染成浅紫色或紫红色，喉部微斜，萼齿三角状披针形，后 3 齿长约 2.2mm，前 2 齿稍短；花冠淡紫蓝色，长约 8mm，外被微柔毛，花冠筒基部宽约 1.2mm，微超出于花萼，向

上渐宽，至喉部宽约 3mm，冠檐二唇形，上唇直伸，先端微缺，下唇 3 裂，中裂片较宽大，长约 2mm，宽约 3.5mm，平展，边缘波状，基部宽，侧裂片半圆形；雄蕊伸出花冠，花丝细，扁平，无毛；花柱与雄蕊近等长，丝状，先端相等的 2 裂；花盘厚环状；子房裂片顶部被绒毛。成熟小坚果卵状长圆形，长约 1.8mm，宽约 1.1mm，腹面具棱，先端被短硬毛，褐色。花期 6 ～ 9 月，果期 9 ～ 11 月。

| **生境分布** | 生于山坡或路旁，或栽培于屋前房后。分布于重庆黔江、大足、垫江、潼南、长寿、合川、忠县、酉阳、涪陵、丰都、北碚、巫山、南岸、荣昌等地。

| **资源情况** | 野生资源一般。药材来源于野生和栽培。

| **采收加工** | 6 ～ 7 月花序抽出而未开花时，择晴天第 1 次齐地割取，薄摊晒至日落后，收回堆叠过夜，次日再晒。10 月第 2 次收割，晒干或阴干。

| **药材性状** | 本品茎呈方柱形，常有对生的分枝，四角有棱脊，直径 3 ～ 10mm；表面黄绿色或灰黄色，毛茸稀少或近于无毛；体轻，质脆，断面中央有白色髓。老茎坚硬，木质化，断面中空。叶对生，叶片较薄，多皱缩或破碎，完整者展开后呈卵形或长卵形，长 2 ～ 8cm，宽 1 ～ 6cm，上表面深绿色，下表面浅绿色，先端尖或短渐尖，基部圆形或心形，边缘有钝锯齿；叶柄长 1 ～ 3.5cm。轮伞花序顶生。气清香，味淡。

| **功能主治** | 辛，微温。归肺、脾、胃经。祛暑解表，化湿和胃。用于夏令感冒，寒热头痛，胸脘痞闷，呕吐泄泻，疟疾，痢疾，口臭。

| **用法用量** | 内服煎汤，18 ～ 30g；或入丸、散。外用煎汤含漱；或烧存性，研末调敷。

| **附　　注** | （1）1977 年以前的各版《中国药典》均将本种与广藿香收为藿香的正品药材，但 1985 年以后的各版《中国药典》只收载广藿香而将本种淘汰出正品药材的范围。
（2）本种喜温暖湿润气候，一般土壤均可栽培，但以排水良好的砂壤土为好。

唇形科 Labiatae 筋骨草属 Ajuga

紫背金盘 *Ajuga nipponensis* Makino

| 药 材 名 | 紫背金盘草(药用部位:全草或根。别名:破血丹、石灰菜、筋骨草)。

| 形态特征 | 一年生或二年生草本,高 10 ~ 20cm 或以上。茎直立,稀平卧或上升,被长柔毛或疏柔毛,基部带紫色。基生叶无或少;茎生叶倒卵形、宽椭圆形、近圆形或匙形,长 2 ~ 4.5cm,先端钝,基部楔形下延,具粗齿或不整齐波状圆齿,具缘毛,两面疏被糙伏毛或柔毛;叶柄长 1 ~ 1.5(~ 2.5)cm,具窄翅,有时紫绿色。轮伞花序多花,组成穗状花序;苞叶卵形或宽披针形;花萼钟形,上部及齿缘被长柔毛,萼齿三角形;花冠淡蓝色或蓝紫色,稀白色或白绿色,具深色条纹,冠筒长(0.6 ~)0.8 ~ 1.1cm,疏被短柔毛,内面近基部具毛环,上唇 2 裂或微缺,下唇中裂片扇形,侧裂片窄长圆形。小坚果合生面达腹面 3/5。花期在我国东部为 4 ~ 6 月,西南部为 12 月至翌年

紫背金盘

3 月，果期前者为 5 ～ 7 月，后者为 1 ～ 5 月。

| **生境分布** | 生于海拔 600 ～ 2300m 的田边、矮草地湿润处、林内或向阳坡。分布于重庆大足、丰都、秀山、巫溪、巫山、南川等地。

| **资源情况** | 野生资源丰富。药材主要来源于野生。

| **采收加工** | 春、夏季采收，洗净，晒干或鲜用。

| **功能主治** | 苦、辛，寒。清热解毒，凉血散瘀，消肿止痛。用于肺热咳嗽，咯血，咽喉肿痛，乳痈，肠痈，疮疖肿毒，痔疮出血，跌打肿痛，外伤出血，烫火伤，毒蛇咬伤。

| **用法用量** | 内服煎汤，15 ～ 30g；或研末。外用适量，捣敷患处。

唇形科 Labiatae 肾茶属 Clerodendranthus

肾茶

Clerodendranthus spicatus (Thunb.) C. Y. Wu ex H. W. Li

| **药 材 名** | 猫须草（药用部位：全草。别名：猫须公、肾茶）。

| **形态特征** | 多年生草本，高达 1.5m。茎被倒向柔毛。叶菱状卵形或长圆状卵形，长（1.2 ~ ）2 ~ 5.5cm，先端尖，基部宽楔形或平截楔形，具粗牙齿或疏生圆齿，齿端具短尖头，两面被短柔毛及腺点，侧脉4 ~ 5 对；叶柄长（0.3 ~ ）0.5 ~ 1.5cm，被柔毛。聚伞圆锥花序长 8 ~ 12cm，序轴密被柔毛；苞片长约 3.5mm，具平行纵脉；花梗长达 5mm，密被柔毛；花萼长 5 ~ 6mm，被微柔毛及锈色腺点，上唇长、宽约 2.5mm，下唇具 4 齿，齿三角形，具芒尖，前 2齿较侧 2 齿长 1 倍，均具缘毛，果萼上唇反折，下唇前伸；花冠淡紫色或白色，被微柔毛，上唇疏被锈色腺点，冠筒长 0.9 ~ 1.9cm，直径约 1mm，上唇反折，3 裂，中裂片微缺，下唇长圆形；花丝无齿。

肾茶

小坚果深褐色，卵球形，长约 2mm，具皱纹。花果期 5 ~ 11 月。

| **生境分布** | 栽培于保存圃。分布于重庆南川等地。

| **资源情况** | 栽培资源稀少，无野生资源。药材来源于栽培。

| **采收加工** | 一般每年可采收 2 ~ 3 次，管理得好，可收 4 次，每次在现蕾开花前采收为佳，宜选晴天，割下茎叶，晒至七成干后，于清晨捆扎成把。

| **药材性状** | 本品茎枝呈类方形，节稍膨大；老茎表面灰棕色或灰褐色，有纵皱纹或纵沟，断面木质，黄白色，髓部白色；嫩枝对生，紫褐色或紫红色，被短小柔毛。叶对生，皱缩，易破碎，完整者展平后呈卵形或卵状披针形，长 2 ~ 5cm，宽 1 ~ 3cm，先端尖，基部楔形，中部以上的边缘有锯齿，叶脉紫褐色，两面呈黄绿色或暗绿色，均有小柔毛；叶柄长 0.5 ~ 1.5cm。轮伞花序每轮有 6 花，多已脱落。气微，味微苦。

| **功能主治** | 苦，凉。清热利湿，通淋排石。用于急、慢性肾炎，膀胱炎，尿路结石，胆结石，风湿性关节炎等。

| **用法用量** | 内服煎汤，30 ~ 60g。

| **附　　注** | 本种喜温暖，不耐寒。栽培宜选择砂壤土。

唇形科 Labiatae 风轮菜属 Clinopodium

风轮菜
Clinopodium chinense (Benth.) O. Ktze.

| 药 材 名 | 断血流（药用部位：全草或地上部分。别名：蜂窝草、节节草、苦地胆）。

| 形态特征 | 多年生草本。茎基部匍匐生根，上部上升，多分枝，高可达 1m，四棱形，具细条纹，密被短柔毛及腺微柔毛。叶卵圆形，不偏斜，长 2 ~ 4cm，宽 1.3 ~ 2.6cm，先端急尖或钝，基部圆形成阔楔形，边缘具大小均匀的圆齿状锯齿，坚纸质，上面橄榄绿色，密被平伏短硬毛，下面灰白色，被疏柔毛，脉上尤密，侧脉 5 ~ 7 对，与中肋在上面微凹陷、下面隆起，网脉在下面清晰可见；叶柄长 3 ~ 8mm，腹凹背凸，密被疏柔毛。轮伞花序多花密集，半球形，位于下部者直径达 3cm，最上部者直径 1.5cm，彼此远隔；苞叶叶状，向上渐小至苞片状，苞片针状，极细，无明显中肋，长 3 ~ 6mm，多数，

风轮菜

被柔毛状缘毛及微柔毛；总梗长 1 ~ 2mm，分枝多数；花梗长约 2.5mm，与总梗及序轴被柔毛状缘毛及微柔毛；花萼狭管状，常染紫红色，长约 6mm，13 脉，外面主要沿脉上被疏柔毛及腺微柔毛，内面在齿上被疏柔毛，果时基部稍一边膨胀，上唇 3 齿，齿近外反，长三角形，先端具硬尖，下唇 2 齿，齿稍长，直伸，先端芒尖；花冠紫红色，长约 9mm，外面被微柔毛，内面在下唇下方喉部具 2 列毛茸，冠筒伸出，向上渐扩大，至喉部宽近 2mm，冠檐二唇形，上唇直伸，先端微缺，下唇 3 裂，中裂片稍大；雄蕊 4，前对稍长，均内藏或前对微露出，花药 2 室，室近水平叉开；花柱微露出，先端不相等 2 浅裂，裂片扁平；花盘平顶；子房无毛。小坚果倒卵形，长约 1.2mm，宽约 0.9mm，黄褐色。花期 5 ~ 8 月，果期 8 ~ 10 月。

| 生境分布 | 生于海拔 1000m 以下的山坡、草丛、路边、沟边、灌丛、林下。重庆各地均有分布。

| 资源情况 | 野生资源丰富。药材主要来源于野生。

| 采收加工 | 夏、秋季采收，洗净，切段，晒干或鲜用。

| 药材性状 | 本品茎呈四方柱形，直径 2 ~ 5mm，长 70 ~ 100cm，节间长 3 ~ 8cm；表面棕红色或棕褐色，具细纵条纹，密被柔毛，四棱处尤多。叶对生，有柄，多卷缩或破碎，完整者展平后呈卵圆形，长 1 ~ 4cm，宽 0.8 ~ 2.6cm，边缘具锯齿，上面褐绿色，下面灰绿色，均被柔毛。轮伞花序具残存的花萼，外被毛茸。小坚果倒卵形，黄棕色。全体质脆，易折断、破碎，茎断面淡黄白色，中空。气香，味微辛。

| 功能主治 | 微苦、涩，凉。收敛止血。用于崩漏，尿血，鼻衄，牙龈出血，创伤出血。

| 用法用量 | 内服煎汤，10 ~ 15g；或捣汁。外用适量，捣敷或煎汤洗。

| 附　　注 | （1）本种为 2015 年版《中国药典》"断血流"的一个品种。
（2）本种喜光，喜温，不耐低温。栽培宜选择肥沃、疏松、排水良好的土壤。

唇形科 Labiatae 风轮菜属 Clinopodium

细风轮菜

Clinopodium gracile (Benth.) Matsum.

| **药 材 名** | 剪刀草（药用部位：全草。别名：瘦风轮菜、细密草、野凉粉草）。

| **形态特征** | 纤细草本。茎多数，自匍匐茎生出，柔弱，上升，不分枝或基部具分枝，高 8～30cm，直径约 1.5mm，四棱形，具槽，被倒向的短柔毛。最下部的叶圆卵形，细小，长约 1cm，宽 0.8～0.9cm，先端钝，基部圆形，边缘具疏圆齿；较下部或全部叶均为卵形，较大，长 1.2～3.4cm，宽 1～2.4cm，先端钝，基部圆形或楔形，边缘具疏牙齿或圆齿状锯齿，薄纸质，上面橄榄绿色，近无毛，下面较淡，脉上被疏短硬毛，侧脉 2～3 对，与中肋两面微隆起但下面明显呈白绿色，叶柄长 0.3～1.8cm，腹凹背凸，基部常染紫红色，密被短柔毛；上部叶及苞叶卵状披针形，先端锐尖，边缘具锯齿。轮伞花序分离，或密集于茎端成短总状花序，疏花；苞片针状，远

细风轮菜

较花梗为短；花梗长 1 ~ 3mm，被微柔毛；花萼管状，基部圆形，花时长约 3mm，果时下倾，基部一边臌胀，长约 5mm，13 脉，外面沿脉上被短硬毛，其余部分被微柔毛或几无毛，内面喉部被稀疏小疏柔毛，上唇 3 齿，短，三角形，果时外反，下唇 2 齿，略长，先端钻状，平伸，齿均被睫毛；花冠白色至紫红色，超过花萼长约 1/2 倍，外面被微柔毛，内面在喉部被微柔毛，冠筒向上渐扩大，冠檐二唇形，上唇直伸，先端微缺，下唇 3 裂，中裂片较大；雄蕊 4，前对能育，与上唇等齐，花药 2 室，室略叉开；花柱先端略增粗，2 浅裂，前裂片扁平，披针形，后裂片消失；花盘平顶；子房无毛。小坚果卵球形，褐色，光滑。花期 6 ~ 8 月，果期 8 ~ 10 月。

| **生境分布** | 生于海拔 250 ~ 2500m 的山坡、草丛、路边、灌丛或林下。重庆各地均有分布。

| **资源情况** | 野生资源丰富。药材主要来源于野生。

| **采收加工** | 夏、秋季采收，洗净，切段，晒干或鲜用。

| **药材性状** | 本品常缠结成团。匍匐茎具不定根。茎纤细，直径 1 ~ 1.5mm，方形，有槽，常呈纽带状；表面棕褐色，被疏短毛；体轻，质脆，易折断，茎断面有时中空。叶对生，叶片小，卵圆形或卵形，长 0.8 ~ 2.5cm，宽 0.5 ~ 1.5cm，叶缘锯齿状，多皱缩，被稀疏毛。轮伞花序残存花萼，被柔毛。小坚果卵球形. 长约 0.8mm，淡黄棕色。气微，味微辛。

| **功能主治** | 辛、苦，凉。归肺、胆、肝、脾经。祛风清热，行气活血，解毒消肿。用于感冒发热，食积腹痛，呕吐，泄泻，痢疾，白喉，咽喉肿痛，痈肿丹毒，荨麻疹，毒虫咬伤，跌打损伤。

| **用法用量** | 内服煎汤，15 ~ 30g，鲜品 30 ~ 60g；或捣汁。外用适量，捣敷；或煎汤洗。

| **附 注** | 本种喜光，喜温，低温。栽培宜选择肥沃、疏松、排水良好的土壤。

唇形科 Labiatae 风轮菜属 Clinopodium

寸金草
Clinopodium megalanthum (Diels) C. Y. Wu et Hsuan ex H. W. Li

| 药 材 名 | 寸金草（药用部位：全草。别名：麻布草、山夏枯草、莲台夏枯草）。

| 形态特征 | 多年生草本。茎多数，高可达 60cm，基部匍匐生根，四棱形，具浅槽，常染紫红色，极密被白色平展刚毛，下部较疏，节间伸长。叶三角状卵圆形，长 1.2 ～ 2cm，宽 1 ～ 1.7cm，先端钝或锐尖，基部圆形或近浅心形，边缘为圆齿状锯齿，上面橄榄绿色，被白色纤毛，近边缘较密，下面较淡，主沿各级脉上被白色纤毛，余部有不明显小凹腺点，侧脉 4 ～ 5 对，与中脉在上面微凹陷或近平坦，下面带紫红色，明显隆起；叶柄极短，长 1 ～ 3mm，常带紫红色，密被白色平展刚毛。轮伞花序多花密集，半球形，花时连花冠直径达 3.5cm，生于茎、枝顶部，向上聚集；苞叶叶状，下部的略超出花萼，向上渐变小，呈苞片状，苞片针状，具肋，与花萼等长或略短，

寸金草

被白色平展缘毛及微小腺点，先端染紫红色；花萼圆筒状，开花时长约9mm，13脉，外面主要沿脉上被白色刚毛，余部满布微小腺点，内面在喉部以上被白色疏柔毛，果时基部稍一边膨胀，上唇3齿，齿长三角形，多少外反，先端短芒尖，下唇2齿，齿与上唇近等长，三角形，先端长芒尖；花冠粉红色，较大，长1.5～2cm，外面被微柔毛，内面在下唇下方具2列柔毛，冠筒十分伸出，基部宽1.5mm，自伸出部分向上渐扩大，至喉部宽达5mm，冠檐二唇形，上唇直伸，先端微缺，下唇3裂，中裂片较大；雄蕊4，前对较长，均延伸至上唇下，几不超出，花药卵圆形，2室，室略叉开；花柱微超出上唇片，先端不相等2浅裂，裂片扁平；花盘平顶；子房无毛。小坚果倒卵形，长约1mm，宽约0.9mm，褐色，无毛。花期7～9月，果期8～11月。

| 生境分布 | 生于海拔1300～2700m的山坡、草地、路旁、灌丛中或林下。分布于重庆北碚、垫江、巫溪、丰都、长寿、忠县、大足、九龙坡、万州等地。

| 资源情况 | 野生资源丰富。药材主要来源于野生。

| 采收加工 | 秋季采收，洗净，切段，晒干。

| 功能主治 | 辛、苦，温。归肾经。清热解毒，平肝散风，消肿活血。用于乳腺炎、乳痈，牙龈肿胀，结膜炎，目赤涩痛，小儿疳积，避孕，风湿，跌打损伤。

| 用法用量 | 内服煎汤，9～15g。外用适量，捣敷。

唇形科 Labiatae 风轮菜属 Clinopodium

灯笼草

Clinopodium polycephalum (Vaniot) C. Y. Wu et Hsuan ex Hsu

灯笼草

| 药 材 名 |

断血流（药用部位：全草。别名：山藿香、大叶藿香、荫风轮）。

| 形态特征 |

直立多年生草本，高 0.5 ~ 1m。多分枝，基部有时匍匐生根。茎四棱形，具槽，被平展糙硬毛及腺毛。叶卵形，长 2 ~ 5cm，宽 1.5 ~ 3.2cm，先端钝或急尖，基部阔楔形至几圆形，边缘具疏圆齿状牙齿，上面橄榄绿色，下面略淡，两面被糙硬毛，尤其是下面脉上，侧脉约 5 对，与中脉在上面微下陷下面明显隆起。轮伞花序多花，圆球形，花时直径达 2cm，沿茎及分枝形成宽而多头的圆锥花序；苞叶叶状，较小，生于茎及分枝近顶部者退化成苞片状；苞片针状，长 3 ~ 5mm，被具节长柔毛及腺柔毛；花梗长 2 ~ 5mm，密被腺柔毛；花萼圆筒形，花时长约 6mm，宽约 1mm，具 13 脉，脉上被具节长柔毛及腺微柔毛，花萼内喉部具疏刚毛，果时基部一边膨胀，宽至 2mm，上唇 3 齿，齿三角形，具尾尖，下唇 2 齿，先端芒尖；花冠紫红色，长约 8mm，冠筒伸出于花萼，外面被微柔毛，冠檐二唇形，上唇直伸，先端微缺，下唇 3 裂；雄蕊不露出，后对雄蕊短且花药小，在上唇穹隆下，直伸，前雄蕊长超过下唇；花盘平顶；子房无毛。小坚果卵形，长约 1mm，褐色，光滑。花期 7 ~ 8 月，果期 9 月。

| **生境分布** | 生于海拔 460 ~ 2000m 的路旁、河谷、林下、灌丛中。分布于重庆丰都、綦江、大足、垫江、南岸、城口、潼南、合川、长寿、石柱、永川、璧山、云阳、南川、忠县、涪陵、铜梁、开州、梁平、荣昌等地。

| **资源情况** | 野生资源丰富。药材主要来源于野生。

| **采收加工** | 夏、秋季采收，除去泥沙等杂质，晒干或鲜用。

| **药材性状** | 本品茎呈方柱形，四面凹下呈槽状，分枝对生，长 30 ~ 90cm，直径 1.5 ~ 4mm；上部密被灰白色绒毛，下部较稀疏或近无毛，节间长 2 ~ 8cm，表面灰绿色或绿褐色；质脆，易折断，断面不平整，中央有髓或中空。叶对生，有柄，多皱缩破碎，完整者展平后呈卵形，长 2 ~ 5cm，宽 1.5 ~ 3.2cm，边缘具疏锯齿，上表面绿褐色，下表面灰绿色，两面均密被白色绒毛。气微香，味涩、微苦。

| **功能主治** | 辛、苦，凉。清热解毒，凉血活血。用于风热感冒，咳嗽，目赤肿痛，咽喉肿痛，白喉，腹痛痢疾，吐血，咯血，尿血，崩漏，外伤出血，肝炎，胆囊炎，痄腮，胃痛，关节疼痛，疮疡，毒蛇咬伤，湿疹，痔疮，跌打肿痛。

| **用法用量** | 内服煎汤，15 ~ 30g；或捣汁。外用适量，捣敷；或研末撒。

| **附　　注** | （1）《中国药典》记载风轮菜为断血流的来源之一。
（2）本种喜温暖、湿润、半日以上光照环境。耐高热，霜冻后地上部分枯萎，翌年春季又萌芽生长。对土壤要求不严，耐贫瘠和干旱。栽培宜选择水、肥充足地块，忌积水地块。

唇形科 Labiatae 风轮菜属 Clinopodium

麻叶风轮菜

Clinopodium urticifolium (Hance) C. Y. Wu et Hsuan ex H. W. Li

| 药 材 名 | 风车草（药用部位：全草）。

| 形态特征 | 多年生草本，高达 80cm。茎具细纵纹，疏被倒向细糙硬毛。叶卵形或卵状长圆形，长 3 ~ 5.5cm，基部近平截或圆，具锯齿，上面疏被细糙硬毛，下面沿脉疏被平伏柔毛；下部叶柄长 1 ~ 1.2cm，上部叶柄长 2 ~ 5mm。轮伞花序具多花，半球形，花序梗长 3 ~ 5mm，多分枝；下部苞叶较花序长，上部苞叶与花序等长，苞片线形，带紫红色，具中脉及白色缘毛；花梗长 1.5 ~ 2.5mm，密被腺微柔毛；花萼窄管形，长约 8mm，上部带紫红色，被腺微柔毛，脉被白色纤毛，内面齿上疏被柔毛，果时基部一边稍臌胀，上唇 3 齿长三角形，反折，具短芒尖，下唇 2 齿直伸，具芒尖；花冠紫红色，长约 1.2cm，被微柔毛，喉部内面具 2 行毛，冠筒基部直径 1mm，喉部

麻叶风轮菜

直径约 3mm；前对雄蕊近内藏或稍伸出。小坚果倒卵球形，长约 1mm。花期 6 ~ 8 月，果期 8 ~ 10 月。

| **生境分布** | 生于海拔 300 ~ 2240m 的山坡、草地、路旁、林下。分布于重庆长寿、丰都、云阳、酉阳、南川、涪陵、武隆、垫江、九龙坡等地。

| **资源情况** | 野生资源一般。药材主要来源于野生。

| **采收加工** | 夏、秋季采收，洗净，晒干。

| **功能主治** | 苦，凉。清热解表，健胃平肝。用于喉炎，结膜炎，感冒发热，肝炎，小儿疳积，疮疖。

| **用法用量** | 内服煎汤，6 ~ 9g。外用适量。

唇形科 Labiatae 香薷属 *Elsholtzia*

紫花香薷 *Elsholtzia argyi* Lévl.

| 药 材 名 | 紫花香薷（药用部位：全草）。

| 形态特征 | 草本，高 0.5 ~ 1m。茎四棱形，具槽，紫色，槽内被疏生或密集的白色短柔毛。叶卵形至阔卵形，长 2 ~ 6cm，宽 1 ~ 3cm，先端短渐尖，基部圆形至宽楔形，边缘在基部以上具圆齿或圆齿状锯齿，近基部全缘，上面绿色，被疏柔毛，下面淡绿色，沿叶脉被白色短柔毛，满布凹陷的腺点，侧脉 5 ~ 6 对，与中脉在两面微显著；叶柄长 0.8 ~ 2.5cm，具狭翅，腹凹背凸，被白色短柔毛。穗状花序长 2 ~ 7cm，生于茎、枝先端，偏向一侧，由具 8 花的轮伞花序组成；苞片圆形，长、宽约 5mm，先端骤然短尖，尖头刺芒状，长达 2mm，外面被白色柔毛及黄色透明腺点，常带紫色，内面无毛，边缘具缘毛；花梗长约 1mm，与序轴被白色柔毛；花萼管状，长约

紫花香薷

2.5mm，外面被白色柔毛，萼齿 5，钻形，近相等，先端具芒刺，边缘具长缘毛；花冠玫瑰红紫色，长约 6mm，外面被白色柔毛，在上部具腺点，冠筒向上渐宽，至喉部宽达 2mm，冠檐二唇形，上唇直立，先端微缺，边缘被长柔毛，下唇稍开展，中裂片长圆形，先端通常具凸尖，侧裂片弧形；雄蕊 4，前对较长，伸出，花丝无毛，花药黑紫色；花柱纤细，伸出，先端相等 2 浅裂。小坚果长圆形，长约 1mm，深棕色，外面具细微疣状突起。花果期 9 ~ 11 月。

| **生境分布** | 生于海拔 200 ~ 1200m 的山坡灌丛中、林下、溪旁或河边草地。分布于重庆黔江、酉阳、江津、綦江、忠县、云阳、涪陵、南川、丰都、长寿、武隆、垫江、永川等地。

| **资源情况** | 野生资源丰富。药材来源于野生。

| **采收加工** | 夏、秋季茎叶茂盛时采收，晒干或阴干。

| **功能主治** | 辛，微温。发汗解暑，利尿，止吐泻，散寒湿。用于感冒，发热无汗，黄疸，淋证，带下，咳嗽，暑热口臭，吐泻。

| **用法用量** | 内服煎汤，适量。外用适量，煎汤洗。

唇形科 Labiatae 香薷属 Elsholtzia

香薷

Elsholtzia ciliata (Thunb.) Hyland.

香薷

| 药 材 名 |

土香薷（药用部位：地上部分。别名：鱼香草、北香薷、香茹）。

| 形态特征 |

直立草本，高 0.3 ~ 0.5m。具密集的须根。茎通常自中部以上分枝，钝四棱形，具槽，无毛或被疏柔毛，常呈麦秆黄色，老时变紫褐色。叶卵形或椭圆状披针形，长 3 ~ 9cm，宽 1 ~ 4cm，先端渐尖，基部楔状下延成狭翅，边缘具锯齿，上面绿色，疏被小硬毛，下面淡绿色，主沿脉上疏被小硬毛，余部散布松脂状腺点，侧脉 6 ~ 7 对，与中肋两面稍明显；叶柄长 0.5 ~ 3.5cm，背平腹凸，边缘具狭翅，疏被小硬毛。穗状花序长 2 ~ 7cm，宽达 1.3cm，偏向一侧，由多花的轮伞花序组成；苞片宽卵圆形或扁圆形，长、宽约 4mm，先端具芒状凸尖，尖头长达 2mm，多半褪色，外面近无毛，疏布松脂状腺点，内面无毛，边缘具缘毛；花梗纤细，长 1.2mm，近无毛，序轴密被白色短柔毛；花萼钟形，长约 1.5mm，外面被疏柔毛，疏生腺点，内面无毛，萼齿 5，三角形，前 2 齿较长，先端具针状尖头，边缘具缘毛；花冠淡紫色，约为花萼长之 3 倍，外面被柔

毛，上部夹生有稀疏腺点，喉部被疏柔毛，冠筒自基部向上渐宽，至喉部宽约
1.2mm，冠檐二唇形，上唇直立，先端微缺，下唇开展，3裂，中裂片半圆形，
侧裂片弧形，较中裂片短；雄蕊4，前对较长，外伸，花丝无毛，花药紫黑色；
花柱内藏，先端2浅裂。小坚果长圆形，长约1mm，棕黄色，光滑。花期7～10
月，果期10月至翌年1月。

| 生境分布 | 生于海拔250～1250m的路旁、山坡、荒地、林内、河岸，或栽培于庭院。分布于重庆北碚、秀山、城口、巫溪、垫江、石柱、武隆、彭水、酉阳、南川等地。

| 资源情况 | 野生和栽培资源均一般。药材来源于野生和栽培。

| 采收加工 | 夏季花盛开时割取，除去杂质，晒干。

| 药材性状 | 本品茎四棱形，多分枝；外表面紫褐色，有毛；质硬而脆，断面有髓。叶对生，完整者狭卵形至卵状长圆形，边缘有锯齿。穗状花序腋生或顶生，花偏向一侧，苞片近圆形，花萼钟状，5裂。气特异而浓烈，味微苦、辛。

| 功能主治 | 辛、微温，归肺、胃经。发汗解表，和中利湿。用于发热恶寒，伤暑头痛，腹痛，吐泻。

| 用法用量 | 内服煎汤，5～15g。

| 附　　注 | 本种对土壤要求不严，一般土地都可以栽培，但在黏土中生长较差，碱土不宜栽培。本种怕旱。不宜连作。

唇形科 Labiatae 香薷属 *Elsholtzia*

野草香
Elsholtzia cypriani (Pavol.) S. Chow

野草香

| 药 材 名 |

野草香（药用部位：全草。别名：野香薷、鱼香菜、木姜花）。

| 形 态 特 征 |

草本，高 0.1 ～ 1m。茎、枝绿色或紫红色，钝四棱形，具浅槽，密被下弯短柔毛。叶卵形至长圆形，长 2 ～ 6.5cm，宽 1 ～ 3cm，先端急尖，基部宽楔形，下延至叶柄，边缘具圆齿状锯齿，草质，上面深绿色，被微柔毛，下面淡绿色，密被短柔毛及腺点，侧脉 5 ～ 6 对，与中脉在上面微下陷下面隆起；叶柄长 0.2 ～ 2cm，上部具三角形狭翅，腹平背凸，密被短柔毛。穗状花序圆柱形，长 2.5 ～ 10.5cm，花时直径达 0.9cm，于茎、枝或小枝上顶生，由多数密集的轮伞花序组成；苞片线形，长达 3mm，被短柔毛；花梗长 0.5mm，与序轴密被短柔毛；花萼管状钟形，长约 2mm，外面密被短柔毛，内面仅在萼齿上略被微柔毛，余部无毛，萼齿 5，长约为花萼长的 1/4，近等长，花后果萼伸长，长管状，长达 5mm，外密被绵毛，萼齿细小，向前弯曲，偏向一侧呈尖嘴状；花冠玫瑰红色，长约 2mm，外面被柔毛，内面无毛，冠筒基部宽 0.5mm，向上渐宽，至喉部宽达

1.5mm，冠檐二唇形，上唇全缘或略凹缺，下唇开展，3 裂，中裂片圆形，侧裂片半圆形，全缘；雄蕊 4，伸出，前对较长，花丝无毛，花药卵圆形，2 室；花柱外露，约与后对雄蕊等长，先端近相等 2 浅裂，裂片钻形。小坚果长圆状椭圆形，黑褐色，略被毛。花果期 8 ～ 11 月。

| **生境分布** | 生于海拔 400 ～ 2700m 的田边、路旁、河谷两岸、林中或林边草地。分布于重庆城口、垫江、武隆、黔江、彭水、酉阳、开州、江津等地。

| **资源情况** | 野生资源一般。药材主要来源于野生。

| **采收加工** | 夏、秋季采收，晒干或鲜用。

| **药材性状** | 本品叶多卷曲皱缩，展平后呈卵形或长圆形，长 2 ～ 6.5cm，宽 1 ～ 3cm，先端尖，边缘具锯齿，上面被柔毛，下面密被短柔毛和腺点；叶柄长 0.2 ～ 2cm。揉搓后有特殊清香，味辛、凉。

| **功能主治** | 辛，凉。清热，解毒，解表。用于伤风感冒，疔疮，鼻渊，乳蛾。

| **用法用量** | 内服煎汤，10 ～ 30g。外用适量，捣汁涂。

| **附　　注** | 在 FOC 中，本种的拉丁学名被修订为 *Elsholtzia cyprianii* (Pavolini) S. Chow ex P. S. Hsu。

野苏子

唇形科 Labiatae 香薷属 Elsholtzia

野苏子

Elsholtzia flava (Benth.) Benth.

| 药 材 名 |

野苏子（药用部位：全草。别名：修仙果、大野坝艾、大叶香芝麻）。

| 形态特征 |

直立半灌木，高 0.6 ~ 2.6m。茎分枝，枝钝四棱形，具浅槽及细条纹，密被灰白色短柔毛。叶阔卵形或近圆形，长 8 ~ 15cm，宽 5.2 ~ 8.2cm，先端骤尾状渐尖，基部圆形或微心形，偏斜，边缘为具小凸尖的圆齿或圆齿状锯齿，上面橄榄绿色，被短柔毛，沿中脉及侧脉更密，下面淡绿色，除叶脉被微柔毛外余部无毛，密布淡黄色腺点，侧脉 4 ~ 10 对，与中脉在上面明显下陷下面十分隆起，细脉在下面显著；叶柄长 3 ~ 6cm，腹凹背凸，密被灰白色短柔毛。穗状花序顶生或腋生，粗壮，长 6 ~ 12cm，具梗，由多花的轮伞花序组成，位于穗状花序下部的轮伞花序稍疏离，上部的靠近；苞叶位于穗状花序下部的与叶同形，超过轮伞花序，向上变小，呈苞片状，阔卵圆形，长、宽约 3mm，先端具小凸尖，外面略被微柔毛，边缘具缘毛；花梗长约 1mm，与序轴密被灰白色短柔毛；花萼钟形，长约 3.5mm，外面被短柔毛及腺点，内面在上部

被短柔毛，明显 10 脉，萼齿 5，钻状线形，先端具线状尖头，花萼果时管状钟形，长达 6.5mm，宽 2.5mm；花冠黄色，长约 6.5mm，外面被白色柔毛及腺点，内面近基部具斜向间断髯毛毛环，冠筒长约 4mm，基部宽 0.5mm，向上渐宽，至喉部宽达 2mm，冠檐二唇形，上唇直立，先端微缺，下唇开展，3 裂，中裂片近圆形，边缘啮蚀状，侧裂片近长圆形，先端圆形；雄蕊 4，前对较长，伸出，花丝丝状，无毛，花药卵圆形，2 室；花柱稍超出雄蕊，先端近相等 2 浅裂，裂片钻形；子房无毛。小坚果长圆形，长约 1mm，黑褐色。花期 7 ～ 10 月，果期 9 ～ 11 月。

| 生境分布 | 生于海拔 1050 ～ 2200m 的开旷耕地、路边、沟谷旁、灌丛中或林缘。分布于重庆南川等地。

| 资源情况 | 野生资源稀少。药材主要来源于野生。

| 采收加工 | 夏季采收，洗净，晒干，或鲜用。

| 功能主治 | 清热解毒，发表，疏散风热。用于风热感冒，疥疮未溃。

| 用法用量 | 内服煎汤，适量。外用适量，捣敷，或研末敷。

| 附　注 | 在 FOC 中，本种的中文名被修订为黄花香薷。

唇形科 Labiatae 香薷属 Elsholtzia

鸡骨柴 *Elsholtzia fruticosa* (D. Don) Rehd.

| 药 材 名 | 双翅草（药用部位：根。别名：瘦狗还阳草、紫油苏、小花香棵）、鸡骨柴叶（药用部位：叶）。

| 形态特征 | 直立灌木，高 0.8 ~ 2m。多分枝。茎、枝钝四棱形，具浅槽，黄褐色或紫褐色，老时皮层剥落，变无毛，幼时被白色卷曲疏柔毛。叶披针形或椭圆状披针形，通常长 6 ~ 13cm，宽 2 ~ 3.5cm，先端渐尖，基部狭楔形，边缘在基部以上具粗锯齿，近基部全缘，上面橄榄绿色，被糙伏毛，下面淡绿色，被弯曲的短柔毛，两面密布黄色腺点，侧脉 6 ~ 8 对，与中脉在上面凹陷下面明显隆起，平行细脉在下面清晰可见；叶柄极短或近于无。穗状花序圆柱形，长 6 ~ 20cm，花时直径达 1.3cm，顶生或腋生，由具短梗多花的轮伞花序所组成，位于穗状花序下部 2 ~ 3 轮伞花序稍疏离而多少间断，上部者均聚

鸡骨柴

集而连续；苞叶位于穗状花序下部者多少叶状，超过轮伞花序，向上渐呈苞片状，披针形至狭披针形或钻形，均较轮伞花序短；花梗长 0.5 ～ 2mm，与总梗、序轴密被短柔毛；花萼钟形，长约 1.5mm，外面被灰色短柔毛，萼齿 5，三角状钻形，长约 0.5mm，近相等，果时花萼圆筒状，长约 3mm，宽约 1mm，脉纹明显；花冠白色至淡黄色，长约 5mm，外面被卷曲柔毛，间夹有金黄色腺点，内面近基部具不明显斜向毛环，冠筒长约 4mm，基部宽约 1mm，至喉部宽达 2mm，冠檐二唇形，上唇直立，长约 0.5mm，先端微缺，边缘被长柔毛，下唇开展，3 裂，中裂片圆形，长约 1mm，侧裂片半圆形；雄蕊 4，前对较长，伸出，花丝丝状，无毛，花药卵圆形，2 室；花柱超出或短于雄蕊，但均伸出花冠，先端近相等 2 深裂，裂片线形，外卷。小坚果长圆形，长 1.5mm，直径 0.5mm，腹面具棱，先端钝，褐色，无毛。花期 7 ～ 9 月，果期 10 ～ 11 月。

| 生境分布 | 生于海拔 1200 ～ 2500m 的山谷侧边、谷底、路旁、开旷山坡或草地中。分布于重庆城口等地。

| 资源情况 | 野生资源一般。药材主要来源于野生，自采自用。

| 采收加工 | 双翎草：秋季采挖，洗净，晒干。
鸡骨柴叶：夏、秋季采收，鲜用或晒干。

| 功能主治 | 双翎草：苦，温。温经通络，祛风除湿。用于风湿关节疼痛。
鸡骨柴叶：辛、苦，温。杀虫，止痒。用于脚癣，疥疮。

| 用法用量 | 双翎草：内服煎汤，9 ～ 15g；或浸酒。
鸡骨柴叶：外用适量，研末调敷。

唇形科 Labiatae 香薷属 Elsholtzia

穗状香薷
Elsholtzia stachyodes (Link) C. Y. Wu

| 药 材 名 | 野香薷（药用部位：地上部分）。

| 形态特征 | 柔弱草本，高 0.3 ~ 1m。茎直立，钝四棱形，具槽，黄褐色或常带紫红色，幼时略被卷曲白色短柔毛，其后毛多少脱落，多分枝，分枝具花序。叶菱状卵圆形，长 2.5 ~ 6cm，宽 1.5 ~ 3.5cm，先端骤渐尖，基部楔形或阔楔形，下延至叶柄成狭翅，边缘在基部以上具整齐或近整齐缺刻状锯齿，薄纸质，上面绿色，散生白色短柔毛，下面淡绿色，仅沿脉上被短柔毛，余部散生淡黄色凹陷腺点，侧脉约 4 对，与中脉在上面微显著下面明显隆起；叶柄长 0.5 ~ 4cm，通常长几与叶片相等，腹面具槽，槽上密被余部疏被白色微柔毛。穗状花序顶生及腋生，位于茎、枝顶上者较长，长 4 ~ 8.5cm，腋生枝上者最短，长仅 1.5cm，开花时直径可达 6（~ 8）mm，通常

穗状香薷

直径 5mm，由疏花、多少不连续的轮伞花序所组成；苞片钻状线形，具肋，常超出花冠；花梗短，长 0.5mm，与序轴被白色短柔毛；花萼钟形，长约 1.5mm，外面密被白色柔毛，内面齿上略被微柔毛，萼齿 5，披针形，近相等，果时花萼略增大，管状钟形，长约 2mm；花冠白色，有时为紫红色，长约为花萼长之 2 倍，外面被短柔毛，内无毛，冠筒向上渐宽大，冠檐二唇形，上唇直立，先端微缺，下唇开展，3 裂，中裂片椭圆形，侧裂片先端圆形；雄蕊 4，前对不发育，后对内藏或微露出；花柱微露出，先端近相等 2 裂。小坚果椭圆形，淡黄色。花果期 9 ～ 12 月。

| **生境分布** | 生于海拔 800 ～ 2700m 的开旷山坡、路旁、荒地、林中旷处或石灰岩上。分布于重庆黔江、彭水、酉阳、涪陵、丰都、綦江、武隆、巫溪、巫山、奉节等地。

| **资源情况** | 野生资源一般。药材主要来源于野生，自采自用。

| **采收加工** | 夏、秋季采收，洗净，晒干。

| **功能主治** | 清热解毒，发汗。用于中暑，小便不利。

| **用法用量** | 内服煎汤，适量。

唇形科 Labiatae 广防风属 Epimeredi

广防风 *Epimeredi indica* (L.) Rothm.

| 药 材 名 | 落马衣（药用部位：全草。别名：马衣叶、假紫苏、假豨莶草）。

| 形态特征 | 草本，直立，粗壮，分枝。茎高 1 ~ 2m，四棱形，具浅槽，密被白色贴生短柔毛。叶宽卵形，长 4 ~ 9cm，先端尖或短渐尖，基部近平截宽楔形，具不规则牙齿，上面被细糙伏毛，脉上毛密；叶柄长 1 ~ 4.5cm。穗状花序直径约 2.5cm；苞叶具短柄或近无柄，苞片线形；花萼长约 6mm，被长硬毛、腺柔毛及黄色腺点，萼齿紫红色，三角状披针形，长约 2.7mm，具缘毛；花冠淡紫色，长约 1.3cm，无毛，冠筒漏斗形，口部直径达 3.5mm，上唇长圆形，长 4.5 ~ 5mm，下唇近水平开展，长 9mm，3 裂，中裂片倒心形，边缘微波状，内面中部被髯毛，侧裂片卵形。小坚果黑色，具光泽，近圆球形，直径约 1.5mm。花期 8 ~ 9 月，果期 9 ~ 11 月。

广防风

| 生境分布 | 生于海拔 700 ～ 1500m 的林缘或路旁等荒地上。分布于重庆巴南、彭水、巫溪等地。

| 资源情况 | 野生资源稀少。药材主要来源于野生，自采自用。

| 采收加工 | 夏、秋季割取全草，洗净，鲜用或晒干。

| 药材性状 | 本品茎粗壮，四方形，直径 0.5 ～ 1cm，中心具髓。枝梗被柔毛，表面暗绿色或黄褐色，节间长 4 ～ 12cm。叶对生，皱缩，展平后呈卵圆形或椭圆形，长 4 ～ 8cm，宽 3 ～ 7cm，先端短圆或钝尖，基部楔形或钝圆；表面灰绿色，或棕褐色，两面均被白色毛，上表面毛疏而长，下表面短而密。花冠唇形，淡紫红色。小坚果近圆形。气微，味淡。

| 功能主治 | 辛、苦，平。祛风湿，消疮毒。用于感冒发热，风湿痹痛，痈肿疮毒，皮肤湿疹，虫蛇咬伤。

| 用法用量 | 内服煎汤，9 ～ 15g；或浸酒。外用适量，煎汤洗，或鲜品捣敷。

| 附 注 | 在 FOC 中，本种的拉丁学名被修订为 *Anisomeles indica* (Linnaeus) Kuntze，属的拉丁学名被修订为 *Anisomeles*。

唇形科 Labiatae 活血丹属 Glechoma

白透骨消 *Glechoma biondiana* (Diels) C. Y. Wu et C. Chen

白透骨消

药材名

白透骨消（药用部位：全草。别名：透骨消、连钱草、活血丹）。

形态特征

多年生草本，高 15～30cm，全体被具节的长柔毛。具较长的匍匐茎，上升，逐节生根。茎四棱形，基部有时带紫色。叶草质，茎中部的叶最大，心形，长 2～4.2cm，宽 1.9～3.8cm，先端急尖，通常具针状小尖头，基部心形，具长方形基凹，边缘具卵形粗圆齿，齿先端钝，两面被具节长柔毛，下面通常带紫色，叶柄长 1.2～2.5cm，被长柔毛；茎基部的叶片同形较小，叶柄细长，长约为叶片的 3 倍。聚伞花序通常 3 花，呈轮伞花序；苞片及小苞片线形，长约 4mm，具缘毛；花萼管状，微弯，长 1～1.2cm，外面被长柔毛及微柔毛，内面无毛，齿 5，略呈二唇形，上唇 3 齿，较长，下唇 2 齿，稍短，齿均狭三角形，长 4～5mm，先端渐尖呈芒状，边缘被缘毛；花冠粉红色至淡紫色，钟形，长 2～2.4cm，外面被疏长柔毛，内面仅在下唇中裂片下方被长柔毛，冠筒自花萼喉部向上渐宽大，至喉部宽达 6mm，冠檐二唇形，上唇直立，宽卵形，先端凹入，下唇伸长，斜展，3 裂，中裂片最大，扇形，先端微凹，两侧裂片卵形；雄蕊 4，后对着生于上唇下面近喉部，短于上唇，前对着生于下唇侧裂片下方花冠筒中部，长仅达花冠筒喉部，花丝细长，长 2.5 ～ 4mm，花药 2 室，室叉开；子房 4 裂，无毛；花盘杯状，裂片不明显，前方呈指状膨大；花柱细长，花时与上唇等长，先端 2 裂。成熟小坚果长圆形，深褐色，具小凹点，无毛，基部略呈三棱形，果脐位于基部。花期 4 ～ 5 月，果期 5 ～ 6 月。

| 生境分布 | 生于海拔 1100 ～ 1700m 的溪边、林缘。分布于重庆城口等地。

| 资源情况 | 野生资源稀少。药材来源于野生，自采自用。

| 采收加工 | 夏、秋季采收，除去杂质，晒干。

| 功能主治 | 辛，温。归肝经。祛风活络，利湿解毒。用于筋骨痛，风湿疼痛，急性肾炎，肾及膀胱结石，跌打损伤。

| 用法用量 | 内服煎汤，9 ～ 15g。外用煎汤洗。

唇形科 Labiatae 活血丹属 Glechoma

活血丹

Glechoma longituba (Nakai) Kupr.

| 药 材 名 | 连钱草（药用部位：地上部分。别名：地钱儿、马蹄草、铜钱草）。

| 形态特征 | 多年生草本，具匍匐茎，上升，逐节生根。茎高 10 ~ 20（~ 30）cm，四棱形，基部通常呈淡紫红色，几无毛，幼嫩部分被疏长柔毛。下部叶较小，心形或近肾形，上部叶心形，长 1.8 ~ 2.6cm，具粗圆齿或粗齿状圆齿，上面疏被糙伏毛或微柔毛，下面带淡紫色，脉疏被柔毛或长硬毛；下部叶柄较叶片长 1 ~ 2 倍。轮伞花序具花 2 ~ 6；苞片及小苞片线形；花萼管形，长 0.9 ~ 1.1cm，被长柔毛，萼齿卵状三角形，长 3 ~ 5mm，先端芒状，上唇 3 齿较长；花冠蓝色或紫色，下唇具深色斑点，冠筒管状钟形，长筒花冠长 1.7 ~ 2.2cm，短筒花冠长 1 ~ 1.4cm，稍被长柔毛及微柔毛，上唇 2 裂，裂片近肾形，下唇中裂片肾形，侧裂片长圆形。小坚果长约 1.5mm，先端圆，基

活血丹

部稍三棱形。无毛，果脐不明显。花期 4 ~ 5 月，果期 5 ~ 6 月。

| 生境分布 | 生于海拔 100 ~ 2000m 的林缘、疏林下、草地中、溪边等阴湿处。重庆各地均有分布。

| 资源情况 | 野生资源丰富。药材主要来源于野生。

| 采收加工 | 春季至秋季采收，除去杂质，晒干。

| 药材性状 | 本品长 10 ~ 20cm，疏被短柔毛。茎呈方柱形，细而扭曲；表面黄绿色或紫红色，节上有不定根；质脆，易折断，断面常中空。叶对生，多皱缩，展平后呈肾形或近心形，长 1 ~ 2.6cm，宽 1.5 ~ 3cm，灰绿色或绿褐色，边缘具圆齿；叶柄纤细，长 4 ~ 7cm。轮伞花序腋生，花冠二唇形，长达 2cm。搓之气芳香，味微苦。

| 功能主治 | 辛、微苦，微寒。利湿通淋，清热解毒，散瘀消肿。用于热淋，石淋，湿热黄疸，疮痈肿痛，跌打损伤。

| 用法用量 | 内服煎汤，15 ~ 30g。外用适量，煎汤洗；或取鲜品捣敷患处。阴疽、血虚者及孕妇慎服。

唇形科 Labiatae 动蕊花属 Kinostemon

粉红动蕊花

Kinostemon alborubrum (Hemsl.) C. Y. Wu

| **药 材 名** | 山合香（药用部位：全草）。

| **形态特征** | 多年生草本。具匍匐茎。茎上升，多分枝，基部近圆柱形，上部四棱形，具细条纹，密被长达 1.5mm 平展白色长柔毛。叶具柄，叶柄长 0.4 ~ 1.2cm；叶片卵圆形或卵圆状披针形，长 3 ~ 6cm，宽 1 ~ 2cm，先端短渐尖、渐尖以至尾状渐尖，基部阔楔形或楔形下延，边缘具不整齐的粗牙齿，上面被疏柔毛，下面脉上密被长柔毛，余部被疏柔毛，侧脉 3 ~ 5 对。总状花序生于腋出侧枝的上端，下部具 1 ~ 3 对不具花的叶，上部常分枝成为 1 ~ 3 长为 3 ~ 6cm 的总状圆锥花序；苞片长仅及花梗之半，被疏柔毛；花梗细长，长 3 ~ 4mm，被短柔毛；花萼长、宽均 4mm，萼筒长 2mm，外面被疏柔毛，内面喉部具毛环，萼齿 5，呈二唇式张开，上唇 3 齿，中

粉红动蕊花

齿特大，扁圆形，先端急尖，直径 1.7mm，侧齿卵圆形，稍小于中齿，高及中齿之半，下唇 2 齿，三角状钻形，长 2mm，稍超过上唇，缺弯深达喉部；花冠粉红色，长 11mm，外被白色绵状长柔毛及淡黄色腺点，内面无毛，冠筒长达 7mm，宽 1.7mm，至喉部稍宽大，冠檐与冠筒几成直角，二唇形，上唇 2 裂，裂片扁圆形，高 1mm，宽 2mm，缺弯极浅，下唇 3 裂，中裂片极发达，长圆形，内凹，先端圆形，长 4mm，宽 2mm，外侧被白色绵状长柔毛，侧裂片卵圆形，长 1.2mm；雄蕊 4；花柱长超出雄蕊，先端不相等 2 裂；子房球形。花期 7 月。

| **生境分布** | 生于海拔 350 ~ 1300m 的山坡、草地、空旷地或潮湿沟边。分布于重庆巫山、奉节、江津、南川、丰都、城口、巫溪等地。

| **资源情况** | 野生资源一般。药材主要来源于野生。

| **采收加工** | 7 月采收，晒干。

| **功能主治** | 辛、苦，凉。归肝、脾经。清热明目，散风通络，祛湿解毒。用于目赤肿痛，风湿热痹，劳伤，疮肿，湿疹，癣痒。

| **用法用量** | 内服煎汤，3 ~ 15g。外用适量，捣敷或煎汤洗。

唇形科 Labiatae 动蕊花属 Kinostemon

动蕊花
Kinostemon ornatum (Hemsl.) Kudo

| **药 材 名** | 红荆芥（药用部位：全草。别名：野藿香）。

| **形态特征** | 多年生草本。茎直立，基部分枝，并具早年残存的茎基，四棱形，无槽，高 50 ～ 80cm，光滑无毛。叶具短柄，叶柄长 0.3 ～ 1cm；叶片卵圆状披针形至长圆状线形，长 7 ～ 13cm，宽 1.3 ～ 3.5cm，先端直，尾状渐尖，基部楔状下延，边缘具疏牙齿，两面光滑无毛，侧脉 6 ～ 8 对。轮伞花序 2 花，远隔，开向一面，多数组成顶生及腋生无毛的疏松总状花序，腋生者稍短于叶；苞片长约 5mm，宽不及 1mm，早落；花梗长 3mm，无毛；花萼长 4.7mm，宽 4.5mm，萼筒长 2mm，外面无毛，内面喉部具毛环，萼齿 5，呈二唇式开张，上唇 3 齿，中齿特大，圆形，先端急尖，直径 3mm，侧齿卵圆形，小，附于中齿基部的两侧，下唇 2 齿，披针形，稍高于上唇，缺弯深达

动蕊花

下唇 1/2 而不达喉部；花冠紫红色，长 11mm，外面极疏被微柔毛及淡黄色腺点，内面无毛，冠筒长达 8mm，下部狭细，宽 1.2mm，中部以上宽展，冠檐二唇形，上唇 2 裂，裂片斜三角状卵形，长约 2mm，裂片间缺弯达上唇 1/2，下唇 3 裂，中裂片卵圆状匙形，长 4mm，宽 2.8mm，先端具短尖，侧裂片长圆形，长 2.5mm，宽 1mm；雄蕊 4，细丝状，花药 2 室，肾形；花柱长超出雄蕊，先端不相等 2 裂，裂片线状钻形；子房球形。小坚果长 1mm。花期 6 ~ 8 月，果期 8 ~ 11 月。

| **生境分布** | 生于海拔 740 ~ 2550m 的山地林下。分布于重庆巫溪、城口、黔江、垫江、云阳、丰都、武隆、北碚、奉节、开州、石柱、巫山、梁平等地。

| **资源情况** | 野生资源一般。药材主要来源于野生。

| **采收加工** | 夏、秋季采收，晒干或鲜用。

| **功能主治** | 苦、辛，凉。发表清热，解毒利湿，散瘀消肿。用于感冒发热，头痛，肺痈，肠痈，肝炎，水肿，小便淋痛。

| **用法用量** | 内服煎汤，3 ~ 10g。外用适量，捣敷或煎汤洗。

| **附　注** | 本种有 2 种变种。一种全叶变型 *Kinostemon ornatum* f. *subintegrifolium* C. Y. Wu et S. Chow，叶全缘或几全缘变型，产湖北西部，生于海拔约 1250m 的山坡上，模式标本采自湖北建始。另一种为镰叶变型 *Kinostemon ornatum* f. *falcatum* C. Y. Wu et S. Chow，与原变型不同在于叶长达 14cm，先端尾状渐尖，且作镰刀状弯曲，花冠下唇中裂片具不明显的三钝尖，产于四川南部，生于海拔约 1200m 的岩山林下，模式标本采自四川金佛山。

唇形科 Labiatae 动蕊花属 Kinostemon

镰叶动蕊花 *Kinostemon ornatum* f. *falcatum* C. Y. Wu et S. Chow

| 药 材 名 | 镰叶动蕊花（药用部位：全草）。

| 形态特征 | 本种与原变种动蕊花的区别在于叶长达 14cm，先端尾状渐尖，且作镰刀状弯曲，花冠下唇中裂片具不明显的三钝尖。

| 生境分布 | 生于海拔约 1200m 的岩山林下。分布于重庆南川、忠县等地。

| 资源情况 | 野生资源稀少。药材来源于野生。

| 采收加工 | 夏季采收全草，鲜用或晒干。

| 功能主治 | 用于烫火伤。

| 用法用量 | 内服煎汤，适量。外用适量，捣敷或煎汤洗。

镰叶动蕊花

唇形科 Labiatae 野芝麻属 Lamium

野芝麻
Lamium barbatum Sieb. et Zucc.

| **药 材 名** | 白花益母草（药用部位：全草。别名：地蚕、野藿香、山麦胡）、野芝麻根（药用部位：根。别名：土蚕子根）、野芝麻花（药用部位：花）。 |
| **形态特征** | 多年生植物。根茎有长地下匍匐枝。茎高达 1m，单生，直立，四棱形，具浅槽，中空，几无毛。茎下部的叶卵圆形或心形，长 4.5 ~ 8.5cm，宽 3.5 ~ 5cm，先端尾状渐尖，基部心形；茎上部的叶卵圆状披针形，较茎下部的叶为长而狭，先端长尾状渐尖，边缘有微内弯的牙齿状锯齿，齿尖具胼胝体的小凸尖，草质，两面均被短硬毛；叶柄长达 7cm，茎上部的渐变短。轮伞花序 4 ~ 14 花，着生于茎端；苞片狭线形或丝状，长 2 ~ 3mm，锐尖，具缘毛；花萼钟形，长约 1.5cm，宽约 4mm，外面疏被伏毛，膜质，萼齿披针状钻形，长 7 ~ 10mm， |

野芝麻

具缘毛；花冠白色或浅黄色，长约 2cm，冠筒基部直径 2mm，稍上方呈囊状膨大，筒口宽至 6mm，外面在上部被疏硬毛或近绒毛状毛被，余部几无毛，内面冠筒近基部有毛环，冠檐二唇形，上唇直立，倒卵圆形或长圆形，长约 1.2cm，先端圆形或微缺，边缘具缘毛及长柔毛，下唇长约 6mm，3 裂，中裂片倒肾形，先端深凹，基部急收缩，侧裂片宽，浅圆裂片状，长约 0.5mm，先端有针状小齿；雄蕊花丝扁平，被微柔毛，彼此粘连，花药深紫色，被柔毛；花柱丝状，先端近相等的 2 浅裂；花盘杯状；子房裂片长圆形，无毛。小坚果倒卵圆形，先端截形，基部渐狭，长约 3mm，直径 1.8mm，淡褐色。花期 4 ~ 6 月，果期 7 ~ 8 月。

| 生境分布 | 生于海拔 1900 ~ 2600m 的路边、溪旁、田埂或荒坡上。分布于重庆城口、南川、云阳、巫溪、万州等地。

| 资源情况 | 野生资源一般。药材主要来源于野生。

| 采收加工 | 白花益母草：5 ~ 6 月采收，阴干或鲜用。
野芝麻根：夏、秋季采收，洗净，晒干或鲜用。
野芝麻花：4 ~ 6 月采收，阴干。

| 药材性状 | 白花益母草：本品茎呈类方柱形，长 25 ~ 50cm。叶对生，多皱缩或破碎，完整者展平后呈心状卵形，先端长尾状，基部心形或近截形，边缘具粗齿，两面具伏毛；叶柄长 1 ~ 5cm。轮伞花序生于上部叶腋内，苞片线形，具睫毛；花萼钟形，5 裂；花冠多皱缩，灰白色至灰黄色。质脆。气微香，味淡、微辛。

| 功能主治 | 白花益母草：辛、甘，平。凉血止血，活血止痛，利湿消肿。用于肺热咯血，血淋，月经不调，崩漏，水肿，带下，胃痛，小儿疳积，跌打损伤，肿毒。
野芝麻根：微甘，平。清肝利湿，活血消肿。用于眩晕，肝炎，咳嗽咯血，水肿，带下，疳积，痔疮，肿毒。
野芝麻花：甘、辛，平。活血调经，凉血清热。用于月经不调，痛经，赤白带下，肺热咯血，小便淋痛。

| 用法用量 | 白花益母草：内服煎汤，9 ~ 15g；或研末。外用适量，鲜品捣敷；或研末调敷。
野芝麻根：内服煎汤，9 ~ 15g；或研末，3 ~ 4g。外用适量，鲜品捣敷。
野芝麻花：内服煎汤，10 ~ 25g。

唇形科 Labiatae 益母草属 Leonurus

益母草

Leonurus japonicus Houtt.

| 药 材 名 | 益母草（药用部位：地上部分。别名：益母、茺蔚、月母草）、益母草花（药用部位：花。别名：茺蔚花）、茺蔚子（药用部位：果实。别名：益母子、冲玉子、益母草子）。

| 形态特征 | 一年生或二年生草本，有于其上密生须根的主根。茎直立，通常高30～120cm，钝四棱形，微具槽，有倒向糙伏毛，在节及棱上尤为密集，在基部有时近于无毛，多分枝，或仅于茎中部以上有能育的小枝条。叶对生；叶形多种；叶柄长0.5～8cm。一年生植物基生叶具长柄，叶片略呈圆形，直径4～8cm，5～9浅裂，裂片具2～3钝齿，基部心形；茎中部叶有短柄，3全裂，裂片近披针形，中央裂片常再3裂，两侧裂片再1～2裂，最终片宽度通常在3mm以上，先端渐尖，边缘疏生锯齿或近全缘；最上部叶不分裂，线形，近无柄，上面绿色，

益母草

被糙伏毛，下面淡绿色，被疏柔毛及腺点。轮伞花序腋生，具花 8 ~ 15；小苞片针刺状，无花梗；花萼钟形，外面贴生微柔毛，先端 5 齿裂，具刺尖，下方 2 齿比上方 2 齿长，宿存；花冠唇形，淡红色或紫红色，长 9 ~ 12mm，外面被柔毛，上唇与下唇几等长，上唇长圆形，全缘，边缘具纤毛，下唇 3 裂，中央裂片较大，倒心形；雄蕊 4，二强，着生于花冠内面近中部，花丝疏被鳞状毛，花药 2 室；雌蕊 1，子房 4 裂，花柱丝状，略长于雄蕊，柱头 2 裂。小坚果褐色，三棱形，先端较宽而平截，基部楔形，长 2 ~ 2.5mm，直径约 1.5mm。花期 6 ~ 9 月，果期 7 ~ 10 月。

| 生境分布 |　　生于多种生境，尤以向阳处为多。重庆各地均有分布。

| 资源情况 |　　野生资源丰富。药材主要来源于野生，亦有少量栽培。

| **采收加工** | 益母草：鲜者春季幼苗期至初夏花前期采割；干者夏季茎叶茂盛、花未开或初开时采割，晒干或切段晒干。
益母草花：夏季花初开时采收，除去杂质，晒干。
茺蔚子：秋季果实成熟时采割地上部分，晒干，打下果实，除去杂质。

| **药材性状** | 益母草：本品鲜者幼苗期无茎，基生叶圆心形，5 ~ 9 浅裂，每裂片有 2 ~ 3 钝齿。花前期茎呈方柱形，上部多分枝，四面凹下成纵沟，长 30 ~ 60cm，直径 0.2 ~ 0.5cm；表面青绿色；质鲜嫩，断面中部有髓。叶交互对生，有柄，青绿色，质鲜嫩，揉之有汁；下部茎生叶掌状 3 裂，上部叶羽状深裂或 3 浅裂，裂片全缘或具少数锯齿。气微，味微苦。干者茎表面灰绿色或黄绿色；体轻，质韧，断面中部有髓。叶片灰绿色，多皱缩破碎，易脱落。轮伞花序腋生，小花淡紫色，花萼筒状，花冠二唇形。切段者长约 2cm。

益母草花：本品花萼及雌蕊大多已脱落，长约 1.3cm，淡紫色至淡棕色；花冠自先端向下渐次变细；基部联合成管，上部二唇形，上唇长圆形，全缘，背部密具细长白毛，也有缘毛；下唇 3 裂，中央裂片倒心形，背部具短绒毛，花冠管口处有毛环生；雄蕊 4，二强，着生在花冠筒内，与残存的花柱常伸出于冠筒外。气弱，味微甘。以干燥、无叶及无杂质者为佳。

茺蔚子：本品呈三棱形，长 2 ~ 2.5mm，宽约 1.5mm。表面灰棕色至灰褐色，有深色斑点，一端稍宽，平截，另一端渐窄而钝尖。果皮薄，子叶类白色，富油性。气微，味苦。以粒大饱满者为佳。

| 功能主治 | 益母草：苦、辛，微寒。归肝、心包、膀胱经。活血调经，利尿消肿，清热解毒。用于月经不调，痛经经闭，恶露不尽，水肿尿少，疮疡肿毒。

益母草花：甘、微苦，凉。养血，活血，利水。用于贫血，疮疡肿毒，血滞经闭，痛经，产后瘀血腹痛，恶露不下。

茺蔚子：辛、苦，微寒。归心包、肝经。活血调经，清肝明目。用于月经不调，经闭痛经，目赤翳障，头晕胀痛。

| 用法用量 | 益母草：内服煎汤，9 ~ 30g，鲜品 12 ~ 40g。阴虚血少、月经过多、瞳仁散大者均禁服。

益母草花：内服煎汤，6 ~ 9g。

茺蔚子：内服煎汤，5 ~ 10g。瞳孔散大者慎用。

| 附　　注 | （1）在 FOC 中，本种的拉丁学名被修订为 *Leonurus japonicus* Houttuyn。
（2）本种喜温暖湿润气候。对土壤要求不严，海拔在 1000m 以下的地区都可栽培，但以向阳、肥沃、排水良好的砂壤土栽培为宜。通过种子繁殖。

唇形科 Labiatae 益母草属 Leonurus

细叶益母草
Leonurus sibiricus L.

细叶益母草

药 材 名

细叶益母草（药用部位：地上部分。别名：四美草、风车草、石麻）。

形态特征

一年生或二年生草本，有圆锥形的主根。茎直立，高 20 ~ 80cm，钝四棱形，微具槽，有短而贴生的糙伏毛，单一，或多数从植株基部发出，不分枝，或于茎上部稀在下部分枝。下部茎叶早落，叶卵形，长约 5cm，基部宽楔形，掌状 3 深裂，裂片长圆状菱形，再 3 裂成线形小裂片，小裂片宽 1 ~ 3mm，两面被糙伏毛，下面被腺点；中部茎叶叶柄长约 2cm。花无梗花萼管状钟形，长 8 ~ 9mm，中部密被柔毛，余部被平伏微柔毛，前 2 齿钻状三角形，后 3 齿三角形，具刺尖；花冠白色、粉红色或紫红色，长约 1.8cm，冠筒内具鳞毛环，冠檐密被长毛，上唇长圆形，下唇长约 7mm，中裂片倒心形，侧裂片卵形；花丝疏被鳞片。小坚果褐色，长圆状三棱形，长约 2.5mm，先端截平，基部楔形，褐色。花期 7 ~ 9 月，果期 9 月。

生境分布

生于海拔 1500m 以下的石质、砂质草地上或松林中。分布于重庆垫江、丰都、长寿、九龙坡、忠县、南川等地。

| 资源情况 | 野生资源一般。药材主要来源于野生，亦有少量栽培。

| 采收加工 | 每株开花 2/3 时采收，选晴天割下，随即摊放于地面，晒干后打成捆。

| 药材性状 | 本品茎中部叶呈卵形，基部宽楔形，掌状 3 全裂，裂片又羽状分裂成线状小裂片。花序上的苞叶明显 3 深裂，小裂片线状。

| 功能主治 | 苦、辛，微寒。归肝、心包、膀胱经。活血调经，利尿消肿，清热解毒。用于月经不调，痛经经闭，恶露不尽，水肿尿少，疮疡肿毒。

| 用法用量 | 内服煎汤，9 ~ 30g，鲜品 12 ~ 40g。阴虚血少、月经过多、瞳仁散大者均禁服。

| 附　　注 | 本种的花、果实的功用同益母草。

白绒草

唇形科 Labiatae 绣球防风属 Leucas

白绒草
Leucas mollissima Wall.

药材名

白绒草（药用部位：全草。别名：白花茶匙红、白花塔仔草、老虎花）。

形态特征

直立草本，高可达 1m，通常在 0.5m 左右。茎纤细，扭曲，多分枝，四棱形，略具沟槽，被贴生绒毛状长柔毛，节间伸长。叶卵圆形，长 1.5 ~ 4cm，宽 1 ~ 2.3cm，通常于枝条下部叶大，渐向枝条上端愈小而成苞叶状，先端锐尖，基部宽楔形至心形，边缘有具微尖头的圆齿状锯齿，纸质，两面均密被柔毛状绒毛，上面绿色，具皱纹，下面淡绿色，毛被密集而发白；叶柄短，长在 1cm 以下，枝条上部叶常常近于无柄，密被绒毛。轮伞花序腋生，分布于枝条中部至上部，球形，直径 1.5 ~ 2cm，多花密集，其下承以稀疏的苞片；苞片线形，比萼筒短许多，长 2 ~ 3mm，密被长柔毛；花萼管状，长约 6mm，外面密被柔毛，内面在上部被微柔毛而下部无毛，脉 10，显著，脉上被长柔毛，萼口平截，齿 10，长三角形，极短小，长约 1mm，近于等大；花冠白色、淡黄色至粉红色，长约 1.3cm，冠筒长约 0.7cm，外面近喉部处被微柔毛，内面在中部具斜向毛环，冠檐二唇形，上唇直伸，盔状，外密被白色长柔毛，内面无毛，下唇开张，比上唇长 1.5 倍，3 裂，中裂片最大，倒心形，侧裂片长圆形，外面在基部被疏柔毛，内面无毛；雄蕊 4，内藏，后对较短，花丝丝状，花药卵圆形，二室；花柱与雄蕊略等长，先端不等 2 裂；花盘等大；子房无毛。小坚果卵珠状三棱形，黑褐色。花期 5 ～ 10 月，花后见果。

| **生境分布** | 生于海拔 350 ～ 1650m 的阳性灌丛、路旁、草地或溪边的湿润地上。分布于重庆綦江、潼南、丰都、涪陵、璧山等地。

| **资源情况** | 野生资源一般。药材主要来源于野生。

| **采收加工** | 夏季枝叶茂盛时采收，晒干；或全年随采随用。

| **功能主治** | 甘、微辛，平。清肺止咳，用于咯血，胸痛。外用于疖肿，乳腺炎。

| **用法用量** | 内服煎汤，1.5 ～ 3g。外用适量，捣敷患处。

唇形科 Labiatae 斜萼草属 Loxocalyx

斜萼草
Loxocalyx urticifolius Hemsl.

| 药 材 名 | 斜萼草（药用部位：全草）。

| 形态特征 | 草本。从纤细簇生的须根生出。茎直立，高1～1.3m，钝四棱形，具槽，多分枝，分枝细弱，具花，茎、枝近无毛或疏被微柔毛。叶宽卵圆形或心状卵圆形，在花枝上的苞叶有时呈披针形，长4.5～12cm，宽2～7cm，先端长渐尖，先端1齿极伸长，基部楔形、圆形、截形至心形，边缘具粗大的锯齿状牙齿，膜质，上面绿色，疏被短刺毛，下面淡绿色，极疏被短刺毛，具明显的细点，侧脉2～4对，两面明显，下面尤为突出，其间细脉网结；叶柄长1～6cm，纤细，疏被微柔毛或近于无毛。轮伞花序有时在每叶腋内为单花，但常具3～6花；小苞片钻形，长约2mm；花梗短，长不及1mm；花萼长1～1.5cm，管状，外面在脉上被细刺毛，余部有细点而近于无毛，内面无毛，脉8，

斜萼草

后 3 齿 2 居间脉消失，显著，齿 5，比萼筒短，长三角形或卵圆形，二唇状，前 2 齿靠合，比后 3 齿长，后 3 齿近等大，齿端为刺尖；花冠玫瑰红色、紫色，或深紫色至暗红色，长 1.5 ~ 2cm，外微被细柔毛，内面近基部处有微柔毛环，其上疏被粃鳞，冠筒细管状，向上伸展，冠檐二唇形，上唇长圆状椭圆形，长约 5mm，全缘，下唇开张，3 裂，中裂片稍大，长圆形，先端微缺，侧裂片近圆形；雄蕊 4，均延伸至上唇片之下，前对较长，均插生于花冠喉部，花丝扁平，被微柔毛，花药卵圆形，二室，室极叉开；花柱细长，略伸出于上唇，先端相等 2 浅裂；花盘平顶，果时伸长。小坚果卵状三棱形，腹面具棱，栗褐色。花期 7 ~ 8 月，果期 9 月。

| 生境分布 | 生于海拔 1700 ~ 2300m 的林下沟谷中、潮湿处。分布于重庆巫溪、巫山、石柱、武隆、南川等地。

| 资源情况 | 野生资源一般。药材主要来源于野生。

| 采收加工 | 夏、秋季采收，洗净，晒干。

| 功能主治 | 用于风湿疼痛，痢疾。

| 用法用量 | 内服煎汤，适量。

华西龙头草
Meehania fargesii (Lévl.) C. Y. Wu

| **药材名** | 美汉草（药用部位：全草。别名：华西美汉花、水升麻、红紫苏）。

| **形态特征** | 多年生草本。直立，高 10 ~ 20cm，具匍匐茎。茎细弱，不分枝，幼嫩部分通常被短柔毛。叶具柄，叶柄长 5 ~ 25mm，生茎中部者较长，向先端渐变短，有时几无柄，幼时密被柔毛，以后渐脱落，被极短的短柔毛；叶片纸质，心形至卵状心形或三角状心形，长 2.8 ~ 6.5cm，宽 2 ~ 4.5cm，通常以着生于茎基部的叶片较大，先端短渐尖，基部心形，边缘具疏锯齿或钝锯齿，上面被疏糙伏毛，以中肋较密，中肋微凹，下面被疏柔毛，但中肋隆起，被疏柔毛。花通常成对着生于茎顶部 2 ~ 3 节叶腋，有时亦成轮伞花序；苞片向上渐变小，具柄或几无柄，狭卵形或近披针形，边缘具齿；花梗长 2 ~ 6mm，被柔毛，近基部或中部具 1 对小苞片；小苞片钻形，长约 1mm；花

华西龙头草

萼花时管形，口部微开张，长 1.5 ~ 1.8cm，具 15 脉，外面密被微柔毛，脉上的毛略长，内面无毛，齿 5，呈二唇形，上唇 3 齿略高，下唇 2 齿，齿均三角形或卵状三角形或狭三角形，有时微弯，长 2 ~ 3mm，具缘毛，先端渐尖；花冠淡红至紫红色，长 2.8 ~ 4.5cm，外面被极疏的短柔毛，常以背部较多，内面除上唇及下唇中裂片中部具柔毛外余部通常无毛，有时在花冠管基部具短柔毛但不成毛环，冠筒直，管状，上半部逐渐扩大，冠檐二唇形，上唇直立，2 裂或 2 浅裂，裂片圆形或长圆形，下唇伸长，增大，3 裂，中裂片近圆形，边缘波状，两侧裂片长圆形或圆形，长为中裂片之半；雄蕊 4，略二强，后对着生于花冠上唇下方近喉部，前对着生于下唇侧裂片下方冠筒中部，花丝微扁，无毛，花药 2 室，被微柔毛，成熟后贯通为 1 室；子房 4 裂，几无毛；花柱细长，微伸出花冠，先端 2 裂；花盘杯状，裂片不明显，前方呈指状膨大。花期 4 ~ 6 月，果期 6 月以后。

| **生境分布** | 生于海拔 1900m 左右的针阔叶混交林或针叶林下阴处。分布于重庆石柱、彭水、綦江、南川、丰都、开州等地。

| **资源情况** | 野生资源一般。药材主要来源于野生，自产自销。

| **采收加工** | 7 ~ 8 月采收，切段，晒干。

| **功能主治** | 辛，微温。归肺经。发表清热，利湿解毒。用于感冒发热，泻痢腹痛，肝炎，胆囊炎，蛇咬伤。

| **用法用量** | 内服煎汤，3 ~ 9g。外用适量，捣敷。

唇形科 Labiatae 龙头草属 Meehania

华西龙头草（梗花变种）

Meehania fargesii (Lévl.) C. Y. Wu var. *pedunculata* (Hemsl.) C. Y. Wu

药 材 名	龙头草（药用部位：全草。别名：苏麻菜、疏麻菜、山苏麻）。
形态特征	本种与原变种华西龙头草的区别在于茎较高大粗壮，有多分枝，不形成匍匐状的分枝；聚伞花序通常具花在 3 以上，形成具明显的短或长梗的轮伞花序，在茎的上部常形成顶生假总状花序；叶通常为长三角状卵形，形状变异颇大，但均显然较原变种为大。
生境分布	生于山地常绿或针阔叶混交林内。分布于重庆城口、巫山、南川、巫溪、开州、垫江、丰都、石柱、酉阳、秀山、合川等地。
资源情况	野生资源稀少。药材来源于野生。
采收加工	全年均可采收，鲜用或晒干。

华西龙头草（梗花变种）

| **功能主治** | 辛、苦，微寒。归大肠经。清热解毒，利湿解毒。用于风寒感冒，泻痢腹痛，肝炎，胆囊炎，毒蛇咬伤等。

| **用法用量** | 内服煎汤，9 ~ 12g；或泡酒。外用适量，捣敷。

唇形科 Labiatae 龙头草属 Meehania

华西龙头草（走茎变种）

Meehania fargesii (Lévl.) C. Y. Wu var. *radicans* (Vaniot) C. Y. Wu

药 材 名	龙头草（药用部位：全草。别名：木樨臭、红紫苏）。
形态特征	本种与原变种华西龙头草的区别在于茎较粗壮而长，通常超过30cm，有多分枝，常形成匍匐生根的走茎；叶常为长圆状卵形，长3～15cm，具圆锯齿，基部心形；花通常为腋生双花，总梗极短，常着生于茎最上部的1～3节上。
生境分布	生于海拔1200～1800m的常绿或落叶阔叶混交林下阴处。分布于重庆巫溪、巫山、酉阳、彭水、丰都、南川等地。
资源情况	野生资源稀少。药材主要来源于野生。
采收加工	全年均可采收，鲜用或晒干。

华西龙头草（走茎变种）

| **功能主治** | 辛、苦，微寒。清热解毒，利湿解毒。用于风寒感冒，泻痢腹痛，肝炎，胆囊炎，毒蛇咬伤等。 |
| **用法用量** | 内服煎汤，3～9g；或泡酒。外用适量，捣敷。 |

唇形科 Labiatae 龙头草属 Meehania

龙头草
Meehania henryi (Hemsl.) Sun ex C. Y. Wu

| 药 材 名 | 龙头草（药用部位：根、叶。别名：鲤鱼草、长穗美汉花）。

| 形态特征 | 多年生草本，直立，高 30 ～ 60cm。茎四棱形，仅幼嫩部分被疏柔毛及节上被柔毛。叶具长柄，叶柄长 10cm 以下，向上渐变短或几无柄，腹面具槽，两侧边缘被疏长柔毛；叶片纸质或近膜质，卵状心形、心形或卵形，长 4 ～ 13cm，宽 1.8 ～ 4cm，有时长达 17cm，宽达 10cm，以着生于茎中部的叶较大，先端渐尖，基部心形，在茎上部者有时略偏斜，边缘具波状锯齿或粗齿，上面被疏微柔毛，以脉上为密，下面几无毛，脉隆起。花序腋生和顶生，为聚伞花序组成的假总状花序，有时有分枝或仅有 1 花腋生，花序长 6 ～ 9cm，密被微柔毛；苞片小，卵状披针形或披针形，长 3 ～ 6mm，具齿；花梗长 1 ～ 4mm，被微柔毛，中部具 1 对小苞片；小苞片钻形，长

龙头草

约 1mm；花萼花时狭管形，口部微开张，长 1 ~ 1.3cm，具 25 脉，外面被微柔毛，内面无毛，齿 5，呈二唇形，上唇 3 齿，较高，下唇 2 齿，齿均三角形，长为花萼长的 1/3，具缘毛，先端渐尖，果时萼筒基部膨大成囊状；花冠淡红紫色或淡紫色，长 2.3 ~ 3.7cm，外面被极疏的微柔毛，有时背部被少数疏柔毛，内面在冠筒基部被柔毛，但不成毛环，冠筒直立，管状，细，上半部渐扩大，冠檐二唇形，上唇微弯，2 裂，裂片长圆形，下唇增大，伸长，3 裂，中裂片扇形，先端微凹，内面具长柔毛，两侧裂片长圆形长为中裂片的 1/2；雄蕊 4，二强，内藏，后对着生于上唇下方花冠喉部，前对着生于下唇两侧裂片下方冠筒中部，花丝细，无毛，花药 2 室，被微柔毛；子房 4 裂，被微柔毛；花柱细长，略长于雄蕊，微伸出花冠，先端 2 裂，无毛；花盘杯状，裂片不明显，前方呈指状膨大。小坚果圆状长圆形，平滑，密被短柔毛，腹面微呈三棱形，基部具 1 小果脐。花期 9 月，果期 9 月以后。

| 生境分布 | 生于低海拔地区的常绿林或混交林下。分布于重庆秀山、巫山、南川等地。

| 资源情况 | 野生资源稀少。药材来源于野生，自产自销。

| 采收加工 | 全年均可采收，鲜用或晒干。

| 功能主治 | 甘、辛，平。补气血，祛风湿，消肿毒。用于劳伤气血亏虚，脘腹疼痛，咽喉肿痛，蛇咬伤。

| 用法用量 | 内服煎汤，3 ~ 9g；或泡酒。外用适量，捣敷。

唇形科 Labiatae 蜜蜂花属 Melissa

蜜蜂花

Melissa axillaris (Benth.) Bakh. f.

| 药 材 名 | 鼻血草（药用部位：全草。别名：土荆芥、红活美、小薄荷）。

| 形态特征 | 多年生草本，具地下茎。地上茎近直立或直立，分枝，四棱形，浅
四槽，高 0.6 ~ 1m，被短柔毛。叶具柄，柄纤细，长 0.2 ~ 2.5cm，
腹凹背凸，密被短柔毛，叶片卵圆形，长 1.2 ~ 6cm，宽 0.9 ~ 3cm，
先端急尖或短渐尖，基部圆形、钝形、近心形或急尖，边缘具锯齿
状圆齿，草质，上面绿色，疏被短柔毛，下面淡绿色，靠中脉两侧
带紫色，或有时全为紫色，近无毛或仅沿脉被短柔毛，侧脉 4 ~ 5 对，
与中脉在上面微下陷，下面明显隆起，网脉在上面不明显，下面显
著。轮伞花序少花或多花，在茎、枝叶腋内腋生，疏离；苞片小，
近线形，具缘毛；花梗长约 2mm，被短柔毛。花萼钟形，长 6 ~ 8mm，
常为水平伸出，外面沿肋上被具节长柔毛，内面无毛，13 脉，二唇形，

蜜蜂花

上唇 3 齿，齿短，急尖，下唇与上唇近等长，2 齿，齿披针形。花冠白色或淡红色，长约 1cm，外被短柔毛，内面无毛，冠筒稍伸出，至喉部扩大，冠檐二唇形，上唇直立，先端微缺，下唇开展，3 裂，中裂片较大。雄蕊 4，前对较长，不伸出，花药 2 室，室略叉开。花柱略超出雄蕊，先端相等 2 浅裂，裂片外卷。花盘浅盘状，4 裂。小坚果卵圆形，腹面具棱。花果期 6 ~ 11 月。

| **生境分布** | 生于海拔 350 ~ 1250m 的山地或溪边路旁草丛中。分布于重庆北碚、万州、江津、忠县、涪陵、彭水、南川、巫溪、城口、奉节、酉阳、黔江、合川等地。

| **资源情况** | 野生资源丰富。药材主要来源于野生。

| **采收加工** | 夏、秋季采收，晒干或鲜用。

| **功能主治** | 苦、涩，平。凉血止血，清热解毒。用于吐血，鼻衄，崩漏，带下，麻风，皮肤瘙痒，疥疮，蛇虫咬伤，口臭。

| **用法用量** | 内服煎汤，30 ~ 60g。外用适量，鲜品捣敷；或煎汤洗；或捣绒塞鼻。

唇形科 Labiatae 薄荷属 Mentha

薄荷
Mentha haplocalyx Briq.

| **药 材 名** | 薄荷（药用部位：全草。别名：蕃荷菜、菝蔄、吴菝蔄）。 |

| **形态特征** | 多年生草本。茎直立，高 30 ~ 60cm，下部数节具纤细的须根及水平匍匐根状茎，锐四棱形，具四槽，上部被倒向微柔毛，下部仅沿棱上被微柔毛，多分枝。叶片长圆状披针形，披针形，椭圆形或卵状披针形，稀长圆形，长 3 ~ 5（~ 7）cm，宽 0.8 ~ 3cm，先端锐尖，基部楔形至近圆形，边缘在基部以上疏生粗大的牙齿状锯齿，侧脉 5 ~ 6 对，与中肋在上面微凹陷下面显著，上面绿色；沿脉上密生余部疏生微柔毛，或除脉外余部近于无毛，上面淡绿色，通常沿脉上密生微柔毛；叶柄长 2 ~ 10mm，腹凹背凸，被微柔毛。轮伞花序腋生，轮廓球形，花时径约 18mm，具梗或无梗，具梗时梗可长达 3mm，被微柔毛；花梗纤细，长 2.5mm，被微柔毛或近于无 |

薄荷

毛。花萼管状钟形，长约2.5mm，外被微柔毛及腺点，内面无毛，10脉，不明显，萼齿5，狭三角状钻形，先端长锐尖，长1mm。花冠淡紫，长4mm，外面略被微柔毛，内面在喉部以下被微柔毛，冠檐4裂，上裂片先端2裂，较大，其余3裂片近等大，长圆形，先端钝。雄蕊4，前对较长，长约5mm，均伸出于花冠之外，花丝丝状，无毛，花药卵圆形，2室，室平行。花柱略超出雄蕊，先端近相等2浅裂，裂片钻形。花盘平顶。小坚果卵珠形，黄褐色，具小腺窝。花期7～9月，果期10月。

| 生境分布 | 生于海拔250～2700m的沟旁路边或山野湿地。重庆各地均有分布。

| 资源情况 | 野生资源丰富。药材来源于野生和栽培。

| 采收加工 | 夏、秋季茎叶茂盛或花开至三轮时，选晴天，分次采割，晒干或阴干。

| 药材性状 | 本品茎方柱形，长15～35cm，直径2～4mm，表面黄褐色带紫色，或绿色，有节，节间长3～7cm，上部有对生分枝，表面被白色绒毛，角棱处较密；质脆，易折断，断面类白色，中空。叶对生，卷曲而皱缩，多破碎，上面深绿色，下面浅绿色，具白色绒毛；质脆。枝顶常有轮伞花序，黄棕色，花冠多数存在。气香，味辛、凉。

| 功能主治 | 辛，凉。归肺、肝经。宣散风热，清头目，透疹。用于风热感冒，风温初起，头痛，目赤，喉痹，口疮，风疹，麻疹，胸胁胀闷。

| 用法用量 | 内服煎汤，3～6g，不可久煎，宜后下；或入丸、散。外用适量，煎汤洗或捣汁涂敷。阴虚血燥、肝阳偏亢、表虚汗多者忌服。

| 附　注 | （1）在FOC中，本种的拉丁学名被修订为 *Mentha canadensis* Linnaeus。
（2）本种喜温暖、湿润气候，宜在低海拔地区栽培，其精油和薄荷脑含量较高。

唇形科 Labiatae 薄荷属 Mentha

留兰香
Mentha spicata L.

留兰香

药 材 名

留兰香（药用部位：全草。别名：南薄荷、升阳菜、香花菜）。

形态特征

多年生草本。茎直立，高 40 ~ 130cm，无毛或近于无毛，绿色，钝四棱形，具槽及条纹，不育枝仅贴地生。叶无柄或近于无柄，卵状长圆形或长圆状披针形，长 3 ~ 7cm，宽 1 ~ 2cm，先端锐尖，基部宽楔形至近圆形，边缘具尖锐而不规则的锯齿，草质，上面绿色，下面灰绿色，侧脉 6 ~ 7 对，与中脉在上面多少凹陷下面明显隆起且带白色。轮伞花序生于茎及分枝先端，呈长 4 ~ 10cm、间断但向上密集的圆柱形穗状花序；小苞片线形，长过于花萼，长 5 ~ 8mm，无毛；花梗长 2mm，无毛。花萼钟形，花时连齿长 2mm，外面无毛，具腺点，内面无毛，5 脉，不显著，萼齿 5，三角状披针形，长 1mm。花冠淡紫色，长 4mm，两面无毛，冠筒长 2mm，冠檐具 4 裂片，裂片近等大，上裂片微凹。雄蕊 4，伸出，近等长，花丝丝状，无毛，花药卵圆形，2 室。花柱伸出花冠很多，先端相等 2 浅裂，裂片钻形。花盘平顶。子房褐色，无毛。花期 7 ~ 9 月。

| **生境分布** | 栽培于庭院、菜园，或逸为野生。重庆各地均有分布。

| **资源情况** | 野生和栽培资源均较丰富。药材来源于野生和栽培。

| **采收加工** | 夏、秋季采收，除去杂质，鲜用或阴干。

| **药材性状** | 本品茎呈近方柱形，具槽及条纹。叶无柄或近无柄，完整者展平后呈卵状长圆形或长圆状披针形，长 3～7cm，宽 1～2cm，先端锐尖，基部宽楔形至近圆形，边缘具尖锐而不规则的锯齿，草质，上表面绿色，下表面灰绿色。轮伞花序生于茎及分枝先端，呈间断向上密集的圆柱形穗状花序；小苞片线形，长 0.5～0.8cm；花梗长 0.2cm；花萼钟形，萼齿 5，三角状披针形；花冠淡紫色，长 0.4cm，两面无毛，冠筒长 0.2cm，冠檐具 4 裂片；雄蕊 4，近等长。气芳香，味辛、凉。

| **功能主治** | 辛，微温。归肺、肝、肾经。疏风清热，解表和中，理气止痛。用于感冒头痛，胃痛，咳嗽，腹胀，吐泻，痛经，肢体麻木，跌打肿痛。

| **用法用量** | 内服煎汤，3～9g，鲜品 15～30g。外用适量，捣敷。

唇形科 Labiatae 石荠苎属 Mosla

石香薷 *Mosla chinensis* Maxim.

石香薷

药材名

香薷（药用部位：全草。别名：香菜、香茅、香绒）。

形态特征

直立草本。茎高 9 ～ 40cm，纤细，自基部多分枝，或植株矮小不分枝，被白色疏柔毛。叶线状长圆形至线状披针形，长 1.3 ～ 2.8（～ 3.3）cm，宽 2 ～ 4（～ 7）mm，先端渐尖或急尖，基部渐狭或楔形，边缘具疏而不明显的浅锯齿，上面橄榄绿色，下面较淡，两面均被疏短柔毛及棕色凹陷腺点；叶柄长 3 ～ 5mm，被疏短柔毛。总状花序头状，长 1 ～ 3cm；苞片覆瓦状排列，偶见稀疏排列，圆倒卵形，长 4 ～ 7mm，宽 3 ～ 5mm，先端短尾尖，全缘，两面被疏柔毛，下面具凹陷腺点，边缘具睫毛，5 脉，自基部掌状生出；花梗短，被疏短柔毛；花萼钟形，长约 3mm，宽约 1.6mm，外面被白色绵毛及腺体，内面在喉部以上被白色绵毛，下部无毛，萼齿 5，钻形，长约为花萼长之 2/3，果时花萼增大；花冠紫红色、淡红色至白色，长约 5mm，略伸出于苞片，外面被微柔毛，内面在下唇之下方冠筒上略被微柔毛，余部无毛。雄蕊及雌蕊内藏；花盘前方呈指状膨大。小坚果球形，直径约 1.2mm，灰褐色，具深雕纹，无毛。花期 6 ～ 9 月，果期 7 ～ 11 月。

| 生境分布 | 生于海拔 350 ～ 1300m 的草坡或林下。分布于重庆涪陵、石柱、彭水、酉阳、江津、秀山、南川、綦江等地。

| 资源情况 | 野生资源一般。药材主要来源于栽培。

| 采收加工 | 夏季茎叶茂盛、花盛开时，择晴天采割，除去杂质，阴干。

| 药材性状 | 本品长 30 ～ 50cm，基部紫红色，上部黄绿色或淡黄色，全体密被白色绒毛。茎方柱形，直径 1 ～ 2mm，节明显，节间长 4 ～ 7cm；质脆，易折断。叶对生，多皱缩或脱落，展平后呈长卵形或披针形，暗绿色或黄绿色，边缘有疏锯齿。穗状花序顶生及腋生，苞片宽卵形，脱落或残存；花萼宿存，钟状，淡紫红色或灰绿色，先端 5 裂，密被绒毛。小坚果 4，近圆球形，具网纹，网间隙下凹成浅凹状。气清香而浓，味微辛而凉。

| 功能主治 | 辛，微温。归肺、胃经。发汗解表，和中利湿。用于暑湿感冒，恶寒发热，头痛无汗，腹痛吐泻，小便不利。

| 用法用量 | 内服煎汤，3 ～ 10g。

唇形科 Labiatae 石荠苎属 Mosla

小鱼仙草 *Mosla dianthera* (Buch.-Ham.) Maxim.

| 药 材 名 | 小鱼仙草（药用部位：全草。别名：土荆芥、假鱼香、野香薷）。

| 形态特征 | 一年生草本。茎高至 1m，四棱形，具浅槽，近无毛，多分枝。叶卵状披针形或菱状披针形，有时卵形，长 1.2 ~ 3.5cm，宽 0.5 ~ 1.8cm，先端渐尖或急尖，基部渐狭，边缘具锐尖的疏齿，近基部全缘，纸质，上面橄榄绿色，无毛或近无毛，下面灰白色，无毛，散布凹陷腺点；叶柄长 3 ~ 18mm，腹凹背凸，腹面被微柔毛。总状花序生于主茎及分枝的顶部，通常多数，长 3 ~ 15cm，密花或疏花；苞片针状或线状披针形，先端渐尖，基部阔楔形，具肋，近无毛，与花梗等长或略超过，至果时则较之为短，稀与之等长；花梗长 1mm，果时伸长至 4mm，被极细的微柔毛，花序轴近无毛；花萼钟形，长约 2mm，宽 2 ~ 2.6mm，外面脉上被短硬毛，二唇形，上唇 3 齿，

小鱼仙草

卵状三角形，中齿较短，下唇 2 齿，披针形，与上唇近等长或微超过之，果时花萼增大，长约 3.5mm，宽约 4mm，上唇反向上，下唇直伸；花冠淡紫色，长 4 ～ 5mm，外面被微柔毛，内面具不明显的毛环或无毛环，冠檐二唇形，上唇微缺，下唇 3 裂，中裂片较大；雄蕊 4，后对能育，药室 2，叉开，前对退化，药室极不明显；花柱先端相等 2 浅裂。小坚果灰褐色，近球形，直径 1 ～ 1.6mm，具疏网纹。花果期 5 ～ 11 月。

| **生境分布** | 生于海拔 400 ～ 1300m 的山坡、路旁或水边。分布于重庆綦江、城口、永川、璧山、巫溪、奉节、彭水、南川、合川、巴南等地。

| **资源情况** | 野生资源一般。药材来源于野生。

| **采收加工** | 夏、秋季采收，洗净，鲜用或晒干。

| **药材性状** | 本品茎呈方柱形，有 4 棱，直径 1 ～ 5mm；表面黄绿色至红棕色，具稀疏白毛，节明显，节间长 2 ～ 6cm；质脆，断面白色。叶皱缩，对生，黄绿色，具柄，柄长 0.5 ～ 1.5cm，完整叶片展平后呈卵状披针形或菱状披针形，长 1 ～ 3cm，宽 0.5 ～ 1.7cm，先端渐尖，基部渐狭或呈阔楔形，叶缘具疏齿，两面均被白色短毛和腺鳞（放大镜下观察呈黄绿色小点）。总状花序腋生或顶生，长 3 ～ 10cm；花萼钟形，长约 2mm，二唇形，上唇 3 齿裂。揉搓后有香气，味微苦、凉。

| **功能主治** | 辛，温。祛风发表，利湿止痒。用于感冒头痛，乳蛾，中暑，溃疡，痢疾。外用于湿疹，痱子，皮肤瘙痒，疮疖，蜈蚣咬伤。

| **用法用量** | 内服煎汤，27 ～ 45g。外用适量，煎汤洗患处；或用鲜品适量，捣敷患处。

唇形科 Labiatae 石荠苎属 Mosla

少花荠苎
Mosla pauciflora (C. Y. Wu) C. Y. Wu et H. W. Li

| **药 材 名** | 少花荠苎（药用部位：全草）。 |

| **形态特征** | 一年生直立草本。茎高（15 ~ ）20 ~ 70cm，多分枝，分枝纤细，伸长；茎、枝均四棱形，具浅槽，被白色倒向疏短柔毛，节上微带淡紫色。叶披针形至狭披针形，长 1.5 ~ 4cm，宽 0.6 ~ 1.2cm，先端急尖，基部渐狭，边缘具疏锐锯齿，纸质，上面橄榄绿色，被疏短柔毛，老时多少明显被棕色凹陷腺点，下面淡绿色，脉上被极疏短柔毛，其余部分散布棕色凹陷腺点；叶柄长 0.5 ~ 1.5cm，腹凹背凸，被疏短柔毛。总状花序长 1.2 ~ 10cm，生于主茎上的较长，侧枝上的近头状；苞片卵状披针形，长 5 ~ 6（8 ~ 9）mm，宽 2 ~ 4.5mm，先端渐尖，基部急尖，远较花梗为长，最下面的有时长至 1cm，宽至 4.5mm；花梗长约 1mm，果时伸长至 2mm， |

少花荠苎

被白色疏柔毛；花萼钟形，长约 3mm，宽约 2mm，外面被白色疏柔毛，近二唇形，后齿较短，狭披针形，果时花萼长达 7mm，宽 4mm，基部囊状；花冠紫色，长约 4mm，外被微柔毛，内面仅下唇中裂片下方略被髯毛，冠筒长约 3mm，向上渐宽大，冠檐二唇形，上唇直伸，扁平，先端微缺，下唇 3 裂，中裂片较大，边缘具齿；雄蕊 4，后对能育，药室 2，叉开，前对退化，药室不明显；花柱先端相等 2 浅裂；花盘前方呈指状膨大。小坚果黑褐色，球形，直径约 1.5mm，具窝状雕纹。花期 9 ～ 10 月，果期 10 月。

| 生境分布 |

生于海拔 650 ～ 1350m 的山坡林缘或路旁。分布于重庆巫山、开州、武隆、涪陵、秀山、酉阳、南川、巴南、九龙坡、垫江、北碚等地。

| 资源情况 |

野生资源一般。药材来源于野生。

| 采收加工 |

9 ～ 11 月采收全草，洗净，鲜用或晒干。

| 功能主治 |

发汗解暑，健脾利湿，止痒，解蛇毒。用于感冒中暑，吐泻，消化不良，水肿。外用于湿疹，疮疖肿毒。

| 用法用量 |

内服煎汤，6 ～ 9g。外用适量。

唇形科 Labiatae 石荠苎属 Mosla

石荠苎
Mosla scabra (Thunb.) C. Y. Wu et H. W. Li

| 药 材 名 | 石荠苎（药用部位：全草。别名：鬼香油、小鱼仙草、土香茹草）。

| 形态特征 | 一年生草本。茎高 20 ~ 100cm，多分枝，分枝纤细；茎、枝均四棱形，具细条纹，密被短柔毛。叶卵形或卵状披针形，长 1.5 ~ 3.5cm，宽 0.9 ~ 1.7cm，先端急尖或钝，基部圆形或宽楔形，近基部全缘，自基部以上边缘为锯齿状，纸质，上面橄绿色，被灰色微柔毛，下面灰白色，密布凹陷腺点，近无毛或被极疏短柔毛；叶柄长 3 ~ 16（~ 20）mm，被短柔毛。总状花序生于主茎及侧枝上，长 2.5 ~ 15cm；苞片卵形，长 2.7 ~ 3.5mm，先端尾状渐尖，花时及果时均超过花梗；花梗花时长约 1mm，果时长至 3mm，与序轴密被灰白色小疏柔毛；花萼钟形，长约 2.5mm，宽约 2mm，外面被疏柔毛，二唇形，上唇3齿呈卵状披针形，先端渐尖，中齿略小，下唇2齿，线形，先端锐尖，

石荠苎

果时花萼长至 4mm，宽至 3mm，脉纹显著；花冠粉红色，长 4 ~ 5mm，外面被微柔毛，内面基部具毛环，冠筒向上渐扩大，冠檐二唇形，上唇直立，扁平，先端微凹，下唇 3 裂，中裂片较大，边缘具齿；雄蕊 4，后对能育，药室 2，叉开，前对退化，药室不明显；花柱先端相等 2 浅裂；花盘前方呈指状膨大。小坚果黄褐色，球形，直径约 1mm，具深雕纹。花期 5 ~ 11 月，果期 9 ~ 11 月。

| 生境分布 | 生于海拔 200 ~ 1900m 的山坡、路旁或灌丛。分布于重庆黔江、綦江、江津、忠县、南川、酉阳、九龙坡、北碚、垫江、城口、巫溪、万州、巴南等地。

| 资源情况 | 野生资源丰富。药材来源于野生。

| 采收加工 | 7 ~ 8 月采收，晒干或鲜用。

| 药材性状 | 本品茎呈方柱形，多分枝，长 20 ~ 60cm。表面有下曲的柔毛。叶多皱缩，展平后呈卵形或长椭圆形，长 1 ~ 3.5cm，宽 0.8 ~ 1.7cm，边缘有浅锯齿，叶面近无毛而具黄褐色腺点。可见轮伞花序组成的顶生假总状花序，花多脱落，花萼宿存。小坚果类球形，表面黄褐色，有网状突起的皱纹。气清香而浓郁，味辛、凉。

| 功能主治 | 辛、苦，凉。疏风解表，清暑除湿，解毒止痒。用于感冒头痛，咳嗽，中暑，风疹，痢疾，痔血，血崩，热痱，湿疹，肢癣，蛇虫咬伤。

| 用法用量 | 内服煎汤，4.5 ~ 15g。外用适量，煎汤洗；或捣敷；或烧存性，研末调敷。

唇形科 Labiatae 荆芥属 Nepeta

心叶荆芥 *Nepeta fordii* Hemsl.

| 药 材 名 | 心叶荆芥（药用部位：地上部分。别名：假荆芥、假苏、山藿香）。

| 形态特征 | 多年生草本。茎纤弱，高 30 ～ 60cm，钝四棱形，有深槽，基部几无槽，被微短柔毛。叶三角状卵形，长 1.5 ～ 6.4cm，宽 1 ～ 5.2cm，先端急尖或尾状短尖，基部心形，边缘有粗圆齿或牙齿，近膜质，上面橄榄绿色，下面色略淡，两面均被短硬毛或近无毛。由小聚伞花序（有时在主茎上小聚伞花序蝎尾状）组成的复合聚伞花序在基部的腋生，在先端的组成顶生圆锥花序，松散；苞片钻形，微小，长约 2.5mm；花萼瓶状，被微刚毛，花时长约 4mm，直径 0.5 ～ 1mm，纵肋十分隆起，萼齿披针形，5 枚近相等，其长约为花萼全长的 1/4；花冠紫色，约为花萼长之二倍，外被短柔毛，内面无毛，冠筒基部直径约 0.8mm，其狭窄部分超出花萼长 1/2，急骤扩展成长、

心叶荆芥

宽 3mm 的喉，冠檐二唇形，上唇短，长仅 1.2mm，2 浅裂，下唇较长，中裂片近圆形，长约 2.5mm，宽约 3.2mm，边缘波状；雄蕊 4，后对在上唇片下；花柱伸出上唇外；花盘极小；子房无毛。小坚果卵状三棱形，长 0.8mm，直径 0.6mm，深紫褐色，无毛。花果期 4 ～ 10 月。

| 生境分布 | 生于海拔 200 ～ 650m 的低平地区的亚热带灌丛中。分布于重庆酉阳、丰都、云阳、梁平、合川、巫山、渝北、北碚等地。

| 资源情况 | 野生资源一般。药材来源于野生。

| 采收加工 | 7 ～ 9 月割取，阴干或鲜用。

| 药材性状 | 本品长 30 ～ 90cm，全体被白色短柔毛。茎直立，方形，绿色，侧枝生于叶腋。叶对生，卵状披针形，长 1 ～ 4.5cm，宽 0.8 ～ 2cm，先端急尖，基部心形，边缘有粗圆锯齿；叶柄长 0.3 ～ 3.5cm。穗状花序顶生。小坚果棕黄色。味辛。

| 功能主治 | 辛，凉。归肺、肝、脾经。疏风清热，活血止血。用于外感风热，头痛咽痛，麻疹透发不畅，吐血，衄血，外伤出血，跌打肿痛，疮痈肿痛，毒蛇咬伤。

| 用法用量 | 内服煎汤，9 ～ 15g。外用适量，鲜品捣敷。

罗勒
Ocimum basilicum L.

| 药 材 名 | 罗勒（药用部位：地上部分。别名：熏草、燕草、蕙草）、罗勒子（药用部位：果实。别名：兰香子、光明子）。

| 形态特征 | 一年生草本，高 20 ～ 80cm。全株芳香。茎直立，四棱形，上部被倒向微柔毛，常带红色或紫色。叶对生；叶柄长 0.7 ～ 1.5cm，被微柔毛；叶片卵形或卵状披针形，长 2.5 ～ 6cm，宽 1 ～ 3.5cm，全缘或具疏锯齿，两面近无毛，下面具腺点。轮伞花序有 6，组苞片细小，倒披针形，长 5 ～ 8mm，边缘有缘毛，早落；花萼钟形，长 4mm，外面被短柔毛，萼齿 5，上唇 3 齿，中齿最大，近圆形，具短尖头，侧齿卵圆形，先端锐尖，下唇 2 齿，三角形具刺尖，萼齿边缘具缘毛，果时花萼增大、宿存；花冠淡紫色或白色，长约 6mm，伸出花萼，唇片外面被微柔毛，上唇宽外，4 裂，裂片近圆形，下唇长圆形，下倾；

罗勒

雄蕊 4，二强，均伸出花冠外，后对雄蕊花丝基部具齿状附属物并具被微柔毛；子房 4 裂，花柱与雄蕊近等长，柱头 2 裂；花盘具 4 浅齿。小坚果长圆状卵形，褐色。花期 6～9 月，果期 7～10 月。

| **生境分布** | 栽培于庭院。分布于重庆涪陵、南川、巴南、南岸、江北、荣昌等地。

| **资源情况** | 野生资源稀少。药材主要来源于栽培。

| **采收加工** | 罗勒：开花后割取，鲜用或阴干。
罗勒子：9 月采收成熟果实，晒干。

| **药材性状** | 罗勒：本品茎呈方柱形，长短不等，直径 1～4mm；表面紫色或黄紫色，有纵沟纹，具柔毛；质坚硬，折断面纤维性，黄白色，中央有白色的髓。叶多脱落或破碎，完整者展平后呈卵圆形或卵状披针形，长 2.5～5cm，宽 1～2.5cm，先端钝或尖，基部渐狭，边缘有不规则牙齿或近全缘，两面近无毛，下面有腺点；叶柄长约 1.5cm，被微柔毛。假总状花序微被毛，花冠脱落；苞片倒针形，宿萼钟状，黄棕色，膜质，有网纹，外被柔毛，内面喉部被柔毛，宿萼内含小坚果。搓碎后有强烈香气，味辛，有清凉感。以茎细、无根者为佳。
罗勒子：本品卵形，长约 2mm，基部具果柄痕。表面灰棕色至黑色，微带光泽，置于放大镜下可见细密小点。质坚硬，横切面呈三角形，子叶肥厚，乳白色，富油质。气弱，味淡，有黏液感；浸水中膨胀，表面产生白色黏液质层。以颗粒饱满者为佳。

| **功能主治** | 罗勒：辛、甘，温，归肺、脾、胃、大肠经。疏风解表，化湿和中，行气活血，解毒消肿。用于感冒头痛，发热咳嗽，中暑，食积不化，不思饮食，脘腹胀满疼痛，呕吐泻痢，风湿痹痛，遗精，月经不调，牙痛口臭，胬肉遮睛，皮肤湿疮，瘾疹瘙痒，跌打损伤，蛇虫咬伤等。
罗勒子：辛、甘，凉。清热，明目，祛翳。用于目赤肿痛，倒睫目翳，走马牙疳等。

| **用法用量** | 罗勒：内服煎汤，5～15g，大剂量可用至 30g；或捣汁；或入丸、散。外用适量，捣敷；或烧存性，研末调敷；亦可煎汤洗或含漱。气虚血燥者慎服。
罗勒子：内服煎汤，3～5g。外用适量，研末点目。凡风寒头目作痛者忌用。

| **附　注** | （1）本种可食，亦可泡茶饮，有祛风、健胃及发汗作用。
（2）本种喜温暖湿润的气候。以排水良好、肥沃的砂壤土或腐殖质壤土栽培为佳。通过种子繁殖。

唇形科 Labiatae 假糙苏属 Paraphlomis

纤细假糙苏 *Paraphlomis gracilis* Kudo

| 药 材 名 | 纤细假糙苏（药用部位：全草）。

| 形态特征 | 草本。从纤细须根生出，直立，具匍匐枝。茎高约1m，四棱形，具槽，坚硬而纤细，被有倒向的糙伏毛，不分枝或于上部少分枝，下部的节间常比叶长。叶披针形，通常长5～10cm，宽1.7～3.3cm，向上渐变小，先端锐尖或渐尖，基部渐狭而延伸至具微狭翅的叶柄，边缘在基部以上有圆齿状锯齿，近薄纸质，上面沿脉上密生余部疏生糙伏毛，下面毛被较密，杂有金黄色腺点，侧脉4～5对，在两面稍明显；叶柄具狭翅，向叶基渐宽，长1～2.5cm。轮伞花序通常具4～8花，间有具2花或10～12花的，其下承以少数小苞片；小苞片细小，锥形，或近于无；花梗极短；花萼倒圆锥状，不连齿长6mm，外面密被倒向糙伏毛，内面无毛，10脉，不显著，齿5，

纤细假糙苏

基部宽大,先端钻形,开张,几与萼筒等长;花冠白色,下唇具紫斑,长约1.5cm,冠筒比萼筒短,长约5mm,外面无毛,内面在中部以上有明显的疏柔毛毛环,冠檐二唇形,上唇直伸,外被疏柔毛,长圆形,先端圆,内凹,长约为冠筒之2倍,下唇稍宽大,平展,3裂;雄蕊4,均上升至上唇片之下,花丝丝状,扁平,插生于冠筒喉部,花药长圆形,二室,室略叉开;花柱丝状,先端不相等2浅裂,后裂片稍短;花盘平顶;子房近无毛,先端截平。花期6～7月。

| 生境分布 | 生于海拔350～850m的阴湿林下。分布于重庆彭水、丰都、垫江、涪陵、武隆、秀山、南川、璧山、开州等地。

| 资源情况 | 野生资源一般。药材主要来源于野生。

| 采收加工 | 夏季采收,洗净,晒干。

| 功能主治 | 清热止咳,凉血止血。用于感冒,咳嗽。

| 用法用量 | 内服煎汤,适量。

唇形科 Labiatae 假糙苏属 Paraphlomis

假糙苏
Paraphlomis javanica (Bl.) Prain

| 药 材 名 | 假糙苏（药用部位：全草。别名：玖檀花、十二槐花、壶瓶花）。

| 形态特征 | 草本。从纤细须根上升。茎单生，通常高约50cm，有时高达1.5m，钝四棱形，具槽，被倒向平伏毛，常曲折，向基部无叶，上部具叶。叶椭圆形、椭圆状卵形或长圆状卵形，通常长7～15cm，宽3～8.5cm，间或有时长达30cm，宽达14cm，先端锐尖或渐尖，基部圆形或近楔形，边缘有具小凸尖的圆齿状锯齿，有时齿多少不明显，膜质或纸质，上面绿色，多少被小刚毛，下面淡绿色，沿脉上密生余部疏生平伏毛，侧脉5～6对，在上面不明显，下面稍隆起；叶柄纤弱，长达8cm，扁平，上面略具槽，下面圆形，被平伏毛。轮伞花序多花，圆球形，连花冠直径约3cm，其下承以少数小苞片；小苞片钻形，长约6mm，不超过萼筒，被小硬毛；花梗无；花萼花时明显管状，

假糙苏

口部骤然开张，果时膨大，革质，不连齿长约 7mm，幼时密被小硬毛，多少呈绿色，果时毛被近于脱落，常变红色，脉不明显，齿 5，近相等，钻形或三角状钻形，长 3 ～ 4mm；花冠通常黄色或淡黄色，亦有近于白色的，长约 1.7cm，外面在冠筒上部及冠檐上均多少被有小硬毛，内面在冠筒的中部稍上方具柔毛毛环，冠檐二唇形，上唇长圆形，全缘，直伸，下唇 3 裂，中裂片较大；雄蕊 4，前对较长，均上升至上唇片之下或略超出，花丝丝状，微被柔毛，花药椭圆形，2 室，室略叉开；花柱丝状，略超出雄蕊，先端近相等 2 浅裂；子房紫黑色，先端截平，中央稍凹陷，无毛。小坚果倒卵珠状三棱形，先端钝圆，黑色，无毛。花期 6 ～ 8 月，果期 8 ～ 12 月。

| 生境分布 | 生于海拔 320 ～ 1350m 的热带林荫下。分布于重庆石柱、涪陵、武隆等地。

| 资源情况 | 野生资源稀少。药材主要来源于野生。

| 采收加工 | 夏、秋季采收，洗净，晒干。

| 功能主治 | 甘，平。滋阴润燥，止咳，调经。用于阴虚劳嗽，痰中带血，月经不调。

| 用法用量 | 内服煎汤，10 ～ 15g；或炖肉、鸡、猪心、肺；或蒸酒。

| 附　　注 | 本种喜湿热，忌低温。

唇形科 Labiatae 紫苏属 Perilla

紫苏
Perilla frutescens (L.) Britt.

紫苏

药 材 名

紫苏叶（药用部位：叶。别名：苏、苏叶、紫菜）、紫苏梗（药用部位：茎。别名：紫苏茎、苏梗、紫苏枝茎）、紫苏子（药用部位：果实。别名：苏子、黑苏子、铁苏子）、苏头（药用部位：根、近根老茎。别名：紫苏兜、紫苏头、紫苏根）、紫苏苞（药用部位：宿萼）。

形态特征

一年生直立草本。茎高 0.3 ~ 2m，绿色或紫色，钝四棱形，具 4 槽，密被长柔毛。叶宽卵形或圆形，长 7 ~ 13cm，先端尖或骤尖，基部圆形或宽楔形，具粗锯齿，上面被柔毛，下面被平伏长柔毛；叶柄长 3 ~ 5cm，被长柔毛。轮伞总状花序密被长柔毛；苞片宽卵形或近圆形，长约 4mm，具短尖，被红褐色腺点，无毛；花梗长约 1.5mm，密被柔毛；花萼长约 3mm，直伸，下部被长柔毛及黄色腺点，下唇较上唇稍长；花冠长 3 ~ 4mm，稍被微柔毛，冠筒长 2 ~ 2.5mm。小坚果灰褐色，近球形，直径约 1.5mm，具网纹。花期 8 ~ 11 月，果期 8 ~ 12 月。

| 生境分布 | 栽培于山地、菜园、庭院。重庆各地均有分布。 |

| 资源情况 | 野生和栽培资源均较丰富。药材主要来源于栽培，亦有少量野生。 |

| 采收加工 | 紫苏叶：夏季枝叶茂盛时采收，除去杂质，晒干。 |

紫苏梗：秋季果实成熟后采割，除去杂质，晒干；或趁鲜切片，晒干。

紫苏子：秋季果实成熟时采收，除去杂质，晒干。

苏头：秋季采收，将紫苏拔起，切取根头，抖净泥沙，晒干。

紫苏苞：秋季将成熟果实打下，留取存果萼，晒干。

| 药材性状 | 紫苏叶：本品多皱缩卷曲、碎破，完整者展平后呈卵圆形，长 4 ～ 11cm，宽 2.5 ～ 9cm，先端长尖或急尖，基部圆形或宽楔形，边缘具圆锯齿。两面紫色或上表面绿色、下表面紫色，疏生灰白色毛，下表面有多数凹点状腺鳞。叶柄长 2 ～ 5cm，紫色或紫绿色。质脆。带嫩枝者，枝直径 2 ～ 5mm，紫绿色，断面中部有髓。气清香，味微辛。

紫苏梗：本品呈方柱形，4 棱钝圆，长短不一，直径 0.5 ～ 1.5cm。表面紫棕色或暗紫色，四面有纵沟及细纵纹，节部稍膨大，有对生的枝痕和叶痕。体轻，质硬，断面裂片状。切片厚 2 ～ 5mm，常呈斜长方形，木部黄白色，射线细密，呈放射状，髓部白色，疏松或脱落。气微香，味淡。

紫苏子：本品呈卵圆形或类球形，直径约 1.5mm。表面灰棕色或灰褐色，有微隆起的暗紫色网纹，基部稍尖，具灰白色点状果梗痕。果皮薄而脆，易压碎。种子黄白色，种皮膜质，子叶 2，类白色，有油性。压碎有香气，味微辛。

| 功能主治 | 紫苏叶：辛，温。归肺、脾经。解表散寒，行气和胃。用于风寒感冒，咳嗽呕恶，妊娠呕吐，鱼蟹中毒。

紫苏梗：辛，温。归肺、脾经。理气宽中，止痛，安胎。用于胸膈痞闷，胃脘疼痛，嗳气呕吐，胎动不安。

紫苏子：辛，温。归肺经。降气消痰，平喘，润肠。用于痰壅气逆，咳嗽气喘，肠燥便秘。

苏头：辛，温。归肺、脾经。疏风散寒，降气祛痰，和中安胎。用于头晕，身痛，鼻塞流涕，咳逆上气，胸膈饮，胸闷胁痛，腹痛泄泻，妊娠呕吐，胎动不安。

紫苏苞：微辛，平。归肺经。解表。用于血虚感冒。

| **用法用量** | 紫苏叶：内服煎汤，5 ~ 9g。

紫苏梗：内服煎汤，5 ~ 9g。

紫苏子：内服煎汤，3 ~ 9g。

苏头：内服煎汤，6 ~ 12g。外用适量，煎汤洗。

紫苏苞：内服煎汤，3 ~ 9g。

| **附　　注** | 本种喜温暖湿润气候，在阳光充足的环境下生长旺盛，产量较高。以疏松、肥沃、排灌方便的壤土栽培为宜。通过种子繁殖。

唇形科 Labiatae 紫苏属 Perilla

回回苏

Perilla frutescens (L.) Britt. var. *crispa* (Thunb.) Hand.-Mazz.

| 药 材 名 | 白苏梗（药用部位：茎）、白苏叶（药用部位：叶）、白苏子（药用部位：果实。别名：荏子、玉竹子）、白苏子油（药材来源：果实压榨出的脂肪油）。

| 形态特征 | 本种与原变种紫苏的区别在于叶具狭而深的锯齿，常为紫色；果萼较小。

| 生境分布 | 栽培于山地、菜园。重庆各地均有分布。

| 资源情况 | 野生和栽培资源均较丰富。药材主要来源于栽培。

| 采收加工 | 白苏梗：秋季果实成熟时割取，除去果实及枝叶，晒干。
白苏叶：夏、秋季采收，置通风处阴干。或连嫩茎采收，切小段，晒干。

回回苏

白苏子：秋季果实成熟时，割取地上部分，打下果实，除去杂质，晒干。

白苏子油：将干燥果实压榨所得。

| **药材性状** | 白苏梗：本品干燥的茎，叶片大多脱落，常带有果穗。茎圆角四方形，4 边有槽；表面黄绿色；易折断，断面木部黄白色，中心有白色疏松的髓。残留叶片皱缩卷曲或破碎不整，黑绿色，背面色较淡，两面均具白色毛。气香，味微苦、辛。以茎老、干燥、无根叶杂质、气味芳香者为佳。

白苏子：本品卵形或略呈三角形圆锥体状，长径 2.5 ～ 3.5mm，短径 2 ～ 2.5mm。表面灰白色至黄白色，有隆起的网纹。果皮质脆，易压碎。种仁黄白色，富油质。气微香，嚼之有油腻感。以粒大、饱满、无杂质者为佳。

| **功能主治** | 白苏梗：辛，温。顺气消食，止痛，安胎。用于食滞不化，脘腹胀痛，感冒，胎动不安等。

白苏叶：辛，温。归肺、脾经。疏风宣肺，理气消食，解鱼蟹毒。用于感冒风寒，咳嗽气喘，脘腹胀闷，食积不化，吐泻，冷痢，中鱼蟹毒，男子阴肿，肿毒，蛇虫咬伤等。

白苏子：辛，温。归肺、脾、大肠经。下气，消痰，润肺，宽肠。用于咳逆，痰喘，气滞便秘等。

白苏子油：辛，温。润肠，乌发。用于肠燥便秘，头发枯燥等。

| **用法用量** | 白苏梗：内服煎汤，5 ～ 10g。

白苏叶：内服煎汤，5 ～ 10g；或研末。外用适量，和醋捣敷。

白苏子：内服煎汤，4.5 ～ 9g；或研末。外用捣敷。久虚咳嗽、脾虚便滑者不宜使用。

白苏子油：内服煎汤，3 ～ 5g。外用适量，涂抹。

| **附　　注** | 本种喜温暖湿润的气候。以排水良好、疏松肥沃的砂壤土栽培为最佳。通过种子繁殖。

唇形科 Labiatae 糙苏属 Phlomis

糙苏
Phlomis umbrosa Turcz.

糙苏

| 药 材 名 |

糙苏（药用部位：全草或根。别名：山苏子、续断、山芝麻）。

| 形态特征 |

多年生草本。根粗厚，须根肉质，长至30cm，直径至1cm。茎高50～150cm，多分枝，四棱形，具浅槽，疏被向下短硬毛，有时上部被星状短柔毛，常带紫红色。叶近圆形、圆卵形至卵状长圆形，长5.2～12cm，宽2.5～12cm，先端急尖，稀渐尖，基部浅心形或圆形，边缘有具胼胝尖的锯齿状牙齿，或为不整齐的圆齿，上面橄榄绿色，疏被疏柔毛及星状疏柔毛，下面较淡，毛被同叶上面，但有时较密，叶柄长1～12cm，腹凹背凸，密被短硬毛；苞叶通常为卵形，长1～3.5cm，宽0.6～2cm，边缘具粗锯齿状牙齿，毛被同茎叶，叶柄长2～3mm。轮伞花序通常4～8花，多数，生于主茎及分枝上；苞片线状钻形，较坚硬，长8～14mm，宽1～2mm，常呈紫红色，被星状微柔毛、近无毛或边缘被具节缘毛；花萼管状，长约10mm，宽约3.5mm，外面被星状微柔毛，有时脉上疏被具节刚毛，齿先端具长约1.5mm的小刺尖，齿间形成二个不十分明

显的小齿，边缘被丛毛；花冠通常粉红色，下唇较深色，常具红色斑点，长约
1.7cm，冠筒长约 1cm，外面除背部上方被短柔毛外余部无毛，内面近基部 1/3
具斜向间断的小疏柔毛毛环，冠檐二唇形，上唇长约 7mm，外面被绢状柔毛，
边缘具不整齐的小齿，自内面被髯毛，下唇长约 5mm，宽约 6mm，外面除边缘
无毛外密被绢状柔毛，内面无毛，3 圆裂，裂片卵形或近圆形，中裂片较大；雄
蕊内藏，花丝无毛，无附属器。小坚果无毛。花期 6 ～ 9 月，果期 9 月。

| 生境分布 | 生于海拔 800 ～ 2700m 的疏林下、林缘、草丛或路旁草坡上。分布于重庆彭水、
城口、云阳、丰都、铜梁、巫溪、巫山、奉节、秀山、南川等地。

| 资源情况 | 野生资源一般。药材来源于野生。

| 采收加工 | 春、秋季采挖，除去泥土，晒干。

| 药材性状 | 本品根粗，须根肉质。茎呈方柱
形，长 50 ～ 150cm，多分枝；
表面绿褐色，具浅槽，疏被硬
毛；质硬而脆，断面中央有髓。
叶对生，皱缩，展平后呈近圆
形、圆卵形或卵状长圆形，长
5.2 ～ 12cm，先端急尖，基部浅
心形或圆形，边缘具锯齿，两
面均疏被短柔毛；叶柄长 1 ～
12cm，疏被毛。轮伞花序密被
白色毛；苞片线状钻形，紫红
色。花萼宿存，呈蜂窝状。气
微香，味涩。

| 功能主治 | 苦、辛，微温。祛风化痰、利湿
除痹，祛痰，解毒消肿。用于感
冒，咳嗽痰多，风湿痹痛，跌打
损伤，疮痈肿毒。

| 用法用量 | 内服煎汤，3 ～ 10g。

唇形科 Labiatae 糙苏属 *Phlomis*

南方糙苏

Phlomis umbrosa Turcz. var. *australis* Hemsl.

南方糙苏

| 药 材 名 |

牛王肺筋草（药用部位：全草。别名：豨莶草、山甘草、大黑理肺散）。

| 形态特征 |

本种与原变种糙苏的区别在于叶薄，具长柄，具圆齿状锯齿，先端的齿有时长许多；苞片草质，线状披针形，稍比萼短。

| 生境分布 |

生于海拔 1600 ~ 2700m 的山坡、灌丛、草地及沟边等地。分布于重庆城口、奉节、巫溪等地。

| 资源情况 |

野生资源稀少。药材主要来源于野生。

| 采收加工 |

夏、秋季采收，洗净，鲜用或晒干。

| 药材性状 |

本品茎呈四棱形，具浅槽，疏被向下短硬毛。叶近圆形，具长柄，叶缘具圆齿状锯齿。茎叶均疏生星状毛。气微香，味微涩。

功能主治

微苦、辛，平。祛风止咳，活血通络，解毒消肿。用于感冒，咳嗽，风湿痹痛，腰膝无力，跌打瘀肿，骨折，疮痈肿毒。

用法用量

内服煎汤，6 ~ 12g。外用适量，捣敷。

唇形科 Labiatae 夏枯草属 Prunella

夏枯草
Prunella vulgaris L.

| 药 材 名 | 夏枯草（药用部位：果穗。别名：麦穗夏枯草、铁线夏枯草、棒槌草）。

| 形态特征 | 多年生草木。根茎匍匐，在节上生须根。茎高 20 ~ 30cm，上升，下部伏地，自基部多分枝，钝四棱形，其浅槽，紫红色，被稀疏的糙毛或近于无毛。茎叶卵状长圆形或卵圆形，大小不等，长 1.5 ~ 6cm，宽 0.7 ~ 2.5cm，先端钝，基部圆形、截形至宽楔形，下延至叶柄成狭翅，边缘具不明显的波状齿或几近全缘，草质，上面橄榄绿色，具短硬毛或几无毛，下面淡绿色，几无毛，侧脉 3 ~ 4 对，在下面略突出，叶柄长 0.7 ~ 2.5cm，自下部向上渐变短；花序下方的 1 对苞叶似茎叶，近卵圆形，无柄或具不明显的短柄。轮伞花序密集组成顶生长 2 ~ 4cm 的穗状花序，每 1 轮伞花序下承以苞片；苞片宽心形，通常长约 7mm，宽约 11mm，先端具长 1 ~ 2mm 的骤尖

夏枯草

头，脉纹放射状，外面在中部以下沿脉上疏生刚毛，内面无毛，边缘具睫毛，膜质，浅紫色；花萼钟形，连齿长约 10mm，萼筒长 4mm，倒圆锥形，外面疏生刚毛，二唇形，上唇扁平，宽大，近扁圆形，先端几截平，具 3 个不很明显的短齿，中齿宽大，齿尖均呈刺状微尖，下唇较狭，2 深裂，裂片达唇片之半或以下，边缘具缘毛，先端渐尖，尖头微刺状；花冠紫色、蓝紫色或红紫色，长约 13mm，略超出于花萼，冠筒长 7mm，基部宽约 1.5mm，其上向前方膨大，至喉部宽约 4mm，外面无毛，内面约近基部 1/3 处具鳞毛毛环，冠檐二唇形，上唇近圆形，直径约 5.5mm，内凹，多少呈盔状，先端微缺，下唇约为上唇的 1/2，3 裂，中裂片较大，近倒心形，先端边缘具流苏状小裂片，侧裂片长圆形，

垂向下方，细小；雄蕊 4，前对长很多，均上升至上唇片之下，彼此分离，花丝略扁平，无毛，前对花丝先端 2 裂，1 裂片能育，具花药，另 1 裂片钻形，长过花药，稍弯曲或近于直立，后对花丝的不育裂片微呈瘤状凸出，花药 2 室，室极叉开；花柱纤细，先端相等 2 裂，裂片钻形，外弯；花盘近平顶；子房无毛。小坚果黄褐色，长圆状卵珠形，长 1.8mm，宽约 0.9mm，微具沟纹。花期 4 ~ 6 月，果期 7 ~ 10 月。

| 生境分布 | 生于荒地、路旁或山坡草丛中。重庆各地均有分布。

| 资源情况 | 野生资源丰富。药材来源于野生。

| 采收加工 | 夏季果穗呈棕红色时采收，除去杂质，晒干。

| 药材性状 | 本品呈长圆柱形或宝塔形，长 2.5 ~ 6.5cm，直径 1 ~ 1.5cm，棕色或淡紫褐色，宿萼数至十数轮，成覆瓦状排列，每轮有 5 ~ 6 个具短柄的宿萼，下方对生苞片 2。苞片肾形，淡黄褐色，纵脉明显，基部楔形，先端尖尾状，背面生白色粗毛，宿萼唇形，上唇宽广，先端微 3 裂，下唇 2 裂，裂片尖三角形，外面有粗毛。花冠及雄蕊都已脱落。宿萼内有小坚果 4，棕色，有光泽。体轻，质脆。微有清香气，味淡。以色紫褐、穗大者为佳。

| 功能主治 | 辛、苦，寒。归肝、胆经。清肝明目，散结解毒。用于目赤羞明，目珠疼痛，头痛眩晕，耳鸣，瘰疬，瘿瘤，乳痈，疟腮，痈疖肿毒，急、慢性肝炎，高血压。

| 用法用量 | 内服煎汤，6 ~ 15g，大剂量可用至 30g；熬膏或入丸、散。外用适量，煎汤洗或捣敷。

| 附　　注 | 本种喜温和湿润气候，耐寒。对土壤要求不严，以排水良好的砂壤土栽培为宜，黏重土壤或低湿地不宜栽培。

细锥香茶菜
Rabdosia coetsa (Buch.-Ham. ex D. Don) Hara

| 药 材 名 | 六棱麻（药用部位：地上部分。别名：野苏麻、地甘、癞克巴草）。

| 形态特征 | 多年生草本或半灌木。根茎木质，向下密生纤维状的须根。茎直立，高 0.5 ~ 2m，多分枝，钝四棱形，具 4 槽，被下曲微柔毛或近无毛。茎叶对生，卵圆形，长 3 ~ 9cm，宽 1.5 ~ 6cm，先端渐尖，基部宽楔形渐狭，边缘在基部以上具圆齿，上面绿色，沿脉密被短硬毛，余部散生糙伏毛及腺点，下面淡绿色，沿脉密被短硬毛，余部近于无毛，散布腺点，侧脉约 3 对，与中肋在两面多少隆起；叶柄长 1 ~ 5.5cm，扁平，上部具宽翅，下部具极狭翅，被微柔毛。狭圆锥花序长 5 ~ 15cm，顶生或腋生，由 3 ~ 5 花的聚伞花序组成，聚伞花序具梗，总梗长 2 ~ 3mm，花梗长 1 ~ 3mm，与总梗及序轴被微柔毛；最下 1 对苞叶叶状，卵圆形，无柄，苞片卵圆状披针形，短

细锥香茶菜

于花梗，小苞片微小，钻形，长不及 1mm；花萼钟形，长及直径约 1.5mm，外被微柔毛及腺点，内面无毛，萼齿 5，卵圆状三角形，锐尖，略呈 3/2 式二唇形，前 2 齿稍大，长仅及花萼长 1/3，果时花萼增大，管状钟形，长约 4mm，稍弯曲，明显 10 脉，上半部横纹明显；花冠紫色、紫蓝色，长约 6mm，外被微柔毛，冠筒长 2.5mm，基部上方明显囊状增大，至喉部宽约 2mm，冠檐二唇形，上唇长约 2.5mm，反折，先端 4 圆裂，下唇宽卵圆形，远长于冠筒，长 3.5mm，内凹，舟形；雄蕊 4，均内藏，花丝扁平，下部微具缘毛；花柱丝状，内藏或微露出，先端相等 2 浅裂；花盘环状。成熟小坚果倒卵球形，直径约 1mm，褐色，无毛。花果期 10 月至翌年 2 月。

| **生境分布** | 生于海拔 650 ～ 2200m 的草坡、灌丛、林中旷地、路边、溪边、河岸、林缘或常绿阔叶林中。分布于重庆黔江、綦江、彭水、忠县、酉阳、巫溪、云阳、丰都、长寿、武隆、巴南等地。

| **资源情况** | 野生资源丰富。药材主要来源于野生。

| **采收加工** | 夏、秋季采收，洗净，鲜用或切段晒干。

| **药材性状** | 本品根为不规则结节状拳形团块，大小不一，大者直径 10 ～ 15cm；表面灰褐色，有不规则瘤状突起，先端有多个稍下陷的茎基，四周具坚韧的须根；质坚硬，柴性，难折断，切面皮部极薄，棕褐色，木部淡黄棕色或绿褐色，具细密的放射状纹理与年轮，中央可见不规则空洞；气微香，味微苦。

| **功能主治** | 苦，温。归肝经。解表散寒，除风湿。

| **用法用量** | 内服煎汤，6 ～ 15g；或泡酒服。

| **附　　注** | （1）在 FOC 中，本种的拉丁学名被修订为 *Isodon coetsa* (Buchanan-Hamilton ex D. Don) Kudo，属的拉丁学名被修订为 *Isodon*。
（2）本种喜冷凉气候，耐寒，忌高温。

唇形科 Labiatae 香茶菜属 Rabdosia

鄂西香茶菜 *Rabdosia henryi* (Hemsl.) Hara

鄂西香茶菜

| 药 材 名 |

鄂西香茶菜（药用部位：地上部分）。

| 形态特征 |

多年生草本。根茎木质，增大，有时呈疙瘩状，向下密生纤维状须根。茎直立，高（30～）50～100（～150）cm，下部半木质，上部草质，钝四棱形，具4浅槽，沿棱上略被微柔毛，下部变无毛，上部多分枝，分枝纤弱，节间比叶短。茎叶对生，菱状卵圆形或披针形，中部者长约6cm，宽约4cm，向两端渐变小，先端渐尖，先端1齿伸长，基部在中部以下骤然收缩或近截形，下延成具渐狭长翅的假柄，边缘具圆齿状锯齿，齿尖具胼胝体，坚纸质，上面橄榄绿色，沿脉上密生余部散布小糙伏毛，下面淡绿色，仅沿脉上疏被小糙伏毛，余部无毛，侧脉每侧3～4，与横向的细脉在两面隆起；叶柄长达4cm，但向茎枝上部者具短柄或近无柄，具柄时均腹平背凸，略被小糙伏毛。圆锥花序顶生于侧生小枝上，长（6～）10～15cm，由聚伞花序组成，聚伞花序具3～5花，具短梗，总梗长1～2mm，与长达5mm的花梗及花序轴均被具腺微柔毛；苞叶叶状，具短柄或近无柄，苞片及小苞片线形或线状披针形，微小，长 1 ~ 3mm；花萼花时宽钟形，长约 3mm，外被短柔毛，内面无毛，常染紫色，萼齿 5，呈 3/2 式二唇形，近相等，上唇 3 齿略小，裂至花萼 1/2，果时花萼长 6mm，脉纹明显，外面近无毛，具腺点，略弯曲；花冠白色或淡紫色，具紫斑，长约 7mm，外被短柔毛及腺点，内面无毛，冠筒长约 3.5mm，基部上方浅囊状，至喉部宽约 2mm，冠檐二唇形，上唇外反，长 3mm，先端具相等 4 圆裂，下唇宽卵圆形，长约 3.5mm，内凹，舟形；雄蕊 4，内藏，花丝扁平，中部以下被髯毛；花盘环状。成熟小坚果扁长圆形，长约 1.3mm，褐色，无毛，有小疣点。花期 8 ~ 9 月，果期 9 ~ 10 月。

| 生境分布 | 生于海拔 800 ~ 2200m 的谷地、山坡、林缘、溪边、路旁。分布于重庆酉阳、南川、彭水、丰都、黔江等地。

| 资源情况 | 野生资源稀少。药材来源于野生。

| 采收加工 | 7 ~ 9 月割取，阴干或鲜用。

| 功能主治 | 清热解毒，发汗止咳，散积消肿，消滞理气，利湿。用于中暑昏倒，菌痢，肠炎。

| 附　　注 | 在 FOC 中，本种的拉丁学名被修订为 *Isodon henryi* (Hemsley) Kudo，属的拉丁学名被修订为 *Isodon*。

线纹香茶菜 *Rabdosia lophanthoides* (Buch.-Ham. ex D. Don) H. Hara

线纹香茶菜

| 药 材 名 |

溪黄草（药用部位：全草。别名：因陈草、熊胆草、土黄连）。

| 形态特征 |

多年生柔弱草本。基部匍匐生根，并具小球形块根。茎高 15 ~ 100cm，直立或上升，四棱形，具槽，被短柔毛至几被长疏柔毛，常下部具多数叶。茎叶卵形、阔卵形或长圆状卵形，长 1.5 ~ 8.8cm，宽 0.5 ~ 5.3cm，先端钝，基部楔形，圆形或阔楔形，稀浅心形，边缘具圆齿，草质，上面橄榄绿色，密被具节微硬毛，下面淡绿色，除被具节微硬毛外，并满布褐色腺点；叶柄长与叶片近相等，或较之略短或略长。圆锥花序顶生及侧生，长 7 ~ 20cm，宽 3 ~ 6cm，由聚伞花序组成，聚伞花序 11 ~ 13 花，分枝蝎尾状，具梗，总梗长 5 ~ 13mm；苞叶卵形，下部的叶状，但远较小，上部的苞片状，无柄，被毛与茎叶同，最下 1 对苞叶卵形，极小，其余的卵形至线形，远较纤细，长 3 ~ 5mm，比花梗短；花萼钟形，长约 2mm，直径约 1.7mm，外面下部疏被串珠状具节长柔毛，满布红褐色腺点，萼齿 5，卵三角形，长为花萼的 1/3，二唇形，后 3 齿较小，前 2 齿较大;花冠白色或粉红色,具紫色斑点,长 6～7mm,冠檐外面被稀疏小黄色腺点,冠筒直,基部直径 0.8～1mm,喉部直径 1.5～2mm,长 3.7～5mm,冠檐二唇形,上唇长 1.6～2mm,极外反,具 4 深圆裂,裂片近长方形,下唇稍长于上唇,呈极阔的卵形,宽 2～2.8mm,伸展,扁平;雄蕊及花柱长长地伸出或在雄蕊退化的花中仅花柱长长地伸出。花果期 8～12 月。

| 生境分布 | 生于海拔 500～2000m 的沼泽地或林下潮湿处。分布于重庆彭水、江津、万州等地。

| 资源情况 | 野生资源稀少。药材主要来源于野生。

| 采收加工 | 夏、秋季采收,除去杂质,晒干。

| 药材性状 | 本品茎呈方柱形,有对生分枝,长 15～100cm,直径 0.2～0.7cm;表面棕褐色,具柔毛及腺点;质脆,断面黄白色,髓部有时中空。叶对生,有柄,多皱缩破碎,完整者展平后呈卵形、阔卵形或长圆状卵形,长 3～8cm,宽 2～5cm,先端尖,基部楔形,边缘有粗锯齿;上、下表面均呈灰绿色,被短毛及红褐色腺点;纸质。老株常见枝顶有圆锥花序。气微,味微甘、微苦。

| 功能主治 | 苦,寒。归肝、胆、大肠经。清热解毒,利湿退黄,散瘀消肿。用于湿热黄疸,胆囊炎,泄泻,疮肿,跌仆伤痛。

| 用法用量 | 内服煎汤,15～30g。外用适量,捣敷;或研末搽。

| 附　注 | (1)在 FOC 中,本种的拉丁学名被修订为 *Isodon lophanthoides* (Buchanan-Hamilton ex D. Don) H. Hara,属的拉丁学名被修订为 *Isodon*。

(2)本品喜温暖湿润环境,宜选择阳光充足、保水、保肥力强的壤土种植。

唇形科 Labiatae 香茶菜属 Rabdosia

瘿花香茶菜
Rabdosia rosthornii (Diels) Hara

| 药 材 名 | 瘿花香茶菜（药用部位：全草。别名：八厘麻、八棱麻、野苏）。

| 形态特征 | 直立草本，高 0.6 ~ 1.2m。根多数，纤维状。茎下部半木质，钝四棱形，具 4 深槽，常带紫色，具条纹，密被短柔毛。叶对生；叶柄长 0.5 ~ 5cm，密被短柔毛；叶片宽卵圆形或近圆形，向两端变小，长 4 ~ 11cm，宽 2.5 ~ 7cm，先端渐尖，基部宽楔形，骤然渐狭下延至具翅的叶柄，边缘具圆齿状锯齿，上面沿脉上密被短柔毛，余部散布小刺毛及腺点，下面沿脉上被短柔毛，明显具腺点。狭圆锥花序自茎中部以上腋生及顶生，长 5 ~ 15cm，腋生者常短于叶片，由疏离的聚伞花序组成，聚伞花序通常 3 花；苞片线形或线状披针形，短于花梗；小苞片线形，微小，长约 1mm；花萼极易生虫瘿而变形，呈长圆形，长可达 1cm，外密被微柔毛，正常者宽钟形，长达 2.5mm，

瘿花香茶菜

口部宽达 3mm，外面沿肋及边缘略被微柔毛，余部具腺点，明显 3/2 式二唇形，深裂至 1/2 或以下上唇 3 齿，齿靠合，三角形，短小，锐尖，常外反，下唇 2 齿，齿靠合，长三角形，锐尖，果时花萼增大；花冠白色、紫白色、淡紫色、紫色至紫蓝色，长达 5.5mm，外疏被短柔毛及腺点，基部上方具极大的浅囊状突起，由于花萼上唇外反而明显露出萼外，上唇长 2mm，宽 3mm，先端具 4 圆裂，下唇近圆形，内凹舟形；雄蕊 4，内藏或微露出，花丝扁平，中部以下具髯毛；花柱丝状，先端相等 2 浅裂；花盘环状。成熟小坚果卵圆状球形，具腺点。花期 8 ~ 9 月，果期 9 ~ 10 月。

| 生境分布 | 生于海拔 550 ~ 2300m 的开旷山坡。分布于重庆万州、南川、石柱等地。

| 资源情况 | 野生资源较稀少。药材来源于野生。

| 采收加工 | 夏、秋季采收，洗净，晒干或鲜用。

| 功能主治 | 辛、微苦，平。疏风胜湿，化痰止咳，散瘀止痛。用于伤风感冒，风湿痹痛，咳嗽痰多，跌打瘀肿等。

| 用法用量 | 内服煎汤，15 ~ 30g；或浸酒。外用适量，捣敷。

| 附   注 | 在 FOC 中，本种的拉丁学名被修订为 *Isodon rosthornii* (Diels) Kudo，属的拉丁学名被修订为 *Isodon*。

唇形科 Labiatae 香茶菜属 Rabdosia

碎米桠

Rabdosia rubescens (Hemsl.) Hara

| 药 材 名 | 冬凌草（药用部位：全草或根茎。别名：山香草、破血丹、雪花草）。

| 形态特征 | 小灌木，高（0.3～）0.5～1（～1.2）m；根茎木质，有长纤维状须根。茎直立，多数，基部近圆柱形，灰褐色或褐色，无毛，皮层纵向剥落，上部多分枝，分枝具花序，茎上部及分枝均四棱形，具条纹，褐色或带紫红色，密被小疏柔毛，幼枝极密被绒毛，带紫红色。叶卵形或菱状卵形，长2～6cm，先端尖或渐尖，基部宽楔形，具粗圆齿状锯齿，上面疏被柔毛及腺点，或近无毛，下面密被灰白色微绒毛或近无毛，侧脉3～4对，带淡红色；叶柄长1～3.5cm。花萼钟形，长2.5～3mm，密被灰色柔毛及腺点，带红色，10脉，萼齿卵状三角形，长1.2～1.5mm；花冠长0.7～1.2cm，雌花花冠长约5mm，被柔毛及腺点，冠筒长3.5～5mm，雄蕊及花柱伸出。小坚果淡褐色，

碎米桠

倒卵球状三棱形，长约 1.3mm，无毛。花期 7～10 月，果期 8～11 月。

| 生境分布 | 生于海拔 200～2600m 的山坡、灌丛、林地、砾石地或路边等向阳处。分布于重庆綦江、涪陵、城口、忠县、云阳、酉阳、南川、垫江、梁平、开州、武隆、巴南等地。

| 资源情况 | 野生资源丰富。药材主要来源于野生。

| 采收加工 | 夏、秋季采收，洗净，鲜用或晒干。

| 药材性状 | 本品茎基部近圆形，上部方柱形，长 30～70cm；下部表面灰棕色或灰褐色，外皮纵向剥落，上部表面红紫色，有柔毛；质硬脆，断面淡黄色。叶对生，叶片皱缩，展平后呈卵形或菱状卵形，长 2～6cm，宽 1.5～3cm，先端锐尖或渐尖，基部宽楔形，并骤然渐狭下延成假翅，边缘具粗锯齿，齿尖具胼胝体，上面棕绿色，有腺点，下面淡绿色，沿脉有疏柔毛；具叶柄。聚伞状圆锥花序顶生，总梗与小花梗及花序轴密被柔毛；花小；花萼钟形，萼齿 5，二唇形；花冠二唇形，雄蕊 4。小坚果倒卵状三棱形，淡褐色，无毛。气微香，味苦、甘。以叶多、色绿者为佳。

| 功能主治 | 苦、甘，微寒。清热解毒，活血止痛。用于咽喉肿痛，感冒头痛，气管炎，慢性肝炎，风湿关节痛，蛇虫咬伤。

| 用法用量 | 内服煎汤，30～60g；或泡酒。

| 附　注 | （1）在 FOC 中，本种的拉丁学名被修订为 *Isodon rubescens* (Hemsl.) Hara，属的拉丁学名被修订为 *Isodon*。
（2）本种为一变异幅度极大的种，变化最大的是叶形、叶被毛的情况及幼枝毛茸的多少，但为小灌木，花序为狭的圆锥花序，聚伞花序具极纤细的总梗，花梗也极纤细，花萼钟形，萼齿卵圆状三角形，外面被灰色微柔毛等特征是比较固定的。

唇形科 Labiatae 鼠尾草属 Salvia

贵州鼠尾草 *Salvia cavaleriei Lévl.*

| **药 材 名** | 血盆草（药用部位：全草。别名：叶下红、红青菜、雪见草）。

| **形态特征** | 一年生草本。主根粗短，纤维状须根细长，多分枝。茎单一或基部多分枝，高 12 ~ 32cm，细瘦，四棱形，青紫色，下部无毛，上部略被微柔毛。叶形状不一，下部的叶为羽状复叶，较大，顶生小叶长卵圆形或披针形，长 2.5 ~ 7.5cm，宽 1 ~ 3.2cm，先端钝或钝圆，基部楔形或圆形而偏斜，边缘有稀疏的钝锯齿，草质，上面绿色，被微柔毛或无毛，下面紫色，无毛；侧生小叶 1 ~ 3 对，常较小，全缘或有钝锯齿，上部的叶为单叶，或裂为 3 裂片，或于叶的基部裂出 1 对小的裂片；叶柄长 1 ~ 7cm，下部的较长，无毛。轮伞花序具 2 ~ 6 花，疏离，组成顶生总状花序，或总状花序基部分枝而成总状圆锥花序；苞片披针形，长约 2mm，先端锐尖，基部楔形，

贵州鼠尾草

无柄，全缘，带紫色，近无毛；花梗长约 2mm，与花序轴略被微柔毛；花萼筒状，长 4.5mm，外面无毛，内面上部被微硬伏毛；二唇形，唇裂至花萼长的 1/4，上唇半圆状三角形，全缘，先端锐尖，下唇比上唇长，半裂成 2 齿，齿三角形，锐尖；花冠蓝紫色或紫色，长约 8mm，外被微柔毛，内面在冠筒中部有疏柔毛毛环，冠筒长 5.5mm，略伸出，自基部向上渐宽大，基部宽 1mm，至喉部宽约 2mm，冠檐二唇形，上唇长圆形，长约 3.5mm，宽约 2mm，先端微缺，下唇与上唇近等长，宽达 4mm，3 裂，中裂片倒心形，先端微缺，侧裂片卵圆状三角形；能育雄蕊 2，伸出花冠上唇之外，花丝长 2mm，药隔长 4.5mm，上臂长 3mm，下臂长 1.5mm，药室退化，增大成足形，先端相互联合；退化雄蕊短小；花柱微伸出花冠，先端不相等 2 裂，后裂片较短；花盘前方略膨大。小坚果长椭圆形，长 0.8mm，黑色，无毛。花期 7 ~ 9 月。

| **生境分布** | 生于海拔 530 ~ 1300m 多岩石的山坡上、林下、水沟边。分布于重庆黔江、忠县、彭水、涪陵、奉节、酉阳、丰都、城口、石柱、云阳、武隆、开州、巫溪、梁平等地。

| **资源情况** | 野生资源丰富。药材主要来源于野生。

| **采收加工** | 全年均可采收，洗净，鲜用或晒干。

| **药材性状** | 本品茎呈四方形，上有细柔毛。单叶对生或单数羽状复叶，叶片长卵圆形，先端渐尖或钝，基部略呈心形，边缘圆齿形，上面暗紫色，下面紫红色，叶脉明显，下面脉上被绒毛。轮状总状花序。气微，味微苦。

| **功能主治** | 微苦，凉。归肺、肝经。凉血，止血，散瘀解毒。用于吐血，肺结核，咯血，鼻衄，血痢，血崩，刀伤出血，跌打损伤，疖肿。

| **用法用量** | 内服煎汤，15 ~ 30g。外用适量，研末撒布伤口或加水捣敷。

| **附　　注** | 本种在日照充足、通风良好、排水良好的砂壤土或土质深厚壤土中生长良好。

唇形科 Labiatae 水苏属 Stachys

针筒菜

Stachys oblongifolia Benth.

| 药 材 名 | 野油麻（药用部位：全草或根。别名：地参、水茴香、千密灌）。

| 形态特征 | 多年生草本，高 30 ~ 60cm。有在节上生须根的横走根茎。茎直立或上升，或基部多少匍匐，锐四棱形，具 4 槽，基部微粗糙，在棱及节上被长柔毛，余部多少被微柔毛，不分枝或少分枝。茎生叶长圆状披针形，通常长 3 ~ 7cm，宽 1 ~ 2cm，先端微急尖，基部浅心形，边缘为圆齿状锯齿，上面绿色，疏被微柔毛及长柔毛，下面灰绿色，密被灰白色柔毛状绒毛，沿脉上被长柔毛，叶柄长约 2mm，至近于无柄，密被长柔毛；苞叶向上渐变小，披针形，无柄，通常均比花萼长，近全缘，毛被与茎叶相同。轮伞花序通常 6 花，下部者远离，上部者密集组成长 5 ~ 8cm 的顶生穗状花序；小苞片线状刺形，微小，长约 1mm，被微柔毛；花梗短，长约 1mm，被微柔毛；花萼钟形，

针筒菜

连齿长约7mm，外面被具腺柔毛状绒毛，沿肋上疏生长柔毛，内面无毛，10脉，肋间次脉不明显，齿5，三角状披针形，近于等大，长约2.5mm，或下2齿略长，先端具刺尖头；花冠粉红色或粉红紫色，长1.3cm，外面疏被微柔毛，但在冠檐上被较多疏柔毛，内面在喉部被微柔毛，毛环不明显或缺失，冠筒长7mm，冠檐二唇形，上唇长圆形，下唇开张，3裂，中裂片最大，肾形，侧裂片卵圆形；雄蕊4，前对较长，均延伸至上唇片之下，花丝丝状，被微柔毛，花药卵圆形，2室，室极叉开；花柱丝状，稍超出雄蕊，先端相等2浅裂，裂片钻形；花盘平顶，波状；子房黑褐色，无毛。小坚果卵珠状，直径约1mm，褐色，光滑。

| **生境分布** | 生于海拔210～1350m的林下、河岸、竹丛、灌丛、苇丛、草丛或湿地中。分布于重庆黔江、丰都、秀山、云阳、江津、合川、奉节、巴南、北碚等地。

| **资源情况** | 野生资源一般。药材主要来源于野生。

| **采收加工** | 夏、秋季采收，洗净，鲜用或晒干。

| **功能主治** | 辛、微甘，平。补中益气，止血生肌。用于久痢，病后虚弱，外伤出血。

| **用法用量** | 内服煎汤，15～30g。外用适量，捣敷。

唇形科 Labiatae 鼠尾草属 Salvia

华鼠尾草 *Salvia chinensis* Benth.

| 药 材 名 | 石见穿（药用部位：全草。别名：紫参、五凤花、小丹参）。

| 形态特征 | 一年生草本。根略肥厚，多分枝，紫褐色。茎直立或基部倾卧，高 20 ~ 60cm，单一或分枝，钝四棱形，具槽，被短柔毛或长柔毛。叶全为单叶或下部具 3 小叶的复叶，叶柄长 0.1 ~ 7cm，疏被长柔毛，叶片卵圆形或卵圆状椭圆形，先端钝或锐尖，基部心形或圆形，边缘有圆齿或钝锯齿，两面除叶脉被短柔毛外余部近无毛，单叶叶片长 1.3 ~ 7cm，宽 0.8 ~ 4.5cm，复叶时顶生小叶片较大，长 2.5 ~ 7.5cm，小叶柄长 0.5 ~ 1.7cm，侧生小叶较小，长 1.5 ~ 3.9cm，宽 0.7 ~ 2.5cm，有极短的小叶柄。轮伞花序 6 花，在下部的疏离，上部较密集，组成长 5 ~ 24cm 顶生的总状花序或总状圆锥花序；苞片披针形，长 2 ~ 8mm，宽 0.8 ~ 2.3mm，先端渐尖，基部宽楔形或近圆形，在边缘及脉上被短柔毛，比花梗稍长；花梗长

华鼠尾草

1.5 ~ 2mm，与花序轴被短柔毛；花萼钟形，长 4.5 ~ 6mm，紫色，外面沿脉上被长柔毛，内面喉部密被长硬毛环，萼筒长 4 ~ 4.5mm，萼檐二唇形，上唇近半圆形，长 1.5mm，宽 3mm，全缘，先端有 3 个聚合的短尖头，3 脉，两边侧脉有狭翅，下唇略长于上唇，长约 2mm，宽 3mm，半裂成 2 齿，齿长三角形，先端渐尖；花冠蓝紫色或紫色，长约 1cm，伸出花萼，外被短柔毛，内面离冠筒基部 1.8 ~ 2.5mm 有斜向的不完全疏柔毛毛环，冠筒长约 6.5mm，基部宽不及 1mm，向上渐宽大，至喉部宽达 3mm，冠檐二唇形，上唇长圆形，长 3.5mm，宽 3.3mm，平展，先端微凹，下唇长约 5mm，宽 7mm，3 裂，中裂片倒心形，向下弯，长约 4mm，宽约 7mm，先端微凹，边缘具小圆齿，基部收缩，侧裂片半圆形，直立，宽 1.25mm。能育雄蕊 2，近外伸，花丝短，长 1.75mm，药隔长约 4.5mm，关节处有毛，上臂长约 3.5mm，具药室，下臂瘦小，无药室，分离。花柱长 1.1cm，稍外伸，先端不相等 2 裂，前裂片较长；花盘前方略膨大。小坚果椭圆状卵圆形，长约 1.5mm，直径 0.8mm，褐色，光滑。花期 8 ~ 10 月。

| **生境分布** | 生于海拔 120 ~ 500m 的山坡或平地的林荫处或草丛中。分布于重庆璧山、江津、酉阳、巴南、巫山、奉节、万州、巫溪等地。

| **资源情况** | 野生资源一般。药材主要来源于野生。

| **采收加工** | 夏季采收，洗净，晒干。

| **药材性状** | 本品茎呈方柱形，长 20 ~ 60cm，直径 1 ~ 4mm，单一或分枝；表面灰绿色或暗紫色，有白色长柔毛，以茎的上部及节处为多；质脆，易折断，折断面髓部白色或褐黄色。叶多卷曲破碎，有时复叶脱落，仅见单叶，两面被白色柔毛，下面及叶脉上较明显。轮伞花序多轮，集成假总状；花冠二唇形，蓝紫色，多已脱落；宿萼筒外面脉上有毛，筒内喉部有长柔毛。小坚果椭圆形，褐色。气微，味微苦、涩。以叶多、色绿、带花者为佳。

| **功能主治** | 辛、苦，微寒。归肝、脾经。活血化瘀，清热利湿，散结消肿。用于月经不调，痛经，经闭，崩漏，便血，湿热黄疸，热毒血痢，小便淋痛，带下，风湿骨痛，瘰疬，疮肿，乳痈，带状疱疹，麻风，跌打伤肿。

| **用法用量** | 内服煎汤，6 ~ 15g；或绞汁。外用适量，捣敷。

| **附　注** | 本种喜温暖或凉爽的气候，北方可以在暖季栽培。通过种子繁殖，春季 3 ~ 4 月播种，开浅沟条播，播后浇水保持土壤湿润，齐苗后，过密处间苗，生长后期应注意松土、除草，雨季注意排涝。

唇形科 Labiatae 鼠尾草属 Salvia

鄂西鼠尾草
Salvia maximowicziana Hemsl.

| 药 材 名 | 鄂西鼠尾草（药用部位：全草）。

| 形态特征 | 多年生草本。根茎横生，稍粗厚，直径不及1cm，先端密被宿存的叶鞘。茎直立，高达90cm，不分枝，四棱形，被具腺的疏柔毛。叶有基出叶及茎生叶2种，叶片均圆心形或卵圆状心形，长与宽6~8（11~12）cm，先端圆形或骤然渐尖，基部心形或近戟形，边缘有粗大的圆齿状牙齿，齿锐尖或稍钝，有时具重牙齿及小裂片，膜质，上面深绿色，近无毛或略被短硬毛，下面色较淡，有明显的脉纹；叶柄扁平，基出叶柄最长，长为叶片2~2.5倍，茎生叶柄渐短，被具腺疏柔毛。轮伞花序通常2花，疏离，排列成疏松庞大的总状圆锥花序；苞叶与茎生叶同形，但较小而无柄，苞片披针形或卵圆状披针形，长3~7mm，先端长渐尖，基部宽楔形或近圆形，

鄂西鼠尾草

边缘被具腺疏柔毛；花梗长 1 ~ 2mm，与花序轴被具腺疏柔毛；花萼钟形，长约 6mm，外面略被疏柔毛，内面密被微硬伏毛，二唇形，上唇宽三角形，长 2.5mm，宽 5mm，先端具小凸尖，下唇与上唇近等长，半裂成 2 齿，齿三角形，先端具小凸尖，果萼增大，长约 8mm，宽 1.2cm，口部十分开张，上唇具 3 肋，2 侧肋具狭翅，先端骤然渐尖而略反折，下唇 2 齿，齿端刺状，其后略弯曲；花冠黄色，唇片上具紫晕，长约 2.2cm，外面略被微柔毛，内面极疏生小疏柔毛，离基部 2.5mm 有水平向的小疏柔毛环，冠筒直伸，微腹状膨大，至喉部宽达 8mm，冠檐二唇形，上唇微盔状，卵圆形，长 5mm，宽 4mm，先端微凹，下唇与上唇近等长，3 裂，中裂片心形，长 3mm，宽 4mm，先端微凹，基部收缩，全缘，侧裂片小，半圆形或近平截；能育雄蕊伸出花冠，花丝近平伸，扁平，长约 5mm，药隔长 5.5mm，弯成弧形，上臂长 3mm，下臂长 2.5mm，2 下臂先端具横生的药室，药室互相联合；花柱伸出花冠，先端极不相等 2 浅裂，后裂片不明显。花盘前方稍膨大。小坚果倒卵圆形，两侧略扁，长 2.5mm，宽 1.5mm，黄褐色，顶部圆形，基部略尖。花期 7 ~ 8 月。

| 生境分布 | 生于海拔 1800 ~ 2700m 的路旁、草坡、林缘、山坡、山顶或林下。分布于重庆城口、巫溪等地。

| 资源情况 | 野生资源稀少。药材主要来源于野生。

| 采收加工 | 夏季采收，洗净，晒干。

| 功能主治 | 苦、辛，微寒。归胃、肝、胆经。用于风湿痹痛，周身关节拘挛，手足不遂，阴虚骨蒸潮热等。

| 用法用量 | 内服煎汤，9 ~ 12g。外用捣敷或研末。

唇形科 Labiatae 鼠尾草属 Salvia

丹参
Salvia miltiorrhiza Bge.

丹参

| 药 材 名 |

丹参（药用部位：根。别名：红根、大红袍、血参根）。

| 形态特征 |

多年生直立草本。根肥厚，肉质，外面朱红色，内面白色，长 5 ~ 15cm，直径 4 ~ 14mm，疏生支根。茎直立，高 40 ~ 80cm，四棱形，具槽，密被长柔毛，多分枝。叶常为奇数羽状复叶，叶柄长 1.3 ~ 7.5cm，密被向下长柔毛，小叶 3 ~ 5（~ 7），长 1.5 ~ 8cm，宽 1 ~ 4cm，卵圆形或椭圆状卵圆形或宽披针形，先端锐尖或渐尖，基部圆形或偏斜，边缘具圆齿，草质，两面被疏柔毛，下面较密，小叶柄长 2 ~ 14mm，与叶轴密被长柔毛。轮伞花序 6 花或多花，下部者疏离，上部者密集，组成长 4.5 ~ 17cm 具长梗的顶生或腋生总状花序；苞片披针形，先端渐尖，基部楔形，全缘，上面无毛，下面略被疏柔毛，比花梗长或短；花梗长 3 ~ 4mm，花序轴密被长柔毛或具腺长柔毛；花萼钟形，带紫色，长约 1.1cm，花后稍增大，外面被疏长柔毛及具腺长柔毛，具缘毛，内面中部密被白色长硬毛，具 11 脉，二唇形，上唇全缘，三角形，长约 4mm，宽约 8mm，先端具 3

小尖头，侧脉外缘具狭翅，下唇与上唇近等长，深裂成 2 齿，齿三角形，先端渐尖；花冠紫蓝色，长 2 ~ 2.7cm，外被具腺短柔毛，尤以上唇为密，内面离冠筒基部 2 ~ 3mm 有斜生不完全小疏柔毛毛环，冠筒外伸，比冠檐短，基部宽 2mm，向上渐宽，至喉部宽达 8mm，冠檐二唇形，上唇长 12 ~ 15mm，镰刀状，向上竖立，先端微缺，下唇短于上唇，3 裂，中裂片长 5mm，宽达 10mm，先端 2 裂，裂片先端具不整齐的尖齿，侧裂片短，先端圆形，宽约 3mm；能育雄蕊 2，伸至上唇片，花丝长 3.5 ~ 4mm，药隔长 17 ~ 20mm，中部关节处略被小疏柔毛，上臂十分伸长，长 14 ~ 17mm，下臂短而增粗，药室不育，先端联合；退化雄蕊线形，长约 4mm；花柱远外伸，长达 40mm，先端不相等 2 裂，后裂片极短，前裂片线形；花盘前方稍膨大。小坚果黑色，椭圆形，长约 3.2cm，直径 1.5mm。花期 4 ~ 8 月，花后见果。

| **生境分布** | 栽培于大田。分布于重庆垫江、涪陵、南川、巴南、长寿、大足、江津、永川、武隆、开州、巫山等地。

| **资源情况** | 野生资源稀少。药材主要来源于栽培。

| **采收加工** | 春、秋季采挖，除去泥沙，干燥。

| **药材性状** | 本品根茎短粗，先端有时残留茎基。根数条，长圆柱形，略弯曲，有的分枝并具须状细根，长 10 ~ 15cm，直径 0.3 ~ 1cm；表面棕红色或暗棕红色，粗糙，具纵皱纹。老根外皮疏松，多显紫棕色，常成鳞片状剥落。质硬而脆，断面疏松，有裂隙或略平整而致密，皮部棕红色，木部灰黄色或紫褐色，导管束黄白色，呈放射状排列。气微，味微苦、涩。栽培品较粗壮，直径 0.5 ~ 1.4cm。表面红棕色，具纵皱纹，外皮紧贴不易剥落。质坚实，断面较平整，略呈角质样。

| **功能主治** | 苦，微寒。归心、肝经。活血祛瘀，通经止痛，清心除烦，凉血消痈。用于胸痹心痛，脘腹胁痛，癥瘕积聚，热痹疼痛，心烦不眠，月经不调，痛经经闭，疮疡肿痛。

| **用法用量** | 内服煎汤，5 ~ 10g；或入丸、散。外用熬膏涂；或煎汤熏洗。不宜与藜芦同用。

| **附 注** | 本种喜温和湿润气候，耐寒，适应性强。以地势向阳、土层深厚、中等肥力、排水良好的砂壤土栽培为宜。